KB169624

조선후기
기호(畿湖) 예학 연구

정길연(鄭吉連)

조선후기
기호(畿湖) 예학 연구

정길연(鄭吉連)

한국한자연구소
연구 총서 07

조선후기 기호 예학 연구

저자 정길연(鄭吉連)
발행인 정우진
표지 디자인 김소연
펴낸곳 도서출판 3

초판 1쇄 발행 2019년 2월 25일

등록번호 제2018-000017호
주소 서울특별시 강북구 솔샘로 174, 133동 2502호
전화 070-7737-6738
팩스 051-751-6738
전자우편 3publication@gmail. com **홈페이지** www. hanja. asia

ISBN: 979-11-87746-28-7

이 도서의 국립중앙도서관 출판예정도서목록(CIP)은 서지정보유통지원시스템 홈페이지(http://seoji.nl.go.kr)와 국가자료공동목록시스템(http://www.nl.go.kr/kolisnet)에서 이용하실 수 있습니다.(CIP제어번호: CIP2019005975)

이 저서는 2018년 대한민국 교육부와 한국연구재단의 지원을 받아 수행된 연구임.
(NRF-2018S1A6A3A02043693)

요 약

이 책은 18~19세기 기호 예학의 전체 규모를 대표 학단 별로 파악하고 개괄했다. 학단은 크게는 학파 별로 작게는 사승(師承)관계를 중심으로 구분했으며, 각 예학가들의 예설을 개괄하여 그 규모를 도표로 정리하여 알기 쉽도록 하였다. 특히 이 가운데 기호 예학가들이 중요하게 다루었던 몇 가지 논제들을 추출하고, 그 논제에서 그들이 주장한 합당한 예론(禮論)의 근거가 무엇인지를 드러내려고 했다. 또한 기호 예학가들이 예를 논함에 있어서 구체적으로 드러나는 성향을 파악하여, 그들의 예설(禮說)을 중심으로 논증했다.

제2장에서는 18세기 기호 예학가들을 호론계(湖論系)와 낙론계(洛論系), 기타 예학가, 제3장에서는 19세기 기호 예학가들을 호락(湖洛)학단과 신진(新進)학단, 그리고 기타 예학가들로 구분하여 그들의 사승 관계와 주요 예설을 개괄했다.

제4장에서는 기호 예설의 주요 논제 중 국가전례(國家典禮) 중심으로 왕실(王室)의 복제(服制), 국상의절(國喪儀節), 대보단(大報壇)제향, 의제개혁(衣制改革) 등에 대해 살펴보았다. 제5장에서는 기호 예설의 주요 논제 중 사족예제(士族禮制)를 중심으로 가례(家禮)의 보정(補正), 행례규범(行禮規範)의 정세화(精細化), 예설(禮說) 변통과 전범(典範) 수립이라는 논제를 중심으로 기호 예설을 개괄 정리하였다.

제6장에서는 기호 예설의 논례(論禮) 성향을 『가례(家禮)』의 절대적 존신(尊信), 선유설(先儒說)의 옹호와 절충, 화이론(華夷論)의 예제(禮制) 적용이라는 관점에서 기호 예설의 전제적인 특징을 밝혔다.

서문

이 책은 필자의 박사학위 논문을 내용과 목차를 약간 수정하고 또 관련 사진을 삽입하여 편찬한 것이다.

필자는 일찍이 집안이 가난하여 중학교 졸업 후 고등학교를 진학하지 못한 채 여러 곳의 서당을 전전하며 한학을 배웠다. 특히 부여 곡부강당(曲阜講堂)에서의 생활은 나에게 평생 잊을 수 없는 소중한 추억이 되었다. 그곳의 선생은 서암(瑞巖) 김희진(金熙鎭) 선생이었는데, 율곡 이이와 간재 전우의 학문을 가장 존숭하였다. 선생께서는 율곡과 간재의 성리설을 매우 독신(篤信)하여 그 주요 내용을 초록하여 날마다 제자들에게 암기하게 하였다. 그리고 때때로 학문은 연원(淵源)이 중요하다는 말씀도 잊지 않고 하셨다. 이로 인해 필자는 자연스럽게 기호학파 학자들의 학문에 관심을 가지게 되었다. 곡부강당의 생활은 철저하게 규칙적으로 운영되었다. 새벽 5시에 기상하여 밤 10시까지 독서와 휴식을 반복하는 단순한 생활의 연속이었지만 조금도 지루함을 느끼지 못했다. 그것은 함께 공부하는 동료가 있었기 때문이었다.

그 후 필자는 여러 사정으로 인해 부산으로 내려오게 되었다. 부산에는 설암(雪嵒) 권옥현(權玉鉉) 선생이 계셨는데 바로 합천의 추연(秋淵) 권용현(權龍鉉) 선생의 문인이었다. 설암 선생 역시 기호 노론 학통을 계승한 분이었다. 나는 설암선생을 찾아뵙고 배움을 청하기로 했다. 당시에 필자는 매우 곤궁하여 자취방을 구할 수도 없는 형편이었다. 그 때 설암 선생께서는 흔쾌히 빈방을 내 주시며 공부할 수 있도록 특별히 배려해 주셨다. 지금도 생각하면 그 때의 고마움에 가슴이 뭉클해진다. 설암 선생은 매우 박학하신 분으로 조선시대 저명한 학자들의 집안 내력과 학문경향 등을 자세하게 기억하셨다. 뿐만 아니라 한시(漢詩) 창작에 스스로 득력한 바가 있으셔서 나에게도 한시 창작을 적극 권하였다. 그때 게을러서 한시 공부를 열심히 하지 못한 것이 많이 후회스럽다.

설암 선생 댁은 늘 공부하는 사람들의 출입이 끊이지 않았다. 당시 부산에서 한문학을 전공하는 학자들 치고 설암 선생을 찾지 않는 이가 드물었다. 필자의 지도교수인 정경주 선생도 여기서 처음 만났다. 그 때 혹자는 필자에게 정규 교육과정 마칠 것을 조언해 주는 분도 있었다. 필자 역시 그 말에 공감하며 즉시 검정고시 공부를 시작하였다. 한학을 공부하는 사이에 틈틈이 공부하여 마침내 고등학교 과정을 마치고 방송통신대학 국문학과에 진학했다.

그 후 어렵사리 국문학과 4년을 마치고 경성대학교 한국학과 대학원에 진학을 하게 되었다. 당시 정경주 선생은 한문학 전공자들이 좀처럼 연구의 손길을 내밀지 않는 조선시대의 예학 연구에 대한 열정이 가득 가득했다. 그 결과 한국연구재단에서 지원하는 예서(禮書) 번역 사업에 세 차례나 채택되어, 『국역 사의』·『국역 상변통고』·『국역 가례증해』 등을 번역 출간하는 성과를 이루었다. 이 작업에 참여하면서 필자 역시 예학이라는 학문에 조금씩 관심을 갖게 되었다. 이로 인해 학위 논문의 주제도 자연스럽게 예학으로 결정하게 되었다.

그러나 막상 예학으로 논문 주제를 정했지만 어떤 내용으로 어떻게 구성해야할 지 막막하기만 하였다. 몇 차례의 고민 끝에 마침내 기호 예학가들의 예학을 연구하기로 결심했다. 이 결정은 아마도 필자에게 한학을 지도해 주신 두 분 선생님이 기호학파여서, 비교적 기호 예학가들의 정보를 자주 들었기 때문일 것이다. 그러나 역시 논문을 작성하기 위해 방대한 기호 예학가들의 자료를 수집하고 분류하여 핵심 주제를 파악하는 것은 많은 시간을 필요로 했다. 난관에 봉착할 때마다 정경주 선생님의 한 마디 조언은 어두운 밤길에 등불 같았다.

이 책은 조선후기 기호 예학가들을 학파별로 분류하고, 그들의 예설을 개괄하여 몇 가지 주요한 특징을 밝히려고 하였다. 그러나 자료를 검토하는 과정에서 미처 언급하지 못한 학자들도 있을 수 있고, 또 내용 서술이 미진한 부분도 있을 것이다. 이에 대한 책임은 전적으로 필자가 감당해할 몫이다. 제현들의 아낌없는 질타를 바랄뿐이다.

문득 송나라의 학자 여형공(呂滎公1039~1116)이 한 말이 떠오른다.

"가정에 어진 부형(父兄)이 없고 밖으로 엄한 사우(師友)가 없으면서 성공한 사람은 없다." 자신의 덕성이나 학문을 이루려면 반드시 안팎으로 누군가의 정성어린 가르침이 필요하다는 뜻이다. 지금은 이미 고인이 되신 서암 김희진·설암 권옥현 두 분 선생의 은공을 결코 잊을 수 없다. 그리고 필자를 학자의 길로 인도하고 학위논문을 꼼꼼히 지도해 주신 정경주 선생님께 머리 숙여 감사드린다. 또 동학(同學)들의 아낌없는 조언도 고맙기 그지없다. 끝으로 필자의 졸고를 책으로 출판할 수 있도록 적극 도와주신 경성대학교 하영삼(河永三) 교수와 '도서출판3' 대표께도 이 자리를 빌려 깊은 감사를 드린다.

2019년 1월 구고헌(求故軒)에서
정길연(鄭吉連) 쓰다

목 차

표목차

사진목차

1 서론

1. 연구목적 및 선행연구

성리학을 통치이념으로 내세운 조선왕조는 유가적(儒家的) 사회질서를 수립하고 풍속을 순화하기 위해 형정의 법치보다 교화의 예치를 우선하였다. 유가적 예치를 지향한 조선시대 예학은 여말선초 『가례(家禮)』의 수용과 『국조오례의(國朝五禮儀)』의 정립으로 구체화되어, 16세기 중반에는 가례학(家禮學)의 연구가 심화되고, 17세기 후반에는 예송(禮訟)의 시대를 거쳐 예학논의가 본격화됨으로써 각 학파의 특색을 드러내게 되었다. 18~19세기에 이르러서는 사대부 사족(士族) 가문에 『가례』의 실천과 적용이 일상화되었는데, 이는 조선 예속 문화의 정체성으로 간주되었기에, 한말 일제강점기로 넘어갈 때까지 지속되었다. 따라서 조선시대 예학사를 제대로 조망하기 위해서는 조선전기는 물론 16~17세기와 18~19세기 각 학파 예설의 주요 논점을 두루 파악해야 한다.

20세기 후반 들어서 간혹 제출된 예학 논문은 정치 문화사적 관점에서 예송과 민속 문제를 다루다가, 1980년대 이후로는 조선 예학의 본질과 그 성격에 대한 규명을 주제로 한 연구들이 간헐적으로 제출되었다. 그러다가

2000년대 이후로는 한국 문화의 정체성과 관련하여 다소 활기를 띠는 양상을 보여 주고 있다. 하지만 현재 우리의 예학 연구는 아직 그 성과가 충분하게 온축되지 못한 데다, 18~19세기 예학에 대한 궁구는 더더욱 미흡하여, 조선시대 예학의 주요 학단과 각 학단의 특성을 전체적으로 가늠하기에는 여러모로 한계가 있다.

조선중기 이후의 예학은 퇴계 이황의 학설을 주축으로 한 영남 예학과 사계 김장생의 학설을 주축으로 한 기호(畿湖) 예학으로 대별할 수 있다. 16~17세기의 예학 연구는 개별 예학가의 예설 특성을 중심으로 상당한 연구 성과가 축적되어 있다. 그러나 18~19세기의 예학에 대해서는 특정 학자나 일부 주제에 편중되어 있어서 그 전모를 파악하기가 어렵다. 특히 기호 학단은 18~19세기 조선의 정치·사회·문화를 주도한 주류 학단이었지만 그에 대한 연구는 극히 미미하다. 따라서 본고는 18~19세기 기호 예학의 주요 학단을 개괄하고 그 예설(禮說)의 핵심 논제(論題)와 그 논례(論禮) 관점을 살펴봄으로써 기호 예설의 몇 가지 특징적인 면모를 드러내고자 한다.

조선은 국초부터 통치체제의 큰 틀을 구성하고자 여러 차례 국가전례서(國家典禮書) 편찬을 촉진한 결과, 성종 조에 『국조오례의』와 『경국대전(經國大典)』을 간행 반포하면서[1] 성리학적 국가 제도와 전례(典禮)의 일정한 틀을 갖추었다. 『국조오례의』는 조선 500년간 국가전례의 표준으로 기능했지만, 사대부 사족 사이에서는 『가례』의 준행이 일반화되었다.

주자의 저작으로 알려진 『가례』는 여말선초 성리학의 수용과 함께 우리나라에 도입되어, 15세기 이후 사대부 사족 계층은 소종(小宗)을 중심으로 집집마다 가묘(家廟)를 건립하고, 『가례』에 따라 관혼상제의 일상 의례를 실천하는 것을 포괄적인 관습으로 정착시켜 나갔다.[2] 16세기 중반에 이르러 성리학의 연구와 담론이 활발하게 전개되면서 『가례』의 실천을 통해

---

1) 『국조오례의』는 성종 5년(1474) 완성되고 1475년 반포되어, 조선이 망할 때까지 國家 儀禮의 주요 근간으로 작용하였다. 『경국대전』은 세조 6년(1460) 먼저 「戶典」이 완성된 뒤, 세조 12년(1466) 편찬이 일단락되었으나, 보완을 계속하느라 반포 시행하지 못하다가, 성종 16년(1485)부터 전반적으로 시행되었다.
2) 정경주, 『한국고전의례상식』, 신지서원, 2010, 44쪽.

도덕성을 함양하여 사대부는 물론 왕실과 조정의 윤리 기강까지 바르게 함으로써 사회와 국가의 건전한 풍속을 이루고자 하는[3] 기풍이 사대부 학자들 사이에 크게 확산되었는데, 이로 인해『가례』는 사대부 사족 예식(禮式)의 표준이 되었고, 서민의 예속에도 적용되어 사회 교화의 한 방편으로 간주되었다.

임병양란을 거쳐 17세기에 이르면 그동안의 축적된 예치 지식이 결합되어 예학에 대한 담론이 더욱 활성화되고『가례』에 대한 연구도 한층 심화되었다.『가례』에는 사마광의『서의(書儀)』를 준용하면서 미처 고치지 못한 곳이 많아, 주자의 친작(親作)여부가 논란될 만큼 종종 주자의 다른 저술들과 배치되는 곳이 있고[4], 고례(古禮)인 삼례(三禮)[의례·예기·주례]와도 어긋나는 부분들이 적지 않기에, 조선의 학자들 가운데는『가례』를 '미정지서(未定之書)'로 규정하는 이들도 있었다. 이로 인하여『가례』에 대한 논의 및 다양한 저술들을 활발히 양산하였다.[5]『가례』는 예서로서는 비교적 간략하여 널리 통용되었으나, 예는 본디 고금의 차이 및 상(常)과 변(變)이 있기에, 예학가들은 고례와『가례』의 절충, 시속(時俗)과 시왕지제(時王之制)의 수렴, 적확한 변통 등을 모색하고자 애써 왔다.[6]

그런데 '예'의 이념과 원리는 고금에 동일할지라도 현실에서 실제 행례(行禮)할 때는 변례(變禮)가 다양하기에,『가례』를 중심으로 하되 고례·시왕지제·속례(俗禮) 등도 절충하지 않을 수 없다. 이 때문에 예제의 현실 적용에는 이견이 없을 수 없고, 그것이 성리학 이론의 이견(異見)과 맞물려 학파 간 또는 정파 간 예법 논쟁으로 전화되어 예송이 일어나게 되었다.

17세기 후반 1차·2차 예송의 결과, 노론학파(老論學派)는 주자성리학의 정통론에 입각하여『가례』를 더욱더 존숭하며『가례』의 원칙을 철저히 고

---

3) 정경주,「조선의 예속 문명과『주자가례』」:『주자학의 고전, 그 조선적 해석과 실천』, 점필재, 2017, 131쪽.

4) 鄭景柱,「性齋 許傳의 士儀 禮說에 대하여」,『東洋漢文學研究』19, 2004, 260쪽. 宋熹準,「18세기 永川 地域의『家禮』註釋書에 대하여」,『韓國의 哲學』28, 慶北大 退溪研究所, 2000, 251~252쪽 참조.

5) 정경주,「조선의 예속 문명과『주자가례』」, 앞의 책, 2017, 136쪽.

6) 유영옥,「鶴峯 金誠一의 父親喪 行禮 儀節」,『東洋漢文學研究』21, 2005, 163쪽.

수하였다. 이들은 주자의 중설(衆說)을 정리하여 정설(定說)을 확정하고, 후대의 여러 설 중 주자의 본의(本意)와 다른 설을 분변하여 주자설의 정통성을 확립하였다.[7] 반면 남인학파(南人學派)는 『가례』를 행례(行禮)의 준거로 삼으면서도 중국 고대의 삼례나 송대(宋代) 성리학자들의 예서(禮書) 등, 『가례』 이외의 예서에 수록된 다양한 제설(諸說)을 수렴하여 예학 연구의 폭을 확대하고자 하였다. 소위 기호학파와 영남학파의 예설 차이는 바로 이 지점에서 출발한다.

그동안 조선시대 예학의 연구는 다방면에서 꾸준히 지속되어 왔다. 지금까지의 예학 연구 주제는 크게 두 방향으로 대별되는데, 하나는 국가의 전례이고 다른 하나는 사대부 사족의 관혼상제 의식이다. 국가의 전례는 한번 정해지면 변동이 지극히 어려운 반면, 사대부 사족의 가정 의식은 지역과 가문의 관습에 따라 개별화되는 경향을 가진다. 지금까지의 연구에는 국가전례에 대해 예송과 관련하여 다양한 견해가 제출되었으나, 사대부 사족의 가정 의식에 대한 연구는 개별 예학가들의 예설을 개관하는 정도에 그치고, 시대별 지역별 예학의 주요한 관심과 주제의 추이를 제대로 조망해 내지 못하고 있다. 여기서 조선후기 기호 예학에 대한 기존의 연구 성과를 훑어보고 그 성과와 문제점들을 살펴보면 대략 다음과 같다.

첫째, 16~17세기 기호 예학에 대한 연구는 송익필·이이·김장생과 김집 부자, 송준길·송시열 등 개별 예학가에 대한 연구가 주류를 이루었다. 기호 예학의 선구자격인 송익필의 예학은 주로 철학적 측면과 연관하여 연구되었다.[8] 도민재는 송익필의 예학사상이 직사상(直思想)에 기초한 정통(正統)

---

7) 최석기, 「한국경학사의 연구현황과 과제」, 『한국인물사연구』창간호, 2004, 380쪽.

8) 배상현, 「구봉 송익필의 예학사상」, 『동악한문학논집』2, 1985.
최영성, 「龜峯 宋翼弼의 思想研究-性理學과 禮學의 關聯性을 中心으로-」, 성균관대 大學院 석사학위논문, 1992.
이소정, 「龜峯 宋翼弼의 禮學思想 研究-祭禮를 중심으로-」, 성균관대 석사학위논문, 2001.
이소정, 「구봉 송익필의 이기심성론 연구-예학과의 연관성을 중심으로-」, 『한국철학논집』10, 2001.
도민재, 「龜峯 安翼弼의 思想과 禮學」, 『東洋古典研究』28, 2007.
김현수, 「畿湖禮學의 形成과 學風-栗谷·龜峯의 特徵과 傳承을 중심으로-」,

을 구현하는 모습으로 전개되었다[9]고 하였는데, 이는 곧 김장생을 거쳐 송시열의 춘추대의(春秋大義) 사상으로 이어졌다고 본 것이다. 이이의 예학에 관한 연구는 상제례 부분을 다룬 것과 철학사상에 관련한 연구가 10여편 제출되었다.[10] 이범직은 율곡의 예론과 예제는 시의(時宜)와 시중(時中)의 논리에 충실하였다[11]고 하였다. 실제로 시의와 시중의 논리는 조선후기 낙론학파의 예설에 널리 나타난다. 김장생과 김집 부자의 예학에 대해서는 다른 예학가에 비해 다양한 부분에서 월등히 많은 연구 성과가 축적되었다.[12] 그중 장세호는 김장생의 예의식(禮意識)을 종법질서의 가통(家統), 왕위계승의 왕통(王統), 절의(節義)정신에 입각한 도통(道統) 등 정통론(正統

『儒學研究』25, 2011.
한기범, 「구봉 송익필의 예학사상」, 『韓國思想과 文化』60, 2011.

9) 도민재, 「龜峯 安翼弼의 思想과 禮學」, 『東洋古典研究』28, 2007.

10) 신난식, 「율곡의 상례에 대한 고찰」, 『목포해양대학논문집』14, 1980.
朴榮壽, 「栗谷의 禮學에 關한 考察-喪禮와 祭禮를 中心으로-」, 『論文集』21, 1984.
이범직, 「율곡의 사상과 禮學」, 『東洋哲學研究』13, 1992.
도민재, 「율곡 예학사상의 철학적 기반과 특성」, 『東洋哲學研究』23, 2000.
이유진, 「율곡 '立後議' 敷衍」, 『율곡사상연구』4, 2001.
장숙필, 「율곡의 예사상」, 『율곡사상연구』5, 2002.
이범직, 「율곡 이이의 禮論과 孝思想」, 『청소년과 효문화』, 2009.
김태완, 「율곡학파의 예학」, 『율곡사상연구』20, 2010.
김현수, 「栗谷 李珥의 禮論과 哲學的背景-誠을 중심으로-」, 『동양철학연구』67, 2011.
박종천, 「일상의 聖化를 위한 유교적 의례화-율곡 이이의 예학적 구상-」,『儒學研究』31, 2014.

11) 이범직, 「율곡의 사상과 禮學」, 『東洋哲學研究』13, 1992.

12) 김장생의 예학 연구는 1979년 유승국을 시작으로 장세호, 한기범, 배상현 등에 의해 지금까지 약 50여 편의 논문이 나왔다. 그중 대표적인 몇몇 논고를 거론하면 다음과 같다.
유승국, 「사계 김장생의 예학에 관한 연구」, 『김규영교수화갑기념논총』, 1979.
한기범, 「沙溪 金長生과 愼獨齋 金集의 禮學思想 研究」, 忠南大 박사학위논문, 1990.
배상현, 「朝鮮朝 畿湖學派의 禮學思想에 關한 연구-宋翼弼·金長生·宋時烈을 中心으로-」, 高麗大 박사학위논문, 1991.
장세호, 「沙溪 金長生 禮說의 研究, 고려대 박사학위논문, 1992.
차미영, 「朝鮮時代 喪禮의 죽음 교육적 含意-金長生의 『沙溪全書』를 중심으로-」, 동국대 박사학위논문, 2016.

論)의 측면에서 논의하였다.[13] 정통론은 김장생의 제자 송시열에 이르러 노론 예설의 주요한 기조의 하나가 되었다.

송시열의 예학 관련 논문은 14편 정도 제출되었는데, 그의 예학사적 위상으로 볼 때 아직은 연구 성과가 많이 부족한 편이다. 송시열의 예사상은 특별히 주목되었는데,[14] 그중에서도 배상현은 우암의 예에 대일통(大一統)과 정명론(正名論) 및 전거(典據) 중심 사상이 일관되게 나타나고 있다고 주장하였다.[15] 대일통의 사상은 송시열의 복수설치(復讎雪恥) 및 춘추대의(春秋大義)의 근거로써 노론학파에서는 하나의 정론으로 확립된 중요한 학설이다. 도민재는 송시열의 『가례』에 관한 인식을 사례(四禮) 중 제례 중심으로 고찰하여, 우암이 기본적으로 『가례』를 존신하는 입장을 견지했지만, 『가례』에 조문이 없는 경우에는 국제(國制)나 시속례를 절충하기도 하였고, 이이 등 선유(先儒)의 설을 따르거나 절충하기도 했음을 밝혔다.[16] 송시열의 『가례』 존신(尊信)과 선현(先賢) 예설 절충의 입장은 이후 낙론 학단의 예설에 그대로 나타나고 있다.

18~19세기 기호 예학에 관한 연구는 2000년대 이후에야 비로소 10여 편의 논고가 등장했는데, 이들 논고 역시 이 시기 예학사의 전반적인 흐름을 개괄하기보다는 이재(李縡)·박성원(朴聖源)·홍직필(洪直弼)·임헌회(任憲晦)·전우(田愚) 등 모두 일부 개별 예학가의 예설을 중심으로 고찰하였다.

이와 같이 지금까지 기호 예학에 대한 연구는 절대 다수가 16~17세기에 집중되어 있고, 18~19세기의 예학에 대한 연구는 상대적으로 매우 열악하다. 18~19세기 예학의 연구가 부진한 까닭은 아마도 이 시기에는 16~17세기의 예송논쟁과 같은 굵직한 이슈가 적었기 때문이 아닐까 한다. 하지만 18~19세기는 이전 시기의 예송 결과를 계승하는 한편, 예(禮)의 이

13) 장세호, 앞의 박사학위논문, 1992.
14) 곽신환, 「송시열의 예사상과 비판정신」, 『사회과학논총』1, 1983.
韓基範, 「尤菴의 禮學과 禮思想」, 『宋子學論叢』4, 1997.
한기범, 「우암의 예학사상과 현대사회」, 『韓國思想과 文化』14, 2001.
김현수, 「尤菴과 東洋思想~宋時烈의 禮學思想 考察 -時宜的, 義理的 思考를 中心으로-」, 『동서철학연구』48, 2008.
배상현, 「宋時烈의 禮學사상과 그 義理化」, 『韓國思想과 文化』42, 2008.
15) 배상현, 「宋時烈의 禮學사상과 그 義理化」, 『韓國思想과 文化』42, 2008.
16) 도민재, 「尤菴 宋時烈의 家禮觀」, 『儒學研究』31, 2014.

념을 다시 돌아보고 실천 의례의 새로운 방향성을 모색하기도 했기 때문에, 조선시대 예학사에 있어 다른 시기와 마찬가지로 결코 소홀히 취급되어서는 안 된다.

둘째, 기호 예학의 예학 저술에 관한 연구도 일부 특정 예서에 편중되었다. 김장생의 『상례비요(喪禮備要)』와 『가례집람(家禮輯覽)』과 『의례문해(疑禮問解)』에는 많은 연구자들의 관심이 집중되었으나[17], 유계(兪棨)의 『가례원류(家禮源流)』(14권), 윤선거(尹宣擧)의 『가례원류(家禮源流)』(18권), 박세채(朴世采)의 『육례의집(六禮疑輯)』(33권), 『남계선생예설(南溪先生禮說)』(20권), 이세필(李世弼)의 '구천예설(龜川禮說)'(28권) 등은 예학사적으로 매우 중요한 의의를 가지지만, 극히 일부의 논급[18]을 제외하고는 거의 관심을 받지 못하였다. 예서는 그 저술가와 당대의 예학 사상을 이해하는 척도이기에, 예서 연구는 조선시대 예학 연구에서 무척 중요한 위치를 차지한다. 하지만, 일부 예학가의 예서에만 편중되는 현행의 연구는 시대적 불균형과 마찬가지로 예서 연구의 불균형이라는 폐단 또한 극복하지 못하고

---

17) 노인숙, 「沙溪禮學考-『가례집람』과 『상례비요』를 중심으로-」, 『사계사상연구』, 사계신독재양선생기념사업회, 1991.
조효순, 「조선 초기 혼례 풍속 연구-『家禮輯覽』을 중심으로-」, 『복식문화연구』, 1997.
이영춘, 「『의례문해』에 나타난 사계의 예학사상」, 조선사회연구회, 1998.
韓基範, 「朝鮮中期 湖西·嶺南 禮家의 禮說交流-『疑禮問解』의 分析을 중심으로-」, 『東洋禮學』1, 1998.
한기범, 「『의례문해』의 예설교류」, 『동양예학』1, 1998.
조영숙, 「沙溪 金長生의 禮學思想 硏究-『家禮輯覽』 「昏禮篇」을 중심으로-」, 成均館大 석사학위논문, 2004.
張東宇, 「畿湖 禮學의 進展 過程-『家禮儀節』에 대한 대응을 중심으로-」, 『泰東古典硏究』29, 2012.
김현수, 「17세기 전반 栗谷學派禮學의 爭點과 傾向연구-『疑禮問解』, 『疑禮問解續』을 중심으로-」, 『한국철학논집』41, 2014.
한재훈, 「退溪禮說에 대한 沙溪의 비판과 계승-『疑禮問解』와 「『喪祭禮答問』辨疑」 분석을 중심으로-」, 『한국실학연구』30, 2015.

18) 도민재, 「南溪 『三禮儀』 淺析(1)-「冠禮儀」와 「昏禮儀」를 중심으로-」, 『한국철학논집』46, 2015.
도민재, 「南溪 『三禮儀』 淺析(Ⅱ)-「祭禮儀」를 중심으로-」, 『儒學硏究』36, 2016.

있는 셈이다.

셋째, 18~19세기 기호 예학에 관한 연구는 앞 시대에 비해 미미한 데다, 호론 예학과 낙론 예학의 불균형 또한 매우 심하다. 지금까지 18~19세기 기호 예학의 연구는 낙론 계열 학자에 집중되고, 호론 계열 학자는 논문의 행간에 몇 줄 언급될 뿐 연구 성과가 거의 전무한 실정이다.

주지하다시피 18세기 기호 학단의 가장 큰 학술논쟁은 호락논쟁(湖洛論爭)이다. 17세기 예송논쟁에 이어 성리학의 심화과정에서 일어난 이 논쟁은 같은 기호학파의 노론 내부에서 일어난 '인물성동이(人物性同異)'에 관한 심성논쟁(心性論爭)으로, 권상하(權尙夏) 문하와 김창협(金昌協)·김창흡(金昌翕) 문하에서 각각 벌어졌던 학술 논변이었다.[19] 권상하가 한원진(韓元震)과 이간(李柬)의 심성논쟁에서 한원진을 지지함으로써 인물성이론(人物性異論)이 호서(湖西) 노론의 정설이 된 반면, 김창흡이 박필주(朴弼周)와 어유봉(魚有鳳)의 "인물(人物)은 오상(五常)을 구득(具得)했다."는 논리를 지지함으로써 서울 경기의 노론학자들은 인물성동론(人物性同論)을 정설로 받아들이게 되었다. 이로부터 두 학파는 각각 자파(自派)를 옹호하고 상대를 논척하였다.

낙론학자에 비해 호론학자들의 연구가 미미한 이유는 아마도 호론이 조선후기 정치의 중심에 서지 못하고 학문적으로도 열세에 처해 학계의 주목을 크게 받지 못했기 때문일 것이다.[20] 하지만 비록 호론 학단의 형세는 크지 않았지만 그 학맥은 면면히 이어져 왔고, 더구나 이들 역시 송시열의 적통을 계승했다는 자부심을 가지고 있었다. 더욱이 호락 학단은 심성 논쟁뿐만 아니라 예학에 있어서도 학파 간에 서로 차별성 있는 예설들을 더러 제기했기 때문에, 조선후기 정치적 학문적 주류를 차지한 기호학

19) 이경구, 「호락논쟁을 통해 본 철학논쟁의 사회정치적 의미」, 『한국사상사학』26, 209쪽.

20) 낙론 학단의 농암 김창협·삼연 김창흡·도암 이재·미호 김원행·근재 박윤원·노주 오희상·매산 홍직필·전재 임헌회·간재 전우 등은 모두 많은 문인들을 거느린 학단을 형성하면서 조선 말기까지 그 영향력을 크게 떨쳤다. 반면, 호론 학단의 남당 한원진·병계 윤봉구·운평 송능상·성담 송환기·강재 송치규·수종재 송달수·연재 송병선 등은 그 문인들의 수가 낙론에 훨씬 미치지 못하였다.

파의 예학을 제대로 이해하려면 낙론뿐 아니라 호론 학단의 예학 연구도 균형 있게 진행되어야 한다.

지금까지 18~19세기 기호 예학 관련 연구는 낙론 예학가를 중심으로 이루어졌다. 18세기의 이재(李縡)·박성원(朴聖源)·김종후(金鍾厚)·양응수(楊應秀)·박윤원(朴胤源) 등과[21] 19세기의 홍직필(洪直弼)·임헌회(任憲晦)·전우(田愚)·유영선(柳永善) 등은[22] 모두 낙론 예학가들이다.

그 가운데 김윤정은 여러 낙론 예학가들의 예설을 검토하여 낙론 예학의 특징을 세 가지로 지적하였다. 첫째는 송시열의 정론을 중시했다는 점이고, 둘째는 고증과 절충을 강조했다는 점이며, 셋째는 18세기 기호학파 예학을 통합했다는 점이다. 하지만 호론 역시 송시열의 정론을 중시했기 때문에 이를 낙론 예학의 특징으로 간주하는 것은 호론 예학을 간과한 데서 나온 섣부른 단정이다. 호론은 한원진 이후로 그 적통이 송시열의 후손으로 전해져 오히려 낙론보다 송시열의 정론을 더욱 중시하였다.

또 낙론 예학이 기호 예학을 통합했다고는 하지만, 호론 예학 역시 기호 예학의 한 축으로서 거질의 예서를 편찬 간행하고[23] 낙론의 일부 예설

---

21) 김윤정, 「18세기 京華士族의 禮學-近齋 朴胤源의 『近齋禮說』을 중심으로-」, 『향토서울』 82, 2012.
김윤정, 「18세기 사복師服의 성격과 실제-양응수의 「축장일기」를 중심으로-」, 『국학연구』23, 2013.
김윤정, 「謙齋 朴聖源의 禮學과 『禮疑類輯』의 성격」, 『韓國文化』6, 2013.
김윤정, 「白水 楊應秀의 「四禮便覽辨疑」 연구」, 『규장각』44, 2014.
김윤정, 「18세기 本菴 金鍾厚의 『家禮集考』 편찬과 그 의미」, 『한국실학연구』30, 2015.
짱위자, 「陶菴 李縡의 예학과 爲人之道 연구-『四禮便覽』 「혼례편」을 중심으로-」, 경희대 석사학위논문, 2015.

22) 鄭吉連, 「梅山 洪直弼의 禮說研究」, 경성대 석사학위논문, 2008.
鄭吉連, 「艮齋 田愚의 師服說의 淵源과 意義」, 『인문학논총』30, 2012.
鄭吉連, 「全齋 任憲晦의 祭禮 <設饌圖> 고찰」, 『동양한문학연구』38, 2014.
金賢壽, 「玄谷 柳永善의 禮學思想-『四禮提要』를 中心으로-」, 『간재학논총』17, 2014.
解光宇, 「朱子와 艮齋의 禮學思想-주자의 『家禮』와 『艮齋禮說』의 宗法思想을 중심으로-」, 『간재학논총』8, 2008.
한기범, 「全齋 任憲晦와 禮學思想」, 『간재학논총』14, 2004.

23) 雲坪 宋能相의 문인인 鏡湖 李宜朝(1727~1805)는 『가례』의 가장 정밀한

에 대해 비판하여 대립각을 세우는 등, 기호 예학에 기여한 역할이 결코 적지 않았다. 따라서 18~19세기 기호 예학을 논함에 있어서 호론 예학의 흐름을 배제하고 논할 수는 없다. 더구나 19세기에는 이항로(李恒老)와 기정진(奇正鎭) 등의 신진 학단이 등장하였으므로, 이들의 예설까지 함께 고찰해야만 비로소 이 시기 기호 예학의 실체를 제대로 드러낼 수 있을 것이다.

넷째, 19세기에 새롭게 등장한 신진의 학단들이 전혀 연구되지 않은 사실 또한 기존 연구의 한계로 지적하지 않을 수 없다. 19세기에 들어서면 호론 학단이 정치적으로 열세에 처해 그 세력이 약화되면서 두 학단의 대립이 완화되어 긴장감이 떨어진다. 이 시기에 기호학파에는 이항로와 기정진 학단이 새로 등장하여, 상호간의 상승효과를 획득하면서 학문 논의의 장이 활발하게 열리게 되었다.

이 시기의 전반기에는 세도정치로 인해 정치가 부패하고, 후반기에 들어서는 개화세력의 득세로 인하여 조정과 사회가 극도로 혼란한 상황이었기 때문에, 기호학파의 학자들은 기존의 학문 신념을 지키는 것이 국가를 수호하는 바른 길이라고 여겨 '위정척사(衛正斥邪)'를 강력히 주장하기 시작하였다. 그러므로 19세기 기호 예학을 이해하려면 기존의 낙론·호론 학단과 함께 새로 등장한 이항로·기정진 학단의 예학까지 아울러 고찰해야 한다.

이와 같이 지금까지 진행된 기호 예학의 연구 성과를 요약하면, 16~17세기는 특정 예학가 및 그 저술을 위주로 한 연구가 다양하게 이루어져, 16~17세기 기호 예학의 주요 예학가와 그들의 저술 및 예설의 면모는 대략 드러났다고 볼 수 있다. 그러나 이들 연구가 대체적으로 특정 예학가의 예학 성과를 개관하는 데 그쳤을 뿐, 기호 예학 전반의 특징적인 면모와 그 시대적 추이를 전체적으로 통찰하는 데는 미진한 점이 있다. 최근 들어 이러한 관점에서 기호 예학의 특성을 규정하려는 일부 논문이 제출되고 있으나[24], 특정 주제와 학파에 한정되어 있어서 기호 예학의 총체적 흐름

주석서인 『家禮增解』(14권)을 편찬하였다.

24) 이원택, 「17세기 복제예송이 18세기 복제 예론에 미친 영향: 예론의 지역적 분립과 학파 내의 분화를 중심으로」, 『국학연구』13, 2008.

을 논하기에는 여전히 미흡한 것으로 보인다.

그러므로 본고에서는 조선후기 일정한 시기마다 기호 예학의 주류를 형성했던 주요 학단을 중심으로, 기호 예학의 주요 예학가 및 그 저술과 예학 담론의 주제를 통관(統觀)하고, 그 시기별 추이를 개관함으로써 기호 예학의 특징적 면모를 밝히는 것을 연구의 목표로 삼고자 한다. 다만 16~17세기의 기호 예학에 대하여는 이미 상당한 연구가 진척되어 있거니와, 이 시기에는 기호학파 내에서의 학파 분화가 분명하게 드러나지 않기 때문에 논의를 생략한다. 반면 18~19세기 기호 예학가들에 대한 연구는 미진한 부분이 많으며, 또 18세기 이후에 와서 기호학파가 조선후기 주류 학단으로서의 지위가 공고해지기 때문에, 18세기와 19세기 이후 기호 예학가들을 중심으로 논의를 전개하려고 한다. 이 연구를 통하여 조선후기 예학의 양대 축의 하나인 기호 예학이 한국사상사에 끼친 역할과 그 위상이 대략 드러날 것이라 기대한다. 또한 이를 통하여 기호 예학가들의 저술과 예설의 시대적 성격과 그 의의가 보다 더 분명하게 정의될 수 있을 것이다.

2. 연구방법 및 서술방향

조선시대는 성리학적 질서에 따른 예치(禮治)를 지향했던 사회였기 때문에 예학 연구와 담론이 본격적으로 활성화된 조선후기 예학을 연구하는 것은, 500년 조선시대의 사회 문화 사상을 이해하는 가장 핵심적인 첩경이라 해도 과언이 아니다. 조선후기 사상사에 있어서 18세기 이후의 기호학파는 사실상 현실 정치권력과 긴밀하게 연계된 주류 학파였다. 그렇기 때문에 이들의 예학사상 역시 당대의 사회 문화를 주도하는 역할을 담당하였다고 단언할 수 있다. 그러나 기호학파 내 모든 예학가의 모든 예학 저술을 개별적으로 하나하나 고찰하여 공통적인 특성을 추론하는 것은 사실

김윤정, 「18세기 禮學 연구-洛論의 禮學을 중심으로-」, 한양대 박사학위논문, 2011.

상 불가능하다.

또한 예학 담론은 본래 각 지역과 시대에 따라 특정 저명한 예학가를 중심으로 질의문답과 토론을 통하여 전개되고, 그것이 각 학자와 학단의 예설로 나타나거나 저술로 이어졌다. 그렇기 때문에 각 지역과 시대마다 예학 담론의 중심이 된 학자들을 둘러싸고 형성된 학단 및 거기에서 주요하게 다루어졌던 예학 담론의 주제와 경향을 살펴보면, 기호 예학의 대체적인 예학 특성을 통관(統觀)할 수 있다. 따라서 본고에서는 이러한 학단 별 통관의 방법을 통하여 기호 예학의 특성과 시대에 따른 추이를 살펴보고자 한다. 통관은, 특정 관심사와 관련된 사항을 한자리에 모아 그 총체성을 관찰하고 그 가운데 두드러지게 나타나는 몇 가지 특징적인 경향을 추출해내는 방법으로 진행할 것이다. 이 방법은 개별적인 사물의 치밀한 분석을 통해 그 속성을 정밀하게 파악하는 데는 취약한 점이 있지만, 특정집단의 통시대적 성향을 대체적으로 규정하는 데는 효과적이다.

이를 위하여 이 시기 기호학자의 예서(禮書) 및 문집에 수록된 예설(禮說)과 논(論)·변(辨)·설(說)·서(序)·발(跋) 등의 관련 잡저(雜著), 그리고 예를 주제로 문답(問答)한 편지와 그 문목(問目)·별지(別紙) 등을 기본 자료로 검토하되, 이 시기 기호 계열 학자들을 몇 개의 주요 학단 별로 나누어 그 주요 논제와 논례(論禮)의 대체적인 성향을 고찰하고자 한다.

먼저 제2장과 3장에서는 18~19세기 기호학파의 예학가들을 학단 별로 구분하고 개괄하여 서술할 것이다. 제2장에서는 18세기 기호 예학의 학단을 호론과 낙론으로 대별하는 한편, 호론과 낙론 어느 쪽에도 속하지 않는 소수의 인물들은 기타 예학가로 분류하여 정리할 요량이다. 이 시기 기호 예학을 호론계 학단과 낙론계 학단으로 나누어 언급하는 이유는 이들 두 학단이 '인물성동이'의 심성논쟁으로 갈라졌을 뿐만 아니라, 왕실복제를 비롯한 여러 예제(禮制)를 논함에 있어서도 서로 견해를 달리하여 논변을 일으켰기 때문이다.

18세기 호론계 학파에서는 남당(南塘) 한원진(韓元震)·병계(屛溪) 윤봉구(尹鳳九)·운평(雲坪) 송능상(宋能相) 등이 예설 논의의 중심에 있으면서 각각 하나의 학단을 형성하였고, 낙론계 학파에서는 도암(陶菴) 이재(李縡)와 미호(渼湖) 김원행(金元行)이 또한 예설 논의의 중심에 있으면서 각각 하나의 학단을 형성하였다. 따라서 이들 몇몇 학단을 중심으로 그들의 사승(師承) 관계 및 사우(師友) 관계를 밝히는 동시에 각각의 예학 관련 저술을 약술하여 두 학파의 예설 경향을 비교하여 분석하고자 한다. 아울러 기타 예학가에 대해서도 사승과 사우관계 및 예학 저술들을 중심으로 짚어 볼 것이다.

제3장에서는 19세기 기호 학단을 차례로 살펴보되, 18세기 기호 학단에 대한 고찰과 동일한 방법을 취하는 반면, 소절을 조금 달리하여 18세기와의 차이점을 부각할 것이다. 19세기가 되면 호론계와 낙론계의 사상적 대립이 희미해져 예설에 있어서의 첨예한 대립 양상은 거의 보이지 않는다. 따라서 19세기 기호 학단을 서술할 때는 하나의 소절 안에 매산(梅山) 홍직필(洪直弼)·간재(艮齋) 전우(田愚) 등 낙론계 학단과 연재(淵齋) 송병선(宋秉璿) 등 호론계 학단을 모두 넣어 차례대로 서술하고자 한다.

19세기 기호 예학에서는 기존의 호락(湖洛) 학단과는 달리 새롭게 등장하는 화서(華西) 이항로(李恒老) 학단과 노사(蘆沙) 기정진(奇正鎭) 학단이 매우 주목된다. 이기심성(理氣心性)에 대한 논쟁도 이항로와 기정진 등 신진 학단의 등장으로 열띤 토론이 지속되었으며, 기호 예학의 위정척사 성향도 이들 신진 학단의 등장으로 더욱 뜨거워지기 때문이다.

19세기 초반 새로운 서학(西學)의 등장으로 기호학자들은 학파의 구분을 떠나 '척사(斥邪)'라는 구호를 전면에 내세우며 한목소리로 이단학의 비판에 나섰다. 1876년 개항 이후에는 물밀듯이 쏟아지는 거센 서구문물의 유입에 대항하여 척양척왜(斥洋斥倭)라는 기치를 더더욱 높이 들어 전통문화의 수호에 전력투구하였다. 따라서 제2절에서는 기존의 호락 학단 뿐 아니라 신진 학단들도 중점적으로 서술하여, 개항을 전후하여 한층 더 기폭되는 기호 예학의 위정척사 성향을 파악하는 데 주력할 것이다.

제4장에서는 18~19세기 기호학파가 논의한 여러 예설 가운데 국가전례와 관련한 내용을 중심으로 기호 예설의 핵심 주제를 드러내고자 한다. 국가전례와 관련된 기호학자들의 주요 관심은 대체로 왕실복제(王室服制) 문제, 국상의절(國喪儀節) 문제, 대보단제향(大報壇祭享) 논의, 의제개혁(衣制改革)의 갈등에서 잘 나타난다.

왕실복제 문제에서는 18세기 왕실에서 발생한 국상 가운데 경종의 부인 단의빈심씨(端懿嬪沈氏)·영조의 장자인 효장세자(孝章世子)·효장세자의 부인이자 영조의 장자부(長子婦)인 효순현빈(孝純賢嬪) 등의 국휼에서 복제 논의가 가장 분분하였다. 따라서 이 문제를 중심으로 기호학자들과 국왕의 견해를 비교 검토하고자 한다. 그 과정에서 예송논쟁 이후 지속적으로 논의 되어 왔던 장자상(長子喪)의 삼년복(三年服)과 기년복(朞年服)의 주장, 그리고 장자부에 대한 기년복과 대공복(大功服)의 주장을 통하여 기호 예학가들이 시대를 넘어 관철하려 했던 예학적 입장과 그 근거가 무엇인지 알 수 있을 것이다.

18~19세기에 연이은 국상을 치르는 과정에서 제기된 국상의절과 관련해서는 특별히 시사전(始死奠)과 조조례(朝祖禮)에 대한 논의가 두드러지게 나타난다. 이 두 의절은 17세기 기호 예학가 신독재(愼獨齋) 김집(金集)이 인조의 국상 때 올린 「고금상례이동의(古今喪禮異同議)」에서 처음으로 논의되어, 영조 대에 수차례의 국상을 치르는 과정 및 『국조상례보편』을 편찬하는 과정에서 가장 중요한 문제로 부각되었다. 이 두 의절이 공식적인 국상의절로 논의되어 재정립되는 과정에서 기호 예학가와 국왕은 각각의 입장 차이를 드러내고 있으므로, 본고는 이들 각각의 예학적 견해와 그 주장을 뒷받침하는 예학적 근거를 함께 살펴보고자 한다.

대보단제향과 관련해서는 대보단의 설립을 제안하고 추진하는 데 있어서 기호학파 고유의 독특한 명분론이 나타난다. 대보단은 조선후기 숭명배청(崇明排淸)의 공간으로 기호학파가 강력하게 주장하여 이룩한 건축물이다. 그러나 '대보단'이란 이름으로 완성되기까지는 여러 가지 문제들이 개입되어 그 과정이 결코 순탄하지 않았다. 따라서 이 부분에서는 대보단 설립에 대한 국왕의 생각과 기호학파의 입장 차이를 엄밀히 분석하고자 한다. 그리하면 기호학파의 존주대의(尊周大義)에 입각한 화이론(華夷論)적 시각이 어디에 바탕하고 있는지 그 대략적인 근거가 포착될 것이다.

의제개혁의 문제는 서세동점의 19세기 말에 새롭게 등장하는 국가전례의 문제이다. 여기에서는 의제를 개혁하는 문제를 놓고 국왕과 조정 대신 및 재야유림 간에 조선 문화의 정체성에 대한 예학적 입장 차이가 명백하게 드러난다. 당시 고종은 우리나라 전통의 의제를 개혁하고자 하는 뜻이 매우 확고하여, 신료들 중 극소수는 의제개혁에 찬성하는 견해를 표출하기도 했지만, 대부분의 학자들은 국왕의 의제개혁을 강력히 반대하는 입장이었다. 따라서 이 부분에서는 국왕이 의제를 개혁하려는 목적 및 기호학파가 그에 반대하는 이유를 대비 분석하여, 예학적 측면에서 의제개혁에 어떤 문제점이 있는지 진단해 보고, 아울러 기호학파가 의제개혁을 반대하면서 주장한 중화예제(中華禮制)의 의미도 밝힐 예정이다.

제5장에서는 18~19세기 기호 예학가들의 사족예제(士族禮制) 논의 가운데 『가례』의 보정(補正), 행례규범(行禮規範)의 정세화(精細化), 예설(禮說) 변통의 전범(典範) 수립 등을 주요 주제로 다루고자 한다. 기호학파는 당대의 집권층과 긴밀한 관계를 맺고 있어서 그들이 정립한 예제는 곧 당시 사회 전반에 확산되는 분위기였기에, 이 세 가지 논제를 중심으로 살펴보려고 한다.

기호 예학가들은 18~19세기에 들어서도 『가례』의 보정 작업을 지속적으로 주도해 왔다. 『가례』는 성리학적 예제 실천의 가장 핵심적인 교본으로 간주되었기에, 조선은 건국과 동시에 『가례』를 널리 준용하도록 꾸준히 권장하여 16세기 이후 『가례』는 조선의 사대부 계층에 널리 보급되었다. 하지만 『가례』는 본래 주자가 중년에 저술하였으나 도중에 분실되어 정밀하게 수정되지 못하였기에 미진한 부분이 더러 있었으므로, 보완의 필요성에 대해서는 당파를 초월하여 모두 이의가 없었다. 다만 『가례』를 어떻게 보완할 것인가에 대해서는 학파마다 견해가 서로 달랐다. 따라서 기호학파가 어떤 기준으로 『가례』를 보정했으며, 또 그렇게 『가례』를 보정한 의도가 무엇인지를 분석하는 일은, 이 시기 기호 예학의 특징을 파악하는 매우 핵심적인 작업이 될 것이다.

또 이 시기 기호 예학가들의 저술 가운데는 가의(家儀)·가규(家規)·원규(院規)·강규(講規) 등 문중(門中)과 학교 등에서 실제로 거행하는 행례 의절에 대한 강구가 빈번하게 나타난다. 이러한 의절들은 본래 『가례』에도 들어 있지 않고, 기존 예서에도 규정이 분명하지 않은 새로운 의식 규범들이다. 따라서 이들이 무엇 때문에 가정의 법규와 강학의 규범을 강화하려고 애썼는지 밝히는 것은 이들 기호학파가 근본적으로 추구하고 실현하려는 예학 세계가 어떠한 것인지를 포착하는 하나의 단서가 될 것이다.

18~19세기 기호 예학의 매우 특징적인 국면의 하나는 학단 별로 구심

적 역할을 담당하였던 특정 학자의 예설 문답을 수집 분류하고 편찬 간행했다는 사실이다. 이때는 전국에서 각종의 예서들이 대거 편찬 간행되었다. 그 가운데 기호 예학가들은 특히 큰 학자들을 중심으로 사우(師友) 간에 문답한 예설을 수집한 예설류 서적이 7종[25] 이상 편찬 간행하였다. 흥미로운 것은 그 모두가 기호 낙론계 학자들의 예서라는 점이다. 이에 여기서는 해당 예서들을 차례로 검토하여 각 예서들의 차이점과 또한 낙론계 학단에서 이러한 작업을 지속한 이유가 무엇인지를 밝히고자 한다.

마지막으로 제6장에서는 18~19세기 기호 예학가들의 예설에서는 몇 가지 독특한 논례(論禮)의 기본 관점이 관철되고 있음을 볼 수 있다. 그것은 『가례』의 절대적 존신, 선유설(先儒說)의 옹호와 절충, 우암 송시열이 주장한 존주대의(尊周大義)와 숭명배청 사상을 계승하여 전개된 화이론(華夷論)의 예제(禮制) 적용이 그것이다. 이 세 가지 관점은 개별 학자와 특정 학단을 넘어 기호학파 전체에 두루 나타나는 현상으로, 이 시기 기호 예설의 특징적인 논례 관점이라 할 수 있다. 따라서 이 세 가지 관점을 중심으로 기호 예설의 독특한 예학 경향을 파악하고 그 근거 및 추이를 논의해 보고자 한다.

25) 『禮疑類輯』·『近齋禮說』·『梅山先生禮說』·『禮疑問答四禮辨疑』·『全齋先生禮說』·『四禮疑義或問』· 『艮齋先生禮說』 등 7종이 편찬 간행되었는데, 모두 낙론계 예학가들의 저술이다.

2

18세기 기호 예학 학단

조선조 사대부 사족(士族)의 예학 논의는 퇴계 이황(1501～1570)과 그의 문도들 사이에서 전에 없이 왕성하게 일어난 『가례』에 대한 문답으로 인하여 활성화되기 시작하였다. 16세기 중반 당시 학자들의 예학 문답과 논의 주제는 『가례』의 본문과 주석에 대한 해석 및 명물(名物)의 고증에서부터 관혼상제 시행에 있어서 보완되어야 할 의식 절차를 강구하는 데까지 폭넓게 논의되었다.[1] 이런 논의 내용은 뒷날 이황의 문인에 의해 『퇴계선생상제례답문(退溪先生喪祭禮答問)』 등의 책으로 편찬 간행되었다. 또한 이와 궤를 같이하여 『가례』의 주석서로 하서(河西) 김인후(金麟厚, 1510～1560)의 「가례고오(家禮考誤)」와 구봉(龜峯) 송익필(宋翼弼, 1534～1599)의 「가례주설(家禮註說)」 등 『가례』 본문의 오류를 지적한 저술이 나오고, 상례와 제례의 행례 절차를 기록한 율곡(栗谷) 이이(李珥, 1536～1584)의 『격몽요결(擊蒙要訣)』과 「제의초(祭儀抄)」 등이 저술됨으로써, 비로소 『가례』 연구가 본격적으로 시작되었다.

17세기 초반에 조선 예학은 성리학의 심화와 함께 16세기 중반 이후 축적되어온 예설과 예론을 토대로 심도 있는 『가례』 연구서가 다수 편찬되었다. 그 대표적인 저술이 사계 김장생(1548～1631)의 『상례비요

---

1) 정경주, 「조선의 예속 문명과 『주자가례』」, 앞의 책, 2017, 137쪽.

(喪禮備要)』·『가례집람(家禮輯覽)』·『의례문해(疑禮問解)』 등과 한강(寒岡) 정구(鄭逑, 1543~1620)의 『오선생예설분류(五先生禮說分類)』·『오복연혁도(五服沿革圖)』 등이다. 이들은 기본적으로 주자의 예학을 연구의 중심 과제로 삼았으나, 주자 예학에 대한 그 접근 방법 및 관련 저술에 있어서는 상당한 차이를 보였다. 김장생은 주자의 『가례』를 중심으로 각종 예제를 해석하고 적용에 주력한 반면, 정구는 관혼상제의 의식은 물론 국가의 전례에 이르기까지 송대(宋代) 성리학자들의 예학 관점과 이론을 근거로 주자 예학의 내력과 본질을 파악하는 데 주력하였다.[2)]

그러다가 17세기 중반 복제논쟁이 일어나면서부터 우암(尤菴) 송시열(宋時烈)의 설을 따르는 기호학파와 미수(眉叟) 허목(許穆)의 설을 지지하는 영남학파는 각각 예경(禮經) 주석(註釋)의 해석에 있어 서로 견해를 달리하면서 학파 간에 첨예한 대립이 일어났다. 이들의 대립은 처음부터 당대의 미묘한 정치적 갈등과 연계되어 있어서, 이들의 예설 논쟁은 심각한 정치적 문제로 비화되었다. 이로 인해 기호학파는 주자학을 그들의 학문적 정체성으로 여기고 주자의 『가례』를 존신하여 그 해석과 적용에 전념하는 반면, 영남학파는 고금의 예설을 종합 집성(集成)하여 재편하는 방법을 통해 다양한 예서를 산출하였는데,[3)] 그 대표적인 결과물이 바로 이의조(李宜朝)의 『가례증해(家禮增解)』와 류장원(柳長源)의 『상변통고(常變通攷)』 등이다.

18세기 후반 갑술환국(甲戌換局, 1694)을 거치면서 기호학파는 다시 노론과 소론학파로 양분되었는데, 격렬한 정치적 대립 끝에 숙종의 '병신처분(丙申處分)'을 계기로 소론은 점차 쇠퇴의 길로 접어들었다. 한편 이즈음 노론 학계 내부에서는 또 성리심성(性理心性)의 사변적 주제와 관련하여 인성(人性)과 물성(物性)의 동이라는 명제로 새롭게 열띤 논변을 벌였다. 이로 인해 인물성이론(人物性異論)에 동조하는 충청도 지방의 대다수 학자들은 이른바 '호론(湖論)'으로, 인물성동론(人物性同論)에 동조하

2) 정경주, 「『五先生禮說分類』의 편차와 의미」, 『퇴계학과 유교문화』58, 2016, 152쪽.

3) 남재주, 「조선후기 예학의 지역적 전개 양상 연구-영남지역 예학을 중심으로-」, 경성대 박사학위논문, 2012, 240쪽.

는 서울·경기 지방의 학자들은 이른바 '낙론(洛論)'으로 분파되었다.

호론과 낙론 학자들은 기본적으로 사계 김장생과 우암 송시열의 학통을 계승하면서도, 예설에 있어서는 서로 약간의 차이를 보였다. 호론 계열은 주자와 송시열의 학설을 철저히 고수함으로써 약간의 경직된 성향을 보인 반면, 낙론 계열은 예설을 채택함에 있어서 다소 유연한 입장을 취하였다. 이와 같이 기호학파 내에서도 호론과 낙론 사이에 상호 예학의 차이가 존재하므로, 이 장에서는 18세기 기호 예학의 학단을 호론 계열과 낙론 계열로 구분하여 살펴보려고 한다.

주지하다시피 18세기 기호학계의 가장 커다란 사상적 쟁점은 '인물성동이(人物性同異)' 문제였다. 당초 권상하(權尙夏) 문하의 한원진(韓元震)과 이간(李柬) 사이에서 인성(人性)과 물성(物性)의 동이(同異) 여부를 놓고 벌어진 이 논쟁은, 이후 호서(湖西)지방의 권상하(權尙夏)·한원진(韓元震)·윤봉구(尹鳳九) 계통의 학자들과 서울 주변의 김창협(金昌協)·김창흡(金昌翕) 계통 학자들 사이의 논쟁으로 확대되었다. 논쟁의 쟁점은 인물성동부동(人物性同不同), 성범심동부동(聖凡心同不同), 명덕분수유무(明德分殊有無)가 그 핵심이었다.[4]

이들은 본래 모두 송시열의 문하로서 그의 유훈(遺訓)인 "학문은 마땅히 주자를 위주로 하라."[5]는 가르침을 절대적으로 존숭하였다. 그러나 주자학의 발전 과정에서 필연적으로 파생된 이 논쟁은, 16세기 전반 사단칠정(四端七情) 논변에서 한 걸음 더 나아가 자연계 물성(物性)의 탐구에까지 범위를 넓혀, 조선의 성리학 연구를 한층 심화시켰다.[6] 그 결과 18세기 기호 노론학파는 호론과 낙론 두 계열로 분파되었는데, 한원진(韓元震)·윤봉구(尹鳳九)·송능상(宋能相)·송환기(宋煥箕)는 호론을 대표하는 학자들이고, 이재(李縡)·김원행(金元行)·임성주(任聖周)·박윤원(朴胤源) 등은 낙론을 대표하는 학자들이었다.

호론과 낙론은 모두 『가례』와 송시열의 예설을 존숭하고 정론으로

---

4) 유봉학, 「18~19세기 노론학계와 산림」, 『한신논문집』3, 1986. 25~26쪽.
5) 『宋子大全續拾遺』『附錄』 권2, 「墓誌(後學尹鳳九撰)」. "己巳禍作, 先師尤菴老先生臨命, 教小子曰學問當主朱子, 事業以孝廟所欲爲者主之."
6) 김문식, 『朝鮮後期 經學思想研究』, 일조각, 1996, 21쪽.

삼았지만, 이들 두 학단은 인물성동이 문제뿐만 아니라 예설에 있어서도 서로 이견을 보였다. 이 시기는 17세기 후반 기해복제(己亥服制) 논쟁의 여운이 아직 가시지 않아, 같은 학파 안에서도 늘 논변의 소재로 회자되고 있었는데, 특히 상례의 복제 부분을 이해하는 과정에서 두 학파 간의 견해가 다소 다른 기조를 보여 주었다.

그 하나는 장자 참최복 논쟁인데, 호론의 한원진이 일찍이 '천자와 제후는 장자를 위해서 참최복을 입을 수 없다'[7]라는 예설을 제기하였는데, 40년이 흐른 뒤에 낙론의 임성주는 선현의 예설과 배치된다고 한원진의 예설을 비판하고 나섰다.[8] 이 논쟁은 비록 두서너 명 사이에서 오고가는 정도였지만, 그 여파는 19세기 말까지 지속되었다.

또 하나의 논쟁은 역시 호론학자인 송능상이 김장생의 『상례비요(喪禮備要)』를 비판한 「상례비요지두사기(喪禮備要紙頭私記)」를 저술한 것인데, 이 저술로 인해 송능상은 성균관 유생과 낙론학자들로부터 심한 비난을 받았다. 이와 같은 두어 차례의 격한 논쟁은 인물성동이론의 연장선에서 일어난 것으로, 그 논쟁이 대거 확대되지는 않았지만 당시 기호학파 내에서는 다소 심각한 논쟁으로 인식되었다.

따라서 이 장에서는 18세기 기호 예학을 호론 학단과 낙론 학단으로 분류하여 그 대표 예학가의 예설을 고찰하고, 이들 학단의 사승(師承)관계 및 각 구성원들의 예학 저술의 전체 규모를 개괄하여 보겠다. 이 시대 호론 학단으로는 남당 한원진(1682~1751) 학단, 병계 윤봉구(1683~1767) 학단, 운평 송능상(1710~1758) 학단이 두드러지게 나타나고, 낙론 학단으로는 도암 이재(1680~1746) 학단과 미호 김원행(1702~1772) 학단이 두드러진다. 이외에 크게 학단을 형성하지는 못했으나, 후재(厚齋) 김간(金榦, 1646~1732), 구천(龜川) 이세필(李世弼, 1646~1718), 본암(本菴) 김종후(金鍾厚, 1721~1780), 과재(過齋) 김정묵(金正默, 1739~1799), 조진구(趙鎭球, 1765~1815) 등의 몇몇 예학가들은 예학에 조예가 깊어 예서를 저술하기도 하였으므로, 기타 예학가로 분류하여 그 예설 규모를 살펴보겠다.

---

7) 『南塘集拾遺』 권3, 「答沈信夫(庚申六月)」.
8) 『鹿門集』 권20, 「韓南塘(元震)禮說辨(辛丑)」.

1. 호론계(湖論系) 학단

(1) 남당(南塘) 한원진(韓元震) 학단

사진_1 <한원진 초상화> 출처: http://www.goodmorningcc.com

18세기 기호학자로서 송시열과 권상하의 적전(嫡傳)을 이은 남당(南塘) 한원진(韓元震 1682~1751)은, 인물성부동론(人物性不同論)을 주장하여 이른바 호론(湖論)을 대표하는 학자가 되었다. 여느 기호학파 학자들과 마찬가지로 한원진 역시 율곡(栗谷) 이이(李珥)와 우암(尤菴) 송시열(宋時烈)을 가장 존중하였다. 그는 스승 권상하의 행장을 저술하면서 "주자가 돌아가신 뒤로 우리 도(道)가 동쪽으로 왔는데, 그 전도(傳道)의 책임을 맡은 분은 오직 율곡과 우암 두 선생이 가장 뛰어났다."[9]고 칭송하였다. 특히 한

9) 『南塘集』 권34, 「寒水齋權先生行狀」. "蓋朱子歿而吾道東矣, 其任傳道之

원진은 호론의 입장에서 낙론 학설을 강하게 비판하였는데, "사람과 동물이 모두 오성(五性)을 갖추고 있다고 하는 것은 사람과 동물의 구분을 없애는 것이다."[10]고 지적하면서, 그것이 해가 됨을 심하게 경계하였다. 이러한 한원진의 성리설에 송능상(宋能相)·권진응(權震應)·김근행(金謹行)·김교행(金敎行)·김한록(金漢祿)·황인검(黃仁儉)·김약행(金若行) 등의 문인들이 대거 동조하여 가세하면서 큰 학단을 형성하게 되었다.

남당 한원진의 가계(家系)를 살펴보면, 그는 처음 서울에서 태어났지만 8세 때에 조부를 따라 충청도 결성(結城: 지금의 홍성)으로 옮겨와 조부의 가르침을 받은 것으로 보인다. 21세에 수암 권상하에게 집지(執贄)한 뒤로 학문적 업적을 성취하여 가장 뛰어난 제자라는 평가를 받았다. 권상하는 한원진에게 "경전을 설명하는 것이 정밀하고도 박학하여 그대와 같은 사람은 없다."[11]라고 할 정도로 극찬하였고, 농암(農巖) 김창협(金昌協) 같은 이는 "그대는 총명이 부족한 것은 걱정할 필요가 없으나, 너무 일찍 발현하였다."[12]고 하면서 다소 우려를 표명하기도 하였다.

한원진은 우리나라의 도통(道統)을 논하면서 율곡 이이와 우암 송시열만을 일컫고, 사계 김장생을 언급하지 않았다는 이유로 많은 이들에게 비난을 받았다.[13] 그의 학문은 거경(居敬)·궁리(窮理)·실천(實踐)·수행(修行)을 위주로 힘을 써서 정조(精粗)와 본말(本末)을 갖추었으니 유용한 실학(實學)[14]이라는 평가를 받았다. 특히 그의 학문 중에 가장 두드러지는 것은

責者, 惟栗谷尤菴二先生爲最著."

10) 『南塘集』 권20, 「答權亨叔(丁卯八月)」. "今之學者, 以人物之性, 謂同具五常, 是人獸無分也."

11) 『屛溪集』 권59, 「南塘韓公(元震)行狀」. "贈詩以歸之曰, 妙歲高才學孔朱, 說經精博似君無."

12) 『屛溪集』 권59, 「南塘韓公(元震)行狀」. "翌年, 歷拜金農巖先生於三洲, 半日論學, 農巖曰, 君聰明不患不足, 但發得太早在耳."

13) 『屛溪集』 권59, 「南塘韓公(元震)行狀」. "朱子歿, 吾道東矣. 其任傳道之責者, 惟栗谷尤菴兩先生爲最著云. 最著二字, 原於朱子行狀, 自有來歷, 而獨沙翁後孫一二人, 十數年後, 忽生疑怒, 始謂沙溪先生見拔於傳道之中, 群罵衆嗔, 無復顧藉. 前日憾於公者, 遠近和附, 以至馳文詬辱, 陳章聲罪而極矣."

14) 『屛溪集』 권59, 「南塘韓公(元震)行狀」. "蓋公學於先正, 門路甚正, 其學以居敬窮理實踐修行爲務, 該精粗具本末, 可謂有用之實學也."

인물성(人物性)에 대한 논의를 제기하여 성리학의 수준을 한 단계 높였다는 것이다. 이 논쟁은 호론과 낙론학파가 서로 자신의 논리가 주자의 학설에 가깝다는 것을 증명하기 위해, 인간의 심성에 대하여 더욱 치밀하게 탐구하는 계기가 되었다.

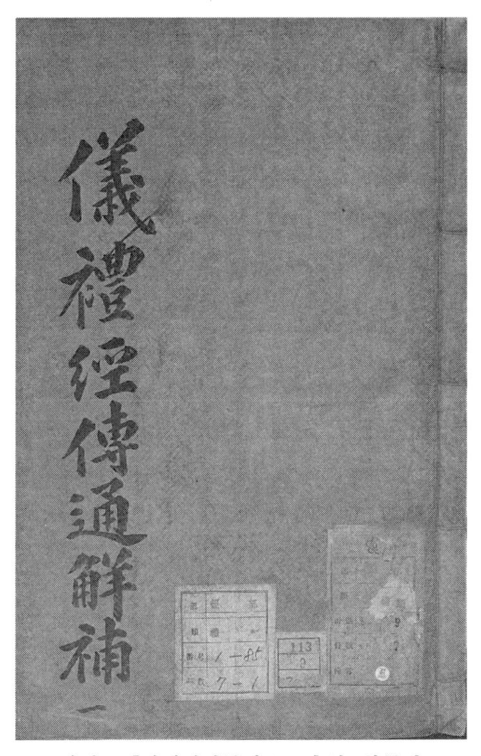

사진_2 『의례경전통해보』. 출처: 한중연

한원진은 생전에 많은 저술을 남겼는데, 「경의기문록(經義記聞錄)」·「주서동이고(朱書同異攷)」·「퇴계집소석(退溪集疏釋)」·「의례보(儀禮補)」·「장자변해(莊子辨解)」·「선학통변(禪學通辨)」·「양명집변(陽明集辨)」·「거관록(居觀錄)」·「한씨부훈서(韓氏婦訓書)」·「가례소의첨론(家禮疏義籤論)」·「가례원류의록(家禮源流疑錄)」·「근사록주설(近思錄註說)」·「이락연원록(伊洛淵源錄)」·「심경부주차기(心經附註箚記)」·「춘추별전(春秋別傳)」·「고사편람(古事便覽)」 등 수십 편에 달한다. 또한 주자의 『의례경전통해(儀禮經傳通解)』를 보안하여 『의례경전통해보(儀禮經傳通解補)』(11권 7책)를 편찬하기도 하였다. 『의례경전통해보』는 주자의 미완성 초고본인 『의례경전통해』를 주자의 사위 황간(黃榦)이 『의례경전통해속』이라는 이름으로 편찬하다가 완성하지 못한 것을, 주자의 문인 양복(楊復)이 14권으로 완성한 것에다 다시 한원진이 자신의 설을 붙여 편찬한 예서(禮書)이다.

그는 이러한 저술 외에도 여러 편의 잡저를 통해 예학에 관한 자신의 견해를 제출하였고, 또 동문·친구[知舊]·문인 등과 수차례의 편지를 통해 예설 강론을 주도하였다.

권	서간 내용	비고
권8	「與崔成仲(徵厚)別紙(甲午正月)」	同門
권14	「答朴心甫(正源　丙申正月)」	〃
	「答沈信夫(潮　十月)」	〃
권15	「答沈信夫」	〃
권16	「答沈信夫(壬戌十月)」	〃
	「答沈信夫, 兼示金常夫.(癸亥七月)」	〃
	「答沈信夫(四月)」	〃
	「與沈信夫(九月)」	〃
	「答沈信夫(丙寅五月)」	〃
	「答沈信夫」 10통	〃
	「答李薰伯([香+全]丁未三月)」	知舊
권17	「答金仲明(時哲　十二月)」	〃
	「與金仲明(癸亥正月)」	〃
	「答郭季康(鎭輿○丙辰十月)」	〃
	「答金士鷹(時翰○丙辰五月)」	〃
	「答金士鷹」	〃
	「答李聖通(至泰○甲寅十二月)」	〃
	「答李章五(命德○戊辰二月)」	〃
	「答邊士聰(儷○辛亥)」	〃
권18	「答李伯相(命奭○癸亥九月)」	〃
	「答李伯相(乙丑)」	〃
	「答李伯相(丙寅三月)」	〃
	「答李伯相(丙寅四月)」	〃
	「答李伯相(庚午四月)」 5통	〃
	「答金稚恭(肅行○丙辰九月)」	〃
	「答金始復(癸亥九月)」	〃
	「答趙生(儼○甲子十二月)」	〃
권20	「答黃景得(仁儉)」	門人

	「答權亨叔(震應 甲子十一月)」	〃
	「答權亨叔(乙丑十二月)」	〃
	「答權亨叔(丁卯八月)」	〃
	「答權亨叔(戊辰二月)」 5통	〃
	「答金伯三(敎行 壬戌九月)」	〃
	「答金伯三(壬戌九月)」	〃
	「答金伯三(癸亥三月)」	〃
	「答金伯三(丙寅二月)」 4통	〃
권21	「答金常夫(謹行 十二月)」	〃
	「答金常夫(七月)」	〃
	「答金常夫(七月)」	〃
	「與金常夫(九月)」	〃
	「與金常夫(甲子五月)」	〃
	「答金常夫(乙丑正月)」	〃
	「答金常夫(八月)」	〃
	「答金常夫(四月)」 8통	〃
권24	「家禮踈義付籤(與崔成仲往復○乙未)」	
권25	「家禮源流疑錄(丁巳)」	
	「家禮源流疑錄[續錄]」	
권26	「韓氏婦訓(幷序)」	
권30	「天子諸侯正統旁期服制說」	
拾遺 권3	「答沈信夫(庚申六月)」	同門
	「答沈信夫 庚申十二月」	〃
	「答權亨叔 戊辰二月」	門人

표_1 <『南塘集』 소재 禮疑 問答>

표_1에서 보듯이 한원진과 예설을 교류한 학자들은 약 18명이다. 이들 중에 4회 이상 편지를 주고받은 사람은 동문인 정좌와(靜坐窩) 심조(沈潮 1694~1756) 10통, 친구인 이명석(李命奭 ?~?) 5통, 문인 권진응(權震應 1711~1775) 5통, 김교행(金敎行 ?~?) 4통, 김근행(金謹行 1713~1784)이 8통으로 나타나고 있다.

이 가운데 동문인 심조와는 가장 많은 예설 문답이 이루어졌는데, 주로 복제(服制)·개장(改葬)·역복(易服)·입후(立後) 등과 관련한 질문과 답변이었다. 그중에서 「답심신부(答沈信夫, 庚申六月)」에서 한원진은 천자와 제후의 장자복제에 대한 견해를 자세하게 논변하고 있다. 한원진은 '천자와 제후는 장자를 위해 참최복을 입을 수 없다'는 다소 독특한 주장을 폈다. 이로 인하여 낙론학자들에게 거센 비판을 당하기도 했는데, 이에 대해서는 4장 1절의 왕실복제 부분에서 자세하고 다루도록 하겠다.

친구인 이명석과의 문답에서는 복제(服制)·혼례(婚禮)·묘제(墓祭) 등에 대한 내용을 다루었다. 문인인 권진응과는 무술복제(戊戌服制)·병유상(幷有喪)·입적이장(立嫡以長) 등에 대해서 논변했다. 권진응은 권상하의 증손으로 한원진에게 사사하였다. 무술복제는 1718년(숙종44, 2월7일)에 경종의 비(妃)인 단의빈(端懿嬪) 심씨(沈氏)의 훙서(薨逝) 때 복제 문제를 논한 내용이다. 또 김교행과의 편지에서는 초상 중의 제례에 유식여부(侑食與否) 및 상례와 관련한 내용을 논하였다. 김근행과는 제례(祭禮)·복제(服制)·부제(祔祭)·시(尸)·입후(立後)·장자복제(長子服制) 등을 논하였다.

또한 한원진은 동문인 최징후(崔徵厚)와 『가례』의 의심나는 부분을 가지고 왕복 토론한 내용을 「가례소의부첨(家禮疏義付籤)」이란 제목으로 잡저편(雜著篇)에 실었다. 가례서(家禮序)의 양병(兩病)과 통례(通禮)의 사당장(祠堂章) 등을 비롯하여 관례·혼례·상례·제례에 이르기까지 조문마다 자세하게 논증하였고, 「부설(附說)」로는 '가례는 선배를 따른다[家禮從先進]'·'가례는 풍속을 따른다[家禮從俗]'·'심의(深衣)'·'큰 띠는 두 번 둘러 띤다[大帶再繚]'·'부인의 계[婦人髻]'·'신주 쓸 때 현(顯)자 칭호[題主稱顯字]' 등에 대해서도 상세하게 변론하였다. 끝의 「부예의견문록(附禮疑聞見錄)」의 '아버지의 상중에 조모의 승중복을 입어야 하는 자는 무슨 복이 마땅한가[父喪中 承重祖母服者 當持何服]'·'외지에서 부음을 들은 자가 초상을 듣고 성복하고 나서 어느 날에 복을 벗어야 하는가[在外聞喪者 聞喪成服 何日除服]'·'외지에서 3개월이 지나 초상을 듣고서 장사 지내고 나서 기년 뒤에 입후한 자는 담제를 지내는가[在外過三月聞喪 葬後期後立後者禫有無]' 등 3조문에 대해 최징후와 자신의 견해를 서로 비교하여 논하였다.

그리고 『가례원류』에 대해 의심나는 조문을 발취하여 예경(禮經)과 선현의 예설을 들어 자세하게 논변한 「가례원류의록(家禮源流疑錄)」을 지었고, 천자와 제후의 예를 다룬 「가례원류의록 속록(家禮源流疑錄 續錄)」을 지어 기존의 『가례원류』의 미비한 부분을 보완하였다. 또 효장세자가 훙거했을 때 복제 논의가 같지 않은 것이 많아 옥계(玉溪)와 함께 변론한 「천자제후정통방기복제설(天子諸侯正統旁期服制說)」을 저술했는데, 여기에서 '천자와 제후는 방기복을 끊음[天子諸侯絶旁期]'·'존귀함이 같으면 강복하지 않음[尊同則不降]'·'정통 기년복은 강복하지 않음[正統之期不降]' 등 3가지 문제에 대해 자신의 예학적 입장을 자세하게 폈다.

한원진의 동문이나 문인 중에 예설을 저술한 이들은 그다지 많지 않다. 이들은 대개 호론 학맥에 속하는 인물로 평소 한원진과 편지를 통해 학문을 토론했던 사이이다. 남당 한원진의 학단을 도표로 나타내면 다음과 같다.

성명	예학 저술	비고
靜坐窩 沈潮 1694~1756	「與尹屛溪(鳳九)別紙(丁未)」·「答尹瑞章疑問(癸亥五月)」·「答尹瑞章別紙(六月)」·「爲師吊服加麻考證示金常夫(辛未三月)」·「答沈文在疑目」·「答申東野(垌)別紙」·「答樂賢家禮疑問(丙子五月)」·「服制式稱號卞(癸丑)」·「忌日只祭一位考證(甲子)」·「南人不着幅巾卞證(壬子)」·「儀禮幷有喪條橫渠說解」·「章齋講禮(丁未夏)」·「記遞遷問答(壬申)」·「練變布帶說(壬子)」·「牛渚書院春秋享籩豆簠正議(庚午)」·「內篇」	『靜坐窩集』
賁需齋 姜奎煥 1697~1731	「禮記箚疑(丁未)」·「君喪燕居布帶辨」	『賁需齋集』
雲坪 宋能相 1710~1758	「讀禮隨箚」·「題木主議」·「喪禮備要紙頭私記」·「禮說辨」·「幷有祖父喪, 嫡孫代重辨」·「臯比正目」	『雲坪集』

庸齋 金謹行 1713～1784	「上師門別紙」·「答趙汝五(德常)問目」·「答沈子有儀禮疏義問目」·「答洪相宜源流疑目」·「答洪相宜箚問」·「禮記箚疑」·「家禮疑目」·「贈玄纁考證」·「爲師吊服加麻考證」·「族弟子靜(亮行)改葬儀節籤錄」·「圓衫篇」	『庸齋集』

표_2 <南塘 韓元震 학단 예학가>

정좌와(靜坐窩) 심조(沈潮 1694～1756)는 서울 출신으로 어려서는 조부인 심가(沈榎)에게 글을 배웠고, 14세에는 동몽교관 민승수(閔承洙)에게 수학하였다. 그러다가 25세에 권상하를 만나 『대학』·『중용』·『심경』·『근사록』 등을 본격적으로 수업하였다. 심조는 한원진을 비롯하여 이간(李柬)·채지홍(蔡之洪)·현상벽(玄尙壁)·강규환(姜奎煥)·윤봉구(尹鳳九)·김근행(金謹行) 등 주로 호론 계열 학자들과 학문을 교류하였는데, 학문 내용은 인물성과 관련한 주제가 가장 많다. 그는 한원진을 스승처럼 섬겨 편지를 올릴 때는 반드시 '상(上)'이라는 칭호를 붙였다. 한원진과는 1726년부터 1748년까지 무려 22년 동안 35통의 편지를 왕복하며 질문과 토론을 반복하였다. 그의 예설은 표_2에서 보듯 대체로 상례와 제례에 관한 의문에 답하거나 변증한 것들이다.

비수재(賁需齋) 강규환(姜奎煥 1697～1731)은 한원진의 생질(甥姪)로 19세에 한원진에게 『중용(中庸)』·『대학(大學)』·『계몽(啓蒙)』·「태극도(太極圖)」 등을 수업하였고, 한원진의 「경의기문록(經義記聞錄)」을 읽고 크게 감명을 받아 이것으로 학문의 지남(指南)을 삼았으며, 20세에는 도암(陶菴) 이재(李縡)의 문하에 수업하기도 하였다. 그는 35세를 일기로 요절하였지만 『비수재집(賁需齋集)』(12권 6책)을 남겼고, 예설로는 「예기차의(禮記箚疑)(丁未)」와 「군상연거포대변(君喪燕居布帶辨)」 등 2편을 저술하였다.

운평(雲坪) 송능상(宋能相 1710～1758)은 송시열의 현손으로 한원진의 적통을 계승한 인물이다. 그는 18세에 한원진에게 집지하여 한원진의 인물성이론(人物性異論)을 충실히 계승하였다. 일찍이 사계 김장생의 『상례비요』를 비판한 글을 지었다는 이유로 사학유생(四學儒生)들에게 심하게 배척당했다. 송능상에 대한 자세한 사항은 제Ⅱ장 제1절의 송능상 학단에서 다시 자세하게 서술하겠다.

용재(庸齋) 김근행(金謹行 1713~1784)은 10세 중반에는 비수재 강규환에게 사사하였고, 20세부터는 한원진의 문하에 들어가 수학하였다. 그는 관직에 나아가 김포군수, 금산군수 등을 역임하기도 하였다. 또 스승의 문집인 『남당집』을 간행하는 데 주도적인 역할을 담당하였다. 김근행과 교유한 학자들은 한원진을 비롯하여, 강규환(姜奎煥)·심조(沈潮)·강호부(姜浩溥)·송능상(宋能相)·권진응(權震應) 등이다. 이 가운데 송능상과 권진응과는 학문을 토론하기 위해 왕복한 편지 수십 통이 있다. 김근행의 예설은 주로 『의례』와 『예기』및 『가례』 등 주로 기본 예서에 대한 의문에 답하거나 논변한 것이 많다. 그 밖에 장례에 사용되는 현훈(玄纁)과 사복(師服)에 사용되는 가마(加麻)를 고증한 것도 있다.

살펴보았듯이 한원진 학단은 인물성 이론에 공명하는 학자들로 이루어졌다. 한원진은 국가의 전례에 대해 많이 논의했는데, 그의 예론은 권상하의 학설을 충실히 계승한 것으로 낙론학파와는 대립되는 부분이 많았다. 특히 한원진이 동문인 심조에게 보낸 편지에는 권상하의 '삼강설(三綱說)'에 입각하여 '천자와 제후는 장자를 위해 참최복을 입을 수 없다'는 설을 제기하여, 낙론학자 임성주에게 심한 비판을 받으면서 한때 논란이 되었다. 이들 학단의 예설은 주로 상례의 복제와 관련한 의절과 도구 등을 고증한 것이 많다. 또 『의례』와 『예기』및 『가례』 등의 예서 가운데 의문이 드는 부분을 정밀하게 고찰한 것도 주목할 만하다.

(2) 병계(屛溪) 윤봉구(尹鳳九) 학단

18세기 한원진(韓元震)·이간(李柬)과 함께 호락논쟁을 이끌어간 대표적인 학자 중의 한 사람인 병계(屛溪) 윤봉구(尹鳳九 1683~1767)는 호론을 지지하는 중심인물에 속한다. 그는 권상하의 문인 중에 강문팔학사(江門八學士)[15]의 한 사람으로 꼽힐 정도로 학문이 뛰어났다. 윤봉구 역시

15) 權尙夏 門下의 江門八學士는 李柬·韓元震·尹鳳九·蔡之洪·李頤根·玄尙璧·崔徵厚·成晩徵 등 8명이다.

사진_3 <윤봉구 초상> 출처: 한중연

호론 계열 입장에서 낙론의 인물성동론에 대해 사람과 동물을 구분하지 않는 처사[16]라고 심하게 공격하였다. 윤봉구의 학단은 한원진 학단에 비하면 그 숫자가 많은 편은 아니지만, 김지행(金砥行)·박준흠(朴俊欽)·송명휘(宋明輝)·위백규(魏伯珪)·김종명(金宗溟)·김규오(金奎五)와 같은 뛰어난 학자들을 배출함으로서 하나의 학단을 형성하게 되었다.

윤봉구는 타고난 바탕이 매우 노둔하여 어릴 때는 글방 선생이 수업을 거부할 정도였지만, 훗날에는 부단한 노력으로 학문의 성취를 이루었다.[17] 그는 어느 정도 학문이 성숙하자 권상하(權尙夏)에게 나아가 수학했는데, 그와 학문을 교류한 학자는 스승 권상하를 비롯하여, 이재(李縡)·한원진(韓元震)·현상벽(玄尙壁)·채지홍(蔡之洪)·김간(金榦) 등 당대의 석학들이다. 권상하와는 효순현빈의 복제에 대해서 깊이 있게 논변하였고, 이재에게는 심설(心說)에 대해서 질문하였으며, 한원진(韓元震)과는 인심순선(人心純善)에 대한 주제로 강론하였으며, 현상벽과는 인물성뿐만 아니라 처상(妻喪)의 복제를 비롯한 상례 전반에 걸쳐 두루 문답하고 토론하였다.

또 그는 뒷날 스승 권상하의 문집 교정을 주도하면서 교감을 하고 서문도 지었다. 66세 때는 학통(學統)의 주요 인물을 거론하면서 김장생을 빼고, 이이·송시열·권상하를 도통의 정맥[18]으로 정리했다가, 김장생의 후손들과 분쟁을 일으키기도 했다. 학통의 정맥을 논함에 있어서는 윤봉구뿐만 아니라, 한원진도 김장생을 제외시켜 논란을 일으켰던 적이 있었다. 대체적으로 기호학파에서는 사계 김장생의 학문적 위상을 높이 평가함에도 불구하고, 일부 호론 계열의 논의에서는 학통의 정맥에서 김장생의 위상이 다소 약화되는 감이 없지 않다.

윤봉구의 학문 논변에는 성리학에 대한 논설이 가장 많은 분량을 차지하지만, 예학 저술도 다수 있다. 그의 예학 저술을 살펴보면 다음과 같다.

---

16) 『屛溪集』 권31, 「答宋景晦(己卯)」. "以其各從形氣之異者而所受而爲性者觀之, 則隨其所稟之異, 各自爲其氣之理. 故此異體之理, 絶不同而形不同則性不同, 形同則性同. 是以從理言則人物無不同, 從性言則人物各異, 近來主人物性同之說, 此則人獸無別也."

17) 『梅山集』 권52, 「雜錄」. "屛溪幼而入學, 口鈍不能通句讀, 塾師欲辭去, 屛溪涕泣不寢, 塾師 感其意復施教. 屛溪亦努力不已, 竟底有成, 眞以魯得之者也."

18) 『屛溪集』 권7, 「門生疏(甲辰)」. "李珥後朱子也, 宋時烈, 又得李珥之學而傳之臣師, 朱子之眞統正脈."

권	예학 저술
권8	「太學儒生服色收議(辛酉)」·「大報壇毅宗皇帝並祀當否議(己巳)」·「大報壇神毅二皇帝位次議」·「文文山天祥眞像別祠五國城或配享於武侯廟議(庚午)」·「贇嬪喪大王大妃服制議(辛未)」·「大小國恤廟社祭祀時用樂與習樂及小喪卒哭前軒架鼓吹排設當否議(壬申)」·「長子三年服復古禮當否議」·「因宗廟祭享時王后位出主宮闈令爲之故仍廢出主之禮當否議」·「皇壇從享當否議(壬午)」
권34	「文仁會立約」·「老江書院講學規目(丙戌)」
권35	「握手結法解」·「夫爲妻杖朞或不杖朞練禫有無考證說(癸丑)」
권37	「金汝四禮疑講說答問(庚午)」·「金景休禮疑講說」

표_3 <『屛溪集』 소재 禮說>

윤봉구는 국가의 전례와 관련하여 10편의 헌의(獻議)를 올렸다. 「태학유생복색수의(太學儒生服色收議)(辛酉)」는 성균관 유생들의 복색을 바꾸는 문제에 대한 내용이다. 당시 유생들이 홍색을 청색으로 바꾼다고 하자 윤봉구는 대안으로 난삼(襴衫)을 제안하였는데, 난삼은 색깔이 푸르고 법도도 있을 뿐만 아니라 주자의 심의(深衣)와 함께 삼가(三加)의 복장에 병렬되기 때문이라고 주장하였다.[19]

국가전례에 대해서는 대보단을 설립한 뒤에 의종황제를 함께 제사하는 문제와, 의종을 함께 제사했을 경우 신종과 의종의 위차 문제에 대한 내용인 「대보단의종황제병사당부의(大報壇毅宗皇帝並祀當否議)」와 「대보단신의이황제위차의(大報壇神毅二皇帝位次議)」, 송나라 충신 문천상(文天祥)의 진상(眞像)을 별도로 오국성(五國城: 會寧)에 사당을 지어 모시거나 제갈무후의 사당에 배향하는 문제의 「문문산천상진상 별사오국성 혹배향어무후묘의(文文山天祥眞像, 別祠五國城, 或配享於武侯廟議)(경오)」, 효순현빈 상에 대왕대비의 복제 논의인 「현빈상대왕대비복제의(贇嬪喪大王大妃服制議)」, 왕실의 대소상(大小喪) 중에 종묘와 사직에 제사할 때 음악을

19) 『屛溪集』 권8, 「太學儒生服色收議(辛酉)」. "襴衫之服, 其色旣靑, 其制有法, 朱夫子與深衣之法服, 並列於三加之服, 固可爲儒士之盛服."

사용하는 문제 및 소상(小喪)의 졸곡(卒哭) 전에 헌가고취(軒架鼓吹)를 배설하는 문제인 「대소국휼 묘사제사시 용악여습악 급소상졸곡전 헌가고취배설당부의(大小國恤 廟社祭祀時 用樂與習樂 及小喪卒哭前 軒架鼓吹排設當否議)(임신)」, 인종의 제향 때 왕후의 신주를 궁위령(宮闈令)이 출주(出主)하기 때문에 예를 폐하는 것이 마땅한지의 여부를 논한 「인종묘제향시 왕후위출주 궁위령위지고 인폐출주지례당부의(因宗廟祭享時 王后位出主 宮闈令爲之故 仍廢出主之禮當否議)」, 당시 장자 중자(衆子)를 막론하고 기년복으로 하는 것은 마땅하지 않으니 장자에게는 삼년복의 제도를 회복하는 것이 마땅하다는 내용인 「장자삼년복부고례당부의(長子三年服復古禮當否議)」등을 올렸다.

또 윤봉구는 강회(講會)의 규칙을 정립한 「문인회입약(文仁會立約)」, 서원의 강학 규목(規目)을 정립한 「노강서원강학규목(老江書院講學規目)」 등을 지어 강학에 힘을 쏟았다. 또 초상에 악수(握手) 묶는 법은 가례본주(家禮本註)에도 자세하지 않을 뿐 아니라 『상례비요』의 해석에도 어려움을 느껴 이를 해결하기 위해 「악수결법해(握手結法解)」를 지었다. 그리고 남편이 아내를 위해 장기(杖朞) 혹은 부장기(不杖朞)를 하고 연제 담제의 유무(有無)를 고증한 「夫爲妻杖朞或不杖朞練禫有無考證說」은 『의례(儀禮)』·「잡기(雜記)」·「상복소기(喪服小記)」·『가례(家禮)』·명제(明制)·국제(國制) 등의 자료를 모두 살펴서 아내를 위한 남편의 복제를 정밀하게 고증하여 밝혔다.

그 밖에 윤봉구가 문인들의 예의(禮疑) 질문에 답한 것으로는 그의 문집에 수록된 김종명(金宗溟: 汝四)의 질문에 답한 「김여사예의강설답문(金汝四禮疑講說答問)」과 최와(最窩) 김규오(金奎五 1729~1791)에게 답변한 「김경유예의강설(金景休禮疑講說)」 등이 있다. 이밖에 서간문에도 문답 형식의 예설이 다수 수록되어 있다.

다음은 윤봉구 문인들의 예학 저술을 표_4를 통해 살펴보겠다.

성명	예학 저술	비고
存齋 魏伯珪 1727～1798	「禮說」·「己亥議禮辨」·「小殮不結絞辨」·「家中四時會飮規」	存齋集
最窩 金奎五 1729～1791	「讀大全喪服箚子偶記」·「讀家禮箚記」·「讀喪禮備要箚記」	最窩集
尹健厚 18세기후반	『三菴疑禮輯略』(한국예학총서82)	尹鳳九 손자

표_4 <屛溪 尹鳳九 학단 예학가>

존재(存齋) 위백규(魏伯珪 1727～1798)는 전라남도 장흥 출신으로 22세까지는 고향에서 학생들을 모아 놓고 『소학(小學)』·『격몽요결(擊蒙要訣)』·『상례비요(喪禮備要)』 등을 강학하며 지내다가, 25세 때에 윤봉구를 스승으로 모시면서, 1권으로 만든 『의례문답(疑禮問答)』을 가지고 경의(經義)의 의심나고 어두운 부분을 질문하였다.[20] 이후부터 자주 스승을 찾아뵙고 인물성동이와 『근사록(近思錄)』 등을 가지고 강론하였다. 그는 대체로 평생 동안 많은 시간을 고향에서 후학을 가르치면서 보냈다. 41세에는 다산초당(茶山草堂)을 세우고 그곳에서 향음주례(鄕飮酒禮)와 향사례(鄕射禮) 그리고 강학을 번갈아 행하며 후학들을 지도하였다.

위백규의 예설은 주로 상례 부분에 집중되어 있다. 「예설(禮說)」에서는 습(襲), 괄발(括髮), 처음 죽었을 때의 시신 수습 과정, 장지(葬地)를 정할 때 지사(地師)의 설을 참고하는 문제 등을 논변하였다. 「소렴불결효변(小殮不結絞辨)」은 객(客)과의 문답을 통해 기해복제에서 대상(大喪)의 소렴에 효(絞)를 묶지 않은 것을 장문의 글로 논변하였다. 「기해의례변(己亥議禮辨)」 역시 객의 질문을 통해 효종에 대한 복제는 송시열이 주장한 기년복제가 옳다는 것을 다시 변론하였다.

최와(最窩) 김규오(金奎五 1729～1791)는 자는 경휴(景休), 호는 최와(最窩)로 충청도 부여 출신이다. 그는 23세 무렵에 남당 한원진에게 나아가 수학하려고 하였으나, 갑자기 한원진이 세상을 떠나는 바람에 가

20) 『存齋集』 권24, 『附錄』 「年譜」 25세조.

지 못하였다. 그러다가 이듬해에 윤봉구를 찾아가 집지를 하고 몇 개월을 머물면서 가르침을 받았다. 김규오는 윤봉구의 문하에서 김지행(金砥行)·박준흠(朴俊欽)·송명휘(宋明輝)·김종명(金宗溟) 등과 함께 오학사(五學士)로 불릴 정도로 명망이 높았다. 그는 48세 때에 『송자대전(宋子大全)』 교정에 참가하였는데, 이때 송시열을 침욕(侵辱)하고 교정 중에 문자를 마음대로 조작했다는 무함을 받기도 하였다. 그 밖에 시남(市南) 유계(兪棨)의 연보(年譜)를 편집하는 한편, 윤봉구의 문집도 교감하고 편차했는데, 그 과정에서 병이 심해져 일을 끝마치지 못하고 별세하고 말았다.

김규오의 예설로는 「독대전상복차자우기(讀大全喪服箚子偶記)」·「독가례차기(讀家禮箚記)」·「독상례비요차기(讀喪禮備要箚記)」 등 3편이 문집에 수록되어 있다. 「독대전상복차자우기」는 천자의 삼년상에 대해 논한 것이고, 「독가례차기」는 주자의 『가례』를 읽고 의심나는 부분을 기록한 것으로 1권부터 7권까지 각 권수를 표시해가며 자세하게 논변하였다. 「독상례비요차기」는 김장생의 『상례비요』를 읽고 그 의문점을 기록한 것으로 모두 64조항이다.

끝으로 윤건후(尹健厚)는 윤봉구의 손자로 그의 생몰년에 대해서는 자세한 기록이 보이지 않는다. 그의 생부(生父) 윤심위(尹心緯)는 어려서 백부 윤봉휘(尹鳳輝)에게 출계(出系)하였다. 윤건후는 일찍이 『삼암의례집략(三菴疑禮輯略)』(3권 2책)을 편찬하였다. 이 책은 윤건후가 우암 송시열·수암 권상하·구암 윤봉구 등 3인의 예설 중에서 의심나는 부분을 수집하여, 1권 송시열, 2권 권상하, 3권 윤봉구의 예설을 차례대로 분류 편찬한 것이다. 이 편차를 살펴보면 윤건후가 조부 윤봉구를 송시열·권상하의 적통을 계승하는 인물로 드러내려는 의도가 있음을 엿볼 수 있다.

살펴보았듯이 윤봉구 학단의 예설 역시 대체적으로 상례에 집중되어 있다. 윤봉구는 국가전례와 관련한 몇 가지 예설을 제시하였는데, 대보단 제향에서 신종과 의종의 위차를 논변하여 밝혔고, 또 효순현빈의 국상의 복제 문제 및 장자삼년복(長子三年服)에 대해 헌의(獻議)하는 등 국가의 전례에 적극적으로 참여하였다. 위백규는 송시열의 기해복제설을 다시 끄집어내어 송시열의 기년설이 정당함을 거듭 논변하였다. 김규오는 주자의 『가례』와 김장생의 『상례비요』를 면밀히 궁구하여 그 의문점을 해결하는 데 주력하였으며, 윤건후는 그의 조부 윤봉구를 송시열의 정맥으로 보고 조부의 예설 및 권상하와 송시열의 예설 중에 의심나는 부분을 수집 분류하여 예서를 편찬하기도 하였다. 이들 학단은 대체로 자신이 속한 학파의 예설을 강구하고 보완하는 작업을 하여 그들의 정통성을 확보하려 하였다.

(3) 운평(雲坪) 송능상(宋能相) 학단

18세기 호론 계열 가운데 송시열의 현손인 운평(雲坪) 송능상(宋能相 1710~1758)은 한원진의 적전(嫡傳)을 충실하게 계승한 노론 산림으로 불려진다. 그는 공주 출신으로 18세에 남당 한원진의 문하에 들어가 수업하였고, 한원진의 아우 한계진(韓啓震)의 딸과 혼인하였다. 이후 스승 한원진과 수십 통의 편지를 주고받으며 성리(性理)와 심성(心性)에 대한 의문점을 질의하였고, 마침내 한원진의 신성설(心性說)을 그대로 전수받았다. 이로 인하여 그는 호론 학설인 인물성이론에 매우 충실한 나머지 인물성동론에 대해서는 세도(世道)에 크게 해가 된다[21]고 강하게 비판하기도 하였다. 송능상은 많은 문인들을 배출하지는 않은 듯하다. 그러나 그는 송시열의 후손이라는 가학(家學)의 배경이 있었기 때문에 많은 학자들과 학문을 교류하였다.

송능상과 교유한 인물은 윤봉구(尹鳳九)·한계진(韓啓震)·김원행(金元行)·송명흠(宋明欽)·임성주(任聖周)·권진응(權震應)·김희(金憙)·이의조(李宜朝)·송환기(宋煥箕) 등으로 호론학자뿐 아니라 낙론 인사들과도 교유가 있었다. 이 가운데 권상하의 증손인 권진응과는 도의지교(道義之交)를 맺을 정도로 우의가 돈독했다. 그는 경상도 지례(知禮)에 사는 문인 이의조와 함께 산수를 구경하기도 하였고, 성산(星山)에서는 그곳 향교에서 향음주례를 행하기도 하였다.

---

21) 『性潭集』 권29, 「從叔父雲坪先生行狀」. "先生答之曰, 大抵今日世道之害, 無如人物性同之論."

또한 송능상은 1750년(영조26)에 우상(右相) 정우량(鄭羽良 1692~1754)이 경연에서 우리나라 선현의 도통(道統)을 열거하며 사계 김장생을 연원에서 누락시키고 윤증(尹拯)을 거론한 것에 대해, 소(疏)를 올려 그를 논척하였다.[22] 이는 한원진과 윤봉구가 도통 연원에서 김장생을 제외한 것과는 사뭇 다른 모습이기도 하다. 이러한 행적이 있음에도 훗날 송능상은 김장생의 『상례비요』를 비판했다는 이유로, 유생들에 의해 유일에서 삭제 당하고 문판을 파기하는 불명예를 당했다.

그는 산림으로 추중 받으면서도 국가의 전례 문제에 대해서는 언급을 피하였다. 1752년(영조28) 영조의 장손이자 사도세자의 장자인 의소세손(懿昭世孫)의 초상이 났을 때, 영조는 송능상에게 장자삼년복에 대한 예를 하문하였다. 이에 송능상은 방례(邦禮)에 대해서는 선조인 송시열이 화를 얻은 사안이 있기 때문에 차마 말을 할 수 없다고 하면서 극구 사양하였다.[23]

한편, 송능상은 종질(從姪)인 송환기(宋煥箕)에게 기대하는 바가 매우 컸다. 그는 "우리 집안의 문헌이 이미 쇠퇴해져 내가 믿는 사람은 오직 너뿐이다."고 하면서, 집안 대대로 전해오던 『주자대전(朱子大全)』 한 질을 전수해 주었다.[24] 이는 가학을 실추시키지 말라는 부탁일 뿐만 아니라, 은연중에 송시열의 도통을 반드시 계승해가라는 부탁이었다.

그는 경전과 예를 논할 때 지나간 자취에 구애되지 않았지만 저절로 옛 사람의 뜻에 합치될[25] 정도로 예학에 대한 조예가 깊었다. 그가 저술한 예설은 6편이고, 예설을 왕복한 편지는 23통이 전한다. 이를 도표로 정리하면 표_5와 같다.

송능상과 예설을 교류한 학자는 20명으로, 앞의 학자들에 비하면 그다

22) 『性潭集』 권29, 「從叔父雲坪先生行狀」. "右相鄭羽良, 筵對歷陳我朝道統, 而乃沒沙溪先生於淵源, 敢擧尹拯於其中, 先生因辭疏論斥之."

23) 『性潭集』 권29, 「從叔父雲坪先生行狀」. "壬申, 懿昭世孫之喪, 上詢以長子三年之禮, 獻議以爲邦禮係是先臣得禍之餘案, 情私驚錯, 何忍措舌."

24) 『性潭集』 권31, 「年譜」. '戊寅三十一歲'. "時雲翁作西遊, 臨行取朱子大全一帙於蘇湖之藏以授先生曰, 書是義理之府庫, 業是吾家之箕裘. 我將遠遊而翫理, 俙須靜坐而飭書, 孜孜不撤課."

25) 『性潭集』 권31, 「年譜」. "持己接物, 不規規於矜持而自循天則, 談經說禮, 不屑屑於往跡而自合古義."

권	서간내용 및 예설
권4	「答宋晦可(文欽丙辰七月)」·「答宋晦可(丁巳四月)」·「答李儀韶(鳳祥○丁丑十一月)」·「答宋公厚(載萬○庚申正月)」
권5	「與姜養直(浩溥○辛未二月)」·「答閔聖達(百通○戊午二月)」·「答閔聖達(戊午十月)」·「答兪純甫(己未十二月)」·「答李聖張(商翼○己巳元月)」·「答韓公理(箕鎭○乙亥七月)」·「答郭孟星(拱辰)」·「答郭孟星」·「答池輝甫(辛未五月)」·「答李廣敎(壬戌七月)」
권6	「答李聖任(義爕○丁巳七月)」·「答陳達海(亨集○丁丑三月)」·「答金道遠(甲戌上元)」
권7	「上季父(辛亥正月)」·「上敎官從叔父(庚戌六月)」·「答族叔父(庚戌四月)」·「答族叔父(戊午正月)」·「與巖谷族兄(庚申七月)」·「答族弟聖休(龜相○壬戌十一月)」·「寄從子煥星(癸酉七月)」
권9	「臯比正目」·「讀禮隨箚」·「題木主議」
권10	「喪禮備要紙頭私記」·「禮說辨」·「幷有祖父喪, 嫡孫代重辨」

표_5 <『雲坪集』 소재 禮疑 問答>

지 많은 편은 아니다. 송명흠(宋明欽)의 편지에는 부재모상(父在母喪)에 피발(被髮) 절차와 위인후자(爲人後者)의 복제에 대해서 논하였다. 이봉상(李鳳祥)과는 소군(小君)의 초상에 관한 의절을 논하였고, 송재만(宋載萬)과는 「상복소기(喪服小記)」의 '재기의 상은 3년복의 상이요[再期之喪 三年也]'조의 주석과 「사우기(士虞記)」의 '이 상사에 제물을 올립니다[薦此常事]'의 주석에 관한 내용을 논변하였다. 강호부(姜浩溥)와는 스승의 복제 문제에 대해서 논하였고, 민백통(閔百通)과는 제례에 있어서 '효자효손[孝子孝孫]'의 의미와 '현주(玄酒)'에 대한 유래와 의미를 논하였다. 이외에도 『의례』와 『예기』 등의 조문 중에 논란이 되는 부분을 중심으로 합당한 의리를 강구하려 하였다.

또 별도의 제목을 붙여서 저술한 예설이 있다. 「고비정목(臯比正目)」은 스승인 남당 한원진에게 질문한 내용으로 모두 6조항이다. 거기서 송능상은 『가례』 사당장(祠堂章) 주석의 '중문 밖에다 두 계단을 만든다'는 조문에 대해 이는 우리나라의 정자각(丁字閣) 제도가 주자의 뜻과 다르게 설계된 것이라고 의심하였고[26], 『가례』 본문의 '영좌(靈座)를 처음에는 휘장 안의 시상(尸牀) 남쪽에 설치했다가 대렴 뒤에는 영상(靈床) 앞에 둔다'는 조문과 『상례비요』의 '휘장 밖에 설치해 둔다'[27]는 조문에 서로 차이가 있음을 질문하였다. 이밖에 『의례』 상복편의 시마장(緦麻章)과 부인의 초상에 상주의 의절문제, 대(帶)의 제도, 승중복(承重服) 등에 대해서 질문한 내용들이 수록되어 있다.

「독례수차(讀禮隨箚)」는 송능상이 『의례』를 읽고 자신의 견해를 밝힌 내용이다. 상복참최장(喪服斬衰章)의 효대소(絞帶疏)·부위장자(父爲長子疏)·위인후자전(爲人後者傳)·「소기(小記)」의 위상후소(爲殤後疏)·상대공장범구조(殤大功章凡九條)·대공장(大功章)·사상례곡위주(士喪禮哭位註) 등 19조문에 대해 자신의 주장을 붙이기도 하고 의문을 제기하기도 하였다. 「제목주의(題木主議)」는 신주에 칭하는 글자에 대해 변론한 내용으로, 『가례』 분문에는 '황고(皇考)' '황조(皇祖)'라고 했는데, 가례도(家禮圖)에는 '현고(顯考)' '현조(顯祖)'라 하여 '현(顯)'자를 쓴 것에 대해서 논변하였다.

「상례비요지두사기(喪禮備要紙頭私記)」는 김장생의 『상례비요』의 문제점을 보완한 내용으로, 상례비요도(喪禮備要圖)에서 10조항 본문에서 67조항, 합해서 모두 77조항이다. 송능상은 경전과 선현의 설을 근거로 들어 비교적 자세하게 고찰하였다. 그러나 내용 중에 김장생을 모독하는 말을 사용했다 하여, 윤우대(尹遇大)등 사학유생들에게 그의 문판(文板)을 파괴하고 유일(遺逸)에서 명단을 삭제하라는 상소를 불러일으켰다. 다행히 권돈인(權敦仁)의 상소로 문판 파기는 면했다.

「예설변(禮說辨)」은 기해복제에 대한 변론으로 윤휴(尹鑴)의 설을 논척한 내용이다. 「병유조부상 적손대중변(幷有祖父喪 嫡孫代重辨)」은 조부와 아버지가 함께 초상이 났을 경우 적손이 대신하여 承重한다는 것에 대한 변론으로, 『의례문해(疑禮問解)』와 『통전(通典)』과 『의례경전통해(儀禮經傳

26) 『雲坪集』 권9, 「臯比正目」. "問家禮祠堂章註曰, 中門外爲兩階, 階下隨地廣狹, 以屋覆之, 令可容家衆敍立. 沙溪先生於輯覽圖, 作一架縱屋以接于堂之中間, 乃曰, 敍立之際, 欲蔽雨暘也. 今陵寢丁字閣亦其制, 是恐非朱子本意."[이하 생략]

27) 『雲坪集』 권9, 「臯比正目」. "問家禮本文, 靈座初設於幃內尸牀之南, 大斂後則置靈牀之前, 蓋鬼神尙幽暗也. 喪禮備要圖, 設在幃外, 未知何義."

通解)』 등에서 근거를 들어 자신의 견해를 피력하였다.

송능상 학단에서는 예설을 저술한 학자가 그다지 많지 않은 편이다. 그러나 그의 문인 중에서 거질의 예서를 편찬한 학자가 배출되어 18세기 예학사에 큰 공헌을 한 것은 기억해야 할 것이다. 송능상 학단을 도표로 정리하면 표_6과 같다.

성명	예학 저술	비고
性潭 宋煥箕 1728～1807	「文孝世子小祥後親臨魂宮墓所時自上服色議」·「景慕宮展謁時慈殿慈宮中宮殿行禮議」·「大王大妃殿惠慶宮服制議」·「貞純王后卒哭後宗廟大享時十四室十五室用樂當否議」·「答李遂溥別紙」·「家禮辨誤」·「南塘禮說講義」·「家禮增解序」	性潭集
鏡湖 李宜朝 1727～1805	『家禮增解』	
進菴 李遂浩 1744-1797	『四禮類會』(예총66)	李宜朝 문인
仙谷 朴建中 1766～1841	『喪禮備要補』(예총73～74) 『備要撮要條約』(예총75) 『初終禮要覽』(예총75)	宋煥箕 문인

표_6 <雲坪 宋能相 학단 예학가>

성담(性潭) 송환기(宋煥箕 1728～1807)는 자는 자동(子東), 호는 성담(性潭) 또는 심재(心齋)이고, 송시열의 5대손이다. 24세에 운평(雲坪) 송능상(宋能相)에게 나아가 「태극도설(太極圖說)」·『역학계몽(易學啓蒙)』·『가례(家禮)』 등을 수업 받으며 그의 적통을 계승하였다. 그는 일찍부터 벼슬을 단념하고 학문에만 전념하여 노론 산림(山林)으로 불렸다.

교유한 인물은 권상하의 증손인 산수헌(山水軒) 권진응(權震應), 우의정을 지낸 근와(芹窩) 김희(金憙), 『가례증해』의 편찬자인 경호(鏡湖) 이의조(李宜朝), 낙론의 종장 매산(梅山) 홍직필(洪直弼), 『상례비요보(喪禮備要補)』를 편찬한 박건중(朴建中) 등을 비롯하여 정규한(鄭奎漢)·김만종(金萬鍾)·정재풍(鄭在豐)·남치태(南致泰)·박종열(朴宗說)·이수부(李遂

溥) 등과 서찰을 왕복하며 학문을 강론하였다. 특히 경호 이의조와는 흥농(興農)의 남간정사(南澗精舍)에서 함께 강학하기도 하였고, 또 그의 행장(行狀)과 「가례증해」 서문까지 써 줄 정도로 친분이 두터웠다.

송환기는 당시 산림에 처해 있었으나, 국가의 중요한 의례가 발생하면 조정에서 반드시 그에게 자문을 구하였다. 그러나 송환기는 그때마다 말을 아끼며 자신의 견해를 주장하지 않았다. 1787년(정조11) 4월 7일에 조정에서는 예조정랑을 보내 문효세자(文孝世子) 소상(小祥) 뒤에 혼궁(魂宮)과 묘소에 친임(親臨)할 때 임금 이하의 복색(服色)에 관해 헌의할 것을 청했지만, 송환기는 예에 어두워 함부로 대답할 수 없다는 말로 사양하였다.[28] 또 1795년(정조19) 정월 1일에도 예관을 보내 사도세자의 신위를 모신 경모궁(景慕宮)에 전알(展謁)할 때 자전(慈殿)과 자궁(慈宮)과 중궁전(中宮殿)의 행례 절차에 대해서 하문하자, 역시 방가(邦家)에서 이전에 없던 성대한 예라서 함부로 대답할 수 없다고 사양하였다.[29] 또 1800년(정조24) 7월 3일에 예관을 보내 정조의 초상에 대왕대비전(大王大妃殿)과 혜경궁(惠慶宮)의 복제에 대해서 하문하였는데, 방가의 중대한 예를 고루한 사람이 함부로 대답할 수 없다는 이유로 사양하였다.[30] 이처럼 송환기는 조정에서 예관을 보내 자문을 청했지만, 그때마다 자신의 고루한 소견을 핑계로 즉답을 피했다. 이것은 이미 선조인 송시열이 방례(邦禮)의 문제로 참화를 당한 사실을 익히 잘 알고 있었기 때문에 함부로 말을 낼 수 없었던 것으로 보인다.

송환기의 문집에는 예설과 관련한 별지(別紙) 1통과 그에 딸린 별도의 예설 2편이 있다. 경호 이의조의 종질인 이수부에게 답한 별지에는, 혹자는 국휼(國恤) 장례 전 사가(私家)의 초상 때 제전(祭奠)에 소식(素食)을 사용하는 문제를 질문하자 신독재 김집의 설에 근거하여 답변한 내용이 들어 있다.[31] 대표적인 예설로는 『가례』의 미비한 부분에 대해 선현들의 예설에 근거하여 보완한 87조목이 있다.[32] 「가례변오(家禮辨誤)」

28) 『性潭集』 권4, 「文孝世子小祥後親臨魂宮墓所時自上服色議」.
29) 『性潭集』 권4, 「景慕宮展謁時慈殿慈宮中宮殿行禮儀」.
30) 『性潭集』 권4, 「大王大妃殿惠慶宮服制議」.
31) 『性潭集』 권9, 「答李遂溥別紙(乙丑)」.

의 주 내용은 『가례』 본문 또는 주석 가운데 보충 설명이 필요하거나 보완할 부분을 기록하고 그에 대한 자신의 견해를 붙인 것이고, 인용한 학자들은 김인후(金麟厚)·이황(李滉)·기대승(奇大升)·송익필(宋翼弼)·김장생(金長生)·정경세(鄭經世)·송시열(宋時烈)·권상하(權尙夏) 등 주로 기호학파에 속한 인물들이다. 또 송환기는 호론의 주창자인 남당 한원진의 예설을 강의(講義)하였다. 일찍이 한원진은 동문인 정좌와(靜坐窩) 심조(沈潮 1694~1756)에게 '천자와 제후는 장자를 위해 참최복을 입을 수 없다'는 내용의 편지를 보냈다. 이 내용이 학계에 알려지자 낙론학자인 녹문(鹿門) 임성주(任聖周 1711~1788)는 한원진의 주장이 김장생과 송시열의 예설에 매우 배치된다는 점을 들어 조목조목 반론을 제기했다. 이때 송환기는 문인인 金萬鍾과 한 자리에 모여 이 문제를 주제로 놓고 함께 토론을 시작하였다. 그는 임성주가 구분한 남당예설 조목에 따라 하나하나 그의 설을 반박하며 한원진의 설을 적극 옹호하였다. 그 결과물이 바로 「남당예설강의(南塘禮說講義)」이다.[33]

경호(鏡湖) 이의조(李宜朝 1727~1805)는 자는 맹종(孟宗), 호는 명성당(明誠堂), 본관은 연안(延安)이다. 사람들은 그를 '경호선생(鏡湖先生)'이라 불렀다. 그의 부친 이윤적(李胤績 1703~1756)은 일찍부터 과업(科業)을 폐하고 도암 이재의 문하에서 수학하며 『가례증해』 집필에 착수하였다. 그는 경상도 지례현(知禮縣)에서 태어나 가학으로 학문의 기초를 닦고, 26세 때 호서지방으로 가서 병계(屛溪) 윤봉구(尹鳳九)·역천(櫟泉) 송명흠(宋明欽)·운평(雲坪) 송능상(宋能相) 등을 차례로 찾아 학문을 강론하였다. 이 무렵에 송능상에게 집지를 하였고, 32세(1758년)에 스승 송능상의 상을 당해 심상기년(心喪期年)을 행했다.[34] 이후 그는 산수헌(山水軒) 권진응(權震應)과 미호(渼湖) 김원행(金元行) 등 기호 노론학자들과 교유하였다. 일찍이 김원행이 아우의 임소(任所)인 김천에 들렀을 때 향음주례를 행했는데, 이의조를 불러 찬례(贊禮)를 하고 나서 그의

---

32) 『性潭集』 권11, 「家禮辨誤(據三陟府刊本○甲午)」.
33) 『性潭集』 권12, 「南塘禮說講義(癸亥)」.
34) 『性潭集』 권29, 「鏡湖李公行狀」. "戊寅遭師門喪, 服心制加麻朞, 而不勝安倣之痛, 益勵志業, 以期不負其諄諄之誨."

학문 성취를 극찬하였다.[35] 또 65세 때는 지례현감 이채(李采)가 강회를 열었는데, 이의조를 강장(講長)으로 초빙하자 이에 응하였다. 성담 송환기는 이의조가 지은 '사복설(師服說)'을 보고 고증한 것이 매우 정확하여 다른 의논을 보탤 수가 없다고 하면서 그의 예학적 수준을 높이 평가하였다.[36]

이의조의 저술은 그의 문집이 없어서 자세하게 알 수는 없지만, 그의 행장에 따르면 유집(遺集) 10여 권이 집에 보관되어 있었던 것으로 보인다. 또한 『교남지(嶠南誌)』에는 "『가례증해(家禮增解)』·『의요보유(儀要補遺)』·『경의수차(經義隨箚)』 등이 있다."[37]고 하였다. 이 가운데 『가례증해』는 그의 부친이 처음 편찬한 것을 이의조가 비로소 완성한 것이다.

이의조의 『가례증해』 편찬에서는 그동안 논의되어 오던 다양한 예설들을 수집하고 포괄하여 절충하려고 한 점을 높이 들 수 있다. 『가례증해』 편찬에 인용한 예설이 주로 기호 노론학자들의 예설에 편중되어 있어 영남 남인들의 학설까지 두루 채택하지 못한 점은 아쉽지만, 지금까지 편찬된 가례서 중에서는 『가례』에 가장 충실한 주석서로 평가 받고 있다.[38]

『가례증해』가 간행되어 전국에 널리 배포되자 학자들이 서로 인용하는 중요한 예서가 되었다. 노사(蘆沙) 기정진(奇正鎭 1798~1879)은 "『가례증해』에 나오는 동유(東儒)의 여러 예설을 베껴오라."[39]고 부탁하였으며, 매산(梅山) 홍직필(洪直弼 1776~1852)은 "훌륭한 장인의 고심(苦心)이 이와 같이 부지런하고 정성스러웠다."[40]고 칭찬했고, 홍직필의 문인 숙재(肅

35) 『性潭集』 권29, 「鏡湖李公行狀」. "己丑渼湖金公元行留於其季氏金陵任所, 行鄕飮禮, 而邀公爲贊禮, 禮畢叩其所存而甚致歎賞."

36) 『性潭集』 권6, 「答李孟宗(戊午)」. "所示師服說, 攷證的確, 無容更議, 益有以仰見禮學之大方矣, 不勝欽歎."

37) 남재주, 「조선후기 예학의 지역적 전개 양상 연구-영남지역 예학을 중심으로-」, 경성대 박사학위논문, 2012. 81쪽.

38) 정경주, 「국역 가례증해 해제」: 『국역 가례증해』 1책, 한국고전의례연구회, 2011.

39) 『蘆沙集』 권15, 「答羽用」. "東儒諸說, 出於家禮增解, 汝三所謄來, 故玆送去耳."

齋) 조병덕(趙秉悳 1800～1870)은 “『가례증해』는 예서의 창고이다.”[41]고 호평하기를 마지않았다.

이의조는 김천에 거주하면서도 남인학자들 보다는 오히려 기호학자들과 교유가 많았다. 이는 부친이 도암 이재의 문인이었기에 그도 자연스럽게 기호 학단의 학자에게 수업하게 된 것으로 보인다. 그의 역작인 『가례증해』에서 수많은 변례(變禮) 상황을 사례로 들어 인용한 부분을 살펴보면, 실로 이 책이 기호학자들의 예설 창고라고 해도 과언이 아니다. 뿐만 아니라 이의조와 그의 문인[42]들에 의해 기호 예학의 보급이 영남의 일부지역에까지 미치게 하는 업적을 이루었다.

진암(進菴) 이수호(李遂浩 1744～1797)는 자는 자화(子和), 호는 진암(進菴)이다. 그는 김천 출신으로 종숙(從叔)인 경호 이의조에게 수학하였고, 주로 김천 지역을 근거지로 평생토록 학문과 강학 활동에 힘썼다. 그의 저술에는 『사례유회(四禮類會)』·『예기의처문답(禮記疑處問答)』·『가례증해의의문답(家禮增解疑義問答)』·『가례석의(家禮釋義)』 등의 예서가 있고, 또 『소학집주증해(小學集註增解)』·『용학지록(庸學志錄)』·『계몽일득(啓蒙一得)』 등이 있다. 그러나 『사례유회』와 『소학집주증해』를 제외하면 모두 필사본으로 간행되지 못하였다. 『사례유회』(4권 4책)는 『사례편람』의 편차를 모방하여 관혼상제의 절차를 홀기 형태로 분류하여 편찬한 책이다. 이 책에는 이황(李滉)·정구(鄭逑)·정경세(鄭經世) 등의 예설을 많이 소개하고 있지만, 송시열을 비롯하여 기호 노론학자들의 설이 주류를 이룬다. 이는 이수호가 속한 가학과 학통에 영향을 받은 까닭이라고 할 수 있다.

끝으로 선곡(仙谷) 박건중(朴建中 1766～1841)은 자는 사표(士標), 호는 선곡(仙谷), 본관은 상주(尙州)이고 공주 출신으로, 학계에 별로 알려

40) 『梅山集』 권7, 「與鏡湖李公(宜朝○癸亥六月)」. “又聞執事著家禮增解爲十卷云. [중략] 又添註腳, 特詳略不同而異其名耳, 未知增解與諸篇者, 異同如何? 良工苦心, 若是勤懇, 而無緣尊閣而讀之, 良可歎已.”

41) 『肅齋集』 권8, 「答田彝叔」. “增解, 是不可無之一箇禮書府庫也.”

42) 損菴 李遂元(1734～1815, 金泉), 進菴 李遂浩(1744～1797, 金泉), 三願齋 李秉中(1762～1848, 金泉), 悅菴 夏時贊(1750～1828, 大邱), 石淵 李禹世(1751～1830, 星州) 등이 있다. 남재주, 「조선후기 예학의 지역적 전개 양상 연구-영남지역 예학을 중심으로-」, 경성대 박사학위논문, 201, 84쪽, ‘표_17’ 참고.

지지 않은 인물이다. 그는 호론학자 성담(性潭) 송환기(宋煥箕)와 낙론학자 과재(過齋) 김정묵(金正默) 등의 두 문하에 각각 사사하였다. 그러나 성리논쟁인 인물성동이론에 있어서는 인물성이론을 적극 지지하여 호론 계열의 학맥을 확고하게 계승하였다.

박건중의 저술에는 자신의 문집인 『선곡집(仙谷集)』과 예서인 『상례비요보(喪禮備要補)』(12권), 『비요촬략조해(備要撮略條解)』(2권 2책), 『초종례요람(初終禮要覽)』(單卷) 등이 있다. 『상례비요보』는 김장생의 『상례비요』 본문의 출처 고증과 의미를 자세히 밝히고 상례(常禮)와 변례(變禮)를 상세히 논변함으로써, 상례(喪禮)와 제례(祭禮)의 이해와 실행에 필요한 정확한 자료를 제공하려는 목적으로 편찬된 것이다. 특히 이 책은 겸재(謙齋) 박성원(朴聖源 1697~1767)이 저술한 『예의유집(禮疑類輯)』을 많이 인용하고 있다. 『비요촬약조해』는 『상례비요보』가 너무 방대하여 실행에 필요한 요점을 쉽게 파악하는 데는 어려움이 있다고 판단하여, 『상례비요보』의 요지만을 간추려 편찬하여 시의(時宜)에 적절하게 대처할 수 있도록 만든 책이다. 『초종례요람』은 상례에서 가장 황급한 시기인 초종례(初終禮)에 진행되는 의절만을 위주로 다루었고, 또 한문 문장 뒤에 한글 번역문을 붙여서 한문을 모르는 부녀자나 아동들까지도 누구나 알 수 있도록 편찬했다는 점이 특징이다.

살펴보았듯이 운평 송능상 학단의 예설 역시 상례 부분이 많은 분량을 차지하고 있는데, 이는 『가례』에 있어서 상례가 가장 복잡하고 많은 절차를 포함하기 때문이다. 송능상의 「상례비요지두사기」는 김장생의 『상례비요』를 비판한 듯 보이지만, 실은 『상례비요』의 오류를 자세하게 분석한 저술이다. 또 송환기의 「남당예설강의」는 한원진의 예설을 옹호하는 저술로서 호론 학통을 충실히 계승하였다. 다만 송능상과 송환기는 당시 산림으로 추앙받으면서도 국가의 전례 문제에 대해서는 일체 답변을 피하는 등 다소 경직된 면모를 보여주고 있다. 이들이 송시열의 직계 후손이라는 점을 상기하면, 17세기 예송논쟁의 여파가 이들에게는 아직까지 가시지 않았음을 짐작할 수 있다. 한편, 이수호의 『사례유회』는 기호학파의 행례서로서 중요한 의미가 있고, 박건중의 『상례비요보』와 『비요촬요조약』 등의 저술은 모두 『상례비요』의 우익(羽翼)으로 행례서 연구가 더욱 세밀해지고 있음을 알 수 있다. 특히 이의조의 『가례증해』는 조선후기 최고의 『가례』 주석서로 각광을 받았다.

2. 낙론계(洛論系) 학단

(1) 도암(陶菴) 이재(李縡) 학단

18세기 기호학파 내에서는 송시열의 적전(嫡傳)을 이은 수암(遂菴) 권상하(權尙夏)의 문인인 외암(巍巖) 이간(李柬 1677~1727)과 남당(南塘) 한원진(韓元震 1682~1751) 사이에 인물성동이(人物性同異) 문제로 치열한 학술논쟁이 일어났다. 이 논쟁은 조선후기 주자학 연구의 심화에서 비롯한 것으로, 조선의 성리학 연구를 한 단계 끌어올리는 데 기여하였다. 이 논쟁에서 이간과 한원진은 합일점을 찾지 못하고 서로의 입장만 확인하는 단계에서 이간이 먼저 세상을 떠났다. 그 뒤 이간의 뒤를 이은 낙론의 대표 학자는 도암(陶菴) 이재(李縡 1680~1746)였다.

이재는 경화사족으로서 정미환국(丁未換局 1727) 이후 소론 중심의 정권이 수립되자 경기도 용인의 한천(寒泉)에 머물면서 많은 제자들을 배출하였다. 그가 당시 교유한 선배 학자인 이희조(李喜朝)·민진원(閔鎭遠)·홍우전(洪禹傳)·이병상(李秉常)·황규하(黃奎河) 등과는 수십 통의 편지를 주고받으며 학문을 토론하였다. 그리고 문인인 오원(吳瑗)·이진오(李鎭五)·송명흠(宋明欽)·김용겸(金用謙)·임성주(任聖周)·민창수(閔昌洙)·민익수(閔翼洙)·민우수(閔遇洙)·홍창한(洪昌漢)·양응수(楊應秀)·박성원(朴聖源)·이의철(李宜哲)·조중회(趙重晦)·유언흠(兪彦欽)·유언집(兪彦鏶)·김원행(金元行) 등 수십 명과 학문을 강론하며 낙론학파를 융성하게 이끌었다.

도암 이재(李縡)는 명문가의 후손으로 서울의 외가에서 태어났다. 그의 조부는 우의정을 지낸 이숙(李翽)이고, 부친은 성균관 진사 이만창(李晩昌), 모친은 여양부원군(驪陽府院君) 민유중(閔維重)의 딸이며, 이모는 숙종의 계비인 인현왕후이다. 이재는 5세 때 부친을 여의고 중부(仲父)인 귀락당

사진_4 <이재 초상화> 출처: 한중연

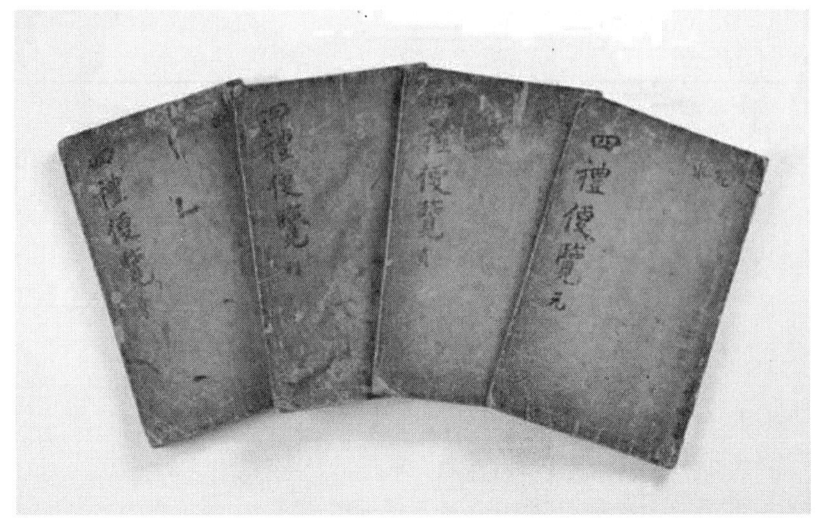

사진_5 <이재의 사례편람> 출처: 한국민속대백과사전

(歸樂堂) 이만성(李晩成)에게 가르침을 받았다. 일찍이 덕스러운 인품이 원숙하고 도에 뜻을 두어 정해진 스승 없이도 학문을 성취하였으며, 숙종 28년(1702) 문과에 급제하여 벼슬이 대제학과 이조판서에 이르렀다. 그는 신임사화(辛壬士禍)에 중부 이만성이 옥사하자 관직에서 물러나 시골에 은거하며 경전 공부에 주력하였다.

이재는 일찍이 정암 조광조와 율곡 이이를 사숙(私淑)하였다. 특히 "율곡께 망극한 은혜를 입었다."[43]고 하였으며, 『栗谷全書』를 증보 편찬하는데 주도적인 역할을 담당하였다. 이로 인해 이재는 더욱 기호 노론의 핵심 주류로 자리매김하게 된 것으로 보인다. 또한 그는 김창협의 성리(性理) 이론을 이어 인물성동론(人物性同論)를 적극 지지하는 낙론의 대표 학자가 되었다. 그는 많은 저술을 남겼는데, 가장(家狀)과 연보(年譜)에 따르면 『주자어류초절(朱子語類抄節)』·『근사록심원(近思錄尋源)』·『오선생휘언(五先生徽言)』·『검신록(檢身錄)』·『사례편람(四禮便覽)』·『주형(宙衡)』·『서사윤송(書社輪誦)』 등의 저술이 있다.

특히 그의 예서 저술인 『사례편람』은 김장생의 『상례비요(喪禮備要)』

43) 『陶菴先生年譜』 권2, 壬戌 63세조.

권	서간 현황
권9	「答李汝五(秉常)問目」·「答尹季亨(陽來)問目」
권10	「答李衛率(載亨)問目」
권12	「答李士受(鼎輔)問目」·「答李厚而(敏坤)問目」·「答徐別提(宗華)問目」
권13	「答柳進士(乘)問目」·「答李參奉(頤正)問目」·「答鄭進士(陽元)問目」(2통)·「答韓參奉(命玄)問目」·「答鄭德振(鏶)問目」·「答宋生(勛錫)問目」·「答金重汝(碇)問目」(2통)·「答魚生(有和)問目」·「答李生(光庢)問目」·「答柳生(深)問目」·「答金生(承祖)問目」·「答權生(翕)問目」·「答申生(光彦)問目」·「答李生(奎彬)問目」·「答閔生(宗修)問目」·「答李生(心濟)問目」·「答徐生(永後)問目」
권14	「答金伯春(元行)問目」·「答沈信甫(潮)問目」(2통)·「答金士修(敏材)問目」·「答金在心(簡材)問目」·「答朴士豪(挺陽)問目」(2통)·「答趙生(宗溥)問目」·「答李生(渭載)問目」·「答李生(明煥)問目」·「答張生(學聖)問目」
권16	「答閔士衛(翼洙)問目」(3통)·「答閔士元(遇洙)問目」(2통)
권17	「答申大雲(峕)問目」·「答安達卿(衢)問目」·「答楊季達(應秀)問目」(3통)·「答李仲浩(命直)問目」·「答李來叔(慶章)問目」·「答盧大來(以亨)問目」
권18	「答朴士洙(聖源)問目」(2통)·「答南宮道由(櫶)問目」·「答崔穉陽(日復)問目」·「答吳伯溫(瑋)問目」·「答金平仲(時準)問目」·「答愼生(克泰)問目」
권19	「答李原明(宜哲)問目」·「答金伯眞(樂道)問目」·「答趙益章(重晦)問目」·「答鄭士賓(觀濟)問目」·「答李習之(灌)問目」·「答李仁甫(命元)問目」
권20	「答兪士精(彦鏶)問目」(2통)·「答李伯心(基敬)問目」·「答崔叔固(祏)問目」·「答安仲毛(鳳胤)問目」
권21	「答或人問目」(2통)
합계	70통

표_7 <陶菴集』 소재 禮疑 問答>

에 빠진 관례·혼례·제례 등의 편을 보완한 예서로서 행례(行禮)의 편리성을 위주로 편찬된 책이다. 이밖에도 그의 문집에는 예문답(禮問答)과 관련된 편지가 수십 통 수록되어 있다. 그중에서 '문목(問目)'이라고 표기된 편지만을 정리하면 표_7과 같다.

표_7에서 보듯이 이재의 예설은 『도암집』 전체 분량 중 모두 11권에 걸쳐 두루 분포되어 있다. 편지의 문목 편수는 모두 70통이고 내용은 대부분 역시 상례에 집중되어 있다. 상례 중에서도 승중(承重)·출후자복(出後者服)·성복(成服)·부제(祔祭)·상상(殤喪) 등의 조문에 대한 논의가 가장 많은 비중을 차지하고 있다. 이는 모두 변례(變禮)와 관련된 조항에 해당되기 때문에 논란의 소지가 많이 발생할 수 있는 조문들이다. 이러한 변례 문제를 해결하는 데 있어, 이재는 예에 대한 기본 입장을 '리(理)의 소통'이라는 측면에서 접근하려고 하였다. 즉 예는 리(理)의 실현이므로 천리(天理)가 유행하다가 막히고 통하지 못하면 곧 이것은 예(禮)가 아니라는 입장을 폈다.[44] 이러한 주장은 낙론학파가 호론학파에 비해 예학 분야에서도 다소 유연한 입장을 취하도록 하는 데에 일정한 영향을 미쳤다고 할 수 있다.

이재는 기호학파의 학문을 계승한 학자답게 예설을 전개함에 있어서도, 우암(尤菴) 송시열(宋時烈)·사계(沙溪) 김장생(金長生)·남계(南溪) 박세채(朴世采)[45] 등의 예설을 가장 많이 인용하였다. 그리고 인용한 예서로는 『가례』가 가장 많고 다음 순으로 『상례비요』와 『의례문해』가 뒤를 이었다. 이와 같이 이재의 예설 문답에 참여한 학자들은 모두 50여 명에 달하는데, 그중에서 심조(沈潮)·박정양(朴挺陽)·민익수(閔翼洙)·민우수(閔遇洙)·양응수(楊應秀)·박성원(朴聖源)·유언집(兪彦鏶) 등은 2통 이상 문목을 왕복했던 학자들이다. 이 가운데 민익수와 민우수는 이재의 외숙으로 정치적으로도 왕성한 활동을 하였다. 이들 외에도 김원행(金元行)·송명흠(宋明欽)·송문흠(宋文欽)·임성주(任聖周) 등은 이재의 가장 뛰어난 제자로서 많은 예설을 저술하였다. 아래 표_8은 이재의 문인 중에서 예설을 저술한 학자들이다.

성명	예학 저술	비고

44) 『陶菴集』 권16, 「答閔士元」. "夫禮者, 理也, 天理流行, 無所括礙, 有些不通, 卽是非禮, 非禮則苟而已矣."

45) 인용 횟수가 가장 많은 학자 순으로 기록했다.

謙齋 朴聖源 1697～1767	『禮疑類輯』24권	문집 미상
白水 楊應秀 1700～1767	「答兪大齋別紙」·「與兪大齋別紙」·「答權九彦別紙」·「崇禮說」·「禮辨」·「四禮便覽辨疑」·「四禮便覽辨疑[再]」·「師席禀目附陶菴先生答」·「禮記曲禮篇講說」	『白水集』
渼湖 金元行 1702～1772	「賢嬪宮喪, 大妃殿服制議」·「爲長子服三年議」·「書趙內翰(琰)所論皇壇典禮後」·「石室書院講規」·「丁亥內喪記」	『渼湖集』
櫟泉 宋明欽 1705～1768	「大報壇追享毅宗皇帝議」·「神宗毅宗二皇帝位次議」·「聖廟位號釐正議」·「賢嬪喪大妃殿書室儀」·「家儀」·「別廟節目」·「滄洲書院釋菜儀抄」·「書室儀(辛亥)」·「書室儀(丁丑)」·「鄕約節目」·「宗契立議」	『櫟泉集』 宋浚吉 玄孫
閒靜堂 宋文欽 1710～1752	「童子服議」·「未嫁者逆降議」·「降大功之末嫁娶議」「收養服議[上,下]」·「緇冠說」·「漢文短喪辨」·「婦人服飾攷」	『閒靜堂集』 宋浚吉 玄孫
鹿門 任聖周 1711～1788	「儀禮(辛酉壬戌)」·「居家儀節(丙辰)」·「險川禮說」·「韓南塘(元震)禮說辨(辛丑)」·「韓文公禘祫議說」·「立子以嫡以長說」·「祥服說(庚辰十一月)」·「妻服說(壬辰)」	『鹿門集』
井田 康 逵 1714～1798	『禮疑劄記』(한국예학총서70)	
華泉 李 采 1745～1820	「上兪相國別紙(庚戌)」·「答趙仁卿(元喆) 別紙(辛亥)」·「答趙成卿(貞喆)別紙(戊辰)」·「答金可一(魯敬)別紙(庚申)」·「答李元汝(羲甲)別紙(乙丑)」·「答徐聖可(簡修)別紙(庚申)」·「答徐聖可小紙壬戌)」·「答鄭惠伯(亮采)問目(癸亥)」·「答黃展汝(仁紀)問目(癸亥)」·「答洪聖見(善謨)別紙(癸亥)」·「答洪聖見別紙(乙丑)」「答洪聖見別	『華泉集』 李縡 손자

	紙(丙寅)」·「答金最之(最根)別紙(癸亥)」·「與李參奉別紙」·「答金丈(樂源)別紙(己酉)」·「答金進士(濟默)別紙(乙卯)」·「答安大汝(光集)別紙(庚午)」·「答鄭生(毅)問目(丁丑)」·「上仲氏別紙」·「答從子光裕別紙(壬子)」·「答裕姪問目」·「答憲姪問目(癸亥)」·「答族姪(光祜)問目(丙午)」·「答族姪問目」·「答族姪問目(丁未)」	

표_8 <陶菴 李縡 학단 예학가>

겸재(謙齋) 박성원(朴聖源 1697~1767)은 자는 사수(士洙), 호는 겸재(謙齋) 또는 광암(廣巖)으로 불리며, 본관은 밀양이다. 이재의 문인으로 스승의 행장과 연보를 저술했고, 그 문집 편찬을 주도할 만큼 문하에서 뛰어난 인물이었다. 박성원은 1721년(경종1) 생원시, 1728년(영조4) 별시문과에 급제한 후 사간원(司諫院)과 사헌부(司憲府)의 여러 벼슬을 역임하였다. 그는 서인 노론의 입장에서 영조의 탕평론에 비판적인 입장을 취했는데, 1744년(영조20) 지평으로 있을 때 11조목의 계사를 올렸다가 영조의 노여움을 사서 남해에 위리안치 되기도 하였다. 2년 뒤에 남해에서 해배되어 돌아와 언관(言官)의 자리에 올라서는 다시 간쟁을 지속하였다. 그 뒤 1759년(영조35)에는 세손강서원유선(世孫講書院諭善)으로 발탁되어, 정조의 세손시절 교육을 담당하였다. 이로 인해 영조로부터 세손의 학문은 박성원의 힘이라는 찬사를 듣기까지 하였다.[46] 훗날 정조는 자신의 스승이었던 박성원이 세상을 뜨자 치제문(致祭文)을 지어 존경의 뜻을 표했고 '문헌(文獻)'이라는 시호를 내렸다.[47] 또 정조는 박성원의 저작인 『예의유집(禮疑類輯)』(24권15책)의 서문을 짓고 간행하게[48] 하였으며, 『돈효록(敦孝錄)』(57권23책)도 역시 직접 서문을 짓고 간행하게 하였다.[49] 뿐만 아니라 정조는 『예의유집』에 대한 신뢰가 매우 특별하였는데, 제주도에서 처첩 간에 소송을 제기한 사건이 일어나자 정조는 제주목사에게 『의례문해』와 『예의유집』을 각가 1질씩 하사하여 사민(士民)들을 깨우치게 하였다.[50]

46) 『영조실록』, 38년 4월 25일(무자).
47) 『정조실록』, 7년 2월 20일(신사).
48) 『정조실록』, 7년 12월 24일(신사).
49) 『정조실록』, 8년 2월 2일(무오).

박성원은 1758년 스스로 『예의유집』에 대한 서문을 지어 편찬하게 된 과정을 서술하였다. 그에 다르면 박성원은 잠계(潛溪) 이유철(李惟哲 1663~1740)의 『사례집설(四禮集說)』[51]을 기초로 스승인 이재의 조언을 얻어 『예의유집』을 편찬하였다.[52] 그는 일찍이 스승 이재에게 예서에 대해 조언을 구했는데, 그때 이재는 『사례집설』은 『가례』의 우익(羽翼)되기는 하나 응변(應變)에 절실한 동현(東賢)의 예설만 못하다고 논평하였다. 이에 박성원은 스승의 조언에 따라 이유철이 기존에 편찬하려고 수집해 놓았던, 김장생의 『의례문해』·송시열의 『경례의의(經禮義疑)』·박세채의 『남계예설(南溪禮說)』 등을 심으로 『예의유집』의 편찬에 들어갔다. 이 작업 과정에서 동문인 대재(大齋) 유언집(愈彦鏶)은 전체 항목을 나누고 제목을 정하는 일을 맡았다. 이렇게 약 10여년 정력을 들인 끝에 24권(부록2편)에 달하는 거질의 『예의유집』이 완성되었다.

『예의유집』은 『가례』의 가례도(家禮圖)·통례(通禮)·관례(冠禮)·혼례(昏禮)·상례(喪禮)·제례(祭禮) 등과 같은 체제를 따르지 않고, 관례(冠禮)·관변례(冠變禮)·혼례(昏禮)·혼변례(昏變禮)·상례(喪禮)·상변례(喪變禮)·제례(祭禮)·제변례(祭變禮) 등으로 편차하고, 부록편에 종법(宗法)과 잡례(雜禮)를 포함하는 등 총 10항목을 상정해 두었다. 여기에는 『가례』에 포함되지 않은 수많은 항목의 변례들이 포함되었다. 이와 같은 편찬 체제는 훗날 근재(近齋) 박윤원(朴胤源)의 『근재선생예설(近齋先生禮說)』에도 그대로 적용된 것을 보면, 박성원의 예서 편찬 방법이 변례를 고찰하는 데 매우 실용적이었음을 알 수 있다.

또한 박성원은 『예의유집』을 편찬한 이유에 대해 "우리나라 선비들의 예학 저술이 많지만, 그 예설이 한 책으로 되어 있거나 제가(諸家)의 문집

50) 『정조실록』, 9년 5월 12일(경신).

51) 『예의유집』 「禮疑類集序」. "이유철은 家學淵源을 이어 예에 더욱 밝아 前古禮論을 편집하여 『四禮集說』을 만들었고, 다시 김장생의 『의례문해』와 송시열의 『經禮義疑』와 『南溪禮說』을 합쳐서 별도로 1부를 만들었고, 다시 여러 설을 채록하여 차례로 수록하려고 하였는데 두 책을 완성하지 못하고 별세하였다."

52) 『예의유집』 「예의유집서」. "此實潛溪公, 所以始手用力者, 而亦賴我先師指導, 卒底于成."

속에 흩어져 있어 궁벽한 마을에 사는 선비들은 이를 다 모으지도 못하고 급할 때는 두루 살펴 볼 수도 없다. 때문에 고례에 없는 변례의 경우는 이미 선배들이 논한 자료가 있지만, 창졸간에 여러 서적을 다 찾아 참고하여 절충할 수가 없는 것"[53]이라 하였다. 즉 박성원은 우리나라 학자들의 예설이 상례(常禮)와 고금(古今)의 차이에서 생기는 변례(變禮)의 문제를 해결하는 데 매우 유익하지만, 그것이 도처에 산재해 있어 정작 필요할 때 참고할 수 없으니, 조선 학자들의 예설을 집대성할 필요가 절실하다고 보았던 것이다.

사진_6 <예의유집> 출처: 한중연

이에 박성원은 우리나라 학자들이 저술한 자료들을 섭렵하여 다양한 예설을 수록하고자 하였다. 『예의유집』에 인용한 서적은 모두 우리나라 학자들의 저술로서 27명의 학자와 37종[54]의 서적이 동원되었다. 박

53) 『예의유집』「예의유집서」.

54) 『禮疑類輯』 인용 서목: 『晦齋集』·『河西集』·『退溪集』·『退陶言行錄』·『頤菴集』·『蘇齋集』·『高峯集』·『栗谷集』·『擊蒙要訣』·『牛溪集』·『松江集』·『龜峯集』·『寒岡集』·『西厓集』·『沙溪集』·『家禮輯覽』·『喪禮備要』·『疑禮問解』·『朽淺集』·『旅軒集』·『愚伏集』·『續疑禮問解』·『浦渚集』·『冶谷集』·『澤堂集』·『尤菴集』·『華陽語錄』·『同春集』·『市南集』·『南溪禮說』·『三禮儀』·『靜觀齋集』·『遂菴集』·『農菴集』·『芝村集』·『陶菴集』·『四禮便覽』 등 모두 37종이다.

성원은 당색(黨色)에 구애받지 않고 수집할 수 있는 자료는 최대한 모두 모았다. 특히 김장생·송시열·박세채의 학설을 중점적으로 인용하였지만, 스승인 이재의 예설 또한 빠뜨리지 않고 소개하였다.

박성원의 『예의유집』에서 주목할 점은 중국의 예서를 단 한 권도 채택하지 않고, 우리나라 학자들의 예설만을 수록했다는 점이다. 왜냐면 관혼상제 사례(四禮)가 본래 『가례』에 근본한 것이지만, 우리나라에서 발생한 변례(變禮)들은 중국 예서에 참고할 만한 자료가 드물었기 때문이다. 뿐만 아니라 행례(行禮) 공간과 행례 도구들이 우리나라의 사대부들에게는 적합하지 않은 부분이 많았다. 그러므로 박성원은 이미 우리 선현들이 고심하여 강론한 예제가 우리의 현실에 적용하기에 편리하고 예의 본질에도 합당하다는 점을 고려했던 것이다.

백수(白水) 양응수(楊應秀 1700～1767)는 자는 계달(季達), 호는 백수(白水), 본관은 남원(南原)이며 전라도 순창 출신이다. 그는 어려서는 이거인(李居仁)에게 나아가 수학하다가 38세가 되어서는 이재를 배알하고 낙론 학통을 계승하였다. 이후 양응수는 박성원(朴聖源)·김원행(金元行)·유언집(兪彦鏶) 등과 지속적으로 교유하였으며, 스승의 사후에는 스승의 유고(遺稿)를 교정하고 간행하는 데에 적극 참여하였다. 또한 그는 스승의 묘소를 지키며 심상기년(心喪朞年)을 행하기도 했다.

양응수는 이재가 편찬한 『사례편람』 교정 작업에 깊이 참여하였다. 이때 이재의 문인 삼우당(三遇堂) 한경양(韓敬陽 1719～1774)이 집필한 초본을 양응수에게 보냈는데, 이를 검토한 뒤에 「사례편람변의(四禮便覽辨疑)」를 지어 자신의 견해를 제출하였다. 그러자 박성원은 「사례편람변의」에다 첨지를 붙여 그것을 비판하였는데, 양응수는 다시 변의를 지어 자신의 견해를 밝혔다. 이와 같이 『사례편람』은 이재의 문인들 간에 많은 토론과 수정을 거쳐 1844년에 그의 증손자 이광정(李光正)에 의해 비로소 간행되었다.

양응수는 동문인 유언집에게 별지(別紙)를 보내 승중(承重)과 망형(亡兄)의 제주(題主) 문제를 토론하였고, 권구언(權九彦)과는 『의례경전통해속(儀禮經傳通解續)』의 상복편 재최삼년조 '자모는 어머니와 같이 한다[慈母如母]'는 조문에 대해 견해를 밝혔다. 또 「예변(禮辨)」을 지어 「

단궁(檀弓)」에 “공씨(孔氏)가 출모상(出母喪)에 복을 입지 않는 것이 자사(子思)로부터 시작되었다.”[55]는 것에 대해 논변하였다. 「사석품목(師席稟目)」[56]은 스승과의 예문답(禮問答)을 기록한 것으로, 위인후자(爲人後者)의 복제 문제, 3살 전에 타인에게 양육된 자가 양부모를 위한 복제 문제 등에 대한 내용이며, 또 『예기』「곡례」편에 대해 강론한 것도 20조문이 있다.

양응수와 종유(從遊)한 학자들은 송명흠(宋明欽)·김원행(金元行)·박성원(朴聖源)·유언집(兪彦鏶)·유언준(兪彦鐫)·이유(李維)·강규(康逵) 등 46명이고, 문인은 황윤석(黃胤錫)·양제인(梁濟人)·양제신(梁濟身) 등과 이재의 손자인 이화(李禾)와 이뢰(李耒) 등 31명이 있다.[57]

미호(渼湖) 김원행(金元行 1702~1772)은 이재의 적전(嫡傳)을 계승하여 낙론을 대표하는 산림학자로 불린다. 조부는 영의정을 지낸 김창집(金昌集), 부친은 김제겸(金濟謙)인데 뒷날 김창협의 아들인 김숭겸(金崇謙)에게로 입후(立後)되었다. 김원행은 많은 문인들을 배출하여 당시 큰 학단을 형성하였다. 김원행에 대한 기술은 뒤의 ‘김원행 학단’편에서 자세하게 다루도록 하겠다.

역천(櫟泉) 송명흠(宋明欽 1705~1768)은 송준길의 현손이다. 송명흠은 아우 송문흠(宋文欽)과 함께 이재의 문하에서 수학하였다. 그는 일찍부터 과거 공부를 폐하고 산사(山寺)와 서원을 찾아다니며 학문에만 전념하였다. 송명흠은 조정에 출사하지는 않았지만, 때로 조정에 헌의(獻議)를 올려 국가의 전례(典禮) 문제에 자신의 의견을 개진하였다. 대보단(大報壇)에 의종황제(毅宗皇帝)를 제향할 것과 신종(神宗)과 의종(毅宗)의 위차 문제, 효순현빈(孝純賢嬪) 상을 당해서는 대비전의 복제에 관해서도 의견을 개진하였다.

또「가의(家儀)」11조문을 지어 시제·묘제·기제 등의 의절과 제찬(祭饌) 등을 자세하게 정립하여 집안의 법규로 규정하였고,「별묘절목(別廟節目)」10조문을 지어 사당과 제전(祭田)의 규모 등을 일정하게 정해 두고 대소

---

55)『白水集』권8,「禮辨」. “檀弓, 孔氏之不喪出母, 自子思始也.”
56)『백수집』권10,「師席稟目(附陶菴先生答)」.
57)『백수집』권30,「從遊錄」,「門生錄」.

(大小)제사는 모두 이에 따르도록 하였다. 「창주서원석채의초(滄洲書院釋菜儀抄)」를 지어 제찬·행사·홀기 등을 자세하게 기록하여 서원 행례에 참고하도록 하였다. 그리고 辛亥年(1731)에 「서실의(書室儀)」 13조목을 지어, 서재에서 새벽부터 밤중까지 지켜야 할 규정을 자세하게 마련해 두었다. 이와는 별도로 정축년(1757)에 지은 「서실의(書室儀)」 6조목을 지어, 주로 독서하는 방법과 학문하는 자세에 관해 기록하였다. 무인년(1758)에 지은 「향약절목(鄕約節目)」에는 향중에서 지켜야 할 6가지 법규 효순부모(孝順父母)·공경장상(恭敬長上)·화목인족(和睦鄰族)·정수방화(停水防火)·각찰도적(覺察盜賊)·금지투쟁(禁止鬪爭) 등을 제정해 두어 마을 공동체의 예의로운 풍속을 도모하는 준칙으로 삼았다. 병술년(1766)에 지은 「종계입의(宗契立議)」 9조목은 문중 종원들의 화목과 교육을 위한 목적으로 세운 규범이다.

한정당(閒靜堂) 송문흠(宋文欽 1710~1752)은 송준길(宋浚吉)의 현손이고 송명흠의 아우이다. 그 역시 이재의 문인으로 임성주(任聖周)·이인상(李麟祥)·황경원(黃景源) 등과 교유하였다. 그는 그의 형과는 다르게 사마시에 합격한 뒤로 형조좌랑, 익위사 익찬을 지냈다. 하지만 송문흠은 일찍이 그의 형과 함께 많은 기대를 받았으나, 비교적 이른 나이인 43세에 사망함으로써 학문적 성과를 크게 드러내지는 못하였다.

그러나 송문흠은 예학적 소견을 몇몇 편의 예설로 피력하여, 동자의 복제를 논한 「동자복제(童子服制)」와 미가자역강(未嫁者逆降)[58]에 대해 『의례경전』 주소(註疏)를 통해 논의한 「미가자역강의(未嫁者逆降議)」, 강복한 대공(大功) 말에 시집가거나 장가드는 것을 논한 「강대공지미가취의(降大功之末嫁娶議)」와 「수양복의(收養服議)」 상·하 두 편 등을 저술했다. 또 치포관의 제도를 논한 「치관설(緇冠說)」과 한나라 문제(文帝)가 단상(短喪) 제도를 만든 것을 변론한 「한문단상변(漢文短喪辨)」, 부인의 복식에 대한 용어와 머리를 꾸미는 방법 등을 자세하게 설명한 「부인복식고(婦人服飾攷)」를 저술하였다. 이로 보면 송문흠은 예에 관해서 매우 깊은 견해를 가지고 있었던 것으로 보인다. 그의 문집은 출계(出系)한 아들 송시연(宋時

58) 미가자역강(未嫁者逆降): 성인 여자가 출가하기 전에 방친(旁親)의 상을 당했을 때, 이미 출가한 것으로 간주하고 본복(本服)보다 한 등급을 낮추어 복을 입는 것을 말한다.

淵)과 그의 사위 김광묵(金光默)에 의해 『한정당집(閒靜堂集)』(8권 4책)으로 간행되었다.

녹문(鹿門) 임성주(任聖周 1711~1788)는 충청도 청풍 출신으로 조선 후기 성리학 6대가의 한 사람으로 꼽힌다. 그는 일찍이 송문흠(宋文欽)·송능상(宋能相)·송익흠(宋益欽) 등 동문들과 함께 『대학』을 강독한 뒤에 그 내용을 정리하고 말미에 강론 품평까지 붙인 『옥류강의(玉溜講錄)』을 남겼다. 또한 스승 이재와 약 5년 동안 경전에 대해서 질문하고 토론한 것을 『한천어록(寒泉語錄)』으로 정리하였다. 이러한 저술은 그의 학문적 성과를 짐작할 수 있는 자료들이다.

그는 인물성동이 논쟁에 참여하여 처음에는 동론(同論)을 지지하였으나, 훗날 자신의 주장을 고쳐 이론(異論)으로 선회하는 모습을 보이기도 하였다. 또 그는 스승 이재를 모시고 한천(寒泉)에서 화전(花田)으로 돌아오던 중 이재가 도중에서 객사하자, 그 장례 절차를 논의하는 과정을 자세하게 기록한 「험천예설(險川禮說)」을 남겼다.

임성주는 성리학자이자 예학가로서 명성이 높았다. 일찍이 남당(南塘) 한원진(韓元震)은 정좌와(靜坐窩) 심조(沈潮)에게 보낸 편지에서 '천자와 제후는 장자를 위해 참최복을 입을 수 없다'는 설을 제기하였다. 이 설이 세상에 알려지자 임성주는 곧바로 「남당예설변(南塘禮說辨)」[59]을 지어 비판에 나섰다. 그는 한원진이 주장한 '천자와 제후는 장자를 위해 참최복을 입을 수 없다'는 것과, '방지(旁支)로부터 입승대통(入承大統)하면 선군(先君)을 아버지로 여길 수 없고, 사친(私親)을 아버지라고 칭하고 그를 위해 삼년 복을 입어야 한다'라는 등의 설은 모두 근거 없이 임의로 지어낸 말이라고 강하게 비판하였다. 임성주가 한원진의 예설을 7조항으로 구분하여 매우 논리적으로 비판을 가하자, 호론학자 성담(性潭) 송환기(宋煥箕)가 한원진의 예설을 옹호하며 변론에 나서기도 했다.[60] 이 논쟁은 그 후 학계로 크게 확산되지는 않았지만, 19세기 낙론 계열의 학자들 중에서는 한원진의 예설에 의문을 제기하고 임성주의 예설에 동조하는 이들도 나왔다. 또한 임성주는 『의례』 상복편의 복제 조항을 해설하여 「의례」[61]라

59) 『鹿門集』 권20, 「韓南塘(元震)禮說辨(辛丑)」.
60) 『性潭集』 권12, 「南塘禮說講義(癸亥)」.

는 제목으로 무려 58조항이나 되는 글을 지어 자신의 예학적 견해를 제시하였다. 또 적자(嫡子)와 장자(長子)에 대한 설을 기록한 「입자이적이자설(立子以嫡以長說)」,[62] 대상(大祥) 때 입는 복제에 관한 「상복설(祥服說)」,[63] 아내의 복제설에 관한 내용인 「처복설(妻服說)」[64] 등을 차례로 지어 그동안 논란되었던 부분들에 대해 자신의 견해를 제출하였다.

사진_7 <녹문집> 출처: 한중연

임성주와 예설을 강론한 학자는 스승 이재를 비롯하여 민우수(閔遇洙)·김원행(金元行)·박성원(朴聖源)·김종후(金鍾厚)·김이안(金履安)·박윤원(朴胤源) 등을 들 수 있다. 이 가운데 본암(本菴) 김종후(金鍾厚)와 주고받은 편지가 9통으로 가장 많은 분량을 차지하고 있다. 김종후는 민우수의 문인으로 예학에 밝아 『가례집고(家禮集考)』(8권 8책)을 편찬한 인물이다. 이밖에 임성주의 문인으로는 그의 아우인 운호(雲湖) 임정주(任靖周)를 비롯하여 박경기(朴慶基)·임노(任魯)·이광정(李光鼎)등이 거론되고 있다.

특히 임정주는 「상중씨논부인수제(上仲氏論婦人首制)」·「부인수제사의(婦人首制私議)」·「협후입묘고(祫後入廟攷)」·「기사단배설고(忌祀單配設攷)」·「이호녹곡천장기(梨湖鹿谷遷葬記)」 등 5편의 예설을 저술했다. 「상중씨론부인수제」[65]와 「부인수제사의」[66]는 당시 여성들의 머리 모양이 중화의 예제가 아닌 오랑캐의 풍속을 따르고 있음을 지적하였다. 당시 여성들의 가

61) 『녹문집』 권14, 「儀禮(辛酉壬戌)」.
62) 『녹문집』 권21, 「立子以嫡以長說」.
63) 『녹문집』 권21, 「祥服說(庚辰十一月)」.
64) 『녹문집』 권21, 「妻服說(壬辰)」.
65) 『雲湖集』 권2, 「上仲氏論婦人首制(辛卯)」.
66) 『雲湖集』 권4, 「婦人首制私議」.

체(加髢)는 사치를 조장함으로 인하여 조정에서 금령을 내리기도 하였다. 「협후입묘고」[67]는 임정주의 중씨(仲氏) 임성주가 지은 「협후입묘설(祫後入廟說)」에 대해 고증이 자세하지 않은 부분을 보충하면서 의문점을 질문한 것이고, 「기사단배설고」는 기제사를 지낼 때 고비(考妣) 합설이 아닌 단설(單設)이 정당하다는 것을 선현의 예설에 근거하여 입증한 것이다. 또 「이호녹곡천장기」[68]는 임정주의 계부묘(季父墓), 숙씨내외묘(叔氏內外墓), 넷째 형과 형수의 묘소를 이장한 내력을 밝힌 것이다.

화천(華泉) 이채(李采)는 자는 계량(季亮), 호는 화천(華泉), 본관은 우봉(牛峯)으로 도암 이재의 손자이다. 그는 30세에 진사시에 합격한 뒤부터 벼슬에 나아가 여러 관직을 두루 역임하였다. 선산부사(善山府使)로 재임할 때는 한가한 날이면 고을 주민들을 불러 양노연(養老宴)을 베풀 뿐만 아니라, 향음주례(鄕飮酒禮)를 열어 고을 사람들을 예교(禮敎)로 다스리려고 노력하였다. 60세 이후 순조 시대부터는 관직이 제수되어도 나가지 않고 주로 향리에 머물며 조부의 문집인 『도암집』의 편찬과 간행에 힘을 쏟았다.

이채는 예학가인 조부의 뒤를 이어 예학에 더욱 정밀하고 순정(純正)하였으며, 논의를 할 때는 엄격하면서도 시의(時宜)를 참작하여 행할 것을 주장했다.[69] 그의 문집인 『화천집』에는 예설을 문답한 편지 25통이 수록되어 있는데, 그 내용은 대체로 상례와 제례에 집중되어 있다. 이채가 만년까지 교유했던 인물은 저암(著菴) 유한준(兪漢雋)·노주(老洲) 오희상(吳熙常)·매산(梅山) 홍직필(洪直弼) 등으로, 이들은 모두 낙론 학통의 산림으로 당대에 명성이 높았던 학자들이다.

살펴보았듯이 도암 이재는 18세기 낙론 학단 중에서 가장 많은 문인을 배출하여 한때 성황을 이루었다. 이재의 예학적 입장은 예(禮)를 '리(理)의 소통'으로 보고 갖가지 변례 문제들을 유연하게 정리하려는 것이었다. 이러한 입장은 낙론 계열의 예설 경향으로 자리매김 되었다. 특히 이재는 『사

67) 『雲湖集』 권5, 「祫後入廟攷」.
68) 『雲湖集』 권5, 「梨湖鹿谷遷葬記」.
69) 『華泉集』 권16, 「墓表[李埈]」. "於禮學尤精詣純正, 立論之際, 嚴於隄防, 而又參之以時宜, 無不可行者."

례편람』을 편찬하여 관혼상제의 행례를 간편하게 행할 수 있도록 하였다. 이를 계승한 박성원은 『예의유집』을 편찬하여 각종 변례에 대한 사례를 광범위하게 수록하여 예제의 실행을 더욱 풍부하게 만들었다. 백수 양응수는 『사례편람』을 편찬하는 데 매우 주도적인 역할을 하였으며, 역천 송명흠은 대보단에 의종황제를 제향할 것과 신종과 의종의 위차 문제, 효순현빈 상에 대비전의 복제 등 국가전례 전반에 걸쳐 자신의 견해를 제출하였다. 한편 임성주는 한원진의 예설을 매우 정밀하게 논증하여 변파함으로써 이재 학단의 예학적 위상을 높였다.

(2) 미호(渼湖) 김원행(金元行) 학단

18세기 후반 인물성동이(人物性同異) 논쟁이 활발하게 전개되던 중에 도암 이재가 세상을 떠나자, 그의 적전(嫡傳)을 계승한 낙론의 종장은 미호(渼湖) 김원행(金元行)이었다. 그는 농암(農巖) 김창협(金昌協)의 손자로 일찍부터 가학(家學)을 전수받아 주자(朱子)·이이(李珥)·송시열(宋時烈)로 이어지는 도학을 계승하는 것으로 학문의 목표를 삼았다. 그의 성리설은 대체로 이이의 견해에 가까우면서도, 심성이기론(心性理氣論)에서는 주리(主理)와 주기(主氣)를 절충하는 관점을 취하였다.[70] 일찍이 그는 공맹의 도를 배우려는 사람은 주자를 배우지 않으면 안 된다고 할 정도로 주자학에 대한 강한 신념을 보여 주었다. 또 그는 실심(實心)과 실사(實事)[71]를 강조하여 이른바 조선후기의 실학으로 나아가는 선구적 역할을 하였다.[72] 그러므로 그의 문하에는 홍대용과 황윤석 같은 실학자가 배출되기도 하였다.

김원행의 가계(家系)를 살펴보면, 그의 조부 김창집(金昌集)은 영의정을 지냈고, 부친은 김제겸(金濟謙), 모친은 송준길(宋浚吉)의 손자인 송병원(宋炳遠)의 딸이다. 그는 태어나자마자 후사 없이 졸한 종숙(從叔) 김숭겸(金崇謙)에게 입후되었다. 김숭겸은 김창협의 아들이다. 5세조는 병자호란 전

70) 최영성, 『한국유학통사』(하), 심산, 2006, 238쪽.
71) 『湛軒集』 권4, 「祭渼湖金先生文」. "竊嘗聞問學在實心, 施爲在實事, 以實心做實事, 過可寡而業可成."
72) 최영성, 『한국유학통사』(하), 심산, 2006, 243쪽.

후에 척화파(斥和派)를 이끌었던 김상헌(金尙憲)이고, 증조부는 현종~숙종 대에 송시열과 함께 서인 노론의 학파를 이끌었던 김수항(金壽恒)이다. 김수항은 기사환국(己巳換局 1689) 때 사사되었다. 그리고 심임사화(辛壬士禍 1721, 1722) 때 그의 백형 김성행(金省行)이 옥사하고, 조부 김창집이 사사되었으며, 본생부(本生父) 김제겸은 울산으로 유배되었다. 이처럼 김원행의 가문은 명문벌족으로 조선후기 정치의 중심에 서서 영욕(榮辱)을 한꺼번에 겪었다. 이로 인해 김원행은 과거를 단념하고 평생 학문을 하며, 후진을 양성하는 데 힘을 쏟아 많은 문인들을 배출하였다.

사진_8 <김원행 초상> 출처: 한중연

김원행은 24세(1726)에 도암 이재에게 편지를 보내 예를 질문[73]하였는데, 이로써 볼 때 이 무렵에 이재의 문인이 된 것으로 보인다. 김원행은 이재의 제자 가운데 후기 기수에 속하는 편이었으나, 동문 사이에서는 이재의 뜻을 잘 계승했다는 평가를 받았다.[74] 또 그는 인물성 논쟁에서는 인물성동론을 확고하게 주장하였는데, 이론을 주장한 송능상과 직접 대면하

---

73) 『陶菴集』 권14, 「答金伯春(元行)問目(丙午)」. "不各卓, 只去韜, 鄙家亦如此. 久知違禮, 而亦以宗家所行, 不敢徑異, 欲確定而未及矣. 徑異固未安, 而失禮之中, 有輕有重, 亦宜參互較絜於其間, 不獨此事然也." "緇冠, 古用爲始加之服, 然冠則敝之, 亦非常服也. 深衣緇冠而包以幅巾, 則蓋自溫公始, 而朱子旣著之家禮, 則便成一王制度, 殷輅周冕, 顧何嘗嫌於異世耶." "夫爲人後而爲夫之本生外祖父母又服緦, 是貳統也. 此等處極宜以禮割情, 如何如何?"

74) 『櫟泉集』 권6, 「與渼湖金兄(乙丑)」. "泉上當往留幾何? 昨者, 閔士元叔過訪, 謂執事於泉丈, 晩契甚篤, 爲斯文之幸."

여 토론하지 못한 것을 못내 아쉬워하기도 하였다.[75]

김원행과 함께 학문을 강마한 선배 학자로는 이재형(李載亨)·이기진(李箕鎭)·유척기(兪拓基)·오원(吳瑗)·박성원(朴聖源) 등이 있고, 동학으로는 송명흠(宋明欽)·임성주(任聖周)·강규(康逵)·한경양(韓敬養)·김양행(金亮行)·김종후(金鍾厚) 등이 있다. 문하에서는 심정기(沈定鎭)·한상진(韓尙鎭)·조의규(趙義逵)·윤취동(尹聚東)·오윤상(吳允常)·김이안(金履安)·황윤석(黃胤錫)·조유선(趙有善)·조유헌(趙有憲)·박윤원(朴胤源)·김상진(金相進) 등 출중한 학자들이 다수 배출되었다. 이 가운데 유척기·박성원·송명흠·임성주·김종후 등과는 많게는 수십 통의 편지를 왕복하며 열띤 강론을 벌였다.

김원행은 경학(經學)·예학(禮學)·성리학(性理學) 등 여러 분야에 조예가 깊었고, 조부 김창협의 가르침인 '실심(實心)'[76] 두 글자를 평생의 학문 목표로 삼았다. 그는 주로 석실서원(石室書院)에서 머물며 문인들을 가르쳤는데, 따르는 이들이 매우 많아 서원이 가득할 정도로 강회(講會)가 성대하였다.[77] 김원행은 예서를 편찬하지는 않았으나, 그의 문집에 수록된 예설 문답이 수십 편인 것으로 볼 때, 그의 예학적 위상을 짐작할 수 있다. 문집에 수록된 예설 문답 내용을 도표로 나타내면 표_9와 같다.

권	서간 현황
권3	「答李尙書」(2통)·「與兪相國」·「答兪相國」
권4	「與韓大叔(億增)」·「答洪戚丈季信(允輔)」·「答洪戚丈季信」(2통)·「答朴士洙(聖源)」(4통)·「答宋晦可(明欽)」(6통)·「答李儀韶」·「與任仲思」(2통)
권5	「答宋同知(永源)」·「答李善元」·「答兪伊天」(2통)·「答權亨叔(震應)」·「與權亨叔」·「與子靜」·「答尹士賓(得觀)」(3통)

75) 『渼湖集』 권11, 「答朴瑞東」. "人物性異之論, 始起於湖中, 向來宋士能亦襲南塘之論, 作此見解, 此友聰明學識, 誠未易得, 而偶於此習於所聞而然. 每恨其未及一番面論, 而今則已矣."

76) 『農巖集』 권13, 「答林德涵(甲戌)」. "要使彼己之間, 專以實心相與, 實事相勉, 而切戒浮泛 虛僞之弊, 則相長之益, 未必不勝於塊然自守耳."

77) 『三山齋集』 권9, 「家弟遺事」. "時從大人學者已衆, 館宇常盈, 君皆察其苦樂而善遇之, 以此人人樂附焉."

권6	「答趙汝五(德常)」·「答洪國之(紀漢)」·「答申成甫(韶)」·「答李敬思」·「與金伯高(鍾厚)」(9통)·「答金伯高定夫(鍾秀)」·「與金伯高」·「答具紀仲(常勳)」·「答柳季方(義養)」
권7	「答玄子敬」(2통)·「答韓老泉(㴣)」·「答黃士厔(壥)」·「答金伯天(樂洙)」(3통)·「答韓士涵(敬養)」·「答韓伯純(尙鎭)」·「答韓公理(箕鎭)」(2통)·「答李仲心(萬運)」·「答趙正而」·「答尹汝五(聚東)」(6통)
권8	「答林厚而(配垕)」·「答康仲鴻(逵)」(6통)·「答金大來」·「答李仁龜」·「答申德叟(耆)」·「答再從姪履鉉兄弟」·「答李甥英裕」(2통)·「答宋姪守淵」·「答金義集」·「答李季翰(百憲)」·「答曹師學(潤洛)」·「答黃德翼」·「答房錫弼」
권9	「答禹昌洛」·「答兪漢禎」(8통)·「答徐逈修」·「答沈定鎭」·「答朴燦璿」·「答朴達源」
권10	「答洪樂顯」(2통)·「答趙有善」(2통)·「答李奎緯」·「答洪樂舜」(2통)·「與洪樂舜」·「答洪樂舜爲人問」
권11	「答柳知養」(3통)·「與李廷仁」·「答洪樂眞」·「答金相進」·「答閔甥翼烈」·「答張受教」·「答鄭東翼」(3통)·「答李城輔」·「答鄭承毅」(2통)·「答趙時簡」(2통)
권12	「答洪義榮」·「答李慶權」·「答兪得柱」·「答叔平」·「答履獻」

표_9 <『渼湖集』 소재 禮疑 問答>

표_9에서 보듯이 김원행의 예설 문답에 참여한 학자들은 모두 72명이고 편지는 130통이다. 가장 많은 편지를 주고받은 이로는 김종후(金鍾厚)(9통), 유한정(兪漢禎)(8통), 송명흠(宋明欽)(6통), 윤취동(尹聚東)(6통), 강규(康逵)(6통), 박성원(朴聖源)(4통), 그리고 김원행의 사위인 홍낙순(洪樂舜)(4통) 등의 순으로 나타난다. 문답한 내용들은 주로 성복(成服)·부제(祔祭)·대상(大祥)·담제(禫祭)·상중기제(喪中忌祭) 등 다양한 변례 사항에 관련한 것들이다. 이들 문답은 주로 송시열의 예설을 많이 인용하고 있는데, 이는 송시열이 가장 주자를 잘 이해했다[78]고 여겼기 때문인 것으로 보인다. 주지하다시피 송시열의 학설은 기호 노론 계열에서는 거의 절대적인 권위를 차

78) 『渼湖集』 권4, 「答朴士洙」. “尤翁所謂儒家儀範, 必不得徵於朱子然後, 乃從他說者, 亦豈不爲後學之明法耶?”

지하고 있다. 송시열의 학설이 이러한 권위를 얻게 되기까지는 바로 김원행과 같은 기호학자들의 송시열 존숭 분위기에서 비롯된 것이 적지 않다.

이와 같이 우암 송시열, 도암 이재, 그리고 김원행으로 이어지는 낙론의 예학은 19세기로 이어지면서 더욱 거대한 학단을 이루었다. 김원행의 예학을 계승한 문인으로는 근재 박윤원이 가장 저명하고, 또 그의 아들 김이안도 여러 편의 예설을 남겼다. 문인들을 도표로 나타내면 표_10과 같다.

성명	예학 저술
三山齋 金履安 1722~1791	「大殿爲王世子服制議(丙午五月)」·「公除後, 私家行祭當否議(丙午五月)」·「惠慶宮爲王世子服制議(丙午五月)」·「因大司諫李崇祜疏, 王世子服制中白皮靴追改當否議(丙午六月)」·「王世子喪公除後太廟大祭用樂當否議(丙午六月)」·「王大妃殿緦制盡後,祭服收藏之節議(丙午七月)」·「王大妃殿緦制盡後祭服收藏之節議[再議](丙午閏七月)」·「魂宮親祭神主降座及上香時坐立當否議(丙午閏七月)」·「神輦過太廟時低擔當否議(丙午閏七月)」·「文孝世子小祥後親臨魂宮墓所時服色議(丁未四月)」 「籤論李參判(宜哲)儀禮註」·「儀禮經傳記疑」
頤齋 黃胤錫 1729~1791	「永祐遷園緦服私議(己酉)」·「僉正先祖神主埋安儀節(甲申)」·「深衣會通新制」·「山雷老叟中指中節尺圖」·「山雷深衣制式」·「婦人繒頭制度說(戊申)」·「國朝喪禮補編後本尺圖說」
蘿山 趙有善 1731~1809	「與李善長別紙(丙辰)」·「答韓敬履問目」·「答金天復別紙」·「答金天復問目(婦人冠~)」·「答金天復問目(舁床~)」·「答金天復問目(禁屠宰~)」·「答金履福問目(乙丑)」·「答金憲基問目(喪中死者~)」·「答金憲基問目(始死告廟~)」·「答金憲基問目(始死奠~)」·「答金憲基問目(朝祖云云~)」·「答金憲基問目(紙榜旣不列~)」·「答金憲基備要問目」·「答任相翼問目(括髮有二說~)」·「答任相翼問目(小記註~)」·「答任相翼問目(禮後喪中~)」·「答任相翼問目(疏家有祥禫~)」·「答任相翼問目(張子

	謂祥後計閏～)」·「儀禮」·「禮記」·「禮說」·「喪冠作幱法」·「婦人冠服制」·「鄕約條例」
近齋 朴胤源 1734～1799	「答李汝弘禮疑問目」·「籤論平叔禮記箚疑」·「髢說」·「原禮」·「三禮」·「家訓」·「汰哉錄」·「儀禮箚略」
濯溪 金相進 1736～1811	「家禮箚錄」·「喪禮備要箚錄」·「禮說雜識」·「鄕飮酒禮約束(丁巳五月)」·「家塾節目(己未十一月)」·「鄕飮酒禮攷證序(丁巳九月)」

표_10 <渼湖 金元行 학단 예학가>

삼산재(三山齋) 김이안(金履安 1722～1791)은 김원행의 아들로서 정조 시대에 산림으로 우대받던 인물이다. 그는 몇 곳의 수령을 지냈을 뿐 대부분 독서와 강학으로 생애를 보냈다. 특히 그는 문효세자(文孝世子)의 초상에 10편의 헌의(獻議)를 올려 왕실복제에 관여했다. 문효세자는 정조의 맏아들로 1786년 5월 11일에 5살의 나이로 요절했다. 김이안은 대전(大殿)과 혜경궁(惠慶宮)의 왕세자를 위한 복제에 관해서 자신의 견해를 올렸다. 이때 사가(私家)의 제사를 행할 것인가의 여부와 문효세자 소상 뒤에 혼궁과 묘소에 친림(親臨)할 때의 복색(服色)에 관해서도 의견을 제시했다.

김이안은 이재(李縡)의 문인 이의철(李宜哲)이 편찬한 『의례주(儀禮註)』에 문제가 있는 부분, 즉 「사관(士冠)」·「사혼(士昏)」·「향음주(鄕飮酒)」·「향사(鄕射)」·「대사(大射)」·「빙례(聘禮)」·「공사대부(公食大夫)」·「상복(喪服)」·「사상(士喪)」·「특생궤식(特牲饋食)」·「소뢰궤식(少牢饋食)」·「유사철(有司徹)」 등 12편에다 첨론(籤論)을 붙여 보완한 저술을 하기도 했다. 또 그의 문집 권11～권12까지 2권에 걸쳐 『의례경전(儀禮經傳)』에 대한 자신의 예학적 견해를 붙인 「의례경전기의(儀禮經傳記疑)」를 저술했다. 권11에는 「사관례(士冠禮)」부터 「상복(喪服)」 '참최전(斬衰傳)'까지를 다루었고, 권12에는 「사상례(士喪禮)」부터 「종묘(宗廟)」까지를 다루고 있다. 김이안의 「의례경전기의」는 저자의 예학 연구의 정밀함을 엿볼 수 있는 저술로 『의례』를 읽을 때 참고할 만한 내용이다.

이재(頤齋) 황윤석(黃胤錫 1729～1791)은 전라도 흥덕현(興德縣: 고창)에서 태어나 9살 때 고부(古阜) 향시(鄕試)에 입선(入選)하고 28세 때에 김원행의 문인이 되었다. 그의 학문적 관심 대상은 역상(易象)·천문(天文)·지리(地理)·산학(算學)·역사(歷史)·성음(聲音)·문자(文字) 등 다양한 분야까지 섭렵하지 않은 것이 없었다. 송헌진(宋獻鎭)이 찬(撰)한 행장에 따르면 황윤석의 저술은 18종[79]이나 되고, 특히 자필일기 『이재난고(頤齋亂稿)』는 그 분량이 100여 권에 이를 정도로 방대한 저술이다.

사진_9 <김이안 초상화> 출처: 한중연

황윤석의 예설은 『이재유고(頤齋遺藁)』에 7편이 실려 있다. 차례로 살펴보면, 1789년(정조13)에 정조가 양주에 있던 사도세자의 묘소를 화성(華城)으로 이장하였는데, 이때 황윤석은 「영우천원시복사의(永祐遷園緦服私議)」를 지어 정조가 시마복을 입어서는 안 되고 조복가마(弔服加麻)를 해야 마땅하다는 견해를 제출했다. 또 황윤석은 그의 6대조 신주를 매안(埋安)할 때의 의절을 기록한 「첨정선조신주매안의절(僉正先祖神主埋安儀節)」을 지었다. 여기서는 매안 의절을 비교적 자세하게 기록하고 있는데, 먼저 자분(磁盆)을 만들

79) 『理藪新編』·『山雷雜攷』·『資知錄』·『歷代韻語』·『姓氏韻彙』·『性理大全註解』·『九經箚錄』·『群書訂辨』·『象緯指要』·『輿地勝覽增修起例』·『皇極經世書四象體用聲音卦數圖解』·『國朝喪禮 補編後本尺圖說』·『輪鍾記』·『華音方言字義解』·『字義混訛辨』·『海東異蹟補』·『小學講義』·『亂稿』 등 18종이다.

고 나무를 깎아 지석(誌石)처럼 만들어 글자를 쓰는 방법과 글자 수까지 빠뜨리지 않고 꼼꼼하게 기록하였다.[80]

심의제도에 대해 논한 「심의회통신제(深衣會通新制)」는 『예기』와 『가례』 및 역대 여러 선현들의 심의설(深衣說)을 종합적으로 고찰하여 만든 심의제작법으로, 황윤석은 이를 자신의 집안에서 사용하기 위한 것이라고 하였다. 또 「산뢰노수중지중절척도(山雷老叟中指中節尺圖)」에서는 주척(周尺)·영조척(營造尺)·조례기척(造禮器尺)·포백척(布帛尺) 등의 치수를 고증하였고, 「산뢰심의제식(山雷深衣制式)」은 앞에서 저술한 「심의회통신제」를 보완한 것이다. 그리고 「부인증두제도설(婦人繒頭制度說)」에서는 부인의 머리 모양인 증두(繒頭) 명칭의 유래와 제작법을 자세하게 기록하였다. 「국조상례보편후본척도설(國朝喪禮補編後本尺圖說)」에서는 『국조상례보편』의 전본(前本)과 후본(後本)의 척도(尺圖)가 차이가 있음을 발견하고 후본의 척도가 가장 정밀하다고 주장했다. 그리고 중국의 역대 척도의 치수를 낱낱이 밝힌 '척각등교표(尺各等校表)'를 제작하여 그 차이를 일목요연하게 살필 수 있게 하였다.

나산(蘿山) 조유선(趙有善 1731～1809)은 자는 자순(子淳), 호는 나산(蘿山), 본관은 직산(稷山)이다. 개성 출신으로 부친은 조성제(趙聖躋)이고, 모친은 경주전씨(慶州全氏) 상두(尙斗)의 딸이다. 18세에 이재의 문인인 문암(文菴) 이의철(李宜哲 1703～1778)을 찾아뵙고 『대학』을 강론하였다. 23세에 김원행의 문하에서 수업하였는데, 그때 김원행이 '관선재(觀善齋)'라는 편액을 써 주었다. 조유선은 그의 아우 지산(芝山) 조유헌(趙有憲 1736～1815)과 함께 '미문쌍벽(渼門雙璧)'으로 일컬어진다. 훗날 매산 홍직필은 그의 묘지명에서 "서경(西京) 수백 년 이래로 한 사람"[81]이라고 할 정도로 극찬을 아끼지 않았다. 그는 스승이 돌아가시

---

80) 『頤齋遺藁』 권24, 「永祐遷園緦服私議(己酉)」. "謀行埋安於墓所, 先造磁盆覆仰各一, 仰者在下, 其大足以容合櫝神主. 覆者在上, 準蓋仰者, 其仰者外圓四周. 命小子胤錫削木寫之若誌石肰, 先寫有明朝鮮國五字, 次寫官銜九字, 次寫貫鄕姓諱表德十字, 次寫生卒年號干支月日享年二十七字, 每行六字, 第九行則三字, 另寫妣位誥牒貫鄕姓氏及生卒年號干支月日享年 三十一字, 每行亦六字, 第六行則一字.[이하 생략]"

81) 『蘿山集』 권12, 「墓誌銘並序[梅山洪直弼撰]」. "及公作而踐述渼湖之正傳,

자 심상기년(心喪期年)을 행하고 기일 때마다 반드시 곡을 하였다.

조유선은 한계증(韓啓增)·우창락(禹昌洛)·김용려(金用礪)·홍대용(洪大容)·이정인(李廷仁)·심정진(沈定鎭)·박윤원(朴胤源) 등과 교유하며 학문을 강론하였다. 그의 학문은 경학과 예학[82]에 집중되어 있는데, 특히 오복제도(五服制度)에 따라 사우(師友)의 초상에서 왕조례(王朝禮)에 이르기까지 다양한 내용을 다룬 『오복통고(五服通考)』를 찬집하였다.

한편 그는 당시 예수교가 창궐하자 조정에다 엄금할 것을 청하는 글을 올렸다. 그리고 날마다 구학(舊學)을 강명(講明)하는 것으로 일삼으니, 근처에 사는 선비들이 경전을 들고 와서 수업을 청하는 이가 많았다. 또 매월 초하루가 되면 강회를 열고 의리를 문답하는 것을 늙어서도 폐하지 않고 꾸준히 행하였다. 79세를 일기로 별세하자 가마(加麻)한 문인이 50여 명이었다고 한다.

그의 문집에 예설을 강론한 편지로는 별지 2통, 문목 16통이 수록되었는데, 대부분이 상례와 관련한 내용이다. 또한 별도의 예설이 6편 있는데, 『의례』에서는 「사우(士虞)」와 「사상(士喪)」 편의 의심나는 항목을 기술하였고, 『예기』에서는 종법과 관련한 내용을 기술했다. 잡저(雜著)의 「예설(禮說)」은 변례(變禮)를 당해서 주상(主喪)을 누구로 할 것인가에 대한 답변이다. 「상관작첩법(喪冠作輒法)」은 상관(喪冠)에 첩(輒)을 만드는 법이 예서 조문에 없기에, 창졸간에 일을 당해 만들려고 하면 치수의 넓고 좁음이 일정하지 않아 곤란한 때가 많아, 『상례비요』의 '치관벽적의(緇冠襞積儀)'를 따라 첩의 제도를 규정한 것이다. 「부인관복제(婦人冠服制)」는 부인의 의관에 필요한 계(髻)·계(笄)·총(總)·진(瑱)·화관(花冠)·단의(褖衣) 등을 만드는 재료와 방법을 기록하였다. 「향약조례(鄉約條例)」는 남전여씨 향약 본문 4조목과 별도의 조문 14조항을 새롭게 정함으로써 고을의 풍속과 교화를 개선하고자 하였다.

服習考亭之眞詮, 門路旣的, 進修彌篤, 至老慥慥, 克底於有成, 蓋西京數百年來一人而已."

82) 『蘿山集』 권5~권6은 『大學』·『論語』·『孟子』·『中庸』·『詩經』·『書經』·『周易本義』·『儀禮』·『禮記』·『春秋左傳』·『近思錄』·『語類』·『皇極內篇』 등의 책을 읽고 자신의 견해를 밝힌 것을 기록하였다.

근재(近齋) 박윤원(朴胤源 1734~1799)은 이재와 김원행을 잇는 낙론의 종장(宗匠)이자 왕실의 외척으로 18세기 후반 경화사족의 핵심 인물이었다. 아우 박준원(朴準源)의 딸이 정조의 후궁인 유빈박씨(綏嬪朴氏)이다. 이로 인해 박윤원은 평생 관직에 나아가지 않고 학문과 저술에만 힘을 쏟았다. 그의 경학 연구 성과로는 『대학』에서부터 『주자대전』에 이르기까지 10종[83]의 경전(經傳)에 대해 '차략(箚略)'이라는 이름으로 견해를 피력한 것을 들 수 있다.

박윤원은 35세에 처음으로 미호 김원행을 만나보고 의문을 질정하면서 사제지의(師弟之義)를 맺었다. 김원행에게는 주로 명덕(明德)에 관한 것, 성인(聖人)과 범인(凡人)의 심(心), 심(心)과 기질(氣質)의 구별 등에 대한 질문을 몇 차례 올려 자신의 학문을 점검하였다. 뿐만 아니라 그의 예학은 고금을 참작하고 상변(常變)을 다하여, 변석하고 절충하여 질서정연한 체재가 있었다. 때문에 변례(變禮)를 결단하지 못한 사람들은 박윤원의 한 마디 말을 들으면 의심이 다 풀렸다고 한다.[84] 그가 여러 학자들과 주고받으며 강론한 예설은 훗날 『근재선생예설(近齋先生禮說)』이란 제목으로 편찬 간행되었다. 예설 문답에 참여한 학자들은 약 70명에 이른다. 그 중에서 심성주(任聖周)·임정주(任靖周)·이정인(李廷仁)·박준원(朴準源)·오윤상(吳允常)·오희상(吳熙常)·김종선(金宗善)·이재의(李載毅)·홍직필(洪直弼) 등은 가장 많은 문답 횟수를 차지하고 있다.

이밖에 그가 저술한 7편의 예설이 있다. 「답이여홍예의문목(答李汝弘禮疑問目)」은 이재의(李載毅)의 상례와 사당, 제례 등에 관한 질문에 답변한 내용으로 35조목이다. 「첨론평숙예기차의(籤論平叔禮記箚疑)」는 아우 박준원의 「예기차의(禮記箚疑)」에 논평을 붙인 글이고, 「체설(髢說)」은 우리나라 여성들의 머리 모양이 중화의 제도를 따르지 않고 있는 것을 비판한 내용이다. 「원례(原禮)」는 예의 근원을 밝힌 것으로, 이 글에서 박윤원

83) 『근재집』 권25~권26. 「大學箚略」·「論語箚略」·「孟子箚略」·「中庸箚略」·「詩經箚略」·「書經箚略」·「易經箚略」·「易繫箚疑別本」·「儀禮箚略」·「朱子大全箚略」.

84) 『梅山集』 권38, 「近齋朴先生墓誌銘幷序」. "兼治禮學, 沿溯源流, 考證同異, 酌古今而盡常變, 辨析而折衷, 秩然有體裁, 世之有變禮而不决者, 得先生一言, 疑難俱釋焉."

은 예를 정의하기를 “백성의 마음을 제어하고 백성의 정(情)을 순하게 하는 것”이라고 하였다. 「삼례(三禮)」는 『가례』를 모든 사대부들이 마땅히 사용해야 함을 주장한 글로, 특히 삼가례(三加禮)와 친영(親迎)과 시제(時祭)를 반드시 실행해야 할 중요한 의절로 꼽았다. 「가훈(家訓)」에는 종자(從子) 종보(宗輔)·종자부(從子婦) 이씨(李氏)·측실·딸·동자·노비 등에게 경계해야 할 것들을 자세히 조목별로 기록하였다. 「태지록(汰哉錄)」은 재계(齋戒)·발인(發靷)·초혼(招魂)·사자밥·반함(飯含)·견전축(遣奠祝)·묘제(墓祭)·기제(忌祭) 등에 대해 논한 것으로 모두 수십 조목이 있다.

탁계(濯溪) 김상진(金相進 1736~1811)은 자는 사달(士達), 호는 탁계(濯溪), 본관은 금릉(金陵)이다. 충청도 보은 출신으로 부친은 김덕사(金德泗), 모친은 선산(善山) 곽세규(郭世圭)의 딸이다. 김상진은 25세에 역천(櫟泉) 송명흠(宋明欽)에게 편지를 써서 제자의 예를 청하였고, 29세에는 보은으로 온 미호 김원행에게 나아가 수업하였다. 44세에 학행으로 추천받아 완산부(完山府) 조경묘(肇慶廟) 참봉이 되었고, 이후로는 향리에서 후학 양성에만 힘을 쏟았다. 교유한 인물은 김원행(金元行)·송명흠(宋明欽)·박윤원(朴胤源)·임정주(任靖周)·김이안(金履安)·송시연(宋時淵)·이정인(李廷仁)·홍직필(洪直弼)·이원숙(李元肅) 등으로 모두 낙론계 학자들이다.

김상진은 일찍부터 관직을 포기하고 평생 향리에 살면서 가족과 집안을 보호하고 다스리는 데에 뜻을 둔 듯하다. 그는 범문정공(范文正公)의 ‘의전택(義田宅)’ 만든 것을 매우 좋아하여 자신도 의전택 명목으로 땅을 사서 치가(治家)하는 방법을 도모하였다.[85] 뿐만 아니라 ‘문약(門約)’과 ‘종맹(宗盟)’과 ‘가숙절목(家塾節目)’ 등을 제정하여 매년 따뜻한 봄이 되면 화수회(花樹會)를 열었고, 『가례』의 「사당장(祠堂章)」과 「거가잡의(居家雜儀)」, 그리고 「주자가정(朱子家政)」·「가훈(家訓)」·「거가요언(家居要言)」 등의 내용을 강론하여 문중과 집안의 화목에 열정을 쏟았다.

또 천 여 권에 달하는 서적을 보관하는 ‘묵장각(墨莊閣)’을 짓고, 근

85) 『濯溪集』 권10, 「濯溪集附錄」, 「行狀[李元肅]」. “又好范文正義田宅, 以爲治國當以井田, 治家當以義田宅, 乃曰縱不能行之於國, 猶可驗之一家. 辛亥秋, 買田一方, 置義田宅.”

처 숲에다 단(壇)을 만들어 제생들에게 향음주례와 관례를 연습시켰다. 김상진이 이렇게 연습을 시킨 것은, 당시에 절하고 읍하는 방식이 매우 방탕하여 옛날 법식이 아니라고 여겼기 때문이다. 그러므로 주자의 '구배변(九拜辨)'에 근거하여 다시 절하는 법을 정립하고 이를 제생들에게 가르친 것이다. 그러자 운호 임정주는 이 소문을 듣고 "현자(賢者)가 나라에 유익됨이 이와 같다."고 감탄하였다.[86]

또한 그는 만년에 향음주례에 매우 깊은 관심을 가졌는데, 때마침 조정에서 『향례합편(鄕禮合編)』을 전국에 반질하였다. 이에 국가의 제도에 대양(對揚)하는 도리로서 자신이 직접 철저한 고증을 거친 『향음주례고증(鄕飮酒禮攷證)』(필사본)[87]을 편찬하였다. 김상진의 만년(晩年)의 정력이 이 책에 모두 들어 있다고 할 정도로 심혈을 기울인 책이다. 그는 예를 설명함에 있어서 강물이 터진 듯이 하여 듣는 사람들이 그 앞에서는 저절로 무릎을 꿇었다고 한다.[88]

이밖에도 별도의 예설이 4편 더 있다. 「가례차록(家禮箚錄)」은 주자의 『가례』에서 의심나는 부분들을 고증한 것으로, 가묘도(家廟圖)·사당도(祠堂圖)·종법(宗法)·반부(班祔)·남녀배례(男女拜禮)·심의(深衣)·치포관(緇布冠)·혼례(婚禮) 등의 조항 중에 미비한 부분들을 뽑아 다른 예서를 통해 보완한 것이다. 「상례비요차록(喪禮備要箚錄)」은 김장생의 『상례비요』의 내용 중에 의심나는 부분들을 고증한 것으로 모두 30조문이다. 「예설잡지(禮說雜識)」는 섭사(攝祀)·형제병유상(兄弟幷有喪)·연제(練祭)·이모(姨母)가 질부가 되었을 경우 호칭 문제 등을 정리한 글이다. 「향음주례약속(鄕飮酒禮約束)」은 김상진이 62세 때 이평(梨坪)에서 향음주례를 익히기 위해 만든 절목으로, 향음주례에 임하는 자세와 덕목을 16조목으로 기록했다.

---

86) 『濯溪集』 권10, 「濯溪集附錄」, 「行狀[李元肅]」. "又嘗節食縮衣, 聚書幾至千卷, 閣而藏之, 名曰墨莊. 卽墨莊傍樹林中, 除地爲壇, 使諸生習鄕飮酒禮及冠禮, 教之先從拜揖而始, 以爲東俗拜禮極鹵莽, 殊失古儀. 乃據朱子九拜辨更定, 於是鄕人爭慕行之, 雲湖任公靖周聞而嘆之曰, 若是乎賢者之有益於國也."

87) 『한국예학총서』(157책), 경성대학교 한국학연구소, 도서출판 민족문화, 2016.

88) 『濯溪集』 권10, 「濯溪集附錄」, 「行狀[李元肅]」. "遇可語之人, 則譚經說禮, 若決江河, 聽者不覺膝之自跪也."

살펴보았듯이 미호 김원행은 석실서원을 중심으로 매우 많은 학자들을 배출시켰다. 이들 학자들은 18세기 낙론학파로서 당시 학계를 이끌어가는 중추적 역할을 담당하였다. 그러므로 국가의 전례 문제에도 적극적으로 참여하여 자신들의 예학적 견해를 당당하게 밝혔다. 김원행의 예설 문답은 대체적으로 상례 전반에 걸쳐 있고, 인용한 예설은 송시열의 학설이 가장 많았다. 그의 아들 김이안은 국가의 전례 문제에 헌의한 것이 많았다. 뿐만 아니라 김이안은 『의례』 17편 가운데 12편을 선정하여 자신의 첨론(籤論)을 붙이기도 하였다. 황윤석도 국가의 전례에 대한 자신의 입장을 표명하였으며, 특히 심의제도와 척도에 대해 깊이 연구하였다. 조유선은 오복제도에 대해 깊이 연구하여 『오복통고(五服通考)』를 편찬하였고, 『의례』의 사우례(士虞禮)와 사상례(士喪禮), 『예기』의 종법과 관련한 부분에 대해서도 예설을 지었다. 박윤원은 낙론의 많은 학자들과 예설 교류를 하였는데, 훗날 그의 문인들에 의해 『근재선생예설(近齋先生禮說)』이란 책이 간행되기도 했다. 특히 그는 『가례』를 존신한 나머지, 삼가(三加)와 친영(親迎)과 시제(時祭) 등의 의절을 국가의 법으로 제정하여 사대부들에게 시행하게 할 것을 적극 주장하기도 하였다. 김상진은 가정과 문중을 다스리는 한편 향촌사회를 예의로운 풍속으로 개선하려는 데에 많은 노력을 기울였으며, 또 『가례』를 연구한 「가례차록(家禮箚錄)」을 저술하였다.

3. 기타 예학가(禮學家)

이상에서 살펴본 주요 기호 학단 외에도 18세기는 예학사적으로 중요한 예학 저술을 펴낸 학자들이 있다. 이들 중에 후재(厚齋) 김간(金榦)과 본암(本菴) 김종후(金鍾厚)와 같은 학자는 기호 노론학파에 있어서 매우 큰 비중을 차지하고 있다. 그러나 이들의 스승이 17세기에 해당하기 때문에, 여기서는 별도로 18세기 학단의 범주에 넣지 못하고 기타 예학가로 분류하였다. 이외에도 기타 예학가들 중에는 예학 저술이 있지만 사승관계와 생몰을 확인할 수 없는 이들도 적지 않다. 이들 예학가들을 도표로 나타내면 표_11과 같다.

성명	예학 저술	비고
厚齋 金 榦 1646～1732	『厚齋集』(권11～권16)·「李君輔師服說辨」·「童蒙學規」·「居鄕戒辭」·「順寧契約」·「深衣制度考證」·「深衣篇」·「深衣附論」	朴世采 문인
本菴 金鍾厚 1721～1780	『家禮集考』(8권 8책)·「喪廢祭問答(己丑)」·「爲所後前母之黨如母說」	閔遇洙 문인
友松 吳載能 1732～?	『禮疑類輯續編』(예총보11)	閔遇洙 문인
過齋 金正默 1739～1799	「禮說辨」	金長生 후손
趙鎭球 1765～1815	『儀禮九選』(예총71) 『儀禮九選』(예총72) 『家禮證補』(예총72)	朴弼周 제자 吳熙常 姨弟
後村 金景游 18세기	『四禮正變』(예총보유12～13)	金長生 후손
義原君 李爀 17～18세기	『四禮纂說』(예총보유14)	金長生 학맥
金鼎柱 18세기	『喪禮便覽』(예총84)	金有慶 손자

표_11 <18세기 기호학파의 기타 예학가>

후재(厚齋) 김간(金榦 1646～1732)은 경기도 광주(廣州) 출신으로 일찍이 송시열(宋時烈)과 박세채(朴世采)의 두 문하에 출입하였다. 그는 경학과 예학에 매우 조예가 깊어 많은 저술을 남겼다. 『후재집』에는 경의(經義)라는 제목으로 『소학』을 비롯하여 사서(四書)와 「태극도설(太極圖說)」·『심경(心經)』·『근사록(近思錄)』 등을 읽고 사우(師友)들과 문답한 내용이 많은 분량을 차지하고 있다. 이외에 『동유예설(東儒禮說)』과 『예기유집(禮記類輯)』(4책)을 편집하였으며, 「동몽학규(童蒙學規)」·「심의제도고증(深衣制度考證)」·「이군보사복설변(李君輔師服說辨)」·「예기차기(禮記箚記)」·「운계서원학규(雲溪書院學規)」 등을 저술하였다.

뿐만 아니라 그의 문집 권11~권16에는 방대한 예설 문답을 수록하고 있다. 이 가운데 권11과 12에는 주로 사대부가의 상례를 실었고, 13권~16권까지는 국휼(國恤) 문답을 실었다. 김간과 예설 문답에 참여한 학자는 송기손(宋基孫)·이도재(李道載)·이정영(李挺英)·이세필(李世弼)·한사조(韓師朝)·홍계희(洪啓禧)·신경(申暻)·김재로(金在魯)·한홍조(韓弘祚)·이원배(李元培)·서종대(徐宗大)·박세채(朴世采)·홍재관(洪載寬)·이희조(李喜朝) 등 기호 노론학자들이다. 이 가운데 영의정 김재로(1682~1759)와의 문답 및 권상하의 문인 한홍조와의 문답 횟수가 가장 많다. 이들 중에 이세필(1642~1718)은 송시열의 문인으로 문집 『구천유고(龜川遺稿)』(35권 18책) 안에 28권의 방대한 분량이 모두 '예설(禮說)'이란 제목으로 그의 예학적 견해를 수록하고 있다. 이는 모두 『가례』의 편차에 따라 항목별로 분류된 상태이기 때문에, 지금 당장 별도의 책으로 간행을 하더라도 아무런 손색이 없을 정도이다.

본암(本菴) 김종후(金鍾厚 1721~1780)는 영의정 김재로의 손자로 어릴 때는 정래교(鄭來僑)에게 수업하였고, 29세에 섬촌(蟾村) 민우수(閔遇洙)에게 집지하여 수학하였다. 그는 『가례집고(家禮集考)』(7권 8책)을 저술했는데, 이 책은 『가례』의 조목과 관련된 여러 설을 수집하여 이를 고증한 것으로, 이황(李滉)과 정구(鄭逑) 등 남인 계열 학자와 소론 계열인 박세채의 설까지 다양하게 수록하였으나, 주된 설은 역시 송시열의 예설이었다. 이는 김간이 송시열의 학통을 계승하고 있음을 보여 주는 증거이다.

우송(友松) 오재능(吳載能 1732~?)은 자는 백분(伯奮), 호는 우송(友松)으로 삼도통제사(三道統制使) 옥혁(玉奕)의 아들이다. 그는 민우수(閔遇洙)의 문인으로 일찍부터 경훈(經訓)에 침잠하고 성리를 깊이 연구하였다. 뒤늦게는 겸재(謙齋) 박성원(朴聖源)의 『돈효록(敦孝錄)』과 『예의유집(禮疑類輯)』을 평생토록 읽었는데, 이로 인하여 『예의유집속편(禮疑類輯續編)』(3권 4책)을 저술하였다. 이 책은 제목에서도 알 수 있듯이 박성원의 『예의유집』을 보완한 책이다. 오재능은 이 책을 편찬한 이유를 "『예의유집』 중에는 빠진 부분도 있고, 또 뒤에 나온 여러 예설들이 미처 편입되지 못한 것이 안타까워서 편찬한 것"이라고 밝였다. 그러므로 이 책은 박성원의 『예의유집』을 볼 때 참고하면 자세한 의미를 파악하는 데 많은 도움이 될 것이다.

과재(過齋) 김정묵(金正默 1739~1799)은 사계 김장생의 후손으로서 예학에 밝고 노론의 의리를 지킨 낙론계 학자로 이름났다. 그는 경학에도 밝아 그의 문집 『과재유고(過齋遺稿)』에는 『논어』·『대학』·『중용』을 연구한 성과로 저술된 「경서변답보유(經書辨答補遺)」(3권)이 실려 있다. 김정묵의 행장(行狀)은 그의 문인 송치규(宋穉圭)가 저술하였는데, 송치규는 송시열의 후손으로 호론 계열의 학자이지만, 학파에 크게 구애 받지 않고 낙론 학자와도 활발하게 교유하였다.

일찍이 김정묵은 남당 한원진의 심성설과 예설을 비판하는 「남당집차변(南塘集箚辨)」(4권)을 저술하여 그의 문집에 실었다. 이 가운데 「예설변(禮說辨)」은 한원진이 주장한 천자 제후의 장자복제를 비판한 내용이다. 일찍이 한원진의 이 예설에 대해 녹문 임성주도 강하게 비판하는 글을 지었으니, 호론과 낙론 예설의 차이점을 극명하게 보여 주는 저술이라고 하겠다.

조진구(趙鎭球 1765~1815)는 노주(老洲) 오희상(吳熙常)의 이제(姨弟)이며, 박필주(朴弼周)의 문인인 제헌(霽軒) 심정기(沈定鎭)의 문인으로 알려져 있다. 그는 『의례구선(儀禮九選)』(15권 7책)과 『가례증보(家禮證補)』(6권 2책) 등 두 종류의 예서를 편찬하였다. 『의례구선』은 『의례』 17편 가운데 「사관례(士冠禮)」·「사혼례(士昏禮)」·「상복(喪服)」·「사상례(士喪禮)」·「기석례(旣夕禮)」·「사우례(士虞禮)」·「특생궤식례(特牲饋食禮)」·「소뢰궤식례(小牢饋食禮)」·「유사철(有司徹)」 등 9편만을 뽑아 선현의 설을 첨부하여 『의례』를 집중적으로 분석한 책이다. 이외에 관혼상제 4권을 별편(別編)으로 편찬하여 이 책 뒤편에 붙였다. 조진구의 『의례구선』은 오희상으로부터 "원류(原流)를 정밀하게 연구했다."[89]는 평가를 받았다.

충청도 연산(連山) 출신인 후촌(後村) 김경유(金景游)의 『사례정변(四禮正變)』(14권 7책)과 조선후기 왕실의 후손인 의원군(義原君) 이혁(李爀)의 『사례찬설(四禮纂說)』(8권 4책) 등은 모두 관혼상제에 관한 책으로, 변례에

89) 『老洲集』 권14, 「祭趙國珍文」. "古今聚訟, 而禮一部, 經曲因革, 箋疏紛糾, 人於其間, 鮮不迷眩, 溯源瀹流, 子獨精研, 可垂不刊, 九選之編."

관한 여러 설들을 수록하여 편찬한 책들이다. 이 예서들은 모두 행례서가 아닌 『가례』의 내용을 명확하게 이해하기 위해 선유(先儒)들의 예설을 인용하여 증명하고 고증한 예서이다. 이 예서에서 가장 많이 인용된 학자는 역시 우암 송시열로, 이들이 모두 기호 노론학파에 속하고 있음을 보여 주고 있다.

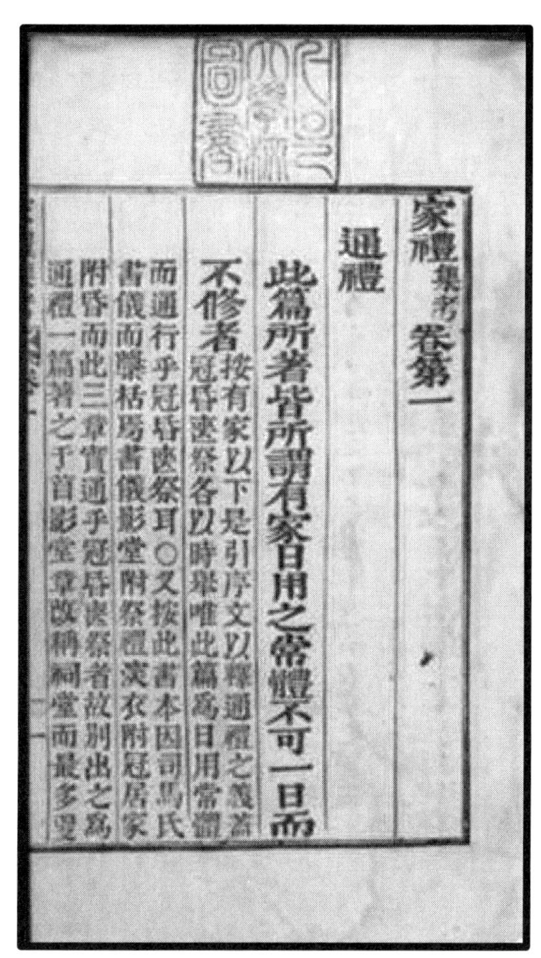

家禮集考 卷第一

通禮

此篇所著皆所謂有家日用之常體不可一日而不修者 按有家以下是引序文以釋通禮之義蓋冠昏喪祭各以時擧唯此篇爲日用常體而通行乎冠昏喪祭耳○又按此書本因司馬氏書儀而檃栝焉書儀影堂附祭禮深衣附冠居家附昏而此三章貫通乎冠昏喪祭者故別出之爲通禮一篇著之于首影堂章故稱祠堂而最多變

사진_10 <가례집고> 출처: 한중연

김정주(金鼎柱)는 18세기 후반 기호학자로 자는 수보(受輔), 본관은 경주이다. 그의 부친은 부사를 지낸 김한방(金漢房)이고, 조부는 영조조에 노론의 핵심이었던 정효공(貞孝公) 김유경(金有慶)이다. 김정주는 이와 같은 노론 학맥 위에서 김장생의 『상례비요』를 토대로 『상례편람(喪禮便覽)』(2권 2책)을 저술하였다. 이 책은 『상례비요』가 매우 중요한 책이지만, 여전히 의심스러운 대목이 있어서 내용을 유(類)별로 모아 조목을 나누고, 각 조목 아래에 제가(諸家)의 설을 수집하여 붙여 고람(考覽)하기 편하게 만든 책이다.

이상으로 18세기 기호 예학가 가운데 학단으로 분류할 수 없는 학자들의 예학 저술과 사우관계를 간략하게 살펴보았다. 이들 가운데 소수는 비록 사승관계가 명확하지 않지만, 모두 한결같이 우암 송시열의 학통을 따랐다. 또한 각각 예서를 편찬하였는데, 그 예서들은 모두 『가례』를 보다 더 명확하게 연구하기 위한 것으로, 기존 예서의 미비점을 보완하려는 시도에서 저술된 것들이었다. 이미 17세기에도 『가례』를 연구한 예서들이 꾸준히 편찬되었지만, 여전히 미진한 부분들이 다 밝혀진 것은 아니었다. 그러므로 18세기 기호 예학가 중에는 앞 시대의 예학 연구 성과에 힘입어, 미진한 부분의 연구에 더욱 천착한 나머지 이러한 예서들을 편찬하게 된 것이다.

3

19세기 기호 예학 학단

19세기에 들어오면 앞 시대의 호론과 낙론의 학문적 대립은 매우 완화되어 거의 그 자취를 찾아보기 어렵다. 그 대신 19세기 초에 접어들면 화서 이항로와 노사 기정진 학단이 새롭게 등장하여 기존 학단에 가세함으로써, 이들 학단 사이에 이기심성(理氣心性) 논쟁이 새롭게 재현되었다. 한편 이와 별도로 이 시대에는 서학이 유입 확산되고 이양선의 출몰과 나라 안팎으로 소요가 빈번하면서, 사대부 사족 학자들은 존화양이(尊華攘夷) 사상에 입각한 '척사(斥邪)'의 구호로 학단의 벽을 뛰어넘어 합심하여 국가의 위기에 대응하고자 나섰다. 따라서 이 장에서는 기존의 호락(湖洛) 학단 외에 위정척사에 동참한 신진 학단을 추가하여 그들의 예학 동향을 함께 살펴보고자 한다.

주지하다시피 19세기 조선은 세도정권으로 인한 정치의 부패, 잦은 민란으로 인한 민중의 동요(動搖), 서세동점(西勢東漸)의 위협 속에 개항을 강요당하는 등, 국가의 체제가 흔들리고 사회 기강이 무너지는 위기에 처하였다. 이렇게 내우외환(內憂外患)에 처하자, 조선의 유학자들은 학파에 따라 현실을 진단하고 각자 대응책을 모색하였다. 그들은 현실 진단의 대응책으로 형이상학적인 철학이론[1]을 통하여 합당한 질서를

1) 李相益, 『畿湖性理學考』, 심산, 2005, 283쪽.

사진_11 <진산성당 전경> 출처: https://blog.naver.com

모색하는 한편, 조선 문화의 고유한 예제를 더욱 굳건히 고수함으로써 급격한 변화에 대응하려고 하였다.

이보다 앞서 1791년(정조15)에는 윤지충(尹持忠)과 그의 외사촌 권상연(權尙然)이 조상의 신주를 불태우고 제사를 폐지하는 이른바 '진산사건(珍山事件)'이 발생했다. 유교 문화의 예제를 거부하고 천주교의 의례를 택한 실로 파격적인 행동이었다. 유교의 강상(綱常)을 정면으로 부정하는 이 사건으로 인해 조정과 학계는 크게 혼란에 빠졌다. 이때 낙론학자 홍직필(洪直弼)은 천주교 배척에 매우 적극적이었다. 그는 1796년 호론학자 송환기(宋煥箕)에게 편지를 보내 "개나 양 같은 오랑캐에게 절하는 것에 익숙해졌는데도 사람들은 부끄러워할 줄 모르고, 편벽한 말과 방탕한 의논이 창궐하는데도 세상이 괴이하게 여기지 않아, 점점 이적(夷狄)이나 금수(禽獸)의 지경에 빠져들고 있다."[2]고 심한 우려를 표명했다.

이렇듯이 19세기 초반 척사론은 오희상(吳熙常)이나 홍직필(洪直弼) 같은 노론 산림계 학자가 주도하였다. 그러나 19세기 중반에 이르면 이항로(李恒老)와 이정관(李正觀) 등 새로운 인물들이 가세하면서, 기호학파의

---

2) 『梅山集』 권5, 「上性潭宋公(煥箕○丙辰)」. "犬羊之拜習熟, 而人莫知恥, 詖淫之論猖獗, 而世不爲怪, 駸駸然將入於夷狄禽獸之域矣."

척사론은 새로운 전기를 맞게 되었다. 이항로는 「논양교지화(論洋敎之禍)」를 지어 본격적으로 척사론을 폈고,[3] 이정관은 안정복의 『천학문답(天學問答)』을 검토한 후 「천학고변(天學攷辨)」을 지었으며, 1839년에는 「천학고변」의 내용을 심화시켜 「벽사변증(闢邪辨證)」도 펴냈다.[4] 보는 바와 같이 서학에 대한 기호학자들의 입장은 매우 단호하였다.

이 시기 기호 학계는 18세기의 인물성 논쟁으로 인한 호론과 낙론 학단의 첨예한 대립은 약화 쇠퇴했다. 그러나 19세기 초반에 새로 등장한 화서(華西) 이항로(李恒老)와 노사(蘆沙) 기정진(奇正鎭) 학단이 기존의 호락(湖洛) 학단에 가세하면서 '이기심성론(理氣心性論)'에 대한 논의는 더욱 치밀해지고 열기가 뜨거웠다. 그러던 중에 서학의 등장으로 기호 학계는 학단을 초월하여 한 목소리로 척사(斥邪)운동을 중요한 과제로 내세웠다. 그러다가 19세기 후반 이양선(異樣船)의 출몰과 함께 '개항(開港)'이라는 정책이 발표되자, 기호 학단은 다시 일치단결하여 '척양척왜(斥洋斥倭)' 운동을 전개하였다. 이 과정에서 호론과 낙론 학계는 대체적으로 온건한 저항 운동을 전개한 반면, 화서와 노사 학단은 '위정척사(衛正斥邪)'라는 구호 아래 매우 강경한 자세로 저항에 나섰다.

그러므로 이 절에서는 19세기 기호 학단을 다음과 같이 구분하려고 한다. 이 시기에는 호론과 낙론의 경계가 뚜렷하지 않기 때문에 이들 학단을 나누지 않고 '호락(湖洛) 학단'이라 이름 하여, 매산(梅山) 홍직필(洪直弼)·연재(淵齋) 송병선(宋秉璿)·간재(艮齋) 전우(田愚) 학단을 여기에 포함시켰다. 또 새로 등장한 화서 이항로와 노사 기정진 학단을 묶어서 '신진(新進) 학단'이라고 명칭하였다. 이밖에 이들 두 학단에 소속되지 않은 예학가들은 별도로 '기타 예학가(禮學家)'로 구분하였다.

---

3) 권오영, 「김평묵의 척사론과 聯名上疏」, 『한국학보』55, 일지사, 1989, 131쪽.
4) 노대환, 「18세기 후반~19세기 중반 노론 척사론의 전개」, 『조선시대사학보』 46, 2008, 215~222쪽.

1. 호락(湖洛) 학단

(1) 매산(梅山) 홍직필(洪直弼) 학단

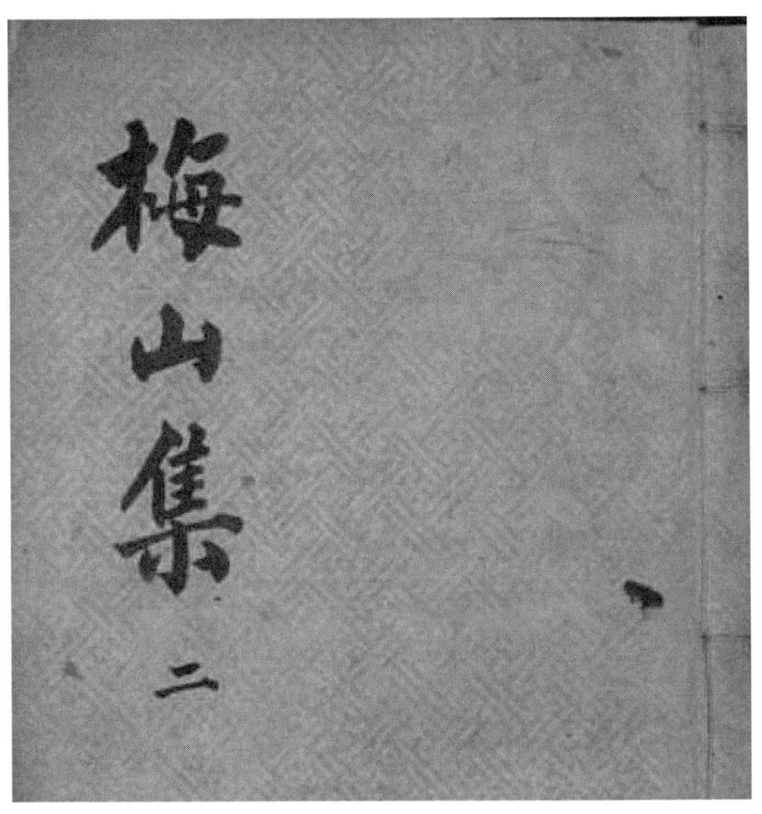

사진_12 <매산집> 출처: 한중연

19세기에 오면 호론 계열 학단은 정치적으로나 수적으로 열세에 처한 반면, 낙론 계열 학단은 여전히 정치적으로 우이를 점하여 그 위세가 왕성했다. 낙론 학단의 여러 학자들 가운데 매산(梅山) 홍직필(洪直弼 1776~

1852)은, 우암(尤菴) 송시열(宋時烈)-도암(陶菴) 이재(李縡)-미호(渼湖) 김원행(金元行)-근재(近齋) 박윤원(朴胤源) 등을 잇는 적전(嫡傳)으로 사림의 중망을 받았다. 이로 인해 그의 문하에는 서울 경기지역의 학자들을 비롯하여 영남지역의 학자들까지 문하에 가세하면서 학단이 크게 융성하였다.

홍직필의 가계(家系)를 살펴보면, 그는 서울에서 태어났고 집안이 왕실과 가까운 관계에 있었다. 그의 대고모인 증조부 홍상언(洪尙彦)의 딸은 정조의 비(妃)인 효의왕후(孝懿王后)이다. 그는 4살 때 외삼촌인 자각(紫閣) 박성한(朴聲漢)으로부터 『천자문(千字文)』을 수업 받았고, 11살에는 김지행(金砥行)의 조카인 김이중(金履重)과 윤봉구(尹鳳九)의 고제(高弟)인 임암(立菴) 박준흠(朴俊欽)에게 각각 기초 학문을 수업 받았으며, 17세에 비로소 근재(近齋) 박윤원(朴胤源)에게 나아가 수업을 받았다. 박준원은 홍직필을 처음 만나자 "우리 도(都)를 부탁할 만하다[吾道有托]."는 말로 칭찬을 아끼지 않았다. 이로 인해 그는 박윤원의 적전이 되었다. 이후 그의 명성은 왕실에까지 알려져 정조가 홍직필의 학문 성취를 궁금해 할 정도였다.

그는 부친의 임소인 대구·안성·전주·밀양·경주·영월 등지를 자주 찾아다니며 그곳의 학자들과 많은 교유관계를 맺었다. 이때 관계를 맺은 이들은 거의 그의 문하생이 되었다. 홍직필이 교유한 선배 학자로는 송환기(宋煥箕)·이직보(李直輔)·임노(任魯)·송치규(宋穉圭)·오희상(吳熙常) 등을 들 수 있다. 이 가운데 송환기와 송치규 등은 호론 계열이니, 여기에서 낙론 홍직필이 호론학자들과도 교유관계를 맺을 정도로 원만한 성품을 가졌음을 알 수 있다. 특히 금계(襟溪) 이봉수(李鳳秀)와는 매우 사귐이 깊어 평생을 함께 했고, 오희상과도 매우 친하게 지내 자신의 아들 일순(一純)을 그의 문하에 수업하게 하였다.

그는 낙론학자로서 호론학자들과의 인적 교유는 원만하였지만, 자신의 입론인 인물성동론(人物性同論)에 대한 뜻은 확고하게 고집하였고[5], 화이지변(華夷之辨)에 대해서도 군신(君臣)의 의리만큼이나 중요하게 여겼다.[6]

---

5) 『鼓山集』 권16, 「梅山洪先生行狀」. "然則其所以同者, 理之通也, 其所以異者, 氣之局也. 秖就其氣上循理, 不失本然者而言, 則人與物, 何嘗有不同乎?"

홍직필은 학문하는 요점을 거경(居敬)·궁리(窮理)·실천(實踐) 세 가지로 요약하고, 스스로 이를 실천하기 위해 진력(盡力)하였다. 예를 논함에 있어서는 삼례(三禮)의 예서에 근본하고 제가(諸家)의 설을 참고하여 마침내『가례』로 귀숙되게 하였고, 상변(常變)에 있어서는 인혁(因革)과 손익(損益)을 짐작하여 질서정연하게 문답(問答)하되 옛것에 막히지 않는[7] 유연한 자세를 취했다. 홍직필은 별도의 예서와 예설은 저술하지 않았으나, 그의 문집에 수록된 1,000여 통에 가까운 편지에는 수백 편의 예설이 산재해 있다. 게다가 예설 문답에 참여한 학자들도 190여 명에 이를 정도로 성황을 이루었다. 이렇게 문답한 예설들은 훗날 문인과 후손들이 수집하고 분류하여『매산선생예설(梅山先生禮說)』(7권 4책)이란 이름으로 편찬 간행하였다.[8]

그는 왕실의 전례 문제에도 깊이 관여하여 여러 차례 헌의(獻議)를 올렸다. 1843년(헌종9)에 헌종의 비(妃)인 효순왕후(孝顯王后)가 훙서하였는데, 이에 조정에서는 예관을 보내 홍직필에게 졸곡(卒哭) 뒤 대전(大殿)이 평소 거처할 때는 백립(白笠)을 흑립(黑笠)으로 바꾸어 착용해야 마땅한지 하문하자, 물음에 답하였다.[9] 1846년(헌종12) 문조(文祖: 효명세자)의 묘소인 유능(綏陵)을 이장하게 되었을 때도, 조정에서는 대왕대비전의 복제에 관해서 예관을 보내 하문하였다. 이에 홍직필은『의례』「상복기(喪服記)」와『통전(通典)』, 그리고『상례비요』의 내용에 근거하여 시마복을 입을 것을 주장하였다.[10] 1849년(헌종15) 조정에서 동조(東朝: 대비)의 위호(位號)를 가상(加上)하는 것이 마땅한지의 여부를 하문했을 때도, 선조조(宣祖朝)의 '공의전(恭懿殿)'과 숙종조(肅宗朝)의 '자의전(慈懿殿)'의 사례 등을 근거로 제시하며 위호가 부당하다는 뜻을 밝혔다.[11]

---

6)『鼓山集』권16,「梅山洪先生行狀」. "作警俗, 文以明之曰, 華夷之辨, 重於君臣之義."

7)『鼓山集』권16,「梅山洪先生行狀」. "於禮本之三禮, 參之諸家, 歸宿於家禮, 究極乎經典, 常變, 斟酌乎因革損益, 論著答問, 秩然有體, 可擧而行之, 亦不喜泥古也."

8)『매산선생예설』에 대한 내용은 5장 3)절에 자세하게 언급하였다.

9)『梅山集』권4,「孝顯王后喪卒哭後 大殿燕居服笠制黑白議(癸卯十一月十三日)」.

10)『梅山集』권4,「綏陵遷奉時 大王大妃殿服緦議」.

11)『梅山集』권4,「當宁嗣位後 東朝位號加上當否議」.

1851년(철종2)에는 조정에서 예관을 보내 '헌종대왕을 부묘(祔廟)할 때 진종대왕(眞宗大王)을 조천(祧遷)하는 것이 마땅한가'의 여부를 하문하였다. 진종은 영조의 장자로 사후에 추존된 왕이다. 홍직필은 송시열의 '부묘소(祧廟疏)'와 이재(李縡)의 설에 근거하여 진종대왕은 5세의 대수에 준함으로 조천하는 것이 예의 뜻에 부합한다고 하였다.[12] 그러나 당시 영의정 권돈인(權敦仁)은 진종은 계체(繼體)로 계산하면 5대조이지만, 친속(親屬)으로 따지면 증조부에 해당하기 때문에 조천하는 것은 마땅하지 않다[13]고 주장하였다.

한편 홍직필은 일찍이 『사례휘고(士禮彙攷)』라는 책의 서문을 지었다. 『사례휘고』는 노주 오희상의 문인인 함진태(咸鎭泰 1761~?)가 편찬한 책으로, 왕조례(王朝禮)와 향례(鄕禮)와 학례(學禮)를 붙여 그 분량이 무려 200권[14]이나 된다. 이 책은 이미 함진태가 노주 오희상에게 보여 품재(稟裁)를 거쳐 편찬되었기 때문에 예서로서 공식 인정을 받은 셈이다. 그러나 현재는 이 책의 존재를 확인할 길이 없고, 오직 홍직필의 서문을 통해 그 책의 분량과 성격을 짐작할 뿐이다.

이와 같이 홍직필은 당시 산림의 위치에 있었는데도, 조정에서는 국가의 중요한 전례 문제가 발생하면 반드시 예관을 보내어 하문하였다. 홍직필 또한 자신의 예학적 견해를 개진하여 국가의 전례 문제에 일정한 역할을 담당해 왔다. 이는 당시 기호학자들이 대부분 정치권과 밀접한 관계를 맺고 있었기 때문에, 국가의 전례 문제에 무관하게 있을 수만은 없었던 것이다. 이러한 경향은 홍직필뿐만 아니라 19세기 기호학자들에게 두루 나타나고 있는 현상이다. 홍직필 학단에서 예설을 저술한 학자는 표_12와 같다.

---

12) 『梅山集』 권4, 「憲宗大王祔廟後 眞宗大王祧遷當否議」.
13) 『철종실록』, 철종 2년 6월 9일(갑자).
14) 『梅山集』 권27, 「士禮彙攷序(丁酉)」. "名之曰士禮彙攷. 附以王朝鄕學三禮而曰士禮者, 以篇目次第之專宗家禮, 而家禮是士禮也. 卷爲二百編, 編禮以來所創有者, 富矣哉."

성명	예학 저술
鼓山 任憲晦 1811～1876	「宗廟魂殿祝式議」·「大王大妃, 王大妃服制議」·「皇廟重建後享祀儀節議」·「祭饌圖說」·「居喪儀」·「祧主遞奉儀」·「祧主埋安儀」·「居家要法」·「禮疑瑣錄」·「親迎說」·「諭內間」·「壬寅外憂時記」·『全齋先生禮說』
仁山 蘇輝冕 1814～1889	「昏禮同牢設位圖」·「爲長子斬說考證」·「聚樂齋規約」·「聚樂齋規範」
方山 沈宜德 ?～1849	『家禮酌通』예총(114책)
立軒 韓運聖 1802～1863	「禮說辨(庚戌)」·「壬子哭寢記」

표_12 <梅山 洪直弼 학단 예학가>

고산(鼓山) 임헌회(任憲晦 1811～1876)는 홍직필의 문인으로 이이·김장생·송시열을 정통으로 삼는 낙론학파에 속한다. 그는 스승 홍직필과 마찬가지로 평생 관직에 나가지 않고 학문을 닦으며, 시국(時局)에 대해서는 적극적인 행동으로 대처하기 보다는 자정(自靖)하는 태도를 취했다. 27세부터 30세 사이에는 여러 학자들을 두루 찾아다녔다. 27세에 강재(剛齋) 송치규(宋穉圭)를 뵙고 학문을 물었고, 29세에는 김매순(金邁淳)·홍석주(洪奭周)·홍직필(洪直弼) 등을 차례로 찾아뵈었으며, 32세 때에 비로소 홍직필에게 편지를 올려 사제(師弟)의 의(義)를 맺었다. 이후부터는 여러 차례 홍직필을 찾아다니며 학문을 토론하였다. 그러다가 홍직필이 졸한 뒤에는 그의 연보(年譜)와 행장(行狀)까지 지으며 적전(嫡傳)으로서의 역할을 다하였다. 47～55세에는 동문 조병덕(趙秉悳)·한운성(韓運聖)·소휘면(蘇輝冕) 등과 함께 『매산집(梅山集)』 교정을 하기 위해 사찰 등지에서 수차례 만나기도 하였다.

임헌회 역시 별도의 예서를 편찬하지는 않았지만, 그의 문집 서간문에는 수많은 예설이 산재해 있다. 훗날 문인 전우(田愚)가 이것을 수집하고 분류하여 『전재선생예설(全齋先生禮說)』(4권 2책)[15]을 편찬 간행하였다. 이외에도 별도의 예설 9편을 저술하였다.

33세 때 저술한 「제찬도설(祭饌圖說)」에서는 우제설찬도(虞祭設饌圖)를 비롯하여 시제설찬도(時祭設饌圖), 삭참설찬도(朔參設饌圖), 속절설찬도(俗節設饌圖), 신물천설찬도(新物薦設饌圖) 등 모두 5개의 도(圖)를 작성하고 그에 대한 설명을 붙였다. 이는 임헌회가 부친의 상중 소상(小祥) 때 김장생의 『상례비요』를 참고하여 찬술한 것이다. 저술 동기는 제사는 선조를 받드는 중요한 행사로서 무엇보다 청결함을 숭상해야 하는데도, 당시의 풍속이 도리어 풍성하고 사치스러움에 빠져 있기에, 이러한 폐단을 경계하기 위해서라고 했다.[16]

「거상의(居喪儀)」는 상중에 지켜야 할 범절을 간략하게 기술한 것이다. 인용한 학자들은 이황(李滉)·정구(鄭逑)·김집(金集)·송시열(宋時烈)·박세채(朴世采)·권상하(權尙夏)·박윤원(朴胤源)·홍직필(洪直弼) 등 주로 낙론 예학가들의 예설이다.

「조주천봉의(祧主遷奉儀)」는 신주를 조천할 때 사용하는 축문 내용을 기록한 것으로, 종가협제시친진위축(宗家祫祭時親盡位祝)·장방합제조주축(長房合祭祧主祝)·장방졸곡후조주체천축(長房卒哭後祧主遞遷祝)·장방지자고선고궤연축(長房之子告先考几筵祝) 등 모두 6편[17]이다. 여기에는 홍직필이 작성한 3편의 축문을 그대로 인용하고 있다. 「조주매안의(祧主埋安儀)」에도 축문 2편 고사(告辭) 3편, 그 외에 몇 가지 설이 있는데, 주로 송시열·권상하·오희상·홍직필 등이 저술한 축문 구절을 그대로 인용하였음을 밝혀 두었다.

「거가요법(居家要法)」은 제사와 사친(事親) 등에서부터 사소한 의절에 이르기까지 가정생활에서 지켜야 할 규범을 제시한 것인데, 특히 "관례는 반드시 삼가을 행하고, 혼례는 반드시 친영을 하라[冠必三加, 昏必親迎]."는 구절을 명시하여, 『가례』의 조문을 준수할 것을 주장하였다. 「예의쇄록(禮疑瑣錄)」 17조목은 자신이 평소에 생각하고 있던 상례와 제례 등의 절차에 관해서 여러 선현의 설과 예서를 참고하여 예학적 견해를 기록한 것이다.

---

15) 『전재선생예설』에 대해서는 본고의 제5장 제3절에서 자세하게 논하였다.

16) 『鼓山集』 권8, 「祭饌圖說(癸卯)」.

17) 『鼓山集』 권8, 「祧主遞奉儀」. "宗家祫祭時親盡位祝, 長房合祭祧主祝, 長房之子告先考几筵祝, 遞遷長房時口告, 奉至長房家改題時祝, 長房告家廟祝."

鼓山先生文集卷之一

賦

歎感春賦 乙巳

嗟吾年之旣徂兮掩黃卷而思之自弱冠而志學兮
以聖賢而爲期千程遠而一輟兮迺其心則罔或替
何余修之不敏兮反日負乎夙志拓圭竇而遐眺兮
感玆辰之方春無一物之不蘇兮最靈獨非斯人而
踐形與盡性兮甘弃髦乎師訓昧收功於一原兮[illegible]
氷炭於方寸心之變矣悁悁兮吾將驀之以淸琴養
爾中和而禁慾兮夫誰先獲乎我心心旣廣而體胖

鼓山先生文集卷一 賦 一

사진_13 <고산집> 출처: 한중연

그리고 혼인할 때 사대부 사족들은 주자의 『가례』에 따라 반드시 친영을 해야 함을 주장한 「친영설(親迎說)」, 제사 지낼 때 제수 준비 과정에 소홀히 하기 쉬운 것들을 13조목으로 작성한 「유내간(諭內間)」, 부친상 중에 목욕에서부터 담제에 이르기까지 행했던 의절이나 물품 등을 간략하게 기록한 「임인외우시기(壬寅外憂時記)」(33조목) 등도 임헌회의 주요 저술이라 할 수 있다.

인산(仁山) 소휘면(蘇輝冕 1814~1889)은 자는 순여(純汝), 호는 인산(仁山), 본관은 진주로 익산 출신이다. 어려서는 조부 소수구(蘇洙榘)에게 수업을 받다가, 20세에 조부의 명으로 홍직필을 찾아가 수업을 받았다. 이후 그는 두어 차례 편지를 올려 『대학』의 내용 중에 궁금한 부분을 질문하였다. 스승 홍직필 사후에는 그의 문집을 간행하는 일에 매우 적극적으로 동참하였다. 그는 평생 동안 관직에 나가지 않고 학문을 연구하였다. 도백(道伯)이 학행으로 천거하여 선공감 가감역(繕工監假監役), 전설사 별제(典設司別提), 전라도 도사(全羅道都事)에 제수되었으나 끝내 나가지 않았고, 전주에다 서재 취락재(聚樂齋)를 짓고 강학에 전념하여 학자들이 '인산선생(仁山先生)'이라 불렀다.

한편 소휘면은 조정에서 만동묘(萬東廟)를 철거하자 분함을 이기지 못하여 금곡(錦谷) 송래희(宋來熙)가 항소(抗疏)한다는 소식을 듣고 편지를 보내 동참하겠다는 뜻을 적극 표하였다. 또 조정에서 의제개혁(衣制改革)을 논하자 개탄하면서 시를 지어 뜻을 보이기도 했다. 72세 때 홍직필의 사손(嗣孫) 홍용관(洪用觀)이 영동현감(永同縣監)으로 부임하여 옥산고사(玉山故事)에 따라 강회를 열고, 소휘면을 강장(講長)으로 초빙하자, 이에 응하여 함께 강학에 동참하기도 하였다.

소휘면의 동문 선배인 송래희(宋來熙)·조병덕(趙秉悳)·홍일순(洪一純)·신응조(申應朝)·임헌회(任憲晦)·한운성(韓運聖) 등과 수십 편의 편지를 주고받았고, 문인 송기용(宋琦用)·이용규(李容珪)·정영규(丁泳奎)·최현우(崔顯宇)·김영열(金永烈)·안태국(安泰國)·김정(金晶)·김기성(金箕聖)·남용희(南龍熙)·권헌수(權憲洙)·조두현(趙斗顯)·백낙현(白樂賢) 등과도 수십 편의 편지를 왕복하였다.

소휘면 문집의 서간문에는 다수의 예설 문답이 수록되어 있지만, 일

일이 다 거론할 수는 없다. 다만 꼭 짚고 넘어가야 할 예설로는 「혼례동뢰설위도(昏禮同牢設位圖)」과 「위장자참설고증(爲長子斬說考證)」, 그리고 서재를 열어 강학하기 위해 작성한 규약 2편 등이있다. 「혼례동뢰설위도」[18]는 동뢰(同牢)에 필요한 물품의 위치와 신랑 신부의 자리 등을 자세하게 그려 두었고, 그 옆에다 경전의 구절을 인용하여 설명을 붙여 참고에 대비하게 하였다. 「위장자참설고증」[19]은 장자를 위해 참최복을 입는 것에 대해 고증한 내용이다. '장자참최복설'은 기호학파 내에서 오래도록 논란이 되었던 주제이다. 소휘면은 『의례경전통해』와 『가례』의 내용을 들어 설명하고, 또 송시열·송준길·권상하·한원진·임성주·오희상·홍직필 등 선배의 학설을 인용하여 고증을 시도하였다.

방산(方山) 심의덕(沈宜德 ?~1849)은 자는 군헌(君憲), 호는 방산(方山)이며 홍직필의 문인이다. 그는 홍직필로부터 "묘령(妙齡)에 재기(才氣)가 준일(俊逸)하고 웅사(雄辭)가 아름다워 구름과 노을이 일어나는 듯하다."[20]는 칭찬을 받을 정도로 문장이 뛰어났다. 아쉽게도 심의덕의 문집이 발견되지 않아 그의 자세한 이력을 알 수는 없고, 다만 『매산집』에 그에게 보낸 편지 4편과 시문 1편, 제문 1편이 수록되어 있을 뿐이다. 또 그의 동문 조병덕은 여러 차례 심의덕의 재기(才氣)와 정력(精力)이 뛰어남을 칭찬하였다. 봉서(鳳棲) 신유환(兪莘煥)과는 도학(道學)과 문장(文章)에 선후를 가지고 몇 차례 토론을 벌이기도 하였다. 이러한 사실로 볼 때 심의덕은 홍직필의 문하에서 상당히 촉망 받던 학자였음을 짐작할 수 있다.

홍직필은 심의덕이 "삼례(三禮)를 공부하는 것을 불고기를 즐기듯이 했다."[21]고 술회하였는데, 이로 보면 심의덕은 예에 관해서 매우 많은 관심을 가졌던 것으로 여겨진다. 그가 저술한 예서 『가례작통(家禮酌通)』은 손자인 심상락(沈相洛)에 의해 1888년에 8권 4책 필사본으로 정리되어 있다. 『

---

18) 『仁山集』 권13, 「昏禮同牢設位圖」.
19) 『仁山集』 권13, 「爲長子斬說考證」.
20) 『梅山集』 권31, 「祭沈君憲文(己酉)」. "念子妙齡, 才氣俊逸, 雄詞麗藻, 雲興霞蔚."
21) 『梅山集』 권31, 「祭沈君憲文(己酉)」. "間治三禮, 嗜若膾炙, 寤寐鑽研, 繼晝以夜, 遵述朱黃, 旁通鄭賈."

가례작통』은 『가례』의 편차에 따라 그 해당 조문을 기록하고 그 조목과 관련한 여러 설들을 수집 채록하여 고증한 책이다. 인용한 서목은 『의례』와 『예기』를 비롯하여 『가례집람(家禮輯覽)』·『의례문해(疑禮問解)』·『상례비요(喪禮備要)』·『가례의절(家禮儀節)』·『가례고증(家禮考證)』·『가례집고(家禮集考)』 등 기호 학자들의 예서이다. 그중에서 본암(本菴) 김종후(金鍾厚)의 『가례집고』의 인용 빈도수가 가장 많고, 상례편에는 『상례비요』를 가장 많이 인용하였다.

사진_14 <인산집> 출처: 한중연

입헌(立軒) 한운성(韓運聖 1802~1863)은 자는 문오(文五), 호는 임헌(立軒), 본관은 청주(淸州)로 경주 사람이다. 그는 1813년 12세의 이른 나이에 홍직필에게 배움을 청하였다. 당시 홍직필의 부친이 경주부윤으로 재임하였는데, 홍직필이 부친의 임소에 갔을 때 그에게 집지를 한 것으로 보인다. 그는 한때 부모의 권유로 과거공부에 매진한 적도 있었으나, 과거에 낙방한 뒤로는 오로지 학문에만 전념하였다. 홍직필과 사승관계를 맺은 뒤로는 수십 통의 편지를 올려 학문을 여쭈었다. 이렇게 시작된 홍직필과의 인연은 약 30여 년 동안 지속적으로 이어졌다.

또 그는 『매산집』을 교정하기 위해 과천(果川)까지 다니면서 동문들과 매우 적극적으로 교정 작업에 참여하였다. 뿐만 아니라 59세 때는 소휘면에게 편지를 보내어 『매산집』 인출을 너무 서두르지 말 것을 당부하기도 하는 등 스승의 문집에 많은 정성을 기울였다. 또 일찍이 대산(臺山) 김매순(金邁淳)은 한운성을 영남의 제일가는 인물이라고 칭찬하기까지 하였다. 이로써 볼 때 한운성은 홍직필 학단에서 매우 선도적인 입지를 지키고 있었음을 짐작할 수 있다.

한운성과 교유한 인물로는 홍직필의 아들 홍일순(洪一純)과 이종상(李鍾祥)·조병덕(趙秉悳)과 같은 선배 학자들을 비롯하여, 한공한(韓公翰)·안영집(安永集)·권익(權翊)·임헌회(任憲晦)·소휘면(蘇輝冕)·전병순(田秉淳)·김옥중(金玉重)·서찬규(徐贊奎) 등의 동문들이 있다. 이들과는 수십 통의 편지를 주고받으면서 학문을 강론하였다. 특히 한운성과 서찬규는 영남 출신이지만 기호 학통을 충실하게 계승한 학자들이다.

한운성은 1850년에 「예설변(禮說辨)」이라는 글을 한 편 지었다. 이때는 헌종이 홍서하고 철종이 보위에 오른 지 1년이 되던 해인데, 당시 조정에서는 철종의 헌종과 익종에 대한 속칭(屬稱) 사용 문제에 대해 논의하던 중이었다. 철종은 정조의 아우인 은언군(恩彦君)의 손자이고, 익종[효명세자]은 정조의 아들인 순조의 장자이며, 헌종은 순조의 손자이다. 속칭으로 따지면 익종은 형이 되고, 헌종은 조카가 된다. 이때 홍직필은 성균관 좨주로서 고금의 전례(典禮)에 근거하여 헌의하기를, 왕통은 부자의 도리가 있지만 속칭은 형제 및 숙질의 차례를 사용하는 것이 마땅하다고 주장했다. 이때 한운성도 문답 형식의 글을 지어 스승의 견해에 공감하는 자신의 견해를 표명했다.

또 한운성은 스승인 홍직필의 초상에 참여하여 당시의 장례 상황과 절차를 자세하게 기록한 「임자곡침기(壬子哭寢記)」를 남겼다. 이 글에서 한운성은 스승에 대한 심상복제를 논의하였다. 당시 여러 사람들이 율곡 이이의 설에 근거하여 각각 연월을 정해 차등으로 입자는 의견을 제안하자, 한운성은 홍직필이 평소에 심상삼년을 주장한 사실과 이재의 『사례편람』에 근거하여 심상삼년을 행할 것을 적극 주장하였다.[22] 이처럼 한운성은 비록 영남 출신이지만 홍직필 학단에서 학문과 사업 등 여러 부분에서 중

---

22) 『立軒集』 권16, 「壬子哭寢記」. "心喪之制, 諸人依栗谷說, 各定年月, 而先生嘗雅言栗谷說雖如此, 心喪本位則終是三年. 且考程子說, 雖曰當以情之厚薄事之大小處之. 然其立言始末, 只論師不立服之意, 未嘗質言心喪之可長可短, 四禮便覽, 不依備要而載栗谷說, 則陶菴似亦 以三年爲正, 且運聖以依歸門下三十餘年, 所學雖無寸進, 而自幼受恩則固罔極矣. 乃敢定以三年."

추적 역할을 담당하였다.

살펴보건대 19세기 홍직필 학단은 낙론 학통을 충실하게 계승하고 있다. 홍직필은 조정에서 국가의 전례 문제로 하문하면, 자신의 예학적 견해를 분명하게 주장하여 집권층 사대부로서의 역할을 담당했다. 그는 예설에 있어서 인혁(因革)을 중시하여 막히는 것을 싫어하며 유연한 자세로 예의 이치를 실현하고자 하였다. 그의 문집에 수록된 수백 편의 예설 문답이 말해주듯이 홍직필의 학맥은 서울 경기뿐 아니라 영남지방에까지 미칠 정도로 장대하였다. 한편 그의 적통을 계승한 임헌회를 비롯하여 인산(仁山) 소휘면(蘇輝冕)·방산(方山) 심의덕(沈宜德)·임헌(立軒) 한운성(韓運聖) 등은 홍직필의 문인들 가운데에 예학으로서는 가장 주목받는 학자였다. 이들이 저술한 예설은 당시의 의례 절차 궁구에 있어서 하나의 정설을 마련하는 데에 기여한 바가 적지 않다고 하겠다.

(2) 연재(淵齋) 송병선(宋秉璿) 학단

연재(淵齋) 송병선(宋秉璿 1836~1905)은 송시열의 9대손으로 회덕(懷德)에서 태어나 백부인 수종재(守宗齋) 송달수(宋達洙)에게 수학하였고, 또 좌의정을 지낸 숙부 입재(立齋) 송근수(宋近洙)의 지도를 받으며 호론의 학통을 계승하였다. 그는 경학(經學)으로 천거를 받은 이후 여러 차례 관직에 제수되었지만, 모두 사양하여 나가지 않고 평생 강학과 저술에 힘을 쏟았다. 주로 옥천(沃川)·영동(永洞)·금산(錦山) 등 충청도 인근에서 강학 활동을 하였는데, 옥천의 이지당(二止堂) 및 용문서당(龍門書堂)과 영산(永山: 영동)의 풍천당(楓川堂), 기국정(杞菊亭) 등지에서 수차례에 걸쳐 회강(會講)을 하였고, 영동의 빙옥정(氷玉亭)과 금산의 용강서당(龍江書堂), 그리고 낙영당(樂英堂) 등지에서도 지속적인 강학 활동을 전개하였다.

이 시기에 송병선과 교유했던 인물로는 윤필현(尹弼鉉)·박성양(朴性陽)·기정진(奇正鎭)·이상수(李象秀) 등 선배학자를 비롯하여, 권종철(權鍾哲)·정해필(鄭海弼)·이용원(李容元)·최익현(崔益鉉)·김평묵(金平默)·유인석(柳麟

사진_15 <송병선 초상화> 출처: 한중연

錫)·이병호(李秉瑚)·정석채(鄭奭采)·안성환(安成煥)·권명희(權命熙)·김재홍(金在洪) 등의 동료와 문인들이 있다.

송병선의 저술 활동을 살펴보면, 그의 7대조 송주석(宋疇錫)의 문집인 『봉곡집(鳳谷集)』을 교정하였고, 화양동에서는 『화양지(華陽誌)』를 교감하였다. 아우 송병순(宋秉珣)은 행장에서 형의 4대 저술로 『근사속록(近思續錄)』·『동유연원록(東儒淵源錄)』·『무계만집(武溪謾輯)』·『동감강목(東鑑綱目)』을 꼽았다. 이밖에도 『주자대전수차(朱子大全隨箚)』 찬수(撰修)에 참여하였고, 송시렬의 유문(遺文)을 모은 『송서습유(宋書拾遺)』을 완성하였으며, 족조(族祖) 송치규(宋穉圭)의 문집인 『강재집(剛齋集)』과 백부 송달수의 문집인 『수종재집(守宗齋集)』을 간행하였다.

그는 1884년(갑신)에 조정에서 의제개혁(衣制改革) 명령을 내리자 이를 철회할 것을 요구하는 상소를 올렸다. 또 1905년 을사조약이 체결되자 이를 반대하는 상소를 올리고, 고종을 면대하여 을사오적(乙巳五賊)을 처단하고 조약을 폐기할 것을 주청했으나, 뜻을 이루지 못하자 유소(遺疏)를 남기고 70세의 나이로 자결하였다.

그는 평소 사우(師友)들과의 편지를 통해 많은 예설을 문답하였는데,

권	서간내용	조문	권	서간내용	조문
권4	「因山未封行練祥當否議」	1	권11	答朴允常(泰亨)」(別紙)	1
	「因山前除服當否議 」	1	권12	答金汝潤(光洙)」(別紙)	1
	「文廟先聖稱號議」	1		答金汝潤」(別紙)	1
권5	「上叔父」(別紙)	10		答洪致萬(鍾協)」(別紙)	1
권6	「答金持平(鍾善)」(別紙)	1		答金應文(洛相)」(別紙)	1
	「答安斯文(廷洙)」(別紙)	1		答李用明(起晦)」(問目)	1
	「答宋季道(暹仁)」(別紙)	1		答金子宣(赫洙)」(問目)	1
권7	「答鄭景箕(海弼)」(別紙)	1		答沈善仲(相元)」(問目)	1
	「答鄭景箕」(別紙)	3		答趙秀汝(俊燮)」(問目)	1
	「答金心一(志洙)」(別紙)	1		答趙學中(炯奎)」(別紙)	1
권8	「答趙周卿(秉瑜)」(別紙)	1		答李德七(柄運)」(問目)	1
권9	「答安叔亨(覃)」(問目)	1	권13	答李穉恭(德應)」(問目)	1
	「答田運中(溶斗)」(問目)	1		答李希彥(柄喆)」(別紙)	1
	「答鄭順汝(有澤)」(別紙)	1		答宋允章(柱憲)」(問目)	1
	「答文德卿(達煥)」(別紙)	1		答朴明執(鎔相)」(別紙)	1
권10	「答安致和」(別紙)	1		答呂馨遠(肇淵)」(問目)	1
	「答宋性魯(翼洙)」(別紙)	1		答趙成汝(章燮)」(別紙)	1
	答具性剛(然侃)」(別紙)	1		答李洛瑞」(問目)	1
	答洪國珍(鍾龜)」(別紙)	1		答金元五(泰熙)」(別紙)	1
	答全應九(永瓘)」(問目)	1	권14	答趙性薰(鍾悳)」(別紙)	1
	答魏致周」(別紙)	1		答魏雲汝(啓龍)」(別紙)	1
권11	答禹汝七」(問目)	1		答林景中(炳擇)」(別紙)	1
	答禹汝七」(別紙)	1		答沈道原(相洪)」(問目)	1
	答朴述夫(魯準)」(別紙)	1	권16	答從子曾憲」(別紙)	1
	答權公立(命熙)」(別紙)	1	권18	「服制辨說(戊寅)」·「臨陂鄉約」·「邦禮辨誤」	3

표_13 <『淵齋集』 소재 禮疑 問答>

국가의 전례에서부터 가정의 의례에 이르기까지, 그에게 질문하는 내용들은 모두가 당시에 해결해야 할 중요한 예제들이었다. 그의 예설 문답 현황을 도표로 정리하면 표_13과 같다.

표_13에서 보듯이 송병선과 예설 문답에 참여한 학자들은 77명이고 편지는 160통에 달한다. 이 가운데 별지(別紙)는 32통, 문목(問目)에 답한 것은 13통이다. 가장 문답 왕복이 많은 학자는 그의 숙부인 송근수(20통)이고, 그 뒤를 이어 정해필(鄭海弼)·김지수(金志洙)·조병유(趙秉瑜)·우여칠(禹汝七)·이병운(李柄運)·이덕응(李德應) 등의 순으로 나타난다.

그가 저술한 단독 예설로는 「복제변설(服制辨說)」·「방례변오(邦禮辨誤)」·「임피향약(臨陂鄉約)」 등이 있다. 「복제변설」은 국가의 전례 가운데 하나인 왕실의 복제 문제를 다룬 내용이다. 송병선은 기본적으로 장자와 적부(嫡婦)를 위해서는 각각 삼년과 대공(大功), 중자(衆子)와 서부(庶婦)를 위해서는 각각 기년복과 소공복을 입는 것이 정복(正服)이라는 관점으로 왕실의 복제를 판단하였다. 왕실 복제 문제는 송시열 이후로 기호학파에서는 항상 논란의 도마 위에 올라 있었다. 송병선의 「복제변설」도 이와 같은 선상에서 저술된 것이다.

「방례변오」는 헌종의 계비(繼妃)인 효정왕후(孝定王后)가 1904년(광무8)에 홍서했을 때 고종황제의 복제를 논변한 내용이다. 당시에 조정 대신들은 모두 장기(杖朞)로 정했는데, 송병선은 계통(繼統)의 복으로 삼년을 입어야 한다고 주장하였다. 송병선은 기년복을 주장한 이들에게 춘추(春秋)의 법과 정주(程朱)의 학문을 배우지 않은 자[23]들이라고 강하게 비판하였다.

「임피향약」은 모두 22조항으로, 전라도 임피 고을 사람들이 송병선에게 향약을 행하려고 청하기에 지어준 글이다. 임피는 송병선의 부모 묘소가 있는 곳이기도 하다. 송병선은 첫째 조항에서 「남전여씨증손향약(藍田呂氏增損鄉約)」, 주자의 「자양향약(紫陽鄉約)」, 이황의 「도산향약(陶山鄉約)」, 이이의 「석담향약(石潭鄉約)」을 영구히 법으로 준행할 것을 명시하였다.

이와 같은 송병선의 예학은 송시열 이후로 내려오는 호론 학맥인 송능상—송환기—송치규--송달수 등으로 이어지는 가학에 기반하고 있다. 그의 족증조(族曾祖)인 강재 송치규는 성담 송환기의 문인으로 낙론학파인 홍직

23) 『淵齋集』 권18, 「服制辨說(戊寅)」. "聖上當以繼統之服, 服承重三年, 是不易之典也, 而以期年獻議者, 此果春秋不足法, 程朱不可學耶."

필과도 교류가 있었다. 송치규의 문집인 『강재집』에는 예설을 문답한 편지 내용 59통이 수록되어 있다. 그 문답에 참여한 학자들은 모두 54명에 이르는데, 가장 많이 문답한 학자는 신탁(申晫)·김대(金岱)·유경기(柳敬基) 등이다.

송치규의 예학은 다시 송병선의 족손(族孫)인 수종재 송달수(1808~1858)와 입재 송근수(1818~1902)에게 전해졌다. 송달수의 예설은 그의 문집인 『수종재집』에 사우들과 문답한 편지가 35통 수록되어 있다. 문답에 참여한 학자는 모두 23명인데, 가장 많이 문답한 학자는 그의 아우인 송근수를 비롯하여 이세연(李世淵)·윤천뢰(尹天賚)·이면익(李冕翼)·정경기(鄭景箕) 등이다.

또 송달수의 아우 송근수는 좌의정까지 지냈던 인물이다. 그와 교유했던 학자들은 박성양(朴性陽)·이세연(李世淵)·송응수(宋膺洙)·김용혁(金龍赫) 등이다. 그는 족조(族祖) 송치규의 예학을 계승하여 9편의 예설을 저술하였다. 그의 문집에는 송시열이 남계 박세채에게 답변한 편지 내용 중에 부재모상(父在母喪) 중 시집가는 것을 허락한다는 설을 변론한 「윤교부부재모상중허가설변(尹教傅父在母喪中許嫁說辨)」[24]이 들어 있고, 향약 의절인 「옥천군향약설(沃川郡鄉約說)」·「향약의절(鄉約儀節)」·「양산향약서(陽山鄉約序)」 등도 실려 있다. 또 강학 의절인 「남간정사회강의절(南澗精舍會講儀節)」·「용문서당회강의절(龍門書堂會講儀節)」 등 2편이 수록되어 있고, 『송자대전』의 「야복도설(野服圖說)」을 변론한 「야복도설변(野服圖說辨)」, 집안의 범절을 규정한 「가계(家戒)」 16조목, 정월 초하루에 가장(家長)에게 축하 인사드리는 의절과 도식(圖式)을 붙인 「정지생조가장수하의(正至生朝家長壽賀儀)」가 수록되어 있다. 그리고 송근수의 종인(宗人) 송의권(宋宜權)의 선조 옥계공(玉溪公)이 편찬한 『예서집류(禮書集類)』(22책)에 대한 서문을 쓴 「예서집류서(禮書集類序)」가 1편 실려 있다. 이밖에도 그의 문집에는 수십 편의 예설이 산재해 있다.

심석재(心石齋) 송병순(宋秉珣)은 일찍이 관혼상제에 관련한 모든 축문 서식을 수록한 『사례축식(四禮祝式)』 1책을 편찬 간행하였다. 이 책에는

---

24) 『立齋集』 권11, 「尹教傅父在母喪中許嫁說辨」.

114종의 축사(祝辭)와 고사(告辭)를 실었는데, 상례(常禮)는 물론 일상에서 흔히 발생하는 변례(變禮)의 축사와 고사까지 수록하여 행사에 사용하기 편리하도록 하였다.

어당(峿堂) 이상수(李象秀 1820~1882)는 보은 출신으로 수종재 송달수의 문인이다.[25] 그는 호론 학맥이었지만 윤정현(尹定鉉)·임헌회(任憲晦)·강위(姜瑋)·송병선(宋秉璿)·전우(田愚) 등의 낙론 계열 학자들과도 친분이 두터웠다. 그는 강학 규범인 「구사학규(九社學規)」 10항목[26]을 지어 배우는 자의 수신(修身)하는 방법을 제시했고, 또 「전가잡훈(傳家雜訓)」 26항목[27]을 지었는데, 가정의 일상생활에서 일어날 수 있는 사안들에 대해 경계한 내용이다.

이상수와 동향(同鄕)이자 문인인 호산(壺山) 박문호(朴文鎬 1846~1918)는 『사례집의(四禮集儀)』를 편찬하였다. 이 책은 박문호가 부친의 상중에 여러 의절들에 대한 의문을 해결하고자 저술한 것으로, 모두 10권 5책이며 인용한 서적은 152종에 달한다. 책의 제목에서 알 수 있듯이 관혼상제의 의미를 살피기보다는 사례(四禮)의 행례 의절을 정리하는 데에 그 목적이 있었다.

영송(嶺松) 김재홍(金在洪 1867~1939)은 남원 출신으로 일찍이 송병선에게 집지하였다. 김재홍은 당시 남원지역에서 학문적으로 명망이 높았는지, 그의 문인록[28]에는 약 220명의 문인들이 수록되어 있다. 그는 일찍이 『상변축사류집(常變祝辭類集)』(8권 3책)을 편찬하였는데, 이 책은 관혼상제에 사용되는 고축(告祝) 내용을 중심으로 행례에 편하게 하기 위해 저술한 것이다. 그러므로 기본적으로 『가례』를 위주로 하되 『가례』에 조문이 없거나 소략한 부분은 다른 책을 참고하여 만들었다.

---

25) 『淵齋集』 권50, 「年譜[宋哲憲]」, '二十六歲'. "李公, 嘗出入於守宗齋先生門下, 而先生與之交, 契誼甚密, 迭相來往, 討論今古, 酬唱雅懷焉."

26) 『峿堂集』 권19, 「九社學規(戊辰)」. 天命誠敬·物則解·九容之則·九思之則·敬之全體·物則反隅·坐右銘·慎獨·六種心·義利解 등 10항목이다.

27) 『峿堂集』 권19, 「傳家雜訓(戊辰)」. 財利·科擧·女色·飮酒·雜技·雜術·風水·交遊·雌黃·文字·頭領·干謁·請托·戲謔·聚會·福地·拘忌·巫瞽·私屠·貿易·觀玩·賣文·場屋·婚姻·畜妾·俗謬 등 26항목이다.

28) 김재홍의 장남 金鍾嘉(1889~?)이 편찬한 『溪山淵源錄』의 「嶺松金在洪門人」편이 있다.

살펴보았듯이 연재 송병선 학단은 그 학맥이 우암 송시열로부터 내려와 송능상—송환기—송치규--송달수 등으로 이어지는 호론 학맥에 기반하고 있다. 송병선의 족증조인 송치규는 호론이지만 낙론학파인 홍직필과도 학문적 교류를 할 정도로 원만한 성향을 지녔다. 송병선의 백부 송달수와 숙부 송근수는 당대 호론학파의 중심인물이었다. 특히 송근수는 관직에 나아가 정치 활동을 하면서도 향약의절과 강학의절 등 여러 편의 예설을 저술하였다. 송병선은 이러한 가학의 전승을 통해 일가(一家)의 예설을 확립하였고, 또 그의 문집에는 약 70여 명에 이르는 학자들과 예설을 교류한 46통의 문목과 별지가 수록되어 있다. 한편 그는 관직에 나가지는 않았지만, 송시열의 학통을 계승하여 왕실의 복제 문제에 대한 예설 2편을 저술해 자신의 입장을 밝혔다. 송병선 문하에서 저술된 심석재 송병순의 『사례축식』, 호산 박문호의 『사례집의』, 영송 김재홍의 『상변축사류집』 등의 예서는 모두 관혼상제를 당해 편리하게 대처하기 위한 행례 지침서들이다. 따라서 송병선 학단은 예학 이론을 강구하기보다는 행례의 절을 정립하는 데에 더 주목하였다고 하겠다.

(3) 간재(艮齋) 전우(田愚) 학단

간재(艮齋) 전우(田愚 1841~1922)는 전주 출신으로 이이—김장생—송시열—이재—김원행—박윤원—홍직필--임헌회로 이어지는 기호 낙론학파의 적통을 계승하였으며, 전국에 걸쳐 수많은 제자들을 배출하였다. 그는 21세에 전재(全齋) 임헌회(任憲晦)에게 집지하고부터 스승이 별세할 때까지 15년 동안 줄곧 스승을 가까이서 모시며 학문에 힘썼다. 특히 그는 성리학을 깊게 연구하여 스스로 '성사심제설(性師心弟說)', '성존심비설(性尊心卑說)' 등의 학설을 제기하여 학계에 큰 주목을 받았다. 또 그는 「외필변(猥筆辨)」과 「납량사의의목(納凉私議疑目)」을 지어 율곡 이이의 학설을 비판한 노사 기정진의 학설을 강하게 비판하였다.

이와 같은 전우의 학문 열정은 그를 평생토록 강학에 힘쓰게 하는 데 부족함이 없었다. 그는 3,000년 동안 전해오는 공자의 도를 그 무엇보다 중요하게 여겨, 오로지 도학을 강학하는 것에 집중하였다. 24세에는 임헌회·

조병덕·소휘면 등의 선배 학자들을 모시고 청교(青橋)의 문회(文會)에 참석하기도 하였다. 이후 문인이자 사돈인 김준영(金駿榮)의 집에서 강회를 연 것을 시작으로, 공주의 독락정(獨樂亭), 전주의 만화루(萬化樓), 백양산(白羊山)의 운문암(雲門菴), 전주향교의 명륜당(明倫堂), 태인(泰仁)의 남고서원(南皐書院), 순창(淳昌)의 훈몽재(訓蒙齋) 등 가는 곳마다 강회를 열어 오로지 전통 학문을 수호하는 데 전력을 다했다. 또한 그는 스승의 유고를 정리하는 데도 많은 힘을 기울였다. 그는 매산 홍직필과 고산 임헌회의 문집을 교정하였고, 또 『전재선생예설(全齋先生禮說)』을 편집하고 발문을 써서 간행하기도 하였다.

사진_16 <전우 초상화> 출처: 한중연

1884년(갑신) 조정에서 의제개혁을 하라는 명령이 내려지자 자손과 문인들에게 우리 전통의 의관을 끝까지 지킬 것을 당부하였고, 1895년(갑오) 조정에서 단발령이 내려지자 "단발은 화이(華夷)의 분별과 지극히 관련되기 때문에 왕명이라 할지라도 따를 수 없으니, 피할 수 있으면 피하고 피할 수 없다면 죽음뿐이다."[29]고 하면서 단호하게 대응하였다.

이러한 정신은 곧 율곡 이이의 성리학과 우암 송시열의 춘추대의

(春秋大義), 존화양이(尊華攘夷) 사상에 입각한 것으로, 전우가 평생토록 주장하고 실천한 이념이었다. 그는 예학에 있어서도 송시열의 예설을 지지하여 다른 학자들의 잘못된 해석을 바로 잡으려고 하였다. 그의 문집에는 10여 편의 예설 및 문인들과의 문답을 통해 강론한 수백 편의 예설이 수록되어 있다. 전우 사후 그의 문집에 산재한 예설들을 문인인 양재(陽齋) 권순명(權純命)이 『가례』의 편차에 따라 수집 분류하여 『간재선생예설(艮齋先生禮說)』(5권 5책)이란 이름으로 간행하였다. 전우의 예설을 도표로 살펴보면 표_14와 같다.

권	내 용
前編 권14	「家規」·「衰服說略」
前編 권15	「衣制問」·「儀禮父爲長子」·「性潭集所載尤菴長子服制記疑」·「爲繼後子不服斬疑義」·「繼子不當與衆子同」·「受弔拜禮」·「踰月而葬」·「卒哭月數」·「卿大夫無主之說誤」
前編續 권15	「禮說疑錄」
後編 권14	「朱子所論長房遞遷異同」·「長子服制圖」·「服人白笠」·「禮疑隨錄」·「神主勒頷用一寸五分辨」
後編續 권5	「師服說示諸生」

표_14 <『艮齋集』 소재 禮說>

표_14에서 보듯이 전우의 예설은 상례에 관한 부분이 가장 많다. 그 중에서도 복제와 관련된 예설은 8편이나 된다. 「의례부위장자(儀禮父爲長子)」는 『의례』 「상복」편 참최장의 부위장자(父爲長子) 전(傳)에 대하여 그 조문을 싣고 조문마다 자신의 견해를 붙인 것인데, '부위장자'에 대해서는 이미 기해복제 논쟁에서 송시열을 비롯한 여러 학자들이 심도 있게 논의한 부분이지만, 전우는 다시 선현의 설을 수집하여 고증을 더했던 것이다.

「성담집소재우암장자복제기의(性潭集所載尤菴長子服制記疑)」는 송환기의 『성담집』에 실린 2통의 편지[30] 내용을 수록하고 전우 자신의 견해를

29) 『艮齋集前編續』 권4, 「苟菴語錄」. "至於斷髮, 則華夷之辨至嚴, 亦何可從之, 可避則避, 不可避則有死而已."

쌍주(雙註)로 붙인 것인데, 그 내용은 장자에게 참최복을 입는 문제이다. 일찍이 송시열은 박수여(朴受汝)와 박사원(朴士元)에게 각각 장자복제에 대한 내용을 담은 편지를 보냈는데, 이 2통의 편지 내용이 서로 일치되지 않았다. 그러므로 송환기는 초년과 만년으로 구분하여 '박사원'에게 보낸 편지를 만년설로 규정하고 이를 정설로 확정하였는데, 전우는 이에 대해 보충 설명을 덧붙였다. 또 「위계후자불복참의의(爲繼後子不服斬疑義)」도 장자복제를 다룬 내용으로 국가의 왕통(王統)과 관련하여 논변한 것이다.

「계자불당여중자동(繼子不當與衆子同)」은 입후로 들어온 자에게도 적자와 마찬가지로 참최복을 입어야 함을 논한 것이고, 「장자복제도(長子服制圖)」는 제후의 서자(庶子), 녜(禰)를 이은 장자, 조(祖)를 이은 장자의 복제제도를 도식을 그려서 설명한 것이다. 「복인백립(服人白笠)」은 상복을 입은 자가 어떠한 경우에 백립을 착용하는지를 설명한 내용이고, 「사복설시제생(師服說示諸生)」은 스승이 죽으면 그 제자들이 심상(心喪)을 하는 기간에 대해서 논한 내용이다. 「최복설략(衰服說略)」은 최복을 제작하는 규정에 대해서 『가례』와 『서의(書儀)』 등의 서적을 근거로 설명한 내용이다. 「의제문(衣制問)」은 조정에서 의제개혁을 시행하자, 이에 대한 부당함을 문답형식으로 나타낸 것이고, 「수조배례(受弔拜禮)」는 상주가 조문객을 맞아 절하는 의절을 기록한 것이다. 「유월이장(踰月而葬)」에서는 사(士)와 대부(大夫)의 장례 기간에 대해 논변하였고, 「졸곡월수(卒哭月數)」에서는 사(士)와 대부와 제후의 졸곡(卒哭) 기간에 대해 논변하였다.

그 밖에 허신(許愼)과 정강성(鄭康成)의 천자와 제후는 신주가 있지만 경대부는 신주가 없다는 설에 대해 논박한 「경대부무주지설오(卿大夫無主之說誤)」, 친분이 다한 신주는 장방에게 체천한다는 주자의 여러 설을 비교하여 분석한 「주자소론장방체천이동(朱子所論長房遞遷異同)」, 신주를 만들 때 함중(陷中)의 턱을 1촌5푼 가량 깎는다는 것에 대해 변론한 「신주륵함용일촌오분변(神主勒頷用一寸五分辨)」 등을 저술하였다.

이와 같이 10여 편의 예설은 대부분 상례의 복제와 관련한 내용으로서, 선배들의 설을 사례로 들어 분석하고 변론한 것들이다. 그 내용

30) 『性潭集』 권6, 「答金汝剛(致健○乙巳)」. 『性潭集』 권9, 「答南進士錫愚」.

들은 대개 송시열의 예설과 관련되어 있다. 이는 전우가 송시열의 예학을 존숭하고 정밀하게 연구하였다는 뜻이기도 하다. 송시열의 학통을 계승한 전우는 조선말기 학자 중에서 가장 많은 제자를 배출한 학자 중에 한 사람이다. 그의 문인록을 살펴보면 그 숫자가 1,374명에 달한다.[31] 이 가운데는 북한지역에 거주하는 학자들도 375명이나 된다. 전우의 문인들은 대부분 20세기 초중반까지 살았으므로, 지금도 그들에게 수업한 문인들이 곳곳에서 활동하고 있다. 전우의 문인들 중에 예설을 저술한 학자들은 표_15와 같다.

성명	예학 저술	비고
炳菴 金駿榮 1842~1907	「間世立後辨」·「蘆沙禮說辨」·「讀儀禮經傳及禮記曾子問」·「讀性潭集所載尤菴論長子服制二說不同」·「讀師門文稿尤菴長子服制說記疑」·「看朴定齋所著崇禎年號辨」	炳菴集 艮齋 사돈
說齋 蘇學奎 1859~1948	「至樂堂規範」·「至樂堂規約」·「宗中立議」	說齋集
遠齋 李喜璡 1860~?	「冠說贈某人」·「漢光武疑禮記疑」·「受祚祭酒記」·「金元謙(益容)禮說記疑」·「國恤中吉祭時服色記疑」·「設祭饌疑義」·「禮說」(78條)·「曲禮」·「禮之始在於正衣冠」·「學規」·「禮樂」·「祭祀」	遠齋集
石農 吳震泳 1868~1944	「服辨辨」·「入後無禮斜議」·「泰喬祠享祀笏」·「誠久祠享祀笏」·「禮說輯錄跋」·「艮齋先生禮說跋」	石農集
百泉 盧澈秀 1872~1951	「嫡庶辨」·「百原亭學規」·「盧氏宗規」·「門約大綱」·「四禮常變祝式序」	百泉集
欽齋 崔秉心 1874~1957	「聞金昌淑盡奪校土擅埋賢哲位牌廢丁享祭創誕辰祭事」·「念修堂講規」·「學規圖」·「三禮儀略序」·「闕里祠集覽序」	欽齋集
顧齋 李炳殷 1877~1960	「師喪記略」	顧齋集

31) 鄭碩謨가 편찬한 『艮齋先生門人錄』(국립중앙도서관본)에 따른 것이다.

陽泉 丁大秀 1882～1959	「家禮增解籤疑」	陽泉遺稿
後滄 金澤述 1884～1954	「師喪時輪告同門」·「家規」·「講規」·「教課規則」·「試攷規則」·「禮說鎖錄」·「先師襄禮時笏記」·「禁白衣說」	後滄集
念齋 金 畓 1888～1978	「服中行祭考證」·「禮說答問錄」	念齋集
陽齋 權純命 1891～1974	「母雖改適父當立後說」·「觀金懶齋李愼軒院宇熟薦說」·「院宇私建疑義」·「家禮增解記疑」	陽齋集
玄谷 柳永善 1893～1961	「上皇服議」·「宗廟祝式私議」·「附葬禮儀式」·「學則」·「田制說」·「觀柳省齋祠饗明帝說」·「禮疑管補上」(권13)·「禮疑管補下」(권14)·「喪服小記疑目」(권14)·「禮書通故節錄」(권14) 『四禮提要』(예총109)	玄谷集

표_15 <艮齋 田愚 학단 예학가>

표_15에서 보듯이 간재 전우 학단의 예학가들에게는 학교례(學校禮)와 가규(家規)의 저술이 가장 많은 비중을 차지하고 있다. 열재(說齋) 소학규(蘇學奎 1859～1948)의 「지락당규범(至樂堂規範)」·「지락당규약(至樂堂規約)」·「종중입의(宗中立議)」, 원재(遠齋) 이희진(李喜璡 1860～?)의 「학규(學規)」, 백천(百泉) 노철수(盧澈秀 1872～1951)의 「백원정학규(百原亭學規)」·「노씨종규(盧氏宗規)」·「문약대강(門約大綱)」, 흠재(欽齋) 최병심(崔秉心 1874～1957)의 「염수당강규(念修堂講規)」·「학규도(學規圖)」, 후창(後滄) 김택술(金澤述 1884～1954)의 「가규(家規)」·「강규(講規)」·「교과규칙(教課規則)」·「시고규칙(試攷規則)」, 양재(陽齋) 권순명(權純命 1891～1974)의 「원우사건의의(院宇私建疑義)」, 현곡(玄谷) 유영선(柳永善 1893～1961)의 「학칙(學則)」 등은, 모두 강학을 하기 위한 구체적인 규범 사항들을 명문화시켜 나타낸 것들이다.

이와 같이 기호 학단의 강규(講規)는 19세기에 들어오면서부터 더욱 증가하는 추세를 보인다. 19세기는 정치의 혼란과 외세의 유입으로 인해 우리 문화의 정체성이 흔들리고 있었던 시기이다. 이에 전우 학단의 학자들은 자신의 집안과 문중에서는 일정한 규범을 세워 집안을 다스리고, 또 서당이나 서원에서는 학규(學規)를 더욱 강화하여 전통 학문을 수호하고 우리 문화를 지키려고 하였던 것이다.

또 전우 학단 중에는 그 스승의 초상에 사용한 의절을 정립하여 기록한 이들도 있었다. 고재(顧齋) 이병은(李炳殷 1877~1960)은 「사상기략(師喪記略)」을 지었고, 후창 김택술은 스승 전우의 초상에 집례를 담당하면서, 스승의 초상에 동문에게 고하는 글인 「사상시윤고동문(師喪時輪告同門)」과 스승의 장례 절차를 기록한 「선사양례시홀기(先師襄禮時笏記)」 등을 저술하였다. 이러한 저술들은 당시 초상의 절차를 이해하는 데 매우 중요한 자료가 된다.

또한 이들 중에는 경호 이의조의 『가례증해(家禮增解)』에 대한 의문점을 기록한 이도 있었다. 당시 『가례증해』가 간행되어 처음 세상에 나오자 기호학자들 사이에서 많은 관심을 불러 일으켰다. 매산 홍직필과 화서 이항로를 비롯하여 노사 기정진·숙재 조병덕·성재 유중교·연재 송병선·간재 전우·의암 유인석 등이 연이어 『가례증해』에 대한 칭찬과 문제점을 아울러 지적하였다. 특히 숙재 조병덕은 『가례증해』에 대한 관심이 매우 높아 그의 문집에서 수십 차례에 걸쳐 『가례증해』를 언급하기도 하였다. 양천(陽泉) 정대수(丁大秀)는 「가례증해첨의(家禮增解籤疑)」를 지었고, 양재 권순명은 『가례증해』를 면밀하게 검토한 뒤에 「가례증해기의(家禮增解記疑)」을 저술하였다.

이밖에 전우의 사돈이자 문인인 병암(炳菴) 김준영(金駿榮 1842~1907)은 성담 송환기가 논한 송시열의 장자복제 논의를 읽고서 「독성담집소재우암논장자복제이설불동(讀性潭集所載尤菴論長子服制二說不同)」를 지어 자신의 견해를 표출하였고, 또 스승 전우가 지은 「우암장자복제기의(尤菴長子服制記疑)」를 읽고 자신의 견해를 「독사문문고우암장자복제설기의(讀師門文稿尤菴長子服制說記疑)」이란 제목으로 기술하기도 하였다. 이처럼 기해복제 때 송시열이 논한 장자복제설은 조선후기까지도 기호 예학가들 사이에서 여전히 해결되지 않은 채 연구의 대상으로 남아 있었다.

살펴보았듯이 간재 전우 학단은 19세기 기호 학단 가운데 가장 많은 예설을 남긴 학단이었다. 전우와 그 문인들은 주로 복제 논의 및 학교례와 관련한 예설을 많이 언급하였다. 특히 전우의 복제설은 송시열이 제기한 예설에 대해, 여러 예학가들의 예설을 종합적으로 검토하고 고찰하여 하나의 정론을 정립고자 한 것이었다. 학교례는 18세기와 19세기의 기호학자들에게서 급격히 많이 나타나는데, 이러한 현상은 20세기 초 간재 전우의 문인들에게도 매우 많이 나타났다. 이는 외세의 유입에 대한 경계와 우리 고유 학문에 대한 위기의식에서 비롯된 것이라고 볼 수 있다. 즉 이들은 전통학문을 지키기 위해 더욱 철저한 규칙을 세우고 실천하여 우리의 고유한 정체성을 수호하고자 치력했던 것이다.

2. 신진(新進) 학단

(1) 화서(華西) 이항로(李恒老) 학단

19세기 초 기호 학단에 새롭게 등장한 학단은 화서 이항로와 노사(蘆沙) 기정진(奇正鎭) 학단이다. 이들은 모두 기호학파의 학자에게 직접 배우지는 않았으나, 그들의 학설이 율곡 이이와 우암 송시열의 학문을 추중함에 있어서는 결코 기호학파와 다르지 않았다.

특히 이항로는 공자-주자-송시열의 도통[32]을 제기함으로써, 이이-김장생-송시열을 잇는 기호학파 계열에 확고하게 서 있었다. 또한 그는 45세 이후로는 송시열의 유적이 있는 만동묘(萬東廟)·대로사(大老祠), 그리고 우암의 묘소 등지를 찾아다니며 그의 학문사상을 추숭하기도 했다. 뿐만 아니라 이항로는 송시열의 학문을 거의 절대적으로 존숭한 나머지 송시열의 학문으로 이 세상을 다시 밝혀야 한다고 주장하였다.[33] 송시열의 학문사상을 한 마디로 요약하면 춘추대의(春秋大義)라고 해도 과언이 아닐 것이다.

---

32) 『華西集』 권10, 「答朴善卿(癸丑元月二十四日)」. "孔子書之春秋, 朱子揭之綱目, 尤菴筆之提綱, 天下萬世, 誰敢易其說."

33) 『華西集附錄』 권9, 「年譜」, '甲寅先生六十三歲'. "蓋近日洙泗斷斷, 專由吾道之不明, 吾學之不誠. 若使尤翁之徒, 人人皆明其學而得其心, 使尤翁之道, 燦然復明於世."

이항로는 이러한 송시열의 학문을 계승하여 19세기 서세동점의 시기에 위정척사 사상을 강하게 주장하였다. 이로 인하여 당시 그의 문하에는 김평묵(金平默)·유중교(柳重教)·최익현(崔益鉉)·유인석(柳麟錫) 등 의병활동에 투신한 학자들을 많이 배출하였다.

사진_17 <화서 이항로 초상화> 출처: 한중연

이항로(1792~1868)는 경기도 양근군(楊根郡: 楊平) 벽계리(檗溪里)에서 태어나, 12세에 신기영(辛耆寧)에게 『상서(尚書)』를 배웠으며, 16세에는 홍직필과 교분이 두터웠던 영서(潁西) 임노(任魯)를 찾아뵙고 학문을 여쭈었다. 21세에 택당(澤堂) 이식(李植)의 후손인 죽촌(竹村) 이우신(李友信)을 만나 외우(畏友)로 대접받기도 하면서, 점차 그의 명성이 학계에 알려지기 시작하였다.

이항로의 성리학적 입장은 이황과 이이의 학문을 각각 주리(主理)와 주기(主氣)로 분류하지 않고, '리(理)·기(氣)는 서로 필요로 한다[相須]'는 맥락에서는 율곡 이이의 일도설(一途說)을 긍정하고, '리(理)·기(氣)는 서로 대항한다[相抗]'는 맥락에서는 퇴계 이황의 호발설(互發說)을 긍정[34]하는 등 어느 한 쪽으로도 치우치지 않았다. 호락논쟁에 있어서도 어느 한 편으로 기울지 않고 오로지 도학 정신의 근본이 주리(主理)임을

강조하였다.[35]

그러나 그 무엇보다 이항로 사상의 가장 핵심은 '척사의리(斥邪義理)'에 있다고 할 것이다. 척사의리로 인해 그의 문하에 많은 우국지사가 배출되어 일본의 침략에 저항했던 사실은 익히 잘 알려져 있다. 심지어 그는 1866년 병인양요가 일어나자 동부승지의 자격으로 입궐하여 흥선대원군에게 주전론을 건의할 정도로 강경한 입장을 취했다. 이러한 그의 정신은 바로 "위국(衛國)의 충(忠)은 흥망이 판단되기 전에 있고, 위도(衛道)의 공(功)은 시비(是非)가 정해지지 않을 때부터 해야 한다."[36]고 한 말에서도 잘 드러난다.

이항로 학단의 학자들은 주로 경기·강원·충북·충남 등지에 거주하면서 적극적인 강학 활동을 전개하였다. 이러한 강학 활동은 척양척왜(斥洋斥倭) 사상의 바탕이 되었음은 물론이다. 이항로와 교유한 선배 학자로는 남계래(南啓來)·유영오(柳榮五)·이석기(李碩基)·권희(權曦)·이정리(李正履) 등이 있고, 문인에는 서충보(徐忠輔)·이기부(李箕溥)·이인구(李寅龜)·임규직(任圭直)·이건주(李建疇)·양헌수(梁憲洙)·최홍석(崔鴻錫)·김평묵(金平默)·박경수(朴慶壽)·유중교(柳重教)·최익현(崔益鉉)·유인석(柳麟錫) 등을 꼽을 수 있다. 이 가운데 가장 자주 편지를 왕복한 이는 김평묵(60통)과 유중교(84통)인데, 이들은 모두 이항로의 고제(高弟)에 해당한다.

이항로는 『주자대전집차(朱子大全集箚)』·『주자대전집차의집보(朱子大全集箚疑輯補)』·『이정전서집의(二程全書集疑)』·『송원화동사합편강목(宋元華東史合編綱目)』 등 대개 정주학(程朱學)에 관한 서적을 많이 편찬하였다. 이 작업에는 장남인 이준(李埈)과 문인 유중교, 김평묵 등이 적극적으로 참여하여 도왔다. 뿐만 아니라 그는 20여 편의 예설을 저술하였고, 문인들과의 예설 문답도 수십 편에 이른다. 그의 예설을 도표로 정리하면 표_16과 같다.

---

34) 李相益, 『畿湖性理學論考』, 심산, 2005, 382쪽.

35) 금장태, 『유학근백년-기호 계열의 도학-』, 한국학술정보(주), 2004, 29쪽.

36) 『華西集』 권14, 「溪上隨錄一」. "衛國之忠, 必在興亡未判之前, 衛道之功, 必在是非未定之日."

권	서간 현황
권4	「答金陶山(驥鍾己亥五月三日)」·「答徐夏卿(忠輔己酉十一月)」·「答柳大英(頀己丑十二月十二日)」
권5	「答李休範(箕溥甲午九月二十二日)」
권6	「答梁敬甫(憲洙己未四月一日)」·「答崔用九(鴻錫丁未二月六日)」·「答崔用九(戊申四月三日)」(5조)
권7	「答金穉章(平黙癸卯十一月二十日)」·「答金穉章(癸卯十二月十九日)」·「答金穉章(甲辰正月)」-1조·「答金穉章(乙巳十一月)」(6조)·「答金穉章(丙午閏五月六日)」·「與金穉章(甲子四月十八日)」
권9	「答李聖三(達會○戊戌十月二十九日)」·「答朴善卿(慶壽甲辰十一月十日)」·「答朴善卿(乙巳正月二十八日)」
권10	「答朴善卿(慶壽戊申)」(7조)·「答崔伯亨(泰錫戊申)」-4조·「答金德三(禹鉉○壬子)」(1조)·「答成而強(近仁乙卯)」-2조
권11	「答柳穉程(重敎丁未)」(6조)·「答柳穉程(癸丑六月二十七日)」·「答柳穉程(壬戌正月二十二日)」·「答柳穉程(壬戌正月二十五日)」
권12	「答柳穉程(重敎丙寅七月二十八日)」·「答崔贊謙(益鉉)」(3조)·「答崔贊謙(庚戌八月四日)」·「答崔贊謙(辛亥八月二十日)」 「答李伯春(晉夏○辛酉冬)」(3조)·「答李伯春」(17조)
권18	「家禮錄疑(己卯)」·「井間圖(甲申)」·「器皿攷說」·「深衣圖」·「玉藻深衣說解」·「深衣說辨」·「李定山(最之)深衣說後題」·「鍾律解(辛卯)」·「變律小分解」·「黃鍾生十一律解」·「律生五聲圖解」·「變聲解」·「八十四聲圖解」·「六十調圖解」
권19	「飯含說」·「秫灰說」
권20	「家禮增解賓字冠者條記疑(李鏡湖宜朝纂)」
권22	「稷辨」·「天地不祼說(壬子)」
권23	「祭祀說」

표_16 <『華西集』 소재 禮疑 問答>

이항로는 최익현과의 문답에서 예(禮)를 '일[事]'와 '사람[人]'의 두 가지 측면에서 논의하였다. 일의 측면에서는 천리의 절문(節文)과 도수(度數)는 바로 그 일의 근본이 되기 때문에 한털 만큼이라도 어긋나게 해서는 안 되고, 사람의 측면에서는 인심(人心)의 공경과 사손(辭遜)이 그 실지가 되기 때문에 잠깐이라도 끊어져서는 안 된다고 하였다.[37] 이 가운데 일의 완급(緩急)과 선후의 차례를 따라 비근하다 하여 소홀히 하거나 버려서는 안 됨을 강조하였다.

그는 주자의 『가례』를 반드시 시행할 것을 주장하였는데, 예컨대 『가례』에 명시되어 있는 사시제와 삼가(三加)와 친영(親迎) 등을 반드시 실행할 것을 역설하였다.[38] 이 세 가지 의절은 이미 18세기에 『가례』의 보편화를 꿈꾸었던 근재(近齋) 박윤원(朴胤源)도 강하게 언급한 바 있다. 또 이항로는 문인 김평묵과 문답에서 아직까지 『국조상례보편(國朝喪禮補編)』을 보지 못한 것을 답답하게 여겼고, 박성원(朴聖源)의 『예의유집(禮疑類輯)』이 국왕의 인가를 받아 간행될[39] 정도로 훌륭한 예서임을 감탄하기도 했다. 또 유중교와의 문답에서는 서양 사람들이 제사를 지내지 않는 행동은 말로 다 표현할 수 없다고 하면서, 고금의 제사와 관련한 설을 모아 책을 한 부 만들어서[40] 깨우쳐야 한다고 주장하였다.

이항로가 스스로 저술한 예설 20여 편을 살펴보면, 「가례록의(家禮錄疑)」에서는 시제의 진기조(陳器條)와 설찬도(設饌圖)에서의 포(脯)와 해(醢)를 같은 그릇에 담는 문제, 날짜를 점치는 의식, 기제에 모사(茅沙)를 갖추는 문제 등 『가례』의 내용 중에 의심스런 부분을 논의하여 밝혔다. 또 심

37) 『華西集』 권12, 「答崔贊謙(辛亥八月二十日)」. "所謂禮者, 以在事者言之, 則天理之節文度數卽其本也, 不可一毫差錯. 以在人者言之, 則人心之恭敬辭遜卽其實也, 不容一刻間斷."

38) 『華西集附錄』, 권8, 「行狀[金平默]」. "四時必祭, 正至朔望, 非時家宴, 子弟必獻壽. 冠必三加, 昏必親迎."

39) 『華西集』 권7, 「答金穉章(平默癸卯十一月二十日)」. "但急欲得見者, 卽喪禮補編, 而姑未錄來, 是甚悶欝. 葢吾東先賢論禮諸節, 如禮疑類輯之類, 亦自聖朝乙覽命刊而行之于世者也."

40) 『華西集』 권12, 「答柳穉程(重敎丙寅七月二十八日). "西洋不祭之由, 難以口舌說破, 須抄輯古今祭說, 合作一處. 不得不上自天文地理, 下及人事, 如禮易詩書論孟史記, 皆不可闕, 名以祭祀考可也."

의(深衣)와 관련하여 「심의도(深衣圖)」·「옥조심의설해(玉藻深衣說解)」·「심의설변(深衣說辨)」·「이정산심의설후제(李定山深衣說後題)」 등 4편을 저술하여, 그동안 심의에 대하여 논란이 많았던 부분들을 정리하였다. 또한 그는 음률에 정통하여 「종률해(鍾律解)」·「변률소분해(變律小分解)」·「황종생십일률해(黃鍾生十一律解)」·「율생오성도해(律生五聲圖解)」·「변성해(變聲解)」·「팔십사성도해(八十四聲圖解)」·「육십조도해(六十調圖解)」 등 7편 글을 저술하여 5음과 12율의 음가를 정밀하게 분석 정리하기도 하였다. 또 「기명고설(器皿攷說)」에서는 하·은·주 3대가 사용한 기명(器皿)에 대하여 고찰하고, 천자와 제후가 사용하는 그릇의 숫자를 엄격히 하여 존비귀천의 등급을 밝혔다. 그리고 「가례증해빈자관자조기의(家禮增解賓字冠者條記疑)」에서는 '빈이 관자에게 자를 준다[賓字冠者條]'는 조문에 대해 이의조(李宜朝)가 한강(寒岡) 정구(鄭逑)와 남계(南溪) 박세채(朴世采)의 설을 소개하며 정구의 설을 지지하였지만, 이항로는 박세채의 설에 더 무게를 두었다. 「제사설(祭祀說)」에서는 성인(聖人)이 제사를 제정한 뜻을 밝히고, 하늘과 땅과 종묘에 제사하는 근본적인 이유를 자세하게 밝혔다. 「정려도(井閭圖)」는 농경지 배당을 제도화한 것으로, 지금의 지방행정구획도와 비슷하다. 이는 『주례』를 바탕으로 만들었으며, 송나라 장재(張載)가 사적으로 토지를 매입하여 정전법(井田法)을 시험하려고 한 것을 본뜬 것이라고 할 수 있다.

이항로의 이와 같은 박학하고도 정밀한 학문 명성이 경기도 일대에 크게 알려지자 주변의 많은 문인들이 학업을 청하기 위해 모여들었다. 특히 이항로의 척사 정신은 그의 문인들에게 그대로 전수되어, 외세를 배격하고 전통문화를 수호하려는 척양척왜의 정신으로 전화(轉化)되어 국가의 위기를 극복하는 데 큰 힘을 발휘하였다. 이와 같은 이항로의 문인들의 예설을 도표를 나타내면 표_17과 같다.

성명	예학 저술
重菴 金平默 1819~1891	「宗子法說」·「立後說」

省齋 柳重教 1832～1893	「兩服通解」·「冠解」·「事親三儀」·「方喪儀節」·「先師李先生喪持服儀節」·「先師遺室措置」·「迷源書院撤享後設壇儀節」·「栗谷全書諸生相揖儀附注」·「弟子贄見先生禮」·「書社習禮節次」·「書社飮禮約束」·「書社旬講儀」·「四孟朔會謁先師及就位儀節」·「書社禮食儀」·「紫陽書社設施議(告同社諸賢)」·「書社講規重修節目(當在三十二卷甲申重脩講規後告同講諸子文下)」·「堤川長潭里立契約束」·「祭土神儀節(祝文見四十卷)」 『祭禮通攷服制總要』(한국예학총서97) 『四禮笏記』(한국예학총서97)
毅菴 柳麟錫 1842～1915	「內小喪處義(甲辰)」·「義兵規則」·「貫一約約束」·「貫一約節目」·「讀約小會儀節」·「讀約大會儀節」·「興道書社約束」·「山斗齋聖祠事實約束」

표_17 <華西 李恒老 학단 예학가>

중암(重菴) 김평묵(金平默 1819～1891)은 경기도 포천에서 부친 김성양(金聖養)과 모친 장수황씨(長水黃氏) 사이에서 장자로 태어났다. 그는 어릴 때 이경설(李敬卨)의 서숙(書塾)에서 『소학』을 비롯하여 사서와 『시경』을 수업 받았다. 20세 때 이미 학문이 이루어져, 포천현감 성근수(成近壽)는 그에게 향교에서 주자서(朱子書)를 회강(會講)하게 하였다. 23세 때는 『송자대전』을 읽었으며, 이 무렵에 화서 이항로와 매산 홍직필에게 수학할 계획을 세웠다. 이듬해에 홍직필을 찾아뵙고 '명덕설(明德說)'에 대하여 질문하였다. 김평묵은 1852년 홍직필이 졸하기 전까지는 이항로보다 홍직필에게 가르침을 더 많이 받은 것으로 보인다.

홍직필 사후에는 이항로의 가르침을 충실히 받아 『주자대전차의집보(朱子大全箚疑輯補)』를 교정하였고, 또 이항로의 여숙강규(閭塾講規)에 따라 강회를 개최하기도 하였다. 그는 이항로의 위정척사사상을 계승하여 1876년(고종13) 일본과의 수호조약 체결을 반대하기 위해 문인 홍재구(洪在龜)·윤정구(尹貞求)·유인석(柳麟錫)·유중악(柳重岳) 등의 요청으로 척화소(斥和疏)의 초고를 짓기도 하였다. 1881년(고종18)에는 김홍집이 『조선책략(朝鮮策略)』을 유포시킨 것을 비판하고, 이만손(李萬遜) 등이 올린 만인소(萬人疏)에 대해 격려하는 편지를 보냈으며, 또 척양척왜의 상소로 인해 유배에 처해지기도 하였다. 이처럼 그는 위정척사와 존왕양이(尊王攘夷)사상에 투철하였고 실지로 몸소 실천하는 모습을 보여 주었다.

김평묵의 선배 학자로는 홍직필(洪直弼)·이항로(李恒老)·홍일순(洪一純)·조병덕(趙秉悳) 등이 있고, 동문으로는 유중교(柳重敎)와 최익현(崔益鉉) 등이 있으며, 문하에서 홍재구(洪在龜)·유인석(柳麟錫)·유기일(柳基一) 등이 배출되었다.

저술로는 『근사록부주(近思錄附註)』·『정서분류집의(程書分類集疑)』·융사록(『隆師錄)』·『도동보(道東譜)』·『사도경전벽사록(師道經傳闢邪錄)』·『청성가전(淸城家傳)』·『우암선생사실기(尤菴宋先生事實記)』·「치도사의(治道私議)」·「학통고(學統考)」 등이 있다. 또 예설 2편도 존재하는데, 그 중 「종자법설(宗子法說)」은 정주(程朱)가 처음으로 세운 '종자법(宗子法)'을 잘 지키기 위한 목적으로 종자를 대하는 의절을 기록한 것이다. 예설 2편 중 다른 하나인 「입후설(立後說)」은 당시에 소종(小宗)이 입후를 함부로 하여 소목(昭穆)을 고증할 수도 없게 되는 지경에 이른 상황을 염려하여 지은 것이다. 그는 대종(大宗)은 '존조중통(尊祖重統)'의 책임이 있기 때문에 반드시 입후하여 계승해야 하지만, 소종에게는 이러한 책무가 없다고 주장하였다. 이를 통해 김평묵은 당시에 범람하던 입후 문화를 옳지 못한 것으로 간주하였다.

성재(省齋) 유중교(柳重敎 1832~1893)는 서울 출신으로 5세부터 이항로의 문하에서 수학하다가, 14세에는 중암 김평묵에게 나아가 수업하기도 하였다. 33세에는 화양동의 만동묘(萬東廟)를 훼철한다는 소식을 듣고 시를 지어 소회를 나타내기도 하였다. 42세에는 이항로의 연보를 편찬하였으며, 이듬해에는 숭명배청(崇明排淸)사상이 서린 조종암(朝宗巖)에 들어가 대통단(大統壇)에 절하기도 했다. 1881년(고종18)에 수신사로 일본에 갔던 김홍집(金弘集)이 『조선책략』을 가져와 이 내용을 전국에 알리려는 움직임이 일자, 이만손(李晩孫)을 비롯한 영남유생들이 위정척사를 주장하는 상소를 올릴 때 스승 김평묵과 함께 연명하여 호응했으며, 이를 시작으로 이항로의 문인들도 '경기강원양도유생소(京畿江原兩道儒生疏)'를 올렸다. 이때 면암 최익현도 「지부복궐척화의소

(持斧伏闕斥和議疏)」를 올렸다. 이로 인하여 동문인 홍재학(洪在鶴)이 장살되는 등 사우(師友)들이 화를 당하자, 유중교는 그동안 멈췄던 '사맹삭(四孟朔)' 모임을 재개하고 서사(書社)의 강규(講規)를 다시 점검하여 강학 활동을 전개하기 시작했다.

유중교와 교유한 선배 학자로는 이항로(李恒老)·김평묵(金平默)·임헌회(任憲晦)·이인구(李寅龜)·박경수(朴慶壽)·박문일(朴文一) 등이 있는데, 이 가운데 김평묵과는 74통, 이항로와는 42통, 박경수와는 19통의 왕복 서한이 있다. 동학으로는 서응순(徐應淳)·심기택(沈琦澤)·최익현(崔益鉉)·이정로(李定老)·윤석봉(尹錫鳳)·전우(田愚)·주용규(朱庸奎)·홍재구(洪在龜) 등이 있다.

유중교는 이항로 문하에서 예에 대한 관심이 가장 많았던 학자로, 여러 편의 예설을 저술하였을 뿐만 아니라 예서도 편찬하였다. 「양복통해(兩服通解)」는 현단복(玄端服)과 심의제도(深衣制度)를 고증하여 살핀 것이다. 심의설(深衣說)은 스승 이항로의 뜻을 준수하면서, 몇 군데 누락된 부분을 경전에 근거하여 보충하였다. 이와 같은 의복제도의 고증을 통해 유중교는 그간의 잘못된 오랑캐의 제도를 씻어내고자 하였다.[41] 「관해(冠解)」는 치포관의 각 부분 명칭과 만드는 방법 등을 『의례』의 「사관례(士冠禮)」 및 『예기』의 「잡기(雜記)」와 「옥조(玉藻)」 등에 근거하여 자세하게 고증한 것이다.

「사친삼의(事親三儀)」는 부모를 섬길 때 필요한 3가지 의절을 기록한 것으로, 아침저녁으로 문안하는 의절[晨昏定省儀], 삭망에 배알하는 의절[朔望參謁儀], 절기에 장수를 송축하는 의절[時節上壽儀] 등을 자세하게 설명하였고, 또 별도로 '참알위차도(參謁位次圖)'를 그려두어 참알 때 참여하는 자들의 위차에 혼란이 없게 하였다.

「방상의절(方喪儀節)」은 국상이 났을 때 관직에 있는 모든 사람들의 복제에 대해 자세하게 고증한 것으로, 도식(圖式)까지 아울러 붙여서 참고하게 하였다. 내용 가운데 정문(正文)은 모두 『국조상례보편(國朝喪禮補編)』에서 뽑아내었고, 자신이 보충한 것은 '안(按)'자를 써서 구분하였다.

「선사이선생상지복의절(先師李先生喪持服儀節)」은 스승인 이항로의 초

41) 『성재집』 권30, 「兩服通解」. "因二服之制而溯求端服之制, 必得其眞象而措之於公私吉凶之用, 一洗歷代胡制之累."

상에 제자로서 지켜야 하는 의절을 기록한 내용으로, 의복(衣服)·음식(飮食)·거처(居處)·곡임(哭臨)·회집(會集)·기한(期限) 등 모두 6조목으로 구성되었다. 「선사유실조치(先師遺室措置)」는 스승 이항로의 상기가 끝나고 스승의 유물을 보관하기 위해, 별도의 방을 정하여 스승의 유물을 보관한 사실을 기록한 내용이다. 「제토신의절(祭土神儀節)」[42]은 토지신에게 제사할 때 필요한 제품(祭品)과 의절 순서, 진설도를 첨부한 것으로 토지신의 제사를 보다 더 격식을 갖추어 거행하도록 한 것이다.

「제천장담리입계약속(堤川長潭里立契約束)」은 유중교가 제천에 거처할 때 장담리 주민들을 대상으로 계조직을 원만하게 이끌기 위해 만든 규약이다. 참여한 주민들은 각각 형편대로 일정한 금액을 내어 기금을 마련하여 길흉사에 사용하도록 하였다. 뿐만 아니라 계에 참여하는 사람들은 자제들을 교육시킬 것과 향음주례와 향사례 등을 실행할 때 적극적으로 참여할 것을 명기하고 있다. 이는 모두 12조항이며 끝에는 '부강신의(附講信儀)'를 붙였다.

특히 유중교는 학교례에 많은 관심을 가지고 있었으므로, 학교례와 관련한 예설 10편[43]을 저술하였다. 이와 같은 의절들은 모두 경전을 강학하기 위한 규범들로, 조선말기 전통학문에 대한 위기의식이 반영된 증거라고 할 수 있다. 그는 이러한 활동을 통해 사회 전반에 걸쳐 공동체의 화합을 이끌어내고, 우리의 고유한 문화를 지키기 위한 방책을 마련하였다.

한편 유중교는 『제례통고복제총요(祭禮通攷服制總要)』와 『사례홀기(四禮笏記)』 등 두 종류의 예서를 편찬하였다. 『제례통고복제총요』는 제례 및 복제를 편하게 거행하기 위하여 만든 예서로, 예를 익히지 못하였거나 예서를 쉽게 구비하지 못한 향촌 사람들을 위해서 편찬한 것이다. 유인석은 이 책을 잘 익히면 제례에 어긋난 의식이 없게 될 것이고 복제에 어둡지 않게 될 것이라고 논평하였다.[44] 특히 이 책은 제례의 절차를 족보 도식을

42) 祝文은 권40에 보인다.

43) 「迷源書院撤享後設壇儀節」·「栗谷全書諸生相揖儀附注」·「弟子贄見先生禮」·「書社習禮節次」·「書社飮禮約束」·「書社旬講儀」·「四孟朔會謁先師及就位儀節」·「書社禮食儀」·「紫陽書社設施議(告同社諸賢)」·「書社講規重修節目(當在三十二卷甲申重脩講規後告同講諸子文下)」『省齋集』 권46.

44) 『毅菴集』 권44, 「書祭禮通攷服制總要鋟板」. "右祭禮通攷服制總要, 省齋

본떠 도표로 나타내어 보기 쉽도록 한 것이 특징이다.

『사례홀기』는 향음주례(鄕飮酒禮)·사상견습례의(士相見習禮儀)·관례(冠禮)·혼례(昏禮) 등의 홀기를 필사본으로 작성한 것이다. 관례와 혼례는 집에서 행하는 의식이고, 향음주례와 사상견례는 공동체 사회에서 행할 수 있는 의식이다. 앞에서 보았듯이 유중교는 학교례와 관련한 의절을 많이 저술하였다. 이 책에서도 「향음주례」와 「사상견습례의」를 관혼례 앞에다 배치했으니, 그의 학교례에 대한 관심을 가히 짐작할 수 있다.

사진_18 <유인석 초상화> 출처: 한중연

의암(毅菴) 유인석(柳麟錫 1842~1915)은 강원도 춘천(春川) 출신으로 14세 때 이항로의 문하에서 수업 받았다. 그는 평소 주자와 송시열의 화상(畵像)을 모사(模寫)하여 봉안하고 삭망마다 참배할 정도로 송시열을 존모하였다. 그 역시 위정척사사상이 강하여 대로사(大老祠)와 만동묘(萬東廟)와 대통단(大統壇) 등을 참배하는 것에 큰 의미를 두었다. 또한 그는 유중교의 명으로 홍무음주례(洪武鄕飮禮)[45]를 진행하였고, 이밖에도 향음주례

先生所爲. 蓋爲鄕曲不閒禮, 不具書籍者, 備其要覽也, 誠約而密矣. 使人得此而祭無差儀, 服不眩制."

45) 『성재집』 『부록』, 「연보」, '丁丑先生四十六歲'.

행사를 여러 차례 실행하였다.

유인석은 갑오경장 이후로는 위정척사에 근본하여 국가의 의제개혁과 단발령 등의 법령에 강하게 반발하였고, 일본의 침략에 항거하기 위해 결사적으로 의병활동을 전개하였다. 그는 의병활동을 전개하는 중에도 가는 곳마다 강회를 열어 우리의 민족혼을 일깨우려 하였다. 스승 유중교가 1893년 3월에 별세하였는데, 그해 9월에 유중교의 옛 집에서 강회를 열었고, 61세에는 숭화묘(崇華廟)에서 매월 삭망에 소강회(小講會)를 열었고, 봄가을 제향 때는 대강회(大講會)를 열었다. 이밖에 향양재(向陽齋)·청성묘(淸聖廟)·대로사(大老祠)와 제천 등지에서도 강회를 열었으며, 기자릉(箕子陵)에서는 강회를 열려고 했으나 관청의 제지로 무산되기도 하였다.

유인석과 교유한 선배 학자로는 이항로(李恒老)·박경수(朴慶壽)·정환익(鄭煥翼) 등이 있고, 그리고 학문적 동지로 소통했던 친밀한 학자로는 송병선(宋秉璿)·최익현(崔益鉉)·박세화(朴世和)·이근원(李根元)·곽종석(郭鍾錫)·조두환(趙斗煥)·홍재구(洪在龜)·신석원(申錫元)·변석현(邊錫玄)·채홍기(蔡洪冀)·우병열(禹炳烈)·이의신(李宜愼)·박치익(朴治翼)·백삼규(白三圭)·원용정(元容正)·이정규(李正奎)·차재정(車載貞)·김형전(金衡銓)·김국현(金國鉉) 등을 거론할 수 있다.

유인석은 특별히 예서를 저술하지는 않았지만, 몇 편의 예설이 그의 문집에 남아 있다. 「내소상처의(內小喪處義)」는 궁중의 내소상(內小喪)에 대한 내용이다. 내소상은 세자빈(世子嬪)의 상을 말한다. 원래 고례(古禮)와 국전(國典)에는 내소상에 신민(臣民)에 대한 복제 규정이 없다. 그런데 당시에 임금의 특명으로 기년복을 행하라는 명령이 있었다. 그러므로 유인석은 이것이 예에 맞지 않음을 경전을 통해 고증하여 변론하였다.

「독약소회의절(讀約小會儀節)」은 매월 초하루에 강회하는 의절을 기록한 것이고, 「독약대회의절(讀約大會儀節)」은 봄과 가을에 크게 강회하는 의절을 기록한 것이다. 「흥도서사약속(興道書社約束)」은 서사(書社)에서 생활하며 독서하는 학생들이 지켜야 할 규율을 기록한 것으로, 모두 14조목으로 되어 있다. 「산두재성사사실약속(山斗齋聖祠事實約束)」은 모두 10조문으로, 공자의 초상을 산두재(山斗齋)에 봉안하고 제생들이 생활할 때 지켜야 할 규범을 기록한 것이다. 당시 을미사변 이후에 이필희(李弼熙)가 중국 곡부(曲阜)로 들어가 성묘(聖廟)에다 장차 고국에서 거의(擧義)하겠다는 고유식(告由式)을 거행했는데, 그때 공자의 후손 연성공(衍聖公)이 공자의 초상화 2本을 이필희에게 주었다. 그 중 1本을 유인석이 받들고 돌아와 황해도 평산(平山)의 산두재 재사(齋舍)에다 모셨는데, 뒷날 그 곁에 별도의 사옥(祠屋)을 지어 다시 모셨다.

한편 유인석은 54세(을미) 이후로는 의병활동에 전념하였다. 그는 이를 시작하기 전에 미리 의병활동과 관련한 규칙 및 약속, 그리고 절목 등을 정립하였는데, 「의병규칙(義兵規則)」·「관일약약속(貫一約約束)」·「관일약절목(貫一約節目)」 등이 바로 그것이다. 「의병규칙」은 37항목으로 매우 많은 분량을 차지하고 있고, 「관일약약속」 10항목은 우리나라가 만고천하에 없는 큰 재앙을 당하여 나라도 망하고 도(道)도 망하여 몸을 보존하지 않으면 사람이 모두 죽기 때문에 이 재앙을 면하기 위한 방책으로 세웠다고 하였다.[46] 「관일약절목」 17조문은 「관일약속」을 행하기 위해 각각의 유사(有司)를 정하고 그들의 소임을 자세하게 작성한 것이다.

살펴보았듯이 이항로는 송시열의 춘추대의에 바탕한 위정척사사상을 학문의 핵심으로 삼았다. 그러므로 제사를 지내지 않는 천주학에게도 제사의 진정한 의미를 깨우치고자 하였다. 그는 예를 '일과 사람'이라는 관계 사이에서 발생하는 행위라고 규정하고, 이것을 중도(中道)에 입각하여 행할 것을 주장하였다. 그의 예설은 다양한 분야까지 다루고 있는데, 그중에서도 정전법(井田法)의 제도를 본떠서 당시 사회의 부패한 제도를 개선해보려고 「정려도(井閭圖)」를 저술한 것은 시사하는 바가 깊다. 또한 이항로 학단의 예설은 타 학단에 비해 학교례와 향례에 관한 저술이 가장 많다. 이것은 당대의 위태하고 불안한 상황을 강학 활동을 통해 극복하고자 한 것으로 볼 수 있다. 특히 유중교가 치밀하게 세운 10편의 강학 규범들은 유인석의 의병규칙과 관일약으로 계승 발전되어, 의병활동을 체계적으로 이끌고 유지하는 데 크게 활용되었다.

---

46) 『毅菴集』 권36, 「貫一約約束」. "今當萬古天下所無之大禍, 至於國亡道蔑, 身不保而人盡滅, 立此貫一約. 立此貫一約, 約有目, 曰愛國心, 愛道心, 愛身心, 愛人心. 約有要, 曰心乎四愛, 貫以一之, 衆萬同心, 貫以一之. 約有實, 曰會精團誠, 斷金透石. 旣立約, 有以盡其目致 其要極其實, 期免大禍事."

(2) 노사(蘆沙) 기정진(奇正鎭) 학단

19세기 초에 화서 이항로와 함께 기호학파에 새롭게 등장한 노사(蘆沙) 기정진(奇正鎭 1798~1879)은 일정한 사승(師承) 없이 혼자 공부하여 성리학으로 일가를 이루었다. 기정진 학단은 처음 전라도 장성(長城) 일대를 근거하여 시작되었지만, 45세 이후 기정진의 학문이 세상에 알려지자 고향인 장성뿐만 아니라, 광주·담양·능주·장흥·보성·곡성·고창·남원 등지에서도 많은 제자들이 모여들기 시작하면서 왕성해졌다. 심지어 영남지역에서도 월고(月皐) 조성가(趙性家)·노백헌(老栢軒) 정재규(鄭載圭)·지강(芝岡) 민치원(閔致完) 등을 비롯한 많은 제자들이 모여들었다. 또한 기정진의 문인에는 당색을 초월하여 노론과 소론 외에 남인과 평민들까지도 포함되었다.[47] 기정진의 교유관계는 그의 문집에 실려 있는 서간문에 잘 나타나 있는데, 그 가운데 민재남(閔在南)·소필기(蘇弼基)·조성가(趙性家)·이지용(李志容)·홍기주(禹琪疇)·최장한(崔鏘翰)·김석구(金錫龜)·정재규(鄭載圭)·정의림

사진_19 <노사집> 출전: 한중연

47) 김봉곤, 「湖南地域의 奇正鎭 門人集團의 分析」, 『호남문화연구』44, 2009, 238~245쪽.

(鄭義林)·최숙민(崔琡民) 등과는 가장 많이 편지를 왕복하며 교류하였다.

처음에 기정진은 순창에서 태어났지만, 18세 때 부모님을 한꺼번에 여의고는 부친의 유명(遺命)을 따라 장성으로 옮겨와 살았다. 그는 5살 때 집에서 『효경(孝經)』과 『격몽요결(擊蒙要訣)』을 읽었을 뿐, 특별히 스승에게 지도를 받지 않았던 것으로 보인다. 그러나 그의 5대 조부 송암(松巖) 기정익(奇挺翼)이 송시열의 문인이기에 이이의 학문 연원에 속하게 되었다. 그는 28세 무렵 서울에 올라가 대산(臺山) 김매순(金邁淳)에게 9대조 기효간(奇孝諫)의 묘문(墓文)을 부탁하였고, 또 강재(剛齋) 송치규(宋穉圭)를 배알하는 등 기호 노론학자들과 교유하였다.

그의 학문은 대체로 심성이기(心性理氣) 문제를 많이 다루고 있는데, 그가 저술한 「외필(猥筆)」과 「납량사의(納涼私議)」 등에 대해 면암 최익현은 극찬하였지만, 연재 송병선과 간재 전우는 율곡 이이의 학설에 위배된다고 하여 강하게 비판하였다. 그렇지만 기정진 자신은 「납량사의」와 「외필」을 매우 중요하게 여겨 수차례에 걸쳐 수정을 가하였고, 마지막 숨을 거두던 82세 때에도 「납량사의」와 「외필」 내용을 문인 김석구·정재규·정의림 등에게 보여 오류를 줄이고자 애썼다.

그의 문집에는 예설 관련 내용이 성리학 내용보다는 적지만 상당 부분 수록되어 있는데, 도표로 살펴보면 표_18과 같다.

권	서간 현황
권5	「答朴和甫(泰赫)」·「答蘇上舍(鎭璜)」·「答李能白(遇春丙辰四月)別紙)」·「答李能白 (丙辰十月)」·「答李能白(丁巳八月)」
권6	「答尹坡光君(宗儀)別紙」·「答尹坡光君 別紙」·「與趙光州(徹永)」·「答閔參判(冑顯)」
권7	「答愼明吾(在哲)」(7조)·「答趙國彦(廣賢)」·「答吳聖集(甲善○庚午十月)」(3조)·「答宋聖賴(致萬)問目)」(4조)·「答吳台至(相鳳戊辰閏月)」·「答李寬瑞(章銑)」·「答朴德文(性愚)」(1조)
권8	「答李元昌」·「答朴益貞(契晩己卯十月)」·「答鄭國彦(在弼)」(3조)·「答鄭國彦」·「答安舜華(重燮丙寅十一月)」·「答金子元(勳)問目(己卯七月)」(5

	조)·「答金子元(己卯七月)」·「答李洗之(潁憲)」·「答柳可輝(景善)」·「答申士楫(濟模)」·「答鄭士國(在鶴)」
권9	「答蘇君明(弼基)」·「答蘇君明」(5조)·「答金穉敬(祿休)」·「答閔克中(誼行)」·「答閔仲浩(璣容○丙寅八月)」·「答閔仲浩(甲戌九月)別紙」·「答閔仲浩 問目」(3조)·「答李樂裕(最善辛酉三月)」(11조)·「答李樂裕(最善庚午十二月)」
권10	「答朴弼瑞(鼎鉉○戊寅三月)」·「答朴弼瑞(戊寅五月)」·「答朴弼瑞(戊寅七月)」·「答朴弼瑞(戊寅七月)」·「答朴弼瑞(己卯八月)」·「答李誠之(奎顔)」·「答鄭周伯(석;氵 +奭)」·「答李日瑞(升煥)」·「答呂而見(鳳燮)」(17조)
권11	「與鄭伯彦(時林癸酉五月)」·「答金振汝(懿鉉)」·「答金致容(漢燮)」·「答金鳳鉉」·「答金永植」·「答李聖憲(宗浩)問目」(3조)·「答曺士弘(毅坤)」·「答曺士弘」
권12	「答金景範(錫龜)問目」(8조)·「答金景範(乙亥)」·「答鄭厚允(載圭)喪禮問目」(7조)·「答鄭季方(義林)問目」(2조)
권13	「答崔元則(琡民辛未三月)」(1조)·「答崔元則」(1조)·「答朴璋叔 玟洙」·「答吳重涵(繼洙○癸酉)」(7조)·「答金樂三(漢驥壬申二月)」(24조)·「答金士性(榮琡)問目」(4조)
권14	「答吳德行(駿善)」·「答吳德行」·「答吳德行」·「答宋聖澤(榮淳)問目」·「答鄭士一(禧源)」·「答鄭士一」·「答李文贊(周相)」·「答金潤化(堯悳)問目」·「答鄭五鉉 問目」·「答朴道謙(海量乙亥十二月)」·「答金良賢(洪澤)」·「答金聖吾(鼎烈)」
권15	「答再從弟羽用(文鉉)」·「答三從姪景道(弘衍)」·「與景道」·「答景道」(3조)·「答再從姪德叟(亮衍)別紙」
권16	「服制說」

표_18 <『蘆沙集』 소재 禮疑 問答>

표_18에서 보듯이 기정진과 예설 문답에 참여한 학자들은 모두 60명이고 편지는 모두 80통에 이른다. 이 가운데 12회 이상 문답을 주고받은 학자는 이우춘(李遇春)·윤종의(尹宗儀)·정재필(鄭在弼)·김훈(金勳)·소필기(蘇弼基)·민기용(閔璣容)·박정현(朴鼎鉉)·조의곤(曺毅坤)·최숙민(崔琡民)·오준선(吳駿善)·정희원(鄭禧源)·기홍연(奇弘衍) 등 12명으로 나타났다. 우선 표_18

에 나타난 16편의 문목(問目)과 별지(別紙)의 내용을 대략 살펴보면 다음과 같다.

이우춘(李遇春)에게는 본생부(本生父)의 상을 당했을 때 위장(慰狀)을 쓰는 방식과 남자와 여자의 절하는 횟수에 대한 의미를 답하였고, 윤종의(尹宗儀)와는 양자(養子)에 대한 복제와 체이불정(體而不正)의 서자에 대한 복제, 가공언(賈公彦)의 사종설(四種說)에 근거하여 승중(承重)한 서자에 대한 복제 등에 대하여 문답하였다.

송치만(宋致萬)과는 출후자(出後子)의 복제, 적자와 서자가 아버지가 같을 경우의 복제, 출후(出後)한 남자와 시집간 여자의 복제 등에 대해 문답하였다.

김훈(金勳)과는 아버지가 집을 나가 수십 년 동안 돌아오지 않을 경우 발상(發喪)하는 시기, '국휼 중에 시를 짓는 문제, 유명(幼名)으로 제주(題主)했는데 관례한 뒤에 개명을 했을 경우 개제(改題)하는 문제 등에 대해 문답하였다.

민기용(閔璣容)과는 아버지가 일찍 돌아가시고 증조부와 조부가 살아계시다가 조부가 먼저 돌아가실 경우 승중 문제, 아버지는 일찍 돌아가시고 조부가 살아 계시는데 어머니가 돌아가셨을 경우 복제 기간, 연제(練祭) 때의 복식 문제 등에 대해 문답하였다.

이종호(李宗浩)와는 '선성선사(先聖先師)의 철향조두(啜享俎豆)에 생물(生物)을 쓰는 이유', '묵최(墨衰)로 조문하는 문제', '자공의 여묘삼년(廬墓三年)' 등에 대해서 논변하였다.

김석구(金錫龜)와는 녜(禰)를 계승한 장자의 복제, 대상 뒤와 담제 전에 입후할 경우 입후자의 복제, 소후부(所後父)의 상중에 본생부(本生父)의 상을 만난 경우, 부모가 함께 초상이 났을 때 우제(虞祭)와 부제(祔祭)의 선후 문제, 서자로서 승중한 자가 사당에 들어가서 서는 위치, 첩모(妾母)의 제사 문제 등에 대하여 문답하였다.

정재규(鄭載圭)와는 장차 숨이 끊어지려 할 때 정침으로 옮기는 절차, 시상(尸牀) 사용 문제, 초혼할 때 호칭의 문제, 설치(楔齒)하는 문제 등 모두 7조목에 걸쳐 답변하였다.

김영숙(金榮琡)과는 멀리 있어서 부모의 상을 늦게 들은 경우 服喪

하는 시점, 서원이 훼철되어 위판(位版)을 매안할 때 제수(祭需)가 있는가의 문제, 전후(前後)의 배위(配位)가 동성일 경우 기일축문에 성씨와 관향을 쓰는 문제, 제사 지내려는데 이웃집에 산고(産故)가 있을 경우 제사 여부 등에 대해 문답하였다.

정오현(鄭五鉉)과는 상례와 제례에 관련한 몇 조목에 대해서 짤막하게 답변한 내용을 실었다. 또한 「복제설(服制說)」은 재종제 우용(羽用)에게 보낸 내용으로, 『의례』의 '정체어상(正體於上)'의 조문과 관련하여 출계인(出繼人)의 장자복제(長子服制)에 대해서 자세하게 논변을 가하였다.

이와 같은 기정진의 문인들 중 별도의 주제에 대해 예설을 저술한 학자는 그다지 많지 않다. 이들 문인들의 예설을 도표로 나타내면 표_19와 같다.

성명	예학 저술	비고
溪南 崔琡民 1837~1905	「德山講約序」·「乃見齋歲一祭儀節序」·「仁川講約序」	『溪南集』
老栢軒 鄭載圭 1843~1911	「與金景範別紙」·「答權舜卿問目」·「答權舜卿別紙(辛丑)」·「答陳仲文別紙」·「答權子厚問目」·「答宋德中家禮問目」·「答宋羽若別紙」·「答權君五問目癸巳」·「學規」·「玉藻深衣二篇解」·「昏變說」·「服制疑義」·「家祭儀序」『四禮疑義或問』(한국예학총서97)	『老栢軒』
松沙 奇宇萬 1846~1916	「答李國瑞別紙」외에 36통	『松沙集』
栗溪 鄭 琦 1878~1950	『四禮儀』(한국예학총서112) 『常變祝輯』 (한국예학총서112)	鄭載圭 문인
毅齋 李鍾弘 1879~1936	『家鄉彙儀』(한국예학총서112) 『廟儀』(한국예학총서112)	鄭載圭 문인

표_19 <蘆沙 奇正鎭 학단 예학가>

계남(溪南) 최숙민(崔琡民 1837~1905)은 본관은 전주이고, 하동 옥종(玉宗) 출신으로 20세 후반에 기정진에게 집지한 것으로 보인다. 그는 일찍이 과거에 응시하러 한양에 갔다가 선비들의 풍속이 예전 같지 않음을 보고 과거를 단념하고 귀향하였다. 그 이후로 독학으로 위기지학(爲己之學)에 전념하다가 기정진을 찾아뵙고 사제 간의 의리를 맺었다. 또한 김평묵과 최익현 등 화서학파의 학자들과도 교유를 맺으면서 학문의 폭을 넓혔다.

그는 1896년(고종33)에 조정에서 단발령이 내려지자 '부모가 물려준 신체를 훼손하는 것은 자식이 할 일이 아니다'고 하면서 죽을지언정 삭발을 할 수 없다고 강하게 항거하였다. 이로부터 강학 활동을 전개하여 많은 문인들을 배출하였다. 최숙민은 계남정(溪南亭)에서 강학을 하던 중에 가끔씩 의령의 뇌룡정(雷龍亭)과 산청의 신안사(新安社) 등지에 가서도 강의를 하였다.

최숙민은 특별히 예설을 많이 저술하지 않았으나, 그의 문집에는 강약(講約)에 대한 서문 2편과 세일제의절(歲一祭儀節)의 서문 1편이 수록되어 있다. 「덕산강약서(德山講約序)」는 남명 조식의 후손들을 위해 자신이 강약을 만들고 서문을 쓴 것으로 보인다. 1889년(고종26) 봄에 최숙민은 집안 자제와 조카들을 데리고 산천재(山天齋)에 가서 두어 달 동안 독서를 하였는데, 이때 이 마을에 사는 조씨(曺氏)의 자제들과 여러 벗들이 30~40명이나 찾아왔다.[48] 최숙민은 그들과 함께 한가한 날이면 회강(會講)을 하기도 하고 강론을 하기도 하였다. 그러다가 가을에 산천재를 떠나오려는데 남명 조식의 사손(嗣孫) 조병진(曺秉鎭) 및 그의 족조(族祖)와 족숙(族叔)이 제생들을 데리고 찾아와 지난번에 행했던 강회(講會)의 사례를 따라 규약(規約)을 세워 주면 영구토록 준행하겠다고 요청을 했다.[49] 이로 인하여 덕산강약(德山講約)을 작성한 것이다.

「인천강약서(仁川講約序)」는 1893년(고종30) 가을에 지은 규약이다. 인천(仁川)은 최숙민의 족생(族生) 경병(瓊秉)이 강학하고 있는 장소이다. 인천강약은 주자의 「백록동규」와 「여씨증손향약(呂氏增損鄕約)」을 본떠 매

48) 『溪南集』 권23, 「德山講約序」. "歲己丑春, 帶兒姪輩來, 讀書于山天齋. 居數月, 曺氏子弟及山中諸友, 莘莘來集, 可三四十人, 皆忠信向善, 無偸華氣, 先生之德, 蓋未盡斬也."

49) 『溪南集』 권23, 「德山講約序」. "及秋, 將歸先生嗣孫秉鎭, 與其族祖鎔, 族叔垣淳, 率諸生來, 請因日前已行講例而立約, 爲求久遵行之道."

월 초하루에 회집(會集)하는 것을 준칙으로 삼고, 이황의 「온계동약(溫溪洞約)」과 이이의 「학교모범(學校模範)」으로 보완한 것이다.50) 또 도음례(導飮禮)·상읍례(相揖禮)·상견례(相見禮) 등의 의절을 취하여 때로 거행하여 닦게 하였다.

「내견재세일제의절서(乃見齋歲一祭儀節序)」는 최숙민이 1891년(고종28)에 지은 집안의 세일제(歲一祭) 의절에 대한 서문인데, 의절 본문은 보이지 않는다. 세일제는 친분이 다한 선조에 대한 제사로, 이미 주자의 『가례』에도 제전(祭田)을 두고 1년에 한 차례 제사를 지낸다는 예문(禮文)이 있다. 최숙민 집안의 내견재(乃見齋)는 바로 친분이 다한 조상을 제사지내기 위해 건립한 재실이다. 제사를 지내기 위해서는 일정한 행례규범이 필요하다. 그러므로 최숙민은 도식(圖式)과 홀기(笏記) 등을 갖추어 자손들이 애경(愛敬)의 정성을 다할 수 있도록 한 집안의 제사 의절을 정립하였던 것이다.

최숙민은 혼란한 시대를 당하여 강학을 통해 향촌의 학자들이 우인지학(爲人之學)이 아닌 위기지학(爲己之學)의 길로 나아가기를 기대하였다. 위기지학의 길은 혼자 무조건 독서만 한다고 해서 되는 것이 아니라, 여러 동문들과 한 자리에 모여 자신이 공부한 내용을 드러내어 토론과 질정을 통해 다듬어야 비로소 의리가 분명해진다. 그러기 위해서는 강학하는 규범을 설정하고 정기적으로 강회를 개최하여 각자의 학문을 점검해야 한다. 강약은 바로 이러한 것들을 구현하기 위한 가장 기본적인 규약이다. 그러므로 이 두 편의 강약에서 최숙민이 전통학문을 수호하려는 정신을 조금이나마 엿볼 수 있다.

노백헌(老栢軒) 정재규(鄭載圭 1843~1911)는 합천 삼가현(三嘉縣) 출신으로 22세에 노사 기정진의 문하에 나아가 학문을 수학했다. 그는 주리론(主理論)과 위정척사사상을 계승하여 활발한 강학 활동을 통해 많은 문인들을 배출했으며, 의병운동도 적극적으로 전개하였다. 그는 28세에 고을 향교의 강학 자리에서 만성(晩醒) 박치복(朴致馥)과 후산(后山) 허유(許愈) 등을 함께 만나 서로 학문을 토론하였다. 그 후 동문인 김석구(金錫龜)

50) 『溪南集』 권23, 「仁川講約序」. "設講立約, 一以朱夫子鹿洞規, 增損鄉約, 月朝會集之儀爲準, 參之我東之溫溪洞約, 學校模範, 以輔翼之."

와 정의림(鄭義林)과는 「태극도설(太極圖說)」과 「납량사의(納涼私議)」를 가지고 몇 차례 강론을 하기도 하였다. 43세 때는 남명 조식이 강학하던 뇌룡정(雷龍亭)을 중건하고 후산 허유와 함께 정자의 「호학론(好學論)」을 강학하였다. 또 산청에서 결성된 회계강사(會稽講社)에서는 주강(主講)을 맡기도 하였고, 하동 악양정(岳陽亭) 강회에서 『소학』을 강론하기도 하였다. 구례 화엄사에서는 정의림(鄭義林)과 함께 강회에서 강론하였고, 단성(丹城)의 신안정사(新安精舍)에서는 문인들과 『대학』을 회강(會講)하였고, 진주의 대원암(大源菴)에서는 『근사록(近思錄)』을 강하였다.

또한 정재규는 저술과 문집 교정 활동도 매우 활발하게 전개하였다. 그는 『논어차록(論語箚錄)』·『가제의(家祭儀)』·『사례혹문(四禮或問)』·『노사선생언행총록(蘆沙先生言行總錄)』 등을 저술하였고, 『노사집(蘆沙集)』·『답문유편(答問類編)』과 민재남(閔在南)의 『회정집(晦亭集)』 등을 교정하였다.

한편 정재규는 김홍집이 『조선책략(朝鮮策略)』을 임금에게 올렸다는 소식을 듣고 반궁(泮宮)에 글을 올려 창의할 것을 주창하였으며, 관찰사 조병호(趙秉鎬)에게 편지를 보내 난신적자(亂臣賊子)인 개화파의 처단과 거의(擧義)를 촉구하기도 하였다. 또 갑오경장 이후 친일파를 개혁하기 위해 통문을 내기도 하였으며, 을사조약이 체결되자 영호남에 포고문을 내어 세계 여러 나라에 호소하여 일본과 단판 짓기를 촉구하기도 하였다. 이처럼 정재규의 일생은 강학과 저술, 그리고 의병운동으로 이어지는 학행일치(學行一致)의 삶을 살았다. 그의 문인으로는 정면규(鄭冕圭)·정기(鄭琦)·남정우(南廷瑀)·권운환(權雲煥)·이교우(李敎宇) 등이 있고, 친밀하게 교유한 인물로는 김석구(金錫龜)·정의림(鄭義林)·기우만(奇宇萬)·허유(許愈)·곽종석(郭鍾錫) 등이 있다.

정재규는 예서도 편찬하였지만, 예설 문목과 별지를 비롯한 기타 예설도 많이 저술하였다. 즉 권운환(權雲煥: 舜卿)의 문목 6조항, 권자후(權子厚)의 문목 15조항, 송재락(宋在洛: 德中)의 가례문목(家禮問目) 26조항, 권재규(權載奎: 君五)의 문목 15조항 등에 답변한 것 외에도 8편의 예설을 더 지었다.

그의 예설을 살펴보면, 「가제의서(家祭儀序)」는 정재규가 27세 때 부친의 명을 받아 저술한 책에다 서문을 쓴 글이다. 『가제의(家祭儀)』는 존조

보본(尊祖報本)과 추양계효(追養繼孝)의 도리를 실현하기 위해 저술한 것으로, 시제와 기제와 묘제의 의절을 기록하고 또 도식을 붙여[51] 행례에 간편하게 제작하였다. 이 책은 한결같이 『가례』를 따랐는데, 당대에 불합리하거나 조문이 없는 부분은 선유(先儒)의 설로 보충하였으며, 간혹 시속의 제도도 참고하여 만들었다.[52]

「옥조심의이편해(玉藻深衣二篇解)」는 정재규가 42세에 지은 것으로, 『예기』의 「옥조(玉藻)」와 「심의(深衣)」에 수록된 심의의 제작법을 해석한 내용으로, 「옥조」편에서는 심의와 관련한 3개의 조항을, 「심의」편에서도 역시 심의 제작과 관련한 9개의 조항을 설성하고 그동안 심의제도에 논란이 있었던 부분에다 정밀한 해석을 하였다.

「학규(學規)」는 정재규가 50세에 지은 것으로 학문하는 목적을 입지(立志)·검신(檢身)·주충신(主忠信)·정추향(正趨向)·벽이단(闢異端)·입과정(立課程) 등 7가지 조항으로 정립한 것이다. 특히 벽이단 조항에 '서양 사람은 오랑캐 중의 오랑캐'라고 한 대목에서는, 정재규의 위정척사사상이 여지없이 잘 나타나 있다.

「혼변설(昏變說)」은 문인 박두규(朴斗奎)와 문답 형식으로 쓴 글이다. 예컨대 신랑이 친영을 하려고 관사(館舍)에 이르러서야 신부가 폐질이 있음을 알았을 경우, 또 신랑이 관사에 이르러 병으로 죽을 경우 신부는 어떻게 해야 하는지[53] 등에 대한 문답이 들어 있다. 정재규는 후자의 경우 퇴계 이황과 우암 송시열의 설에 근거하여 답변하고 있다.

「복제의의(服制疑義)」는 승중복(承重服), 노이전(老而傳), 사종설(四種說) 등을 거론하면서 '적자(適子)'의 개념을 정리한 글이다. 정자의 복의(濮

---

51) 『老栢軒集』 권33, 「家祭儀序」. "家大人, 嘗慨然乎此, 命載圭, 抄定時祭儀節, 因及於忌墓祭, 幷又爲之圖, 名曰家祭儀, 蓋欲其行之於一家故云爾."

52) 老栢軒集』 권33, 「家祭儀序」. "其儀一從家禮, 而有異宜闕略處, 則補以先儒諸說, 間亦參以俗制, 以備好禮者之有所財擇, 而貧窶者, 亦有以及之焉耳."

53) 『老栢軒集』 권31, 「昏變說」. "朴君斗奎, 嘗問壻親迎, 至館後, 始知有廢疾, 則當柰何? 曰旣納幣矣, 更安有改路之道乎? 曰廢疾有分數, 若無嗣續之望, 則柰何? 曰果是難處. 有言者, 曰壻若至館病死, 則柰何? 余曰此則古禮有據, 女成服, 往哭, 旣葬而除之, 旣葬而除之, 則可以改議昏矣. 而退溪尤菴, 皆以爲此禮也."

議)와 이이의 입후의(立後議) 등을 인용하였고, 또 송시열·박세채·권상하 등 기호학자들의 예설을 인용의 근거로 들었다.

한편 그의 예서 중 『사례의의혹문(四禮疑義或問)』은 정재규가 한주(寒洲) 이진상(李震相 1818~1886)의 「사례책제축조논변(四禮策題逐條論辨)」 중에서 의심나는 부분을 차기(箚記)하여 『사례의의혹문』이라고 이름 붙여 편찬한 책이다. 정재규는 이진상을 생전에 한 번도 만나지 못했는데, 이진상의 문인 허성훈(許聖薰)을 통해 「사례책(四禮策)」을 읽어 보게 되었다. 당시 정재규는 33세였는데, 2년 전에 부친상을 당해 상중에 있으면서 이 책을 보고 자신의 견해를 붙였다. 모두 4권 2책으로 1권에는 관례 10항목과 혼례 13항목을 두었고, 2권과 3권에는 상례 75항목을 두었고, 4권에는 제례 37항목을 두어 도합 135항목이다.

송사(松沙) 기우만(奇宇萬 1846~1916)은 노사 기정진의 손자로, 어려서부터 조부에게 『자치통감(資治通鑑)』·『강목(綱目)』·『주역(周易)』·『예기(禮記)』·『춘추(春秋)』 등을 읽으며 가학의 영향을 많이 받았다. 18세 무렵에는 처조부 최정익(崔挺翼)에게 과문(科文)을 배우기도 하였다. 또한 그는 조부의 사상을 계승하여 위정척사의 의리론을 몸소 실천하였다. 그와 교유한 학자들은 남파(南坡) 이희석(李僖錫)·월고(月皐) 조성가(趙性家)·면암(勉菴) 최익현(崔益鉉)·연재(淵齋) 송병선(宋秉璿)·남계(溪南) 최숙민(崔琡民)·노백헌(老栢軒) 정재규(鄭載圭) 등 주로 조부의 문인들이다.

기우만은 강회(講會)와 문집 간행 및 교정, 그리고 강학과 의병활동 등이 한 평생 삶의 흔적 전부였다. 24세에는 추산정(秋山亭)에서 강회를 열었고, 이듬해에는 조부를 모시고 『주역』을 강론하기도 하였다. 34세 때에는 대곡(大谷) 김석구(金錫龜)·노백헌(老栢軒) 정재규(鄭載圭)·일신재(日新齋) 정의림(鄭義林) 등과 함께 조부가 저술한 「납량사의(納涼私議)」와 「외필(猥筆)」 등을 강론하였고, 40세에는 단성(丹城)의 신안정사(新安精舍)에서 강회를 열었다. 또 서재에서 동지들과 함께 월강(月講)을 계획하였고, 때로는 향음주례(鄉飮酒禮)도 행하였다.

또한 그는 문집 간행과 교정에도 전념하였다. 36세에는 조부의 유문(遺文)을 편집하여 베꼈고, 2년 뒤에는 『노사집』을 간행하였으며, 53

세에는 장성의 담대헌(澹對軒)에서 『노사집』을 중간하였고, 56세 때는 단성의 신안정사에다 간역소(刊役所)를 설치하고 『노사집』 세 번째 간행을 준비하였다. 또 조부 기정진이 지구(知舊) 및 문인들과 문답한 『답문유편(答問類編)』을 간행하였고, 조광조의 문집인 『정암집(靜菴集)』을 교정하였으며, 방조(旁祖) 기준(奇遵)의 『복재집(服齋集)』을 교정하여 간행하기도 하였다. 이처럼 기우만은 선대의 문집 간행에 온 힘을 쏟았다.

한편 1895년(고종32) 조정에서 단발령이 내려지자 국모를 시해한 원수를 죽이고 단발령을 거두라는 상소를 올렸다. 1896년(고종33)에는 의암(毅菴) 유인석(柳麟錫)의 격문(檄文)이 도착하자 의병을 일으켰다. 그리고 고광순(高光洵)·기참연(奇參衍)·김익중(金翼中) 등 200여 명의 의사들과 나주로 가서 전열(戰列)을 재정비하고 호남대의소장(湖南大義所將)이 되었다. 또 을사오적을 처단하라는 상소를 올렸다가 경찰에 체포되기도 하였다. 이처럼 기우만은 격변하는 19세기를 맞아 조선의 선비로서 전통학문 수호와 의리를 실천하는 데 가장 앞장섰던 학자 중에 한 사람이었다.

기우만은 이러한 어지러운 상황에서도 문인들과 예에 대한 담론을 그치지 않았다. 비록 예서를 저술하지는 않았으나, 그의 문집에는 36통의 예설 관련 편지가 수록되어 있는데, 비교적 간단하게 문답한 것들이다.

「답이국서별지(答李國瑞別紙)」에는 부모가 같은 날 사망했을 경우 장례와 우제(虞祭)·부제(祔祭)의 선후 문제를 논하였고[54], 「답조덕서(答曺德瑞: 昌燁)」에는 제사 음식 중에 밀과(蜜果)와 유병(油餠)을 사용하는 문제, 난리를 만났을 경우 신주의 처리 문제, 혼인 날짜를 2~3일 남겨두고 국휼을 만났을 경우[55] 등에 대해서 문답하였다.

「답위치명(答魏致明: 赫基)」에는 반함(飯含)할 때 사용하는 수저, 소상(小祥) 뒤에 조석곡(朝夕哭)을 그치고 궤연을 뵐 때 절 또는 첨례(瞻禮)[56]를 하는 문제에 대해서 문답하였고, 「답범영삼(答范永三)」에는 아내의 초상에 착용하는 입자(笠子)를 송시열은 백립(白笠) 권상하는 흑립(黑笠)을

54) 『松沙集』 권5, 「答李國瑞別紙」.
55) 『松沙集』 권6, 「答曺德瑞(昌燁○丁酉)」.
56) 『松沙集』 권7, 「答魏致明(赫基)」.

주장했는데 어느 것을 선택하는 것이 옳은가의 문제, 아내의 기제 축문[57] 내용 등을 문답하였다.

「답강성집(答康性緝)」에는 예에 따르면 삼년상 중에는 신알(晨謁)을 폐하니 장자의 상중에도 신알을 폐하는가의 문제, 서자로서 추복(追服)하는 자가 있는데 이미 궤연을 철거했을 경우 곡하는 문제, 기제일에 시력(時曆)과 고력(古曆)에서 월의 대소가 같지 않을 경우 어느 것을 따를 것인가[58]의 문제 등에 대해서 문답하였다.

율계(栗溪) 정기(鄭琦 1878~1950)는 자는 경회(景晦), 호는 율계(栗溪), 본관은 서산이다. 그는 합천 출신으로 50세 무렵에는 전라남도 구례로 옮겨와서 살았다. 그는 일찍이 21세에 노백헌 정재규에게 집지하여 성리학을 수학하였다. 또한 예학에 침잠하여 『사례의(四禮儀)』(6권 1책)와 『상변축집(常變祝輯)』 등의 예서를 편찬하였다. 『사례의』는 율계 정기가 1912년 모친상을 당해 상례의(喪禮儀) 1책을 초록한 것에다 후일 다시 상제례와 관혼례를 보완하여 편찬한 책이다. 이 책의 특징은 사례(四禮)의 행례를 쉽고 간편하게 행하기 위해 편찬되었다는 점이다. 『상변축집』은 필사본 1책으로, 관혼상제에 사용되는 고사(告辭)와 축문을 수록하여 엮은 것이다. 그는 이 책의 저술 목적을 "고사와 축문은 본래 선현들이 만들어 놓은 것이 많지만, 여러 책에 흩어져 있어서 창졸지간에 고찰하기 어려운 점이 있고, 또 행사의 변절(變節)에 갑자기 적합한 예문(禮文)을 만드는 것이 어렵기 때문에 이러한 문제들을 해결하기 위해 만든 것"이라 하였다.

의재(毅齋) 이종홍(李鍾弘 1879~1936)은 자는 도유(道唯), 호는 의재(毅齋) 또는 구계(求溪), 본관은 여주(驪州)이다. 그는 고성 출신으로 13세 무렵 노백헌 정재규를 찾아뵙고 사제의 예를 갖춘 뒤 1개월 가량 머무르며 수업을 청하였다. 28세 때 조부의 상을 당해 거상(居喪) 중에 『예기』·『가례』·『상례비요』·『상례편람』 등을 읽고 의문(儀文)과 도수(度數)를 깊이 연구하여 사우들과 질의하였다. 그는 일찍이 두어 편의 행례서(行禮書)를 편찬했는데, 『가향휘의(家鄕彙儀)』(1책)와 『묘의(廟儀)』(1책)가 그것이다. 『가향휘의』는 관례(冠禮)·계례(笄禮)·혼례(昏禮)·상읍례(相揖

---

57) 『松沙集』 권7, 「答范永三」.
58) 『松沙集』 권8, 「答康性緝」.

禮)·향약(鄕約)·향음주례(鄕飮酒禮)·향사례(鄕射禮)·문묘례(文廟禮)·서원례(書院禮) 등 아홉 의절을 수록하였다. 참고한 서적은 『가례증해』·『상변통고』·「도산강규(陶山講規)」·「석담조약(石潭條約)」·「기성신간(箕城新刊)」 등이다. 『묘의』는 『가례』 사당장의 참알(參謁)·천고(薦告)·시제(時祭) 등 사당 의절만을 초록한 것이다. 또한 도식(圖式) 9개를 붙여서 실제 행례에 쉽게 참고할 수 있도록 하였다.

살펴보았듯이 기정진은 별도의 예설을 저술하지는 않았고 주로 문답을 통한 예설이 있을 뿐이다. 문답한 내용은 대부분 상례 중에 발생하는 변례(變禮) 문제에 대해 논변한 것들이다. 논변에 인용된 예설에는 주로 김장생과 송시열 등 기호 노론학자들의 예설이 많다. 이는 자신이 비록 기호학자와는 분명한 사승관계가 없으나, 큰 틀에서 지역적으로 기호학파의 범주를 벗어나지 못했기 때문인 것으로 보인다. 또한 노사 기정진 학단은 외세의 침략으로 국가가 혼란한 시대에 위정척사의 사상에 입각하여 의병운동에 투신한 학자들이 많이 나왔다. 기정진 학단의 예설은 대체로 상례와 제례에 집중되어 있는데, 최숙민의 예설은 학교례와 관련한 강약(講約) 의절과 제례의 규약 등을 주로 다루었고, 정재규는 많은 강학 활동과 저술을 하였는데, 예설은 제례와 학규(學規), 심의제작법, 혼인에 있어서 변례, 복제 등 여러 분야에서 다양하게 저술되었다. 또한 그는 『사례의의혹문(四禮疑義或問)』을 지어 선배 학자인 이진상의 「사례책제축조논변(四禮策題逐條論辨)」을 정밀하게 분석하였다. 기우만은 조부의 문집 교정과 편찬 간행에 심혈을 기울였고, 예설은 주로 상례와 제례에서 발생할 수 있는 변례를 집중적으로 저술하였다. 특히 기제일을 정할 때 시력과 고력 중 어느 책력을 기준으로 선택할 것인가를 논하는 부분에서, 변혁기에 처한 당대의 현실을 엿볼 수 있다. 이종홍의 『가향휘의』는 가정에서의 관혼례 행례와 마을에서 행해지는 향음주례 등의 의절 절차를 자세하게 다루어 실행에 간편함을 도모하였다. 또 그의 『묘의』는 특별히 사당에서 행해지는 의절만을 수록하여 제례의 중요성을 강조하였다.

3. 기타 예학가(禮學家)

18세와 마찬가지로 19세기에도 큰 학단을 형성한 예학가 외에 예서 저술을 남긴 학자들이 있다. 이들은 어떤 쟁점이 되는 논쟁적인 예설을 저술하지는 않았지만, 당시의 행례에 절실한 문제들을 해결하기 위해 주로 실용적인 예서들을 편찬하였다. 그 주제들은 대체로 상제례와 관련된 것들이 많은 부분을 차지하고 있다. 예컨대 상례와 관련된 내용을 특정 주제별로 묶어서 해설한 것, 실제 상제례를 당했을 때 대처에 편리하게 하기 위한 것, 상례의 각 절차에 사용되는 도구를 기록하여 둔 것 등이 그것이다. 아래의 표_20은 19세기 기호학파에 속한 기타 예학가와 그들의 예학 저술을 정리한 것이다.

성명	예학 저술	비고
錦谷 宋來熙 1791~1867	『禮疑問答四禮辨疑』(예총79)	宋浚吉 7세손
楓溪 禹德麟 1799~1875	『二禮演輯』(예총83) 『二禮祝式纂要』(예총83)	趙有善 문인
海藏 申錫愚 1805~1865	『讀禮錄』(예종84)	申在植 문인
瓛齋 朴珪壽 1807~1877	『居家雜服攷』(예총85)	朴趾源 손자
綏山 李奎鎭 ?~?	『廣禮覽』(예총94)	사승관계 미상
默吾 李明宇 1836~1904	『臨事便攷』(예총97)	金正喜 문인
愼村 黃泌秀 1842~1914	『增補四禮便覽』(예총99) 『喪祭類抄』(예총99)	사승관계 미상
松菴 愼在哲 1803~1872	『禮疑纂輯』(예총115)	宋來熙 문인

표_20 <19세기 기호학파의 기타 예학가>

금곡(錦谷) 송래희(宋來熙 1791~1867)는 자는 자칠(子七), 호는 금곡(錦谷)으로 동춘 송준길의 7대손이다. 그는 학행으로 인정되어 성균관 좨주에 천거되었고 그 후 대사헌에 올랐다. 성리학과 예학에 조예가 깊고 문장이 고아(高雅)하다는 평가를 받았다. 교유한 학자로는 김구순(金龜淳)과 김흥근(金興根) 등이 있다. 저서로는 『예절람요(禮節覽要)』와 『예의문답사례변의(禮疑問答四禮辨疑)』(3권 1책)가 있는데, 『예절람요』는 아직까지 확인되지 않고, 『예의문답사례변의』는 의례(疑禮)에 대한 물음에 답변한 글과 관혼상제의 주요 항목을 발췌하여 논의한 것을 기록한 책이다.

풍계(楓溪) 우덕림(禹德麟 1799~1875)은 자는 명수(明叟), 호는 풍계(楓溪), 본관은 단양이다. 이밖에 자세한 생애와 이력은 알려진 것이 없다. 그는 김원행의 문인인 나산(蘿山) 조유선(趙有善 1731~1809)에게도 수학하였다. 우덕린은 일찍이 『이례연집(二禮演輯)』(4권 4책)과 『이례축식찬요(二禮祝式纂要)』 등 2종의 예서를 편찬하였다. 『이례연집』은 상례와 제례의 절차 및 축식을 엮은 책으로 중암(重菴) 김평묵(金平默)이 교정하고 서문까지 썼다. 『이례축식찬요』는 『이례연집』의 분량이 방대하여 급할 때 사용하기 불편함이 있기에, 이 중에 별도로 축식만을 뽑아 황망 중에도 쉽고 빠르게 찾아볼 수 있도록 편찬한 책이다.

해장(海藏) 신석우(申錫愚 1805~1865)는 대사헌을 지낸 신사건(申思建)의 현손이고, 증조부 신소(申韶)는 기호 낙론학자인 김원행, 송명흠 등과 교유하였다. 부친 신재업(申在業)은 문학으로 명망이 높았다. 신석우는 족숙인 취미(翠微) 신재식(申在植 1770~1843)에게 수학하였으며, 박규수(朴珪壽)·조면호(趙冕鎬)·윤종의(尹宗儀) 등과 교유하였다. 그의 저서 『독례록(讀禮錄)』(3책)은 『의례』와 『예기』 및 기타 예서 가운데서 상례와 관련된 내용을 뽑아 특정 주제별로 묶어 편찬한 책이다.

환재(瓛齋) 박규수(朴珪壽 1807~1877)는 연암(燕巖) 박지원(朴趾源)의 손자로, 일찍부터 삼례(三禮)를 공부하여 『심정의례수해(審定儀禮修解)』를 지었고, 척숙(戚叔) 이정리(李正履)의 지도하에 사관례(士冠禮) 등 고례를 실습하기도 하였다. 『거가잡복고(居家雜服攷)』(3권 2책)는 사대부들이 입는 각종 의복을 중심으로 고례와 부합하는 이상적인 의관제도에 관해 도(圖)를 붙여 설명한 책이다. 제1책은 사대부 남성의 복식을 논한 외복

(外服)편이고, 제2책 권2는 사대부 여성의 복식을 논한 내복(內服)편이며, 제2책 권3은 남녀 아동의 복식을 논한 유복(幼服)편이다. 이 책을 저술할 때는 중국의 여러 문헌을 참고하였고, 또 우리나라의 『국조오례의』와 조헌(趙憲)의 『동환봉사(東還封事)』를 비롯하여, 송시열의 글과 그 문인 최신(崔慎)의 저술인 『우암선생어록(尤菴先生語錄)』, 이재의 『사례편람』, 송문흠의 『부인복식고(婦人服式攷)』 등을 많이 참고했다.

유산(綏山) 이규진(李奎鎭 ?~?)은 생몰연대와 이력을 밝히기 어렵다. 그는 『광례람(廣禮覽)』(3권)을 저술했는데, 이 책은 이재의 『사례편람』과 김정주(金鼎柱)의 『상례편람(喪禮便覽)』을 참고하여 편찬한 것이다. 주로 근재(近齋) 박윤원(朴胤源)의 예설을 많이 참고하였기에, 그가 속한 학맥이 기호 낙론학파임을 짐작할 수 있다. 이 책은 상례와 제례의 절차를 간결하게 요약하고, 거기에 소용되는 각종 물자와 간결한 서식 등을 요약하여 실제 행례에 적용될 수 있도록 편찬한 행례 규범서이다.

묵오(默吾) 이명우(李明宇 1836~1904)는 왕실 후손으로 효령대군의 15세손이다. 그는 추사 김정희의 문인으로 당대의 석학인 환재 박규수(1807~1877)와 영초(穎樵) 김병학(金炳學 1821~1879), 위사(韋史) 신석희(申錫禧 1808~1873) 등과 교유했다. 그의 저서 『임사유고(臨事便攷)』(1권 1책)는 『가례』·『상례비요』·『사례편람』 등 주로 기호 예학가들의 예서를 참고하여 편찬하였다. 이 책은 상례 절차에 대한 내용은 간략하게 기술하고 각각의 절차에 쓰이는 도구는 상세하게 기록한 것이 특징이다.

신촌(愼村) 황필수(黃泌秀 1842~1914)는 자는 신백(臣伯), 호는 신촌(愼村), 본관은 창원이다. 그는 생전에 11종의 책을 편찬 간행할 정도로 여러 분야에 조예가 깊었다. 이 가운데 『증보사례편람(增補四禮便覽)』(8권 4책)은 도암 이재의 『사례편람』 판본을 상세히 교정하고, 또 변례(變禮) 위주의 '보유(補遺)'편을 저술하여 증보한 책이다. 자신이 새로 증보한 부분에는 '신증(新增)'이란 두 글자를 표기하여 분별하였다. 또한 그는 『상제유초(喪祭類抄)』(52장 1책)를 저술했는데, 상제례는 슬프고 황망한 가운데 갑자기 치러지므로 책이 있어도 살펴보기 어려워 실수가 많기 때문에 이를 보완하기 위해 지었다고 했다. 즉 황필수는 고금의 예제 중에서 상제례와 관련하여 쉽게 알고 행할 수 있는 것만을 뽑아 종류별로 초록하여 이 책을 만든 것이다.

송암(松菴) 신재철(愼在哲 1803~1872)은 자는 명오(明吾), 호는 송암(松菴), 본관은 거창이다. 그는 만년에 금곡 송래희에게 집지하여 대도(大道)의 요긴함을 듣고 학문이 더욱 깊어졌다.[59] 또 장헌주(張憲周 1777~1867)와 기정진(奇正鎭 1798~1879) 등의 선배 학자들과 학문적 교유를 하며 지냈다. 그가 편찬한 『예의찬집(禮疑纂輯)』(2권 1책)은 『가례』의 「통례편(通禮篇)」에 있는 조문 중 선유(先儒)들이 변례에 대해 논의한 것을 뽑아 편찬한 것이다.

살펴보았듯이 19세기 기호학자들 중에는 사승관계가 분명하더라도 부득이 하나의 학단에 소속시킬 수 없는 학자들이 많다. 그러나 이들은 모두 예서를 편찬한 예학가로서 그 위상을 거론하지 않을 수 없다. 이들이 편찬한 예서들은 대부분은 행례를 편리하게 하기 위한 것들이다. 사례 가운데서도 주로 상례와 제례 위주로 편찬되었는데, 이는 황망 중에 닥치는 의절이기 때문에 거질의 예서로는 참고하기가 용이하지 않아서이다. 그러므로 간편한 행례서의 필요가 절실했다. 예서를 저술한 학자들은 모두 명문가의 후손으로, 당대의 석학들과 교유하며 학문을 강론하였다. 비록 이들의 생애와 학문은 문헌이 부족하여 자세하게 살필 수 없지만, 편찬한 예서들은 일상생활에 반드시 참고할 만한 서적이므로 후학들에게 큰 의미가 있다고 하겠다.

---

59) 『勉菴集』 권31, 「松菴愼公墓表」. "晩又服事錦谷宋祭酒先生, 得聞大道之要而造詣甚高矣."

4

국가전례(國家典禮)의 주요 논제

18~19세기 기호학자들은 국가의 전례를 논함에 있어서 기본적으로 17세기에 일어난 전례 논쟁의 예론을 정당화하는 입장에서, 이를 다시 국가의 전범(典範)으로 삼으려는 경향이 강하였다. 때문에 이들은 국가의 전례를 논하고 결정하는 데 깊이 개입하여 여러 차례 의견을 개진하는 등, 이 부분에 중추적 역할을 담당하였다. 특히 왕실복제(王室服制), 국상의절(國喪儀節), 대보단제향(大報壇祭享), 의제개혁(衣制改革) 등의 문제에 대해서는 매우 적극적으로 자신들의 예학적 입장을 관철시키려고 노력하였다.

그러므로 이 절에서는 위의 네 가지의 국가전례를 결정하는 과정에서 국왕과 신하, 또는 기호학자들 사이에서 첨예하게 대립된 예제를 중심으로 각각의 입장을 살펴볼 것이다.

먼저 왕실복제에서는 단의빈(端懿嬪) 심씨(沈氏)와 효장세자(孝章世子)와 효순현빈(孝純賢嬪)의 국상에 복제 기간을 결정하는 과정에서, 국왕과 기호학자들이 주장하는 예론의 예학적 근거를 살펴보고, 국상의절에서는 시사전(始死奠)과 조조례(朝祖禮)를 국가의 정식 의절로 채택하는 과정에서 발생하는 문제점에 대한 국왕과 기호학자들의 입장을 살펴보겠다.

다음으로 국왕이 숭명배청(崇明排淸) 사상을 고취하기 위해 명나라 황제의 제향 공간을 건립하려는 과정에서, 처음에는 기호학자들과의 예학적 견해가 심하게 대립되었다. 그러나 결국 국왕과 기호학자들의 견해가 일치되어 '대보단(大報壇)'이라는 이름의 제향 공간이 결정되고 제향을 행하기에까지 이르렀다. 이렇게 대보단제향이 행해지는 과정에서 국왕과 신하들의 입장 차이 및 대보단 자체가 지니는 의미를 자세하게 살펴볼 것이다.

끝으로 19세기 말 급변하는 시기에 국왕의 직권으로 시행된 의제개혁법에 대해 저항하는 기호 예학가들의 입장을 살펴볼 것이다. 당시 일부 개화파들은 국왕의 의제개혁에 적극 동조하는 이도 있었지만, 대체적으로 반대하는 입장이 다수였다. 여기서는 기호학자들 가운데 의제개혁을 강하게 반대한 몇몇 학자들을 중심으로, 그들의 예학적 근거와 입장을 고찰하여 그 의미를 밝혀보려고 한다.

1. 왕실복제(王室服制) 논란

18세기 초반에는 17세기 예송논쟁의 여파로 왕실의 복제 문제가 여전히 명쾌하게 해결되지 않은 채 재연(再演)의 불씨를 안고 있었다. 서인(西人)과 남인(南人) 간의 당파적 갈등은 거의 봉합되었으나, 기호학파 내부에서는 약간의 의견 대립이 지속되고 있었다. 기호학자들은 대체적으로 기해복제 논쟁 때에 송시열이 주장한 예설을 옹호하는 입장을 견지하면서도 그것을 해석하는 데 있어서는 견해의 차이가 있었다.

이와 관련하여 호론과 낙론의 의견 대립이 처음으로 두드러지게 나타나는 것은 숙종의 세자빈인 단의빈(端懿嬪) 심씨(沈氏)의 국상에서였다. 1718년(숙종44)) 2월 7일에 단의빈 심씨가 훙서하자, 예조에서는 단의빈의 상에 대전(大殿)과 중궁전(中宮殿)의 복제와 관련하여 예문에 근거한 몇 가지 사례를 올렸다. 즉 장자부(長子婦)의 상에 『가례』와 『경국대전』에는 기년복, 『의례경전통해(儀禮經傳通解)』의 「천자제후정통방기복도(天子諸侯正統旁期服圖)」에는 대공복으로 규정하고 있고, 그리고 과거 세종조 세자

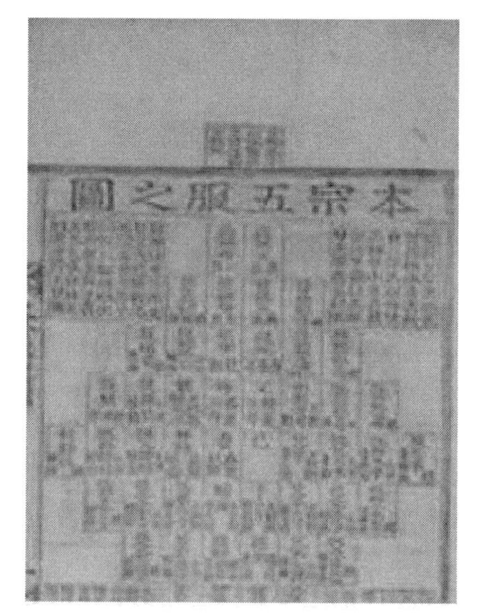
本宗五服之圖

사진_20 <본종오복도>와 언해본 <본종오복도>. 출처: 한중연, http://www.kumyo.co.kr

(문종)빈이었던 현덕왕후(顯德王后)가 홍서했을 때는 대공복을 입었으며, 또한 왕제자의 복제는 고례와 국제에 모두 부장기(不杖朞)로 되어 있다고 아뢰었던 것이다. 그러자 숙종은 위의 사례를 자세히 검토한 뒤에 세종조의 전례를 따라 대공복으로 결정하도록 하였다.[1)]

그런데 전 예조참판 박봉령(朴鳳齡 1671～1718)이 "세종조에서 시행한 복제는 『경국대전』이 완성되기 전에 행해졌던 것이라서 이것을 적용하는 것은 곤란하고, 숙종비인 인경왕후(仁敬王后 1661～1680)의 국휼에 숙종의 모친인 명성왕후(明聖王后 1642～1683)가 기년복제를 입었다."면서 인경왕후의 사례를 들어 기년복을 주장했다. 이에 숙종은 대신들에게 문의하여 품처하게 했다. 그러자 영의정 김창집(金昌集 1648～1722), 판중추부사 이이명(李頤命 1658～1722), 우의정 조태채(趙泰采 1660～1722) 등은 모두 한목소리로 기년복이 합당하다고 아뢰었지만, 좌의정 권상하(權尙夏 1641～1721)는 사양하고 즉답을 피했다. 그래서 마침내 다

1) 『숙종실록』, 44년 2월 8일(정해).

시 기년복으로 개정되었다.

그런데 그해 10월 9일에 지평(持平) 이중협(李重協 1681～?)이 단의빈 복제가 선왕의 예에 맞지 않는 부분이 있다고 이의를 제기했다. 그는 『의례』 상복도식(喪服圖式)의 천자제후정통방기복도(天子諸侯正統旁期圖)에 '적부에게는 대공을 입고 방기(旁期)는 끊는다'는 조문을 들어 대공복으로 바꿀 것을 주장하였다.[2] 그러나 이이명(李頤命)·김우항(金宇杭)·이건명(李健命)·김창집(金昌集) 등은 다 같이 『가례』와 국제(國制), 『상례비요』 등의 조문을 거론하면서 끝까지 기년복을 주장하였다. 이때 여태까지 답변을 유보하고 있던 권상하는 다음과 같은 의견을 올렸다.

> 『의례』에 천자와 제후는 방계(旁系)의 기년복(期年服)은 끊고 오로지 정통(正統)에게만 복을 두었는데, 대개 아들에게는 기년복, 며느리에게는 대공복이 바로 정복(正服)입니다. 만약 3세로 정중(傳重)한 아들에게 참최삼년복(斬衰三年服)을 입는다면 이것은 복을 더한 것인데, 며느리에게는 복을 더하는 글이 없기 때문에 의례도(儀禮圖)에 대공으로 기술한 까닭이 이것입니다. 후세에 위징(魏徵)이 주의(奏議)한 것으로 인하여 올려서 기년복으로 하였는데, 지금까지 인습하고 있습니다. 그러나 이것은 사가(私家)의 예이기 때문에 왕조의 고례와는 차이가 있습니다.[3]

권상하의 논점은 천자와 제후는 방계의 기년복은 끊고 입지 않는 것이 원칙이나, 다만 정통에 해당하는 이에게는 복을 입는데, 아들의 기년복과 며느리의 대공복이 바로 그것이라는 것이다. 따라서 지금 단의빈의 상제로 정한 기년복은 당나라의 『개원례』를 따른 것으로 사가(私家)의 예에만 적용되는 것이고, 왕조례는 고례인 『의례』 조문을 따라 대공복으로 정해야 한다고 주장했다. 물론 권상하는 단의빈을 적부로 전제하고 대공복을 제안했던 것이다. 그러나 숙종은 이미 결정된 기년복을 변개하는 것은 마땅하지 않다고 하면서 기존의 기년설을 고수하였다.

복제 문제가 재연된 것은 1728년(영조4년) 효장세자 국상 때이다.

---

2) 『숙종실록』, 44년 10월 9일(계축).

3) 『숙종실록』, 44년 10월 9일(계축).

효장세자가 훙서하자 예조에서는 을유년(인조23, 1645) 소현세자 초상 때의 등록(謄錄)에 따라, "왕세자의 상사에는 주상과 중궁전의 복제를 재최기년복으로 만 30일을 마련하였고, 절목(節目)에 장기(杖朞)라는 글이 없다고 아뢰었다. 또한 대왕대비전과 왕대비전의 복제는 근거할 만한 전례가 없다."고 아뢰었다.[4] 이에 영조는 복제는 선조(先祖)의 변개하지 못할 영갑(令甲)이 있으니 기년복으로 행해야 한다[5]고 하명하였다. 그러므로 국제에 따라 기년복으로 정했다. 영조의 발언은 국제의 장자와 차자를 막론하고 기년복을 입도록 한 규정에 근거한 것이었다. 따라서 왕과 왕비는 장자인 효장세자에게 기년복을 입는 것으로 결정되었다.

그리고 영조는 대왕대비전인 숙종의 계비 인원왕후(仁元王后) 김씨(金氏)와 왕대비전인 경종의 계비(繼妃) 선의왕후(宣懿王后) 어씨(魚氏)의 복제를 대신과 유신들에게 의논하도록 하였다. 그런데 인원왕후와 선의왕후의 복제에 있어서는 입장에 따라 약간의 문제가 제기될 소지가 있었다. 그것은 친속(親屬)으로는 영조가 아우로서 경종을 계승했기 때문이다. 천륜으로 헤아리면 인원왕후와 선의왕후는 각각 조모와 백모가 된다. 그러나 계체(繼體)로 보면 영조가 경종을 아버지로 섬기는 의리가 있기 때문에, 인원왕후는 효장세자에게 증조모의 지위에 해당되며, 선의왕후는 조모의 지위에 해당된다. 그리하여 영의정 이광좌(李光佐)와 좨주 정제두(鄭齊斗)의 통서(統緖)를 중시해야 한다는 견해를 따라 인원왕후는 시마복(緦麻服), 선의왕후는 대공복으로 결정하였다.

이듬해 1729년(영조5) 정언(正言) 이귀휴(李龜休 1675~1735)가 상소하여 칭호에 따라 복제를 결정할 것을 주장하였다. 일찍이 영조가 종묘의 일에 있어서 경종을 황형(皇兄)으로 숙종을 황고(皇考)로 일컬은 것에 근거하여, 선의왕후에 대해 효장세자는 종자(從子)인데 이번 복제는 손자로 간주되었다는 것이다. 즉 경종의 비인 선의왕후는 효장세자를 조카로 보아 조카에게 입는 상복을 입어야 한다는 것이었다. 이귀휴의 주장은 계체가 비록 중요하기는 하지만, 칭호는 곧 복제를 말하

4) 『영조실록』, 4년 11월 17일(계해).
5) 『영조실록』, 4년 11월 17일(계해).

는 것으로 이름이 정해지면 복제도 거기에 따라야 한다는 것을 논거로 삼았다. 그렇지만 영조는 이귀휴의 주장을 받아들이지 않았다.[6]

그런데 송시열의 제자 김간(金幹 1646~1732)은 별도로 효장세자에 대한 복제 의논을 주도한 정제두(1649~1736)를 비판하였다.[7] 김간은 이귀휴의 주장과 같이 복제는 천륜을 지칭하는 칭호에 근거해야 한다고 판단하였다. 그는 영조는 경종의 아우로서 왕세제(王世弟)라고 칭했지 왕세자(王世子)라고 칭하지 않았으며, 종묘의 축사에서도 경종을 황형으로 숙종을 황고로 칭하여 결코 계체를 이유로 천속(天屬)의 칭호를 변경시키지 않았다고 주장했다. 따라서 지금 영조가 국제를 준용하기로 하였으니, 국제에 따라 임금은 아들에게 입는 기년복, 인원왕후는 손자에게 입는 대공복, 선의왕후는 조카에게 입는 기년복이 마땅하다고 주장하였다. 또한 이 복제는 『가례』에도 그렇게 되어 있어 의심의 여지가 없다고 하였다.

김간은 계체의 의미는 부자의 도리가 있기 때문에 부자의 도리로 섬겨야 한다는 것이지, 결코 부자가 되었다는 것이 아니라는 입장이었다. 김간의 이러한 입장은 기해복제 때 송시열이 효종을 차자로 보고 기년복을 주장했던 것과 같은 논리에 입각하여 말한 것이다.

한편 노론 측 내부에서도 정제두가 제시한 효장세자의 복제에 대해 논의가 많았던 것으로 보인다. 이 문제는 박필주(朴弼周)·윤봉구(尹鳳九) 등과 한원진(韓元震) 사이에서도 토론이 일어났는데, 윤봉구와 박필주는 앞의 김간과 같은 입장이었다. 다만 윤봉구는 새롭게 존동설(尊同說)[8]을 주장하였다. 그는 천자 제후는 방계의 기년복은 끊는데, 존(尊)이 같으면 복을 입는다고 하였다. 세자는 저군(儲君)인데 지금 주상과 왕후가 세자에게 복을 입는 것은 존이 같기 때문이라는 것이다.

이에 한원진은 계체의 중요성을 강조하며 윤봉구의 세자존동설(世子尊同說)을 비판하였다.[9] 한원진은 이른바 존동(尊同)이란 서로 군신

---

6) 『영조실록』, 5년 1월 23일(무진).
7) 『厚齋集』 권4, 「服制私議(己酉)」.
8) 『屛溪集』 권10, 答韓德昭(庚申).
9) 『南塘集』 권30, 「天子諸侯正統旁期服制說(戊申, 孝章世子服制議多不同, 與玉溪辨論說)」.

간이 되지 않는 것을 일컫는 것인데, 세자가 비록 존이 높더라도 여전히 신하의 입장인데 어떻게 존동이라 할 수 있겠냐고 반문하였다. 세자를 존동이라고 한다면 춘추대일통(春秋大一統)의 의리에 어긋난다는 것이다. 친속의 윤서(倫序)도 중요하지만 왕가에서는 계통으로 차례를 삼기 때문에, 누가 계승하던지 간에 거기에는 부자의 도리가 있다고 주장하였다. 삼년복을 입지 않는 것은 위로 정체가 아니기 때문이며, 기년복에서 강등하지 않는 것은 계통의 의리 때문이라는 것이다. 따라서 형제간에 계승해도 각각 일세(一世)가 되며 비록 친부일지라도 4대가 지나면 조천(祧遷)하는 법이라고 하였다. 이것이 바로 주자의 정론이라고 역설했다.

그 뒤 1730년(영조6) 경종의 계비(繼妃)인 선의왕후(宣懿王后)가 홍서했을 때의 복제 논의는 특별한 논란 없이 순조롭게 진행되었다. 그런데 1751년(영조27) 11월 14일에 영조의 장자부(長子婦)인 효순현빈이 홍서하고, 그 이듬해인 1752년(영조28) 3월 4일에는 사도세자의 적장자인 의소세손(懿昭世孫)이 홍서하는 등 불과 4개월 동안에 연이어 국상이 발생했다. 이 두 국상에서 영조와 대신들은 다시 복제논의로 심각하게 대립하였다.

영조는 효순현빈 국상의 복제를 무술년[10] 사례와 동일하게 대공복으로 할 것인지를 영의정 김재로(金在魯 1682~1759)에게 물었다. 이에 김재로는 대통(大統)을 이었으니 동일하게 적용해야 한다고 하였다. 판서 이익정(李益炡)이 소공복을 입어야 한다고 주장하였지만, 받아들여지지 않아 결국 대공복으로 결정되었다. 이때의 대공복은 국제에 따른 것이었다. 이렇게 하여 효순현빈 국상의 복제는 영조와 중궁은 대공복, 자전(慈殿)도 대공복, 동궁과 빈궁은 모두 소공복으로 최종 결정되었으며 특별히 이견은 없는 듯하였다.

그 이듬해인 1752년(영조28) 3월 14일에 영조의 장손인 의소세손이

10) 무술년 사례는 숙종44년(1718)에 왕세자빈 단의빈 심씨의 초상을 말한다. 이때 세종 조 때 현덕왕후가 빈궁의 자리에서 홍서했을 때 兩宮(왕과 왕비)이 대공복을 입은 사례를 적용하여 대공복을 입었으나, 나중에 다시 기년복으로 개정하였다.

겨우 3세의 나이로 홍서했다. 이때 영조는 의소세손의 복제가 상상(殤喪)이 아닌지 의심하였다. 그러자 영의정 김재로는 남자가 직첩을 받았으면 상(殤)이 될 수 없다고 하면서, 『의례』의 '적자(嫡子)가 있으면 적손(嫡孫)은 있을 수 없다'는 조목에 준거하여 대공복을 주장했다. 즉 천자제후벙통방기복도(天子諸侯正統旁期服圖)에 따르면, 적손일 경우는 기년복제가 되지만, 의소세손은 이미 그의 부친인 사도세자가 적자이기 때문에 적손이 될 수 없었다. 그러므로 대공복을 입은 것이다. 그리하여 의소세손의 복제에서는 영조와 중궁은 대공복, 대비전은 시마복, 세자와 빈궁은 기년복을 입는 것으로 결정되었다.

그런데 영조는 그해 7월 갑자기 효순현빈의 대공복을 기년복으로 개정할 것을 명하였다. 영조는 다음과 같이 하교하였다.

> 효순현빈(孝純賢嬪)과 의소세손(懿昭世孫)의 복제를 대왕대비전에 대해서는 '고(姑)가 있으면 하지 않는다'는 글을 적용했고, 나에 대해서는 '적자(嫡子)가 있으면 적손(嫡孫)은 없다'는 글을 적용했다. 이것은 비록 『의례』와 『가례』에 실려 있기는 하지만, 모두 방례(邦禮)는 아니다.[11]

또한 영조는 『국조오례의』에는 모두 기년복이라고 되어 있는데, 방례(邦禮)를 따라야 하는지 사례(私禮)를 따라야 하는지도 따져 물었다. 이에 김재로는 효순현빈의 상에 대전(大殿)과 중궁전의 복제는 『의례』에 따르면 대공이고 국제에 따르면 기년복인데, 효장세자의 상에 이미 기년복을 입었기 때문에 한 등급 낮추어 대공복으로 했다고 아뢰었다. 그리고 『의례』 천자제후정통방기복조(天子諸侯正統旁朞服條)의 조문[12]을 낱

---

11) 『영조실록』, 28년 7월 24일(임오).

12) 김재로는 『의례』의 조문을 다음과 같이 말했다. "천자 제후는 旁朞를 끊는다. 그러나 존귀함이 같으면 낮추지 않는다. 정통의 기복도 낮추지 않으나 衆子에 대해서는 끊고 服이 없다." 하였고, 또 이르기를, "'형제가 모두 제후가 되었을 경우 복은 不杖朞로 하며, 君은 姑·姉·妹의 딸로서 國君에게 시집간 사람을 위해 대공을 입는다.' 하였으니, 이것이 이른바 '존귀함이 같으면 낮추지 않는다.'는 것입니다. 그 아래에 高祖父·高祖母로부터 玄孫·玄孫婦에 이르기까지 두 줄로 나란히 써 놓았는데, 아들 아래에는 '長子는 斬衰', 며느리 아래에는 '嫡子일 경우 대공', 손자 아래에는 '嫡孫일 경우 齊衰

낱이 들어가며 효순현빈의 복제가 제왕가의 방례에 해당되는 것임을 증명했다. 또한 『의례』 「상복」편의 '적부대공장(嫡婦大功章)' 소(疏)에 따르면, "부모는 적장자를 위해 삼년복을 입는다."고 했는데, 지금은 적부를 위해 한 등급을 내리지 않고 기년복을 입는 것은, 본래 장자는 정체(正體)가 되기 때문에 삼년복을 입어 주어야 하지만, 며느리는 적자의 아내로서 정체의 의리가 없기 때문에 서부(庶婦)보다 한 등급을 더해 대공에 그친다고 했다. 그런데 당나라 때부터 며느리의 구고(舅姑)에 대한 복을 3년으로 하였기 때문에, 구고의 며느리를 위한 복도 기년복이 된 것이라고 하면서 이것은 사가의 예만 그런 것이 아니라 실지로는 상하에 모두 통용되는 예라고 하였다. 그러므로 김재로는 효장세자의 상에 영조가 이미 기년복을 입었으니, 효순현빈의 상에 대공복을 입는 것은 고례에 맞는 것으로 결코 사가의 예를 적용한 것이 아니라고 주장하였다.

또 김재로는 의소세손의 복제도 방례가 아니라고 한 것은 잘못이라고 지적하였다. '적자가 있으면 적손은 없으며 손부(孫婦)도 똑같다.'고 한 것은, 『의례』 전(傳)에 나오는 조문이고, 또 『의례』의 천자제후복도(天子諸侯服圖)에도 나와 있으니, 방례가 아니라고 할 수는 없다는 것이다. 따라서 김재로는 두 차례의 상에 지존인 영조의 복제가 있었던 것은, 바로 적통을 중요하게 여겼기 때문임을 강조하였다. 이어서 김재로는 이번 두 차례의 국상은 고례에 합치되고 효장세자의 국상에 대해 차등으로 낮춘다는 뜻에도 부합되기 때문에, 이를 『상례보편』에 실어 지난날의 오류를 씻는 것이 마땅하다고 주장했다.

그러자 영조는 "『경국대전』에서 적자 아래 부분에 만약에 고례에 의거해 삼년복을 적어 두었다면 지금의 효순현빈에 대해서는 기년복이 마땅하지 않느냐?"고 반문하였다. 또 영조는 적자의 기년복을 다시 삼년복으로 개정해야 전날의 오류를 씻을 것 같다고 하였다. 이는 효순현빈의 복을 기년복으로 개정하려고 하는 의도에서 한 말이었다. 이에 김재로는 군주의 몸은 부담을 진 것이 너무 무겁기 때문에 위로 대통

라고 쓰고는 註에 '嫡子가 있을 경우 嫡孫은 없다.' 하였으며, 孫婦 아래에는 '小功'이라 썼으니, 이것이 곧 帝王의 服圖로서 바로 邦禮가 되는 것입니다." 하였다. 『영조실록』, 28년 7월 24일(임오).

을 계승한 삼년복 외에, 아래로 전중(傳重)을 하는 복제는 삼년을 입을 수 없다고 주장했다. 그리고 이러한 사례는 역대에 행한 적도 없고 우리나라의 열조(列祖)도 행하지 않았다면서 반대 의사를 고집하였다.

그럼에도 영조는 이 제도를 복구할 것을 강하게 주장했다. 영조는 경자년(현종원년, 1660)에 3년으로 복구한 예를 제정한 것을 유념하기 위한 것이라고 하면서, 대신과 유신들에게 문의하도록 하였다. 당시 판부사(判府事) 유척기(兪拓基)・전지평(前持平) 김원행(金元行)・부호군(副護軍) 민우수(閔遇洙)・부사과(副司果) 송명흠(宋明欽)・전현감(前縣監) 이양원(李養源) 등은 모두 왕조의 예는 가볍게 헌의할 수 없다고 사양하였으나, 진선(進善) 윤봉구(尹鳳九)는 장자를 위해 삼년복을 입는 것은 주공(周公)이 경(經)에다 밝혔고 주자가 몸소 실천한 것이기는 하지만, 시왕(時王)의 제도는 장자와 중자(衆子)를 막론하고 모두 기년복으로 정했기 때문에, 이 문제는 경전과 선현의 말씀을 고증하여 자세히 살펴서 처리할 것을 아뢰었다.[13]

그러나 끝내 영조는 적부인 효순현빈의 복제를 기년복으로 결정지었다. 그 이유는 예경(禮經)에 실린 장자에 대한 삼년복제를 복구하고 하·은·주 삼대의 제도를 복구한다는 것이 공식적인 명분이었지만, 실은 숙종 때 단의빈의 상에 처음에는 대공복으로 정했다가 나중에 다시 기년복으로 개정한 시례를 본받겠다는 것이었다. 이는 바로 옛 제도를 복구하기 위한 것이었다. 뿐만 아니라 영조는 아직까지도 삼년상이 제대로 행해지지 않아 장자삼년복이 시행되지 않고 있으며, 또 장자를 위해 삼년복을 입지 않는 것은 전중(傳重)의 중요함을 알지 못하는 처사라고 비판하였다. 영조는 예조로 하여금 즉시 장자를 위해 삼년복제를 복구하도록 명하면서 다음과 같이 하교하였다.

> 장자부(長子婦)의 경우 고례(古禮)에 구고(舅姑)에 대해 기년복을 입었기 때문에 따라서 대공으로 하였으나, 당나라 이후 구고를 위해 삼년복을 입었기 때문에 장자부의 복도 기년으로 하였으니 이제 마땅히 이것을 따를 것이다. 편집청으로 하여금 『상례보편』에 싣게 하되, 시사복(視事服)、연거복(燕居服)

---

13) 『영조실록』, 28년 7월 24일(임오).

은 참작해서 규식을 정하도록 하라.[14]

영조의 이와 같은 하교에도 불구하고, 김재로는 『의례』의 '장자를 위해 참최복을 입는다'는 조목의, 가공언(賈公彦) 소(疏)에 있는 사종설(四種說)을 언급하며 적통으로만 서로 이어져야 참최복을 입을 수 있다는 주장을 폈다. 이 조문은 면재(勉齋) 황간(黃幹)이 주자의 뜻을 받들어 『속의례경전통해(續儀禮經傳通解)』를 편찬하면서 「상복전(喪服傳)」에 실었고, 김장생 역시도 『상례비요』에 수록하였다. 김재로는 지금 영조가 주장하는 장자복제 삼년설은 사종설을 고려하지 않고 모든 장자에게 참최복을 입어야 한다는 것이므로 논리가 성립되지 않는다고 보았다. 그렇지만 영조는 효순현빈(1751)과 의소세손(1752) 등 두 차례 상을 치르면서 자신의 주장을 끝까지 바꾸지 않았고, 이로 인해 결정된 내용들을 모두 『상례보편』에 기재하여 대신들과의 많은 논란들을 종식시키려 하였다.

1757년(영조33) 2월 15일에는 영조의 비인 정성왕후(貞聖王后)가 훙서했고, 또 그해 3월 26일에는 숙종의 계비인 인원왕후(仁元王后)가 훙서했다. 이 두 국상 때는 복제에 대한 논의가 특별히 제기되지는 않았다. 정성왕후 상에는 임금은 재최장기(齊衰杖朞), 왕세자도 재최장기, 왕세자빈은 재최기년(齊衰朞年), 대왕대비전은 재최기년으로 정해졌다. 여기서 주목할 것은 대왕대비의 복제가 기년복으로 제정된 점이다. 이는 그 전에 구고(舅姑)가 며느리에게 대공복을 입던 사례와는 차이가 있다. 효순현빈의 복제를 기년복으로 개정한 후에 영조의 하교로 『상례보편』에 장자복제를 3년으로 개정하여 명시했기 때문이다. 인원왕후의 상에도 임금은 재최삼년(齊衰三年), 왕세자와 세자빈은 모두 재최기년으로 결정되었다. 이때 영조는 정성왕후와 인원왕후의 상을 치르면서 보완한 내용을 토대로 최종본 『국조상례보편』을 완성하고 1758년에 비로소 간행하기에 이르렀다.

영조 대에 발생한 국상 복제를 연대에 따라 도표로 나타내면 표_21과 같다.

---

14) 『영조실록』, 28년 7월 24일(임오).

國喪일자	殿下	中宮	世子	世子嬪	王大妃	大王大妃	關係
孝章世子[1728, 영조4. 11월 16일]	齊衰期年	齊衰期年		斬衰三年	大功	緦麻	英祖長子
宣懿王后[1730, 영조6. 6월 29일]	齊衰三年	齊衰三年		齊衰朞年		齊衰朞年	景宗繼妃
孝純賢嬪[1751, 영조27. 11월 14일]	齊衰期年	齊衰期年	小功	小功		大功	孝章世子嬪
懿昭世孫[1752, 영조28. 3월 4일]	大功	大功	齊衰朞年	齊衰朞年		緦麻	思悼世子長子
貞聖王后[1757, 영조33. 2월15일]	齊衰杖朞		齊衰杖朞	齊衰朞年		齊衰朞年	英祖妃
仁元王后[1757, 영조33. 3월 26일]	齊衰三年		齊衰朞年	齊衰朞年			肅宗繼妃

표_21 <영조 대 국상 복제 도표>

지금까지 18세기에 발생한 국상의 복제와 관련된 논의의 추이를 살펴보았다. 단의빈 국상의 복제에서는 숙종의 모친이자 단의빈 시조모(媤祖母)인 명성왕후(明聖王后)의 복제를 기년복과 대공복 중에 어느 것을 선택할 것인가가 문제 되었는데, 박봉령을 비롯한 낙론의 대신들은 기년복을 주장하고, 호론의 권상하·한원진·이중협 등은 대공복을 주장함으로써 호론과 낙론학자들의 예설이 대립되었다가 숙종의 단안에 따라 기년복으로 확정되었다. 또한 효장세자의 국상에는 숙종의 계비 인원왕후와 왕대비인 경종의 계비 선의왕후의 복제가 문제로 대두되었는데, 계체(繼體)의 통서를 중시해야 한다는 이광좌와 정제두 등의 소론학자 입장과, 친속(親屬)의 칭호를 중시해야 한다는 김간·박필주·윤봉구 등 노론학자들의 입장이 대립하다가, 영조의 단안에 따라 소론학자의 예설이 채택되었다. 또한 영조의 장자부인 효순현빈의 국상에서는 당초 단의빈의 복제 전례에 따라 대공복으로 결정되었다가, 영조의 주장에 의하여 기년복으로 개정하여 시행하였다.

이러한 영조의 복제 개정은 왕통승계의 정당성을 확보하여 자신의 정통성을 입증하기 위한 것이었기에, 기호 예학가들의 이어진 반대 견해는 결국 관철되지 못하였다.

숙종 말년부터 영조 즉위 이후에 이어진 수차례의 국상에서[15] 제기된 복제 논의는 학파마다 주장하는 견해가 대립한 데다 왕권의 권위를 의식한 국왕의 입장이 개입되어 매우 복잡한 양상을 보여 주었다. 영조는 이러한 문제들에 대해 왕권의 권위를 내세워 해결하려 하였는데, 그것이 바로 『국조상례보편』의 편찬이었다.

영조는 『국조상례보편』의 편찬을 통해 그동안 논란이 되었던 국상의 복제 기준을 정립하고, 숙종-경종-영조 자신에게로 이어지는 왕위계승의 정통성과 권위를 확립하고자 하였다.[16] 17세기 중반 기해복제 논쟁 이후 지속되어 온 국상의 장자복제 논란은 『국조상례보편』에 명시됨으로써 이제 공식적으로는 완전하게 정리된 셈이었다.

18세기 전반기에 국상 복제와 관련하여 일어난 국가전례 문제의 논의에서 특별히 주목할 것은 호론학자와 낙론 학자 간의 예설 대립이다. 이러한 대립은 본래 17세기 기해복제 논쟁에서 제기된 우암 송시열의 예설을 해석하는 두 학파 간의 입장 차이에서 비롯한다. 이러한 예설 해석의 입장 차이는 세대를 교체하면서 계속 이어졌다.

당초 권상하는 적부복(嫡婦服)과 관련하여 천자와 제후가 장자에게 기년복이 정복이기는 하지만, 삼세전중자(三世傳重者)에게는 참최복을 입는 경우가 있다고 주장했다. 즉 다 같은 장자라도 삼세전중의 여부에 따라 기년과 삼년으로 복이 나누어지는데, 기년복은 정복이고 삼년

---

15) 1724년(영조즉위년)에는 경종의 국상을 치렀고, 1728년(영조4, 11월 16일)에는 영조의 첫째 아들이던 孝章世子(眞宗 추존)의 상을 겪었고, 2년 뒤 1730년(영조6, 6월 29일)에 는 경종의 계비인 宣懿王后의 국상을 치렀고, 1751년(영조27, 11월 14일)에는 효장세자 빈인 孝純賢嬪의 상을 겪었고, 그 이듬해인 1752년(영조28, 3월 4일)에는 사도세자의 장자인 懿昭世孫의 상을 당했고, 1757년(영조33, 2월 15일)에는 영조의 왕비인 仁聖王后의 상을 당했고, 1757년(영조33, 3월 26일)에는 숙종의 계비인 仁元王后의 상을 치렀다.

16) 안희재, 「조선시대 국왕의례 연구-국왕 국장을 중심으로-」, 국민대 박사학위논문, 2010. 199쪽.

복은 가복(加服)이라고 주장했다. 이는 송시열의 '적적상승(適適相承)'[17] 설을 계승한 것으로 기해복제 논쟁과도 밀접하게 관련되어 있다. 일찍이 송시열은 장자복제에 있어서 적적상승과 관련한 예설 2편[18]을 저술한 적이 있다. 이후 기호학파 내에서는 송시열의 예설 2편중에 어느 설을 정론으로 볼 것인가를 두고 몇 차례 논의[19]가 있었다.

권상하가 주장한 천자 제후의 장자복제설은 '삼강설(三綱說)'에 근본하고 있었다. 수암 권상하의 학설을 계승한 호론학자 성담(性潭) 송환기(宋煥箕 1728~1807)는 권상하의 복제설을 다음과 같이 논평했다.

> 수옹(遂翁)이 일찍이 "참최는 지극히 무거운 복제이니, 단지 삼강(三綱)의 복제라고만 할 수 있다. 군주는 신하의 벼리가 되기 때문에 신하는 군주를 위해 참최복을 입고, 아버지는 아들의 벼리가 되기 때문에 아들은 아버지를 위해 참최복을 입고, 남편은 아내의 벼리가 되기 때문에 아내는 남편을 위해 참최복을 입지만, 남편의 아버지에게는 참최복이 없다."고 하였으니, 이는 실제 『의례』의 경문(經文)에 근거한 것으로 정대하고 명백한 설이라고 할 수 있다.[20]

권상하는 우암 송시열의 적전(嫡傳)으로 불린다. 그는 천자와 제후가 참최복을 입는 이유는 벼리[綱] 때문이라고 하면서, 군주·아버지·남편 즉 삼강에 해당하는 관계에서만 입는 것이라고 정의하였다. 송환기는 권상하의 예설이 『의례』의 경문에 근거한 것임을 강조하면서 분명한 정설로 규정했다.

권상하의 이와 같은 복제설은 그의 적전을 계승했다고 알려진 남

---

17) 『宋子大全』 권113, 「答朴士元(光一庚申正月十二日)」.

18) 『송자대전』 권113, 「答朴士元(光一庚申正月十二日)」와 『송자대전』 권116, 「答朴受汝(重繪) 乙丑十二月」.

19) 『艮齋集前編』 권6, 「答金駿榮(丙午○問性潭集所載尤菴論長子服制, 二說不同)」.

20) 『性潭集』 권12, 「南塘禮說講義(癸亥)」. "遂翁嘗言斬衰至重之制, 只可爲三綱之服也, 君爲臣之綱, 故臣爲君斬, 父爲子之綱, 故子爲父斬, 夫爲妻之綱, 故妻爲夫斬, 而於夫之父則無斬, 此實據儀禮經文而爲正大明白之說也."

당 한원진이 이어 받았다. 한원진은 1728년에 '천자제후절방기(天子諸侯絶旁期)', '존동즉불강(尊同則不降)', '정통지기불강(正統之期不降)'[21] 등과 같은 설을 제출했다. 뿐만 아니라 한원진은 1740년(영조16)에 천자와 제후는 장자의 복제를 기년복으로 해야 한다는 설을 발표하였다. 이 예설은 처음에 그의 동문인 정좌와(靜坐窩) 심조(沈潮 1694~1756)에게 장문의 편지를 보내 자신의 견해를 주장하면서부터 시작되었다. 한원진의 주장을 살펴보면 다음과 같다.

> 천자와 제후가 장자를 위해 참최복을 입는다는 것은 황간(黃榦)과 양복(楊復)의 2개 도(圖)에 모두 나타나 있는데, 『가례원류(家禮源流)』의 도에만 오직 나타나 있지 않으니, 어쩌면 황간과 양복의 도설이 잘못되었다고 여겨 나타내지 않은 것인가? 나는 이것에 대해 일찍이 의심하였지만 감히 말하지 못하였다.[22]

한원진은 이미 오래전부터 천자와 제후가 장자에게 참최복을 입는다는 말에 대해 의심을 품었다. 그는 황간과 양복의 『의례도(儀禮圖)』에 천자와 제후가 장자를 위해 참최복을 입는다는 조문이 있음에도 불구하고, 왜 시남(市南) 유계(兪棨 1607~1664)의 『가례원류』에는 이에 대한 언급이 없는가를 의심하였다.

한원진은 이에 대해 천자와 국군(國君)은 지존이므로 자신보다 낮은 자에게는 복을 입을 수 없다는 것을 가장 큰 이유로 들었다. 그러므로 천자와 제후는 자기보다 높은 자와 존귀함이 동등한 자에게만 복을 입고, 그 나머지에게는 복을 입지 않는다고 했다. 즉 천자와 제후가 참최복을 입어야 할 대상은 오직 아버지와 군주뿐이라는 것이다. 따라서 장자는 군주가 높여야 할 대상도 아니고, 아버지가 높여야 할 대상도 아니라고 주장했다.[23]

---

21) 『南塘集』 권30, 「天子諸侯正統旁期服制說(戊申)」.

22) 『南塘集拾遺』 권3, 「答沈信夫(庚申六月)」. "天子諸侯爲長子斬, 黃楊二圖皆著之, 源流之圖獨不著, 豈其以黃楊圖說爲非而不著之耶? 愚於此亦嘗疑之而不敢言."

23) 『南塘集拾遺』 권3, 「答沈信夫(庚申六月)」. "父尊於己故斬, 君尊於己故

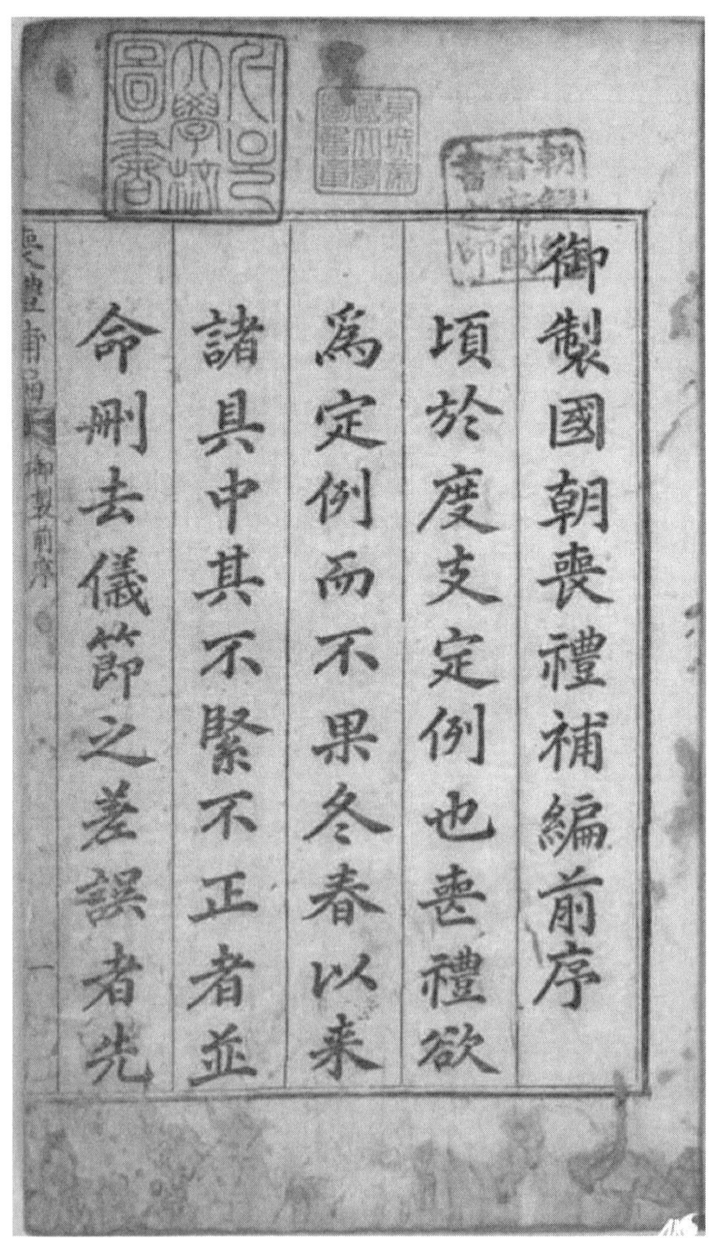
御製國朝喪禮補編前序
頃於度支定例也喪禮欲
爲定例而不果冬春以來
諸具中其不緊不正者並
命刪去儀節之差誤者先

사진_21 <국조상례보편> 출처: 한중연

그러나 대부(大夫)와 사서(士庶)는 이와 달리 장자를 위해 참최복을 입을 수 있다고 했다. 그것은 대부와 사서의 장자는 비록 전중(傳重)을 받지 못한 채 죽더라도 사당에 들어갈 수 있고, 또 그를 위해 후사를 세워주어 전중의 통이 끊어지지 않기 때문이다. 그러나 천자와 제후의 장자는 보위에 서지 못하고 죽으면 종묘에도 들어갈 수도 없고 전중의 통도 끊어지기 때문에, 단지 장자라는 이유만으로는 참최복을 입어 줄 수는 없다[24]는 것이 그의 핵심 논리였다.

한원진의 천자 제후의 장자복제설은 실제 권상하의 삼강참최설(三綱斬衰說)에 근거하고 있다. 이 설이 학계에 알려지자 낙론학자인 녹문(鹿門) 임성주(任聖周 1711~1788)는 한원진의 설을 비판하고 나섰다.

임성주는 한원진의 논리는 오히려 송시열의 예론과 배치될 뿐만 아니라, 남인학자들에게 빌미만 제공한 꼴이 되었다고 강하게 비판하였다. 임성주는 가공언의 사종설을 근거로 자신의 주장을 뒷받침하였다.

> 소가(疏家)의 사종설(四種說)이 비록 반드시 경문의 뜻을 깨달았는지는 알 수 없으나, 또한 반드시 경문의 뜻을 깨닫지 못한 줄을 어찌 알겠는가? 하물며 우옹(尤翁)의 팔대군(八大君) 불이참(不貳斬)의 설도 마침내 큰 의안(疑案)이 되어 말이 통하지 않았으니, 면재(勉齋)가 사종설을 상복도식(喪服圖式)에 채록하여 넣은 것이 어찌 보는 바가 없어서 그런 것이겠는가?[25]

임성주는 사종설을 황간이 상복도식에 채록하여 둔 것은 본 바가

斬, 天子國君之所爲斬, 惟此二者而已矣. 長子非君之尊, 又非父之尊, 則何爲而斬也?"

24) 『南塘集拾遺』 권3, 「答沈信夫(庚申六月)」. "大夫士庶爲長子加隆, 雖未及傳重死而入廟, 又爲之立後, 則未嘗絶於傳重之統故也. 天子諸侯之長子, 生而不得立, 死而不得入廟者, 是固絶於傳重之統矣, 又何爲而加隆哉.[不爲其傳統, 只爲其長子而斬, 則庶子亦可爲長子斬矣]"

25) 『鹿門集』 권20, 「韓南塘(元震)禮說辨」. "疏家四種之說, 雖未知其必得經文之意, 亦何以知其必不得經文之意乎? 況尤翁八大君不貳斬之說, 終是大疑案, 無說可通, 則勉齋之以四種說採入於喪服圖式者, 夫豈無所見而然哉?"

있어서 그런 것이라고 주장하였다. 즉 사종설의 입장에서 판단하면 서손(庶孫)이나 서자(庶子)로서 전중을 받은 경우는 삼년복이 아니라 기년복에 해당된다. 그럼에도 한원진은 '무상무가(無上無加)[26]' 네 글자를 내세워 적적상승(嫡嫡相承)과 방지승통(旁支承統) 모두에게 똑같이 기년복을 입어야 한다고 주장하니, 이는 글 뜻을 억지로 분석하고 판단한 것이라고 강하게 비판하였다.

그러나 한원진은 처음부터 황간과 양복의 상복도설에 천자와 제후는 장자를 위해 참최복을 입는다고 한 것은 잘못된 것이라고 의심하였고, 오히려 이 내용을 싣지 않은 유계의 『가례원류』가 더 타당성이 있다고 보았다. 이로 인해 적적상승과 방지승통 모두에게 기년복을 입어야 한다고 주장한 것이다. 반면 임성주는 가공언의 설을 황간이 채택한 것은 그럴 만한 이유가 있다고 하면서, 한원진의 '무상무가(無上無加)' 네 글자 때문에, "비록 차자라도 보위에 오르면 지존이 되니 무조건 삼년복을 입어야 한다."고 주장하는 이들에게 오히려 구실만 제공한 결과를 초래했다고 비판하였다.

이에 송환기는 녹문 임성주의 비판을 다시 비판하여, 한원진의 이 설은 『의례』의 '중적(重嫡)' 의리에 근거한 것으로 그 논설이 매우 자세하다고 옹호했다. 이 예설이 혹자는 송시열의 설과 다르다고 하지만, 절대 그렇지 않다고 반박하기도 하였다. 송환기는 송시열이 기해복제를 논할 때 비록 소가(疏家)의 설과 대명률(大明律)에 근거하여 결정했지만, 『의례경전』의 뜻에 저절로 합치되었다[27]고 주장했다. 그는 권상하가 단의빈복제에 대공복으로 헌의(獻議)[28]한 것 역시 『의례』의 조문에 근거한

---

26) 한원진은 "천자와 國君은 지존이기 때문에 위가 없고 나라를 전수받아 統을 계승한 것은 지극히 중요하기 때문에 더할 것이 없다[天子國君至尊也, 至尊無上也. 傳國承統至重也, 至重無加也. 無上無加之同則服亦無不同也]"고 하였다. 『南塘集拾遺』 권3, 「答沈信夫(庚申六月)」.

27) 『性潭集』 권12, 「南塘禮說講義(癸亥)」. "己亥服制, 尤翁之前後所論, 雖據疏家說及大明律, 而自合乎儀禮經旨矣."

28) 1718년에 경종의 부인인 沈氏(端懿嬪)가 죽자, 조정에서 숙종이 며느리의 복을 어떤 복으로 입어야 할지를 권상하에게 물었다. 이때 권상하는 「端懿嬪喪大殿朞大功當否議(十 月)」의 글을 헌의하면서 "천자와 제후는 旁朞는 끊고 오직 正統만 복을 입으니, 대개 자식에게는 기년복, 子婦에게 대공복

것이었다고 변론하면서, 한원진의 논설은 송시열과 권상하의 설에 조금도 어긋남이 없음[29]을 강조하였다.

송환기는 "장자를 위해 참최복을 입는 것이 상하에 통한다."고 한 것은, 부장기장(不杖期章) 자하전(子夏傳)[30]에 근거한 것이지만, 주공 이래로 역대의 제왕들이 실제 한 번도 행한 적이 없으니, 참최의 제도는 결국 삼강 밖을 벗어나지 않는다고 주장하였다.

> 송나라 효종(孝宗)이 처음으로 삼년의 제도를 행하여 장문태자(莊文太子)의 상에 기년복을 입었고, 명나라 태조가 의문태자(懿文太子)를 위해 또한 기년복을 입었으며, 우리나라의 세조·명종·인조에 이르러서도 모두 기년복의 제도를 행하였다.[31]

송환기는 위의 인용문에 근거하여 한원진이 논한 장자복제 기년설은 백세를 기다려도 의혹되지 않는다고 하면서 그의 설을 적극 지지하였다. 그는 한원진이 자하의 전(傳)을 잘못된 것으로 의심한 것도 주자의 말과 부합된다[32]고 하면서, 한원진의 설이 결코 주자의 학문에 어긋나지 않는다고 옹호하였다. 또한 한원진의 장자복제설은 송시열이 기해복제 때 기년설을 주장한 것과도 저절로 합치되어, 삼년설을 주장한 자들의 오류[33]

이 정복입니다[天子諸侯絶旁朞, 唯正統有服, 蓋於子 朞於子婦大功, 是正服也.]."고 아뢰었다. 『寒水齋集』 권3.

29) 『性潭集』 권12, 「南塘禮說講義(癸亥)」. "己亥服制, 尤翁之前後所論, 雖據疏家說及大明律, 而自合乎儀禮經旨矣. 遂翁之於端懿嬪服制, 以大功獻議者, 亦據儀禮之文矣. 塘翁之論, 實無所參差於尤遂兩賢之說, 其傳授之的, 於此亦可見也."

30) 『의례』 「喪服」, 不杖朞章. "爲君之父母, 妻, 長子, 祖父母. 傳, 何以期也? 從服也. 父母, 長子, 君, 服斬."

31) 『性潭集』 권12, 「南塘禮說講義(癸亥)」. "宋孝宗始能行三年之制, 而於莊文太子之喪則服朞, 皇明太祖服懿文太子亦以朞, 至我世祖明宗仁祖朝, 皆行朞服之制."

32) 『性潭集』 권12, 「南塘禮說講義(癸亥)」. "大抵塘翁之說, 直是據經旨, 而疑其傳義或有錯解, 如朱子所云耳."

33) 『性潭集』 권12, 「南塘禮說講義(癸亥)」. "然則尤翁之於己亥服制, 其所主朞者, 不害爲自契經旨, 而尤可見彼之主三年說爲大悖也."

가 더욱 분명해진다고 역설하였다.

이처럼 숙종 말년과 영조 조에 결쳐 조정에서 논의된 국상의 복제 문제는, 17세기 예송논쟁에서 불거진 장자복제와 긴밀한 관계를 가지고 있었다. 기호 예학가들은 우암 송시열이 제기한 적장자 복제의 제한적 관점을 고수하려는 입장을 견지하면서도, 그 해석에 있어서는 학파에 따라 다른 견해를 피력하였다. 그런데 숙종과 영조 등 역대 국왕들은 왕통의 권위를 세우기 위해 장자복제를 강화하려는 입장을 강경하게 주장했기 때문에, 복제 논의 과정에서 기호 예학가들의 끈질긴 주장은 그들의 뜻대로 관철되지 못하였다. 반면 국왕의 의도는 『국조상례보편』에 반영 수록됨으로써 17세기 예송논쟁 이래 지속되어 온 왕실복제의 논의는 일단락을 보였다.

2. 국상의절(國喪儀節) 개정

조선왕조는 태종 때부터 관혼상제의 의식 규범을 정리하는 작업에 착수하여, 1474년(성종5)에 국가의 공식 예전(禮典)으로 『국조오례의(國朝五禮儀)』를 간행하였다. 이로 인하여 조정과 왕실의 각종 전례 규범이 정립되었지만, 유독 상례 부분은 사례(四禮) 가운데 가장 복잡하고 변례(變禮)가 많아 오랫동안 많은 논란을 일으켰다.

영조 대에 와서는 『국조오례의』가 완성된 지 280여 년이 되어, 그동안 인혁(因革)한 부분들이 많았기 때문에, 영조는 그간의 국상 의전에서 미비한 부분들을 정립하려는 뜻을 가졌다. 때마침 영조 대에는 1751년(신미, 영조27)에 효순현빈(孝純賢嬪)의 상과 1752년(임신, 영조28) 의소세손(懿昭世孫)의 상을 당하면서 대·소상(大·小喪)의 전후 의궤를 가져다 열람하고, 그 득실과 손익을 살피어 개정하는 작업에 착수하였다.

영조는 이 과정에서 문제가 되는 의절들을 신하들에게 하문하여 대안을 마련하게 하고, 또한 자신의 예학적 견해를 첨가하여 검토한 뒤에 확정된 사안을 한 조목씩 기재하게 하였다. 이것을 토대로 『국조상례보편』을 편찬하게 하였다. 이 과정에서 『국조오례의(國朝五禮儀)』·

사진_22 <고종의 국상 인산 행렬> 출전: 한중연

『속오례의(續五禮儀)』·『의궤(儀軌)』·『등록(謄錄)』·『의례경전통해(儀禮經傳通解)』·『서의(書儀)』·『가례(家禮)』·『상례비요(喪禮備要)』·「고금상례이동의(古今喪禮異同議)」 등과 같은 예서들을 많이 참고 하였는데, 이 가운데 김장생의 『상례비요』와 김집의 「고금상례이동의」 등은 기호학자의 저술이다.

「고금상례이동의」는 인조의 국상 때 신독재 김집이 효종의 자문에 답변하여 올린 글이다. 이 글의 내용은 『의례경전통해(儀禮經傳通解)』·『주례(周禮)』·『춘추좌전(春秋左傳)』·『통전(通典)』·『가례(家禮)』·『가례의절(家禮儀節)』 등에 언급된 고례의 전거들을 활용하여, 『국조오례의』의 미비점을 지적하고 한편 그를 보완할 방법을 제시한 것이다. 「고금상례이동의」는 모두 60조항의 국상에 관한 의절을 수록하고 있는데, 이들 조항 중에 『국조상례보편』에서 채택한 것은 대략 10여 조항이다.[34] 이 10여 조항 중에는 의절의 절차 순서를 개정한 것과 시사전(始死奠)·설치(楔齒)·철족(綴足)·구환질(具環絰)·진조조전(陳朝祖奠) 등 『국조오례의』에 수록되지 않은 조항이 포

---

34) 初終·始死奠·戒臣民·楔齒綴足·襲飯含·具環絰·陳朝祖奠·作主·虞 등 10조항이다.

함되어 있으니, 김집의 「고금상례이동의」가 『상례보편』의 편찬에 적잖은 영향을 끼쳤음을 알 수 있다. 그중 복후전(復後奠: 始死奠)과 조조의(朝祖儀)는 영조의 특교(特教)에 의해 『상례보편』에 수록된 것인데, 조조례(朝祖禮)를 국상의 정식 의절로 정립하는 과정에서는 영조와 기호학자들 사이에 누차 견해 대립이 있었다.

복후전의 문제는 17세기 인조 때 이미 제기된 바 있었다. 복후전은 초혼 뒤에 바로 전(奠)을 올리는 절차이다. 이는 망자에게 처음 음식을 올리는 '시사전(始死奠)'인데 『국조오례의』에는 습(襲) 절차 뒤에 행하는 것으로 되어 있었다. 김집은 「고금상례이동의」에서 시사전의 절차는 "사람이 죽으면 혼기가 흩어져 버리기 때문에 곧바로 전을 베풀어 이에 의지하게 하는"[35] 의도에서 마련된 것이라고 해석하고, 고례(古禮)에 따라 초혼한 뒤에 전을 진설하였다가 소렴 뒤에는 철수해야 한다고 주장했다.

당시에 김집의 이와 같은 헌의가 올라오자, 예조에서는 '시사전'이 「사상례(士喪禮)」에 실려 있지만 『가례』에서는 수용하지 않았다는 점을 들어 김집의 의견에 대하여 반론을 제기하였다. 예조는 『가례』에서 수용하지 않은 이유가 초상에는 슬픔이 우선하여 예를 차릴 경황이 없기 때문이라고 한 공자의 말[36]을 근거로 김집의 의견에 반대하여, 초상을 당하면 벽용(擗踊)하는 가운데서는 포(脯)와 해(醢)의 전을 차려 놓지 않아도 상례의 도리에 크게 어긋나지 않는다고 보았다.[37] 시사전의 조문은 『가례』뿐 아니라 『상례비요』에서도 언급하지 않았다.

그런데 18세기 기호학자들 중에는 반드시 다시 시사전을 설치해야 한다고 주장하는 이들이 있었다. 미호(渼湖) 김원행(金元行)은 죽은 직후에 전을 올리지 않으면 귀신이 의지할 곳이 없게 된다고 하면서 절대로 빠뜨려서는 안 된다고 하였고,[38] 삼산재(三山齋) 김이안(金履安)은 증자(曾

35) 『愼獨齋遺稿』 권13, 「古今喪禮異同議」, 「始死奠」. "蓋人死魂氣飄散, 故卽設奠以憑依之, 人子之情當然也."

36) 『논어』 「八佾」. "林放, 問禮之本, 子曰 大哉問, 禮, 與其奢也, 寧儉, 喪, 與其易也, 寧戚."

37) 『효종실록』, 즉위년 6월 24일(임자).

38) 『渼湖集』 권11, 「答柳知養」. "始死, 奠决不可闕, 人家或有累日不能襲者, 累日之間, 使鬼神無所憑依, 豈孝子之所可忍乎."

子)의 '시사전은 여각이다[始死之奠, 其餘閣也]'는 말을 인용하면서, 『가례』에서 '목욕' 뒤에다 전(奠)을 옮겨 둔 것은 『서의』의 구습을 인습한 결과라고 안타까워했다.[39]

영조는 김집이 주장했던 '시사전'을 『국조상례보편』에서 '복(復)' 절차 뒤에 행하도록 배치하였고, 수교(受敎)에서도 김집의 설을 따랐음을 분명하게 밝혔다. 이로 보면 김집이 주장한 예설이 국가전례의 한 절차를 규정하는 데 일정한 영향을 주었다고 볼 수 있다. 그러나 김집이 소렴 전에 철수하는 것으로 제안했던 부분에 대해서는 수용하지 않고 '습' 뒤에 '습후전(襲後奠)'을 진설하면서 철수하는 것으로 일부 조정하여 반영하였다.

조조전(朝祖奠)의 절차도 역시 당초 17세기 김집이 이미 시행을 주장하였던 절차이다. 조조전은 고례에 따르면 발인하기 전에 망자가 종묘에 하직인사를 드리는 것을 형상화한 것이다. 그런데 이 절차가 『국조오례의』에는 수록되어 있지 않았다. 김집은 이 의절이 "상여가 떠날 때 조묘(祖廟)를 뵙게 하는 것은 죽은 이의 효심을 반영하는 것[40]으로, 집을 떠나는 것이 슬픈 일이기에 조고(祖考)의 사당에 들렀다가 떠난다는 상징적 의미가 있다."고 설명했다. 김집은 『국조오례의』에 빠진 이 의절을 보완해야 한다고 주장했다.

그러나 당시 이경석(李景奭)은 조조(朝祖)에 대한 고례의 규정이 일정하지 않고, 또 조조를 행하고자 하면 지금 종묘의 구조상 발인 전날에 행해야 되고, 더구나 종묘의 담장을 헐고 들어가야 해서 고례의 가옥 구조와 맞지 않기 때문에 시행하기 어렵다고 주장하였다. 따라서 『국조오례의』의 규정대로 빈전에 조전(朝奠)을 올리는 것으로도 충분하다고 건의하였다. 예조와 여러 대신들의 의견도 너무 오랫동안 행해지지 않았다는 점에서 시행하지 않아도 무방하다는 쪽이 압도적이었다. 이처럼 김상헌(金尚憲)과 정태화(鄭太和) 등 당시 조정 관료들

---

39) 『三山齋集』 권6, 「答金翼顯」. "始死之有奠, 所以憑依乎神. 曾子曰始死之奠, 其餘閣也歟. 此見聖人用意深微, 有不容暫緩者, 而家禮移之於沐浴之後, 蓋仍書儀之舊, 而終有所悵然者."

40) 『愼獨齋遺稿』 권30, 「古今喪禮異同議」, 「陳朝祖奠」. "臣按, 禮曰喪之朝也, 順死者之孝心也."

이 대체로 시행을 곤란하게 여겼기에, 효종 역시 이들의 의견에 따라 시행하지 않았다.[41] 즉 효종 당시 조조례는 그 시행 문제가 어느 정도는 논의되었지만, 여러 대신들이 모두 시행하기 어렵게 여김으로써 결국 시행되지 않았던 것이다.

그런데 18세기 영조 대에 들어서 조정에서 조조례 시행 문제가 다시 대두되었다. 영조는 조조례를 행하려는 의지가 매우 확고하였다. 일찍이 영조는 정성왕후상(貞聖王后喪, 영조33)과 인원왕후상(仁元王后喪, 영조33)을 연이어 치르면서 유신(儒臣)들을 여차(廬次)로 불러 『주례』를 강하기도 하였고,[42] 『주례』의 서문을 직접 지어 교리 윤득양(尹得養)에게 책으로 간행하라고[43] 명하는 등, 예학 강론과 예서 편찬에 깊은 관심을 보였다. 이처럼 예학에 깊은 조예를 가진 영조는 "조조례는 예의 대절(大節)일 뿐 아니라, 선정(先正: 김집)이 이미 마땅히 행해야 한다 하였고, 황조(皇朝)에서도 이미 행한 사례가 있으니 제도를 마련해 보라."고 엄히 하교하였다.

이에 홍계희(洪啓禧)와 조현명(趙顯命)은 명나라에서 행한 사례가 있으니 '신백(神帛)'으로 대행하면 가능하다고 하나의 대안을 아뢰었다. 이에 영조는 삼년상의 제도가 이미 복고(復古)되어 크게 갖추어졌지만, 오직 부제(祔祭)와 조조(朝祖) 두 절목만이 갖추어지지 않았는데, 비록 부제는 지금 형편상 의논할 수 없지만 조조는 마땅히 갖추어야 할 의절이라고 하면서, 『대명회전(大明會典)』에 있는 방식을 준용하려 하였다.

그러자 영중추부사 김재로(金在魯)는 조조례 한 절목은 『고금상례이동의』·『대명회전』·『가례의절』 등에 근거한 것인데, 모두 혼백(魂帛)으로 대신하는 방식을 사용하기에 부당하다고 주장하였다. 그 이유는 혼백으로만 조조하고 널[柩]이 가지 않으면, 이는 나중에 산릉(山陵)에서 돌아오는 혼백만이 잠시 나가서 하직하고, 영원히 흙으로 돌아가는 널은 전혀 하직인사를 하지 못하게 되기 때문이다. 그러므로 조조를 행

41) 이봉규, 「상례 쟁점을 통해 본 『국조상례보편』의 지향-「고금상례이동의」와 『국조상례보 편』의 관련 양상을 중심으로-」, 『동양철학』36, 2011, 101쪽 참고.

42) 『영조실록』, 33년 10월 5일(갑자), 10월 6일(을축), 10월 9일(무진).

43) 『영조실록』, 33년 10월 6일(을축).

하고자 하면, 반드시 재궁(梓宮)을 받들어서 해야 하며 또 이어서 묘정(廟廷)에서 조전(朝奠)을 설행하고 그대로 출발하는 것을 일체 고례와 같이 한 뒤라야 가능하고, 만약 재궁으로 조조를 하지 않고 또 조조 뒤에 묘정에서 조전을 설행할 수 없다면, 옛날의 전례(前例)를 따라 조조를 행하지 않는 편이 더 낫다고 하였다.[44]

판중추부사 유척기(兪拓基)는 효종 때 김집이 「고금상례이동의」에서 조조례를 강정(講定)하여 행하기를 청했지만 실행되지 못했다고 하면서, 고제(古制)의 종묘제도와 우리 종묘제도의 다른 점을 들어 역시 부당하다고 주장했다. 고제의 종묘는 왕궁의 왼쪽 담장 안에 있어서 출입할 때 궁문을 경유하게 되어 있고, 명나라의 종묘도 궁 안에 있어서 조조례를 행하는 데 문제가 안 되지만, 아조(我朝)의 태묘는 궐문 밖에 있어서 고제 및 명나라의 제도와 같지 않다고 하였다. 결국 조조례를 행할 수 있는 궁궐 구조가 아니기 때문에 행할 수 없다는 결론이었다.

좌의정 김상로(金尙魯)도 역시 조조례가 상례의 대절(大節)이기는 하나 조종조(祖宗朝) 이래로 300년 동안 한 번도 논의된 적이 없으며, 태묘에서 예를 행하는 것은 구애되는 바가 있다는 이유를 들어서 반대하였다.

그러나 우의정 신만(申晩)은 조조례를 『오례의』에는 마련하지 않았지만 상례의 중요한 절차이니만큼 행하는 것이 타당하다고 하였다. 그는 명나라에서 행한 사례가 있고 구준의 『가례의절』에도 혼백으로 대신한다는 조문이 있으니, 비록 예에 완벽하게 합치되지는 않지만 행하지 않는 것보다 낫다고 하였다. 전현감(前縣監) 이양원(李養源)도 마찬가지로 구준의 『가례의절』에 근거하여 행하는 것이 마땅하다고 주장하였다.

이에 영조는 더욱 조조례 시행에 대한 자신의 확고한 입장을 표명하여, "부제(祔祭)는 사당 제도가 옛날과 달라 구애되는 바가 있어 행하기 어렵지만, 조조례는 이미 『대명회전』에 수록되어 있고 구준의 『가례의절]에도 있다. 또 신백으로 조조하는 것은 명나라 문황제(文皇帝)의 대휼(大恤) 때 이미 행한 예이고 구준이 창안한 의논은 아니다. 그

---

44) 『국역 국조상례보편』, 447쪽.

리고 신백은 하직하는 것이 아니라 재궁의 일을 대신 행하는 것이니 혐의를 둘 필요가 없다."[45]고 하였다. 영조는 조조례가 『대명회전』에 실려 있고 명나라 문황제의 국상에 사용했다는 사실을 중요한 근거로 제시하면서, 다음과 같이 조조례 시행의 방안을 주장하였다.

> 발인(發靷) 하루 전에 재궁(梓宮)을 받들고 외전(外殿)으로 나아가 신백(神帛)을 받들어 조조례를 행한 뒤에 돌아와 같은 전(殿)에 봉안하고 조전(祖奠)을 행한다면, 정례(情禮)에 유감이 없을 뿐만 아니라 '나아감만 있고 물러남이 없다[有進無退]'는 뜻에도 어긋나지 않을 것이다.[46]

이처럼 영조는 많은 대신들이 조조례 행하는 것을 강하게 반대하였지만, 특교로 조조례를 『국조상례보편』에 실어 국상 의절의 하나로 정식화하였다. 영조의 강한 의지에 의해 마련된 조조례는 『국조상례보편』에 기재되어, 이로써 국상의절의 한 절차로서 일정한 위치를 갖게 되는 듯했다.

그렇지만 영조의 국상(1776)에 정조가 또다시 조조례의 부당함을 제기하면서, 조조례의 시행은 재차 벽에 부딪혔다. 정조는 즉위년(1776)에 영조의 국상 중에 조조례 시행의 문제점을 지적하면서 대신들에게 의논하라고 하였다.

정조는 『국조상례보편』에 수록된 조조례 절차는, 발인하기 하루 전에 혼백상자로 태묘에 조조의 예를 거행하고 곧바로 빈전(殯殿)에 다시 봉안했다가 이튿날 새벽에 비로소 재궁을 받들고 산릉으로 나간다는 것이, 선대왕(先大王: 영조)의 한없는 효심의 발로로 의리에 의해 일으켜 놓은 절차이기는 하지만, 상례의 가장 중요한 '유진무퇴(有進無退)'의 의리에는 맞지 않는다고 지적하였다.[47] 즉 이 의절대로 하면 유진무퇴의 뜻과는 많은 차이가 있고, 또 '혼이 실당으로 돌아온다[魂返室堂]'이라는 문구에 비추어 볼 때도 현격한 차이가 있다고 주장하였다.

45) 『국역 국조상례보편』, 449～450쪽.
46) 『국역 국조상례보편』, 450쪽.
47) 『정조실록』, 즉위년 7월 21일(경인).

그래서 정조는 이 문제를 여러 대신들과 유신(儒臣)들에게 논의하라고 하교하였다.

그러자 영의정 김양택(金陽澤)은 명나라의 사례를 따라 신백으로 조조례를 행할 경우, 발인 전에 태묘에 하직을 고하고 도로 대궐 안에 봉안하기 때문에 곤란한 점이 있고, 또한 발인하는 날 조조례를 거행할 경우 신백이 태실(太室)에 차례대로 하직을 고하게 되니, 조전(祖奠)을 설행하는 절차를 조조의 다음에 행해야 하는 문제가 발생하게 된다면서 정조의 조조례 반대 견해에 동조하였다.

좌의정 김상철(金尙喆)은 발인하기 하루 전에 이미 재궁을 옮겨 봉안하는 절차가 있으니, 조조의 예를 행한 혼백상자를 다시 빈전으로 봉안한다 하더라도 '유진무퇴(有進無退)'의 의리에 어긋나지 않는다고 했다. 뿐만 아니라 이미 '혼백상자로 하직하는 것이 아니라 재궁을 대신하는 절차'라고 명시한 영조의 윤음을 근거로 들면서 『국조상례보편』대로 따를 것을 주장했다. 그리고 명나라의 사례에 견주어 보면, 신백은 조조를 발인하는 날 해도 되고, 영가가 출발하는 날 거행해도 되기 때문에 크게 문제될 것이 없다고 하면서, 조조례 시행을 주장하였다.

우의정 정존겸(鄭存謙)은 『국조상례보편』에는 조조례를 발인하기 하루 전에 하도록 되어 있어, 신백이 태실에서 하직하고 나오면 도로 대궐 안으로 모시게 되니 '유진무퇴'의 조문과는 배치되기 때문에, 명나라의 전례를 따라 발인하는 날 신백으로 조조를 거행하고, 영가가 출발한 다음에 조조의 예를 거행한 뒤 천거(薦車)에다 바로 싣고 가는 것[48]을 대안으로 제시했다.

판중추부사 이은(李溵)은 발인하는 날 태묘의 앞길에 영여를 머물러 놓고 조조의 예를 거행한 뒤 잇달아 출발한다면, 이는 '천거(薦車)에 싣고서 드디어 나아간다'고 한 말과도 합치되며, 선대왕의 효사(孝思)도 실천할 수 있을 뿐만 아니라, '유진무퇴'의 의의에도 어긋나지 않는다고 주장하여, 영조와 정조의 뜻을 함께 반영하는 방법을 제안하였다.

송시열의 후손인 송덕상(宋德相)도 혼백상자로 대행한다는 구준(丘

48) 『정조실록』, 즉위년 7월 21일(경인).

濬)의 설이 구차함을 면치 못하는 것이기는 하지만, 조조의 예를 완전히 폐지하는 것보다는 낫다고 하면서 『국조상례보편』대로 행할 것을 주장했다.

이와 같이 대신들의 견해가 『국조상례보편』대로 조조례를 행하는 것이 하지 않는 것보다 낫다는 쪽으로 기울자, 정조는 다시 예관(禮官)에게 명하여 시임(時任)·원임(原任) 대신들에게 문의하여 적확하게 품처하도록 명하였다. 그러자 신임·원임 대신들이 아뢰기를, “영가가 출발하는 새벽에 신백으로 조조의 예를 거행하되, 재궁이 태묘의 문 바깥 동구(洞口)에 이르러 잠시 머물면서 신백을 받들고 태묘의 좌문(左門)으로 들어가 조조의 예를 문황제(文皇帝)의 상례의(喪禮儀)에 기록된 대로 행한다면, 자유(子遊)의 ‘점차 멀어져 가게 한다[卽遠]’는 의논에도 어그러지지 않게 되고, ‘드디어 나아간다[遂行]’고 한 대문에도 맞게 될 것”이라고 하면서, 조조례를 행할 것을 주장하였다.

그러나 정조는 이를 수긍하지 않고 다시 예관에게 명하여 품처하도록 하였다. 그러자 예조판서 서명선(徐命善)은 시임·원임 대신들의 견해에 찬성하면서, 선대왕께서 끊임없는 효사(孝思)로 의리에 입각한 예법을 제정해 놓았으니 『국조상례보편』대로 조조의 예를 행할 것을 주장했다.

예조참판 이의철(李宜哲)은 명나라의 제도는 발인하려고 길에 나선 다음에야 비로소 신백으로 조조의 예를 행하니, 이는 이미 앞으로 나갔다가 다시 물러서는 것으로 순서가 도치되었고, 또 신백으로 널을 대신함은 더욱 예의 본뜻을 잃어버린 것이라고 하였다. 그는 이러한 예는 예경(禮經)의 말도 아니고 주자의 『가례』에도 없는 것이기에 『의례』의 예문대로 재궁을 받들고 조묘(朝廟)하는 것만 못하다고 주장했다. 또 이의철은 정조가 주장하는 상례의 ‘유진무퇴’의 의리에 상대하여 ‘물러설 수는 있고 나아갈 수는 없다[有退無進]’는 것도 하나의 옛 법이라고 주장하면서, 『예기』「단궁」의 ‘은나라 때는 조조(朝祖)하고서 조묘(祖廟)에다 빈소(殯所)를 하고, 주나라 때는 빈소를 했다가 드디어 장사할 적에 조묘(朝廟)를 했다’[49]는 근거를 들었다. 그러므로 명나라의 법제대로 하면, 『의례』의 법제가 아니기는 하지

---

49) 『예기』「단궁」. “殷尚質, 敬鬼神而遠之. 故大斂之後, 即奉柩, 朝祖而遂殯於廟, 周人則殯 於寢, 及葬則朝廟也.

만 은나라 예법의 뜻은 잃지 않게 된다는 독특한 논리를 주장했다.

예조참의 임득호(林得浩)는 우리나라는 이미 명나라의 예를 준수해 왔고, 또한 『대명회전』에도 조조의 예를 발인하는 날에 하도록 하였기 때문에 따라야 한다고 주장했다.

이와 같은 대신들의 주장에도 정조는 끝내 자신의 주장을 굽히지 않고 다시 대신들과 의논하도록 하였다. 그러자 시임 대신들이 의논하기를, "『상례보편』 의주(儀注)에 '발인할 때는 종묘 앞의 길에 이르러 대거(大轝)를 돌리어 북향하고서 단문(丹門)이 멀지 않은 거리의 장소에 조금 머문다'고 한 내용은, 이미 재궁을 받든다는 데서 조묘하는 예법의 뜻이 담겨있는 것이고, 향관(享官)이 명정(銘旌)을 받들고 하는 것도 권의(權宜)의 방법에 해로울 것이 없다."고 하면서 조조례를 행할 것을 주장했다.

이에 정조는 다시 홍문관에 선유(先儒)들의 말을 널리 자세하게 고찰하여 아뢰라고 명하자, 홍문관에서는 여러 제가(諸家)의 예설을 자세하게 고찰하였다. 그 결과 홍문관에서는 "널을 받들고서 조조의 예를 행하는 것만 기록되어 있고 혼백으로 조조의 예를 행하는 절차는 언급되지 않았으며, 『가례』의 조조조(朝祖條)의 주석에도 양복(楊復)이 '혼백만으로 조조의 예를 행하는 것은, 널을 옮겨다 조조의 예를 행하는 본뜻을 잃었으니, 마땅히 『의례』대로 해야 할 듯싶다."는 사례를 들어 아뢰었다. 또 구준의 『가례의절』의 '혼백으로 대신 고한다'는 것과, 장황(章潢)의 『도서편(圖書編)』의 '주인이 사당에 고한다'는 내용도 이어서 아뢰었다. 홍문관에서는 예의 기본 원칙에 입각하여 널을 받들고 조조의 예를 행하는 것이 예법의 정경(正經)이며 구준의 설과 장황의 설은 적확한 논의가 아니라고 하였고, 명정을 받들어 사당에 아뢴다는 앞의 시임 대신들의 주장은 더욱 근거가 없는 것이라고 논박하였다.

그러자 시임 대신들은 3일 전에 태실(太室)에 고하고 발인하는 날 대여(大輿)가 단문(丹門) 밖에 이르렀을 때 정문을 열고서 북향으로 욕석(褥席)에 잠깐 동안 안치하여 알사(謁辭)하는 의의를 남기는 것이 좋다고 아뢰었다.

예조판서 서명선은 송시열의 예설[50]에 근거하여 장황의 '단지 사당에 고하기만 한다'는 설이 비록 사가(私家)의 예법이기는 하지만 참조할 만하다고 주장했다. 예조참판 이의철은 장황의 '단지 사당에 고하기만 한다'는 설은 증거가 없다면서 배척하였다. 그러나 서명선은 재궁을 외전(外殿)에 옮겨 봉안 하는 것은 주나라 예법이고, 신백을 도로 안치함은 은나라 때 예법의 뜻이라고 하면서, 앞에서 하던 주장을 굽히지 않았다. 예조참의 송덕상은 재궁을 받들고 조묘한 다음 전날의 빈전 밖 별전(別殿)의 다른 곳에 도로 봉안하는 것은, 『가례』의 '조조 예를 행한 다음 청사로 돌아온다'고 한 예문을 본뜬 것이라서 합당하니 행할 만하다고 주장하였다.

그러나 정조는 홍문관을 비롯한 모든 대신들의 의견이 이와 같은데도, 조조례에 대한 근거가 명확하지 않다고 여겼다. 정조는 선대왕의 생전에 여러 신하들이 조조례에 대해 헌의할 때 명백하게 하나를 지정하는 말이 없었기 때문에 의리에 근거하여 이와 같이 하교한 것이라고 하면서, 경전의 '잘 뜻을 계승하고 잘 일을 이어간다[善繼志善述事]'는 뜻은 결국 '섬기기를 예법에 맞도록 선대의 덕을 세상에 높이 드러내는 의리'라고 해석하여, 정확하지 않고 구차하게 거행하는 예절은 삭제하는 것이 타당하고 판단하였다. 그리하여 정조는 선대왕이 정한 조조례가 예법에 적합하지 않으니 널리 강구하여 실례에 이르지 않게 하는 것이 선대왕의 본뜻이라고 하면서, 조조례의 절차를 『국조오례의』에 따라 폐지하라고 최종 결정하였다.[51]

살펴보았듯이 18세기 조선에서는 몇 가지 국상의절을 개정하였는데, 그 과정에서 국왕과 기호 예학가들 사이에 가장 관심이 집중되었

50) 송시열은 "居住가 다른 사람은 조조의 예를 행하기가 아마도 거행하기 어려울 듯싶으니, 事由를 갖추어 사당과 널에 다 같이 고해야 한다[異居者, 朝祖竊恐難行, 具由並告於廟與柩, 意甚宛轉周詳矣]."고 하였다. 『宋子大全』 권65, 「答朴和叔(庚戌十月十八日)」.

51) 그 후 순조 즉위년 8월 20일에 예조판서 李晩秀(1752~1820)가 조조례 의절에 대해서 『국조상례보편』을 따를 것인지, 아니면 병신년(1776년) 정조의 하교를 따를 것인지를 대신들에게 아뢰라고 하였다. 대신들은 모두 병신년 전례에 의거하는 것이 마땅하다고 하자 순조도 그에 따랐다. (『순조실록』 즉위년, 8월 20일(경오)) 그런데 순조 5년(1805) 1 월 12일에 대왕대비가 승하하자 그해 3월 14일에 순조는 조조 의절을 병신년(1776)의 사례에 따라 마련하지 말라고 명하는 등, 조조례는 국왕이 교체할 적마다 들쭉날쭉하였던 것으로 보인다.

던 절차는 시사전과 조조례였다. 당초 이 두 의절의 실행에 대한 언급은 김집이 효종에게 「고금상례이동의」를 헌의함으로부터 시작되었다. 시사전의 문제는 영조 대에 들어 국왕 영조와 대신들의 견해가 일치하여, 영조의 특교로 『국조상례보편』의 초혼(招魂) 절차 뒤에다 명기함으로써 특별한 논란 없이 그대로 정식화되었다.

영조의 의지에 의하여 추진된 조조례 설행 문제는 당초 기호학자들의 반대에 부딪혀 많은 논란을 거쳤지만, 결국 영조의 특교로 『국조상례보편』에 실어 확정되는 듯했다. 하지만 정조대에 이르러 다시 많은 학자들의 반대에도 정조의 강력한 의지에 의해 도로 폐기되고 말았다. 정조는 폐지의 명분으로 '비록 선대왕이 의리로서 일으킨 것이지만 그 절차가 예의 본뜻에 맞지 않는 것을 알면서도 행하는 것은 더욱 실례가 된다'는 이유를 들었다.

시사전과 조조례 문제에서 영조와 정조의 결정이 옳은지는 차치하고, 주목할 점은 당시 이 논의에 참여한 기호학자들의 견해가 두 차례나 강력한 왕권에 눌려 제대로 반영되지 않았다는 사실이다. 또한 이는 국왕의 고도로 계산된 정치적 셈법일 수도 있겠지만, 예경(禮經)에 분명한 조문이 있든 없든 간에 시왕(時王)의 제도가 무엇보다 우선하고 있음을 보여주는 단적인 사례라는 점에서 그 의미가 적지 않다.

3. 대보단제향(大報壇祭享) 논의

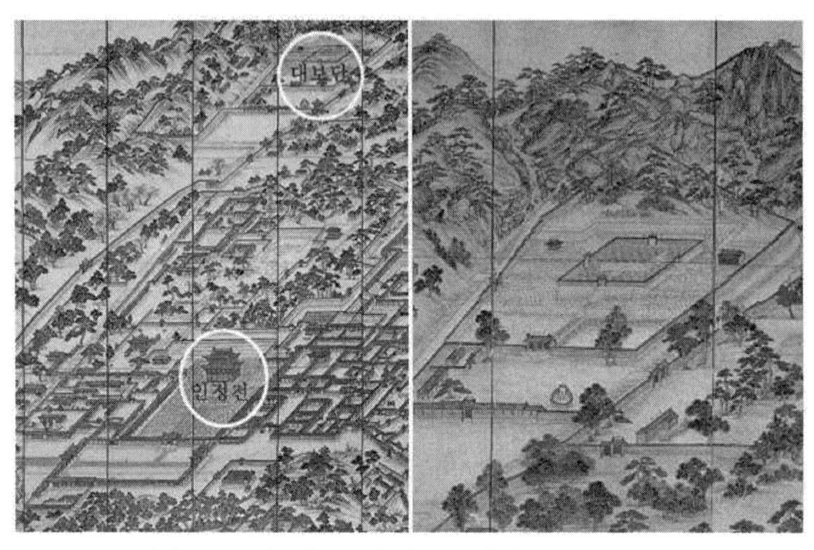

사진_23 <동궐도에 그려진 대보단> 출처: www.google.co.kr

조선후기 성리학자 우암 송시열은 춘추대의(春秋大義)에 입각하여 국력을 배양하고, 북벌(北伐)을 도모하여 국치(國恥)를 설욕(雪辱)할 것을 강하게 주장했던 학자였다. 그의 학문사상은 공자의 존왕양이(尊王攘夷)와 내성외왕(內聖外王) 사상을 바탕으로 하여 주자의 명천리(明天理), 정인심(正人心), 벽이단(闢異端), 양이적(攘夷狄) 정신을 계승하였다. 그는 당시 조선이 처한 상황을 송대(宋代)의 주자가 처한 상황과 견주어 "오늘날은 바로 송조(宋朝)의 남도(南渡)시기와 같다."[52]고 선언하였다. 이처럼 병자호란 이후 조선의 현실을 남송이 처한 현실과 동일시하여 화이론적 관점에서 북벌론을 제기한 송시열의 논리는 호란 이전에 활동한 학자들에게서는

52) 『송자대전』 「부록」 권14. "先生曰, 今日卽宋朝之南渡也. 朱子應擧於南渡之後者, 志在復 讎而爲也. 今日之應擧者, 志朱子之志而爲之, 則似乎可矣."

사진_24 <조종암> 출처: https://exciting.gg.go.kr

찾아볼 수 없는 것이었다.[53] 이와 같은 우암 송시열의 중화사상은 조선후기 기호학자들에게 전수되어, 조선시대가 막을 내리는 순간까지 이들 학파의 중심 사상으로 정착되어 왔다.

이러한 화이론적 세계관에 기초하여 18세기 기호학자들은 숭명배청(崇明排淸) 사상을 오래도록 상기하기 위한 목적으로 구체적 형상물 건립을

53) 우경섭, 「송시열의 화이론과 조선중화주의 성립」, 『진단학보』101, 2006, 269쪽.

추진하였다. 경기도 가평의 조종암(朝宗巖), 화양동의 만동묘(萬東廟), 창덕궁 금원(禁苑)의 대보단(大報壇) 등이 그것이다. 특히 대보단은 국가에서 공적으로 설치한 건물이기 때문에, 사적으로 설치한 조종암과 만동묘와는 그 위상이 현격한 차이가 있다. 그러므로 이 절에서는 대보단을 설치하는 과정에서 국왕과 기호학자들 간의 견해 차이를 예학적 입장에서 살펴보겠다.

기호학자들은 대보단 건립에 앞서서 이미 가평의 조종암과 화양동의 만동묘를 건립하여 사대부들에게 숭명배청 사상을 고무 진작시켰다. 특히 만동묘는 송시열의 유지를 받은 권상하(權尙夏)등의 문인을 주축으로 한 기호사림들에 의해 건립되었다. 그런데 만동묘를 건립한 지 몇 개월 지나지 않아서 숙종이 궁궐에다 신종황제를 제사하는 공간을 마련하고자 하는 뜻을 표출하였다. 덧붙여 숙종은 이 해가 명나라가 망한 지 일주갑(一週甲)인 갑신년(숙종30, 1704)이라는 점을 중요한 명분으로 강조하였다.

처음 대보단에 대한 논의의 실마리가 시작된 것은, 숙종이 1704년 정월 10일에 대신들과 비변사 관원들을 인견한 자리에서였다. 숙종은 그 자리에서 명나라 신종황제의 사우 건립의 필요성에 대해 다음과 같이 말하였다.

> 금년은 곧 갑신년으로 명나라가 이 해 3월에 망하였다. 전사(前史)를 두루 열람하여 보면 망한 나라가 한이 없지만, 유독 숭정황제(崇禎皇帝)가 나라를 잃은 데 이르러서는 울음이 솟구쳐 차마 읽을 수가 없었다. [중략] 임진왜란 때 선묘(宣廟)께서 멀리 용만(龍灣)으로 파천(播遷)하시어 내부(內附)하려고까지 하였었는데, 신종황제가 천하의 힘을 다 기울여 동쪽으로 출병시켜 구원하였으므로, 다시 나라를 재건할 수 있었다. [중략] 정축년의 일도 차마 말하지 못할 점이 있다. 그 때 척화신(斥和臣) 세 사람이 죽음으로써 간쟁하여 그 절의가 찬란하였으므로 강상(綱常)이 실추되지 않았었다. 지금에 와서 연기(年紀)가 오래되었고, 세도(世道)도 더욱 떨어져 복수하여 부끄러움을 씻는 것은 진실로 조석(朝夕) 사이에 기약할 수 없는 일이기는 하지만, 소장(疏章) 사이에도 강개스런 말이 있는 것을 들어 보지 못하였고, 이미 멀어질수록 점차 잊어버린다는 지경에 이르고 있으므로, 내가 개탄스럽게 여겨왔다. 그런데 이

제 주갑(周甲)의 해를 맞이하니 감회가 창연하다.54)

위의 인용문을 살펴보면, 숙종은 명나라가 망한 지 1주갑이 되는 해를 맞아 숭정황제가 나라를 잃고 스스로 목숨을 끊은 사실을 떠올리며 분한 감정을 표출하였고, 다른 한편 임진왜란 때 조선을 구원해 준 신종황제에 대한 은혜를 함께 떠올리며 회고하였다. 그리고 병자호란을 겪은 이듬해 봉림대군(鳳林大君)과 함께 심양(瀋陽)에 끌려가 청태종(淸太宗)의 회유를 완강히 거부하고 척화의 대의를 밝히다가 순국한 삼학사(三學士: 洪翼漢·尹集·吳達濟)들의 절의를 추숭하며, 지금의 현실은 점점 이러한 역사적 사실이 잊히어져 비분강개한 소장(疏章) 한 장도 볼 수 없는 것을 더욱 개탄하였다.

그러자 그 자리에 참석한 영의정 신완(申琓)은 성상께서 월왕(越王) 구천(句踐)을 본받아 성지(聖志)를 분발하라고 하였고, 좌의정 이여(李畬)는 안으로 자강책(自强策)을 도모하라고 하였고, 판윤 민진후(閔鎭厚)는 효종과 송시열이 '통분을 참고 분함을 품는 것이 그러지 않으려고 해도 어쩔 수 없다[忍痛含寃 迫不得已]'고 한 정신을 다시 본받으라고 진언하였다. 또 대사성 유득일(兪得一)은 성상(聖上)께서 마음속 깊이 지니고 있는 바를 여러 신하에게 말씀하라고 진언하였다.

이에 숙종은 드디어 자신의 심중에 있는 말을 꺼냈다. 임진왜란 때 순절한 명나라 장수인 양호(楊鎬)와 형개(邢玠)는 이미 사우(祠宇)가 있는데, 신종황제를 위한 사우가 없다는 것은 미안한 일이라고 하였다. 또 우암 송시열이 척화신 세 사람을 묘정(廟庭)에 종향(從享)하려했던 사실도 덧붙였다. 그러자 판윤 민진후는 번방(藩邦)에서 중국의 천자를 묘향(廟享)한다는 것은 예율에 있어 조처하기 곤란한 점이 있다고 주장하였고, 좌의정 이여는 조정에서 묘우를 세운다면 천자의 예로 제향해야 하기 때문에, 예모가 우리나라 종묘보다 더 높아야 하므로 예의 절차에 난처한 점이 많다고 하였다. 좌부승지 최중태(崔重泰)는 제후국에서의 황묘(皇廟) 건립은 사체(事體)가 매우 중대하기 때문에 신중할 것

54) 『숙종실록』, 30년 1월 10일(경술).

을 주장했고, 교리 조도빈(趙道彬)은 지금은 국가의 저축이 고갈되어 백성의 힘이 미칠 수 없다고 주장하였으며, 판부사 서문중(徐文重)은 청나라가 우리나라를 힐문(詰問)할 것을 염려하여 반대하였고, 영부사 윤지완(尹趾完)은 신종황제의 재조지은(再造之恩)은 백세토록 잊을 수 없는 것이기는 하지만, 묘우를 건립하여 제향하는 것은 참람한 예라고 주장하였다. 또 판부사 윤지선(尹趾善)도 시행하기 어렵다고 하였고, 판부사 최석정(崔錫鼎)은 대답하지 않았으며, 좌찬성 윤증(尹拯)도 묘우를 건립하는 것은 막중한 사전(祀典)이어서 감히 미천한 식견을 말씀드리지 못하겠다고 확답을 미루었다.[55] 이들은 갖가지 이유를 들면서 노소론의 당색을 떠나 사실상 모두가 반대 의견에 일치하였다.

그러데 송시열의 제자인 호조참판 권상하(權尙夏)는 홀로 적극 찬성을 표명했다. 뿐만 아니라 묘우 건립으로 인해 발생하는 제반 문제에 대해서도 상세하게 반박하였다.[56] 청나라의 힐문 가능성에 대해서는 청나라도 명나라 숭정황제에게 시호를 올렸기 때문에 설령 저들이 문제 삼는다고 하더라도 할 말이 있으며, 제후가 천자를 제사하는 것이 참람하다는 문제에 대해서는, 기(杞)와 송(宋)은 제후로서 하(夏)와 은(殷)을 제사지낸 사례가 있을 뿐만 아니라, 군신과 부자는 그 의리가 똑같다는 논리를 세워 명과 우리나라의 관계를 설정하여 구신(舊臣)의 입장에서 구군(舊君)을 제사지낼 수 있다고 역설하였다. 예모(禮貌)가 종묘보다 높아짐으로 인한 문제는 신종황제는 상순(上旬)에 거행하고 종묘의 제사는 물려서 중순(中旬)에 거행하면 되고, 건립 장소는 도성 안이 불편하면 강도(江都)에 건립하면 구애됨이 없을 것이라고 주장했다. 권상하의 이러한 논의는 그의 스승인 송시열이 유언으로 남긴 만동묘 건립의 유지를, 국가에까지 확대 적용하여 공식화하려고 한 것으로 해석할 수 있다.

이에 숙종은 대신들의 논의가 하나로 귀결되지 않자 시간을 두고 천천히 결정하라고 명하였다. 그러자 관학유생(館學儒生) 정형익(鄭亨益)등 160여 명이 동참하여 신종황제 묘우 건립을 청하는 상소를 올렸다. 숙종은 상소문을 읽고 매우 감격스러워 하였으며, 3월 7일에는 비

55) 『숙종실록』, 30년 1월 10일(경술).
56) 『숙종실록』, 30년 1월 10일(경술).

방기(備忘記)를 내려 의종황제 순몰(殉沒)과 함께 순몰한 군신들의 제사 절차를 논의하게 하였다. 그리고 인조대왕은 숭정황제가 자결한 3월 19일이 되면 항상 망궐례(望闕禮)를 거행하였는데, 이때 관원만 보내 제사하게 하는 것은 너무 소홀하기 때문에 직접 제사지내겠다는 뜻도 밝혔다. 이에 여러 신하들은 선례(先例)가 없다는 점 외에는 별 다른 이의를 강하게 제기하지는 못했다.

결국 여러 대신들의 논의를 거쳐 3월 19일에 숙종은 숭정황제에 대한 제사를 후원에서 친해 거행하였다. 그리고 4월 10일에는 비망기를 내려 존주(尊周)의 의리가 일월과 같고 나의 뜻이 금석과 같다고 하면서, 신종황제 묘우 건립을 창안(創案)으로 단연히 행하겠다는 의지를 밝혔다. 그러나 판부사 윤지선은 고례에 증거로 삼을만한 문헌이 없고, 저들에게 누설되면 나라의 체통이 손상된다는 이유로 강하게 반대하였고, 판부사 서문중은 병으로 사직하고 대답하지 않았으며, 영의정 신완과 좌의정 이여는 사체(事體)가 중대하여 엉성한 문자로는 대답할 수 없다고 사양하였다.[57]

그렇게 또 6개월이 지난 9월 10일에 숙종은 지난 3월에 후원에 단을 설치하여 의종황제를 제사지냈었는데, 이번에는 반드시 신종황제를 위해 묘우를 세워 제사를 받들겠다고 강력히 주장했다. 이때 그 자리에 있던 이여(李畬)·이유(李濡)·김진구(金鎭龜)·민진후(閔鎭厚)·송상기(宋相琦) 등은 한결같이 묘우를 세우는 것은 문제가 있다고 반대하였고, 대신에 단을 세우는 것은 무리가 없다고 제안하였다.[58] 결국 숙종은 대신들이 주장한 의견이 매우 흡족하지는 않았지만, 단을 설치하는 것으로 최종 결정하고 춘추에 제사를 지내기로 결정하였다.

이와 같은 숙의(熟議) 끝에 숙종의 명나라 황제를 위한 묘우(廟宇) 건립 계획은 단소(壇所)를 설치하는 것으로 조정되어 최종 결정이 났다. 단소를 건립하는 공사는 약 두 달에 걸쳐 이루어졌다. 이 공사에는 주로 노론 계열 인물인 공조판서 서종태(徐宗泰), 예조판서 민진후(閔鎭厚), 예조참판 김진규(金鎭圭), 호조판서 조태채(趙泰采) 등이 참여하였다.[59] 이

---

57) 『숙종실록』, 30년 4월 10일(기묘).
58) 『숙종실록』, 30년 9월 16일(계축).

들은 처음에 모두 묘우 건립에 대해서는 반대하였지만, 설단(設壇)으로 변경된 뒤로는 적극적으로 숙종의 뜻을 따른 것으로 보인다.

그런데 단을 설립하려면 형태와 규모와 장소 등 어느 한 가지라도 중요하지 않은 것이 없지만, 특히 중요한 것은 단의 명칭이라고 할 수 있다. 당시 예조판서 민진후는 '태단(泰壇)'이라는 명칭을 경연에서 말했는데, 송상기(宋相琦)는 이는 옛날에 하늘에 제사지내던 단의 이름이라고 하면서, 천자가 교외(郊外)에 나가 제사지내던 이름을 빌어다 쓰는 것은 이름과 실제가 걸맞지 않다고 지적하며 반대하였다. 그리고는 '대보(大報)'[60]라는 두 글자를 제안했다. 이 글자는 『예기』의 문의(文義)에 감안해 볼 때 천리(天理)와 인정(人情)에 모두 맞고, 당초에 군신이 이 단을 만든 목적과도 잘 부합된다고 주장하였다.[61] 숙종은 송상기의 견해에 동의하며 그대로 결정하기로 하였다.

숙종의 대보단 건립은 이를 통해 북벌론(北伐論)에 대한 상징적 의미를 구체화하여 사대부의 여론을 하나로 모으려는 정치적 이유도 있었을 것으로 보인다. 숙종은 병자호란을 겪은 인조의 굴욕, 심양에 끌려갔던 봉림대군(효종), 또 심양에서 출생한 현종 등이 겪은 '통분을 참고 분함을 품은[忍痛含冤]' 정신을 더욱 굳건히 계승하려고 하였다. 특히 숙종 대에는 명나라가 망한 지 벌써 60년 세월이 흘러서인지 대신들 사이에는 존명의리에 관한 담론이 뜸하던 시기이기도 했다.

그러므로 숙종은 사대부들의 가슴깊이 내재한 존명의리 내지는 존주의리를 상징물을 통해서 구체적으로 표출하려는 생각을 일으켰던 것이다. 이것은 곧 대보단이라는 성과물로 나타났고, 대보단의 제향을 통해 선대왕으로부터 내려오는 춘추의리를 온 세상에 다시 천명하기에 이른 것이다.

영조 때에 이르러서는 대보단에 명나라 태조 홍무제(洪武帝)를 추가하여 세 분의 황제를 제향하였다. 이때 김재로(金在魯)·채제공

---

59) 계승범, 『정지된 시간: 조선의 대보단과 근대의 문턱』, 서강대학교출판부, 2011, 84쪽.

60) '大報'는 「郊特牲」의 "하늘의 은덕을 크게 보답하는데 해를 위주로 한다[大報天而主日 也]."는 문구에서 뜻을 취한 것으로, 명나라 황제의 은혜에 보답한다는 중의적 의미가 내포되어 있다.

61) 『玉吾齋集』 권3, 「辭禮曹參判及大提學 仍乞歸省 定入大報壇名疏」.

(蔡濟恭)·조현명(趙顯命)·정우량(鄭羽良)·이기진(李箕鎭)·박문수(朴文秀) 등 여러 신하들은 예에 합당하지 않기 때문에 신중하게 결정할 것을 주장하였다. 이에 영조는 두 황제만 제사하면 제사지내지 않은 것 같다고 하면서, 선정신(先正臣) 송시열은 배신(陪臣)인데도 두 황제를 제사지냈는데 왕으로서 세 황제를 함께 제사지내는 것이 무엇이 불가하냐고 따졌다. 그리고는 김선행(金善行)에게 숙종의 어제시(御製詩) 4수를 읽도록 명하고서 마침내 홍무제를 함께 제향할 것을 왕권으로 결정하고, 제단의 형태는 하나의 단을 세 개의 단으로 나누어 제향하는 방법으로 정하였다.[62]

주지하다시피 홍무제는 맹자와 주자를 서슴없이 비판했던 인물로 조선의 유신(儒臣)들 사이에서는 조선의 국왕이 본받지 말아야 할 전제군주였다. 그럼에도 영조는 홍무제를 대보단에 향사함으로써 왕의 권위를 상징적으로 부각시키려고 하였다.[63] 영조는 그동안 즉위 후에도 자신의 정통성 문제에 따른 꼬리표 때문에 군왕의 위엄이 당당할 수가 없었지만, 재위 25년에 이르러서는 어느 정도 정치가 안정되고 국왕으로서의 권위도 찾았다. 그러므로 대보단의 확대와 증축 등을 통해 효종·현종·숙종의 대통을 이어 존주의리에 입각한 더욱 강한 군주의 위상을 확보하고자 한 것이다.

이러한 가운데 영조의 대보단 추가 제향 계획에 적극 동조한 원경하(元景夏)는 명나라는 이미 치발좌임(薙髮左衽)하여 오랑캐 풍속이 되었지만, 조선은 건정지(乾淨地)로 예악과 의관이 오랑캐 풍속을 따르지 않아 춘추존왕(春秋尊王)의 의리가 이곳에 있다[64]고 하면서 소중화(小中華)의 자부심을 드러냈다. 송명흠(宋明欽)은 갑신년(1704)에 숙종이 대보단을 건립한 것은 선정신(송시열)의 만동묘 건립의 뜻에서 비롯되었

62) 『영조실록』, 25년 3월 23일(신미). "上親寫壇圖下之, 其制以一壇分三壇也."

63) 계승범, 『정지된 시간: 조선의 대보단과 근대의 문턱』, 서강대학교출판부, 2011, 103쪽～ 116쪽.

64) 『蒼霞集』 권10, 「皇壇頌 幷序」. "皇明淪亡, 十三省遺民, 薙髮而左衽矣. 海外乾淨, 惟有箕邦一區, 禮樂衣冠, 不汚於氊裘腥膻, 春秋尊王之義, 不在玆乎?"

으며, 영조의 대보단에 의종을 추가 배향하는 것에 대해 백세(百世)를 기다려도 의혹됨이 없는[65] 업적이라고 높이 평가하였다. 이정귀(李廷龜)의 후손인 이천보(李天輔)는 존주대의(尊周大義)는 전하의 가법(家法)이니 열성조가 전수한 것이 이 의리 아닌 것이 없고, 지금에 『춘추』를 읽을 곳이 없었는데, 한 모퉁이의 황단(皇壇)이 오직 춘추의 의리를 밝히고[66] 있음을 강조하였다. 송덕상(宋德相)은 의리로 일으킨 황단의 제향에는 반드시 팔일무(八佾舞)의 음악을 사용할 것을 주장하였다.[67] 이렇듯이 기호학자들은 영조가 신종·의종·홍무제까지 대보단에 제향하는 것이 춘추의리에 적중한 것이라며 흔쾌히 동조하며 지지하였다.

이러한 경향은 정조에게도 그대로 계승되어 더욱 더 완벽에 가깝게 국가의 전례로 확고하게 자리매김하게 된다. 정조는 대보단의 친행에 영조보다 더욱 적극성을 보였을[68] 뿐 아니라, 그 의미에 대해서도 매우 분명하게 피력하였다.

> 병신년(1776) 이후로 억지로 하기 어려운 상황이 아니면 이날이 올 때마다 반드시 몸소 의식을 행했는데, 이는 명나라에 대한 감회가 마음속에 간절하기 때문만이 아니라, 선조(先朝)에서 주나라를 높인 성의(聖意)를 체득해서이다. 또한 선왕의 사업을 계승하려는 뜻에서 나온 것이며, 나의 자손으로 하여금 이날에 당연히 행하여야 할 의식임을 알게 하려는 것이다.[69]

---

65) 『櫟泉集』 권4, 「大報壇追享毅宗皇帝議 戊辰」. "聖考甲申之擧, 已爲之兆先正萬東之祠, 又足傍證. 伏見聖意卓然, 有可以俟百世而不惑."

66) 『晉菴集』 권5, 「賓廳請加上尊號第二啓」, 「庭請第五啓」.

67) 『果菴集』 권2, 「壇享禮節釐正箚」.

68) 계승범, 『정지된 시간: 조선의 대보단과 근대의 문턱』, 서강대학교출판부, 2011. 계승범은 "정조는 三皇의 기일에 거행한 망배례 친행에서 영조보다 높은 빈도를 보였다. 정조는 재위 24년 동안 숭정제의 기일에 20번(83%)의 친행을 거행함으로써 영조의 62%보다 높았고, 25번 찾아온 홍무제의 기일에는 17번(68%)의 친행을 거행하였는데 영조의 56%보다 높았으며, 24번 찾아온 만력제의 기일에는 17번(71%)의 친행을 거행함으로써 영조의 52%에 그친 사례보다 높았다."고, 영조와 정조의 대보단 망배례 친행 수치를 비교 검토하였다. 141쪽 참고.

69) 『정조실록』, 21년 5월 10일(기유).

정조는 대보단 제례의 목적을 존주의리 체득, 선왕의 사업 계승, 후왕들에 대한 책임 의식 강화 등으로 분명하게 정리하였다. 또한 정조는 임진왜란 발발 200주년을 맞은 해(1792년, 정조16)에 망배례를 거행하면서, 대보단 제례에 임하는 본인의 의도와 취지를 명확하게 드러내었다.

> 오늘은 바로 우리 동방이 재조(再造)된 날이다. 아! 황은을 잊을 수 없거늘 하물며 금년은 꼭 200년이 되는 해이다. 사실이 오래되면 흐려지기 쉽고 인정이 멀어지면 안일하기 쉬우니, 한 부(部)의 대일통(大一統) 의리를 어디서 강론하여 밝히겠는가? 해마다 이 날에 유문(壝門) 밖에서 공경히 절하는 것을 감히 혹시라도 빠뜨리지 않는 것은, 오직 대략이나마 풍천(風泉)의 정성을 펼 뿐만 아니라, 적이 우리의 가법(家法)을 준수하려고 함이다.[70]

정조는 임진왜란 때 군대를 파견하여 보내 준 명황제의 은혜가 세월이 오래되면 잊힐까를 염려하면서, 대일통(大一統)의 의리를 밝혀야 함을 주장했다. 대일통의 의리는 곧 『춘추』의 기본사상인 존주대의(尊周大義)를 가리킨 말이다. 이것은 곧 효종 이후로 정해진 왕가의 가법이니, 이를 준수하는 것은 후왕으로서의 당연한 책무임을 강조하고 있다. 또 정조는 대보단 제례의 목적을 다음과 같이 밝히기도 하였다.

> 지금 천하는 모두 좌임(左衽)을 하고 있으나, 우리 동방만은 중화의 의장(儀章)을 가지고 있다. 아, 세 분 황제께서 오르내리는 신령함이 있으시니, 어찌 이 단(壇)의 봄 제사에 오셔서 흠향하지 않으시겠는가. 우리 성조(聖祖)께서 대를 이어 은덕을 갚으신 뜻은 천하 만대에 말이 있을 것이나, 근래에는 『춘추』의 큰 뜻이 희미해지고 드러나지 아니하여, 영릉(寧陵: 효종)께서 내정을 닦고 외적을 물리친 큰 뜻과 선정(先正)이 성군(聖君)을 만난 성대한 일을 사람들이 거의 알지 못하고 있으니, 이는 매우 개탄스러운 일이다. 지금 내가 친히 제사를 지내는 것도 퇴락한 풍속을 경계하여 일으키는 방도가 될 만할

70) 『승정원일기』, 정조 16년 7월 21일(무오). "今日卽吾東方再造之日也. 於戱! 皇恩不可忘, 況今年恰閱二百星霜, 事實久而易晦, 人情遠則易狃, 一部大一統之義, 於何講明? 年年是日, 祇拜壝門之外, 無敢或曠者, 不惟粗伸風泉之誠, 竊欲遵守我家法也."

것이다.[71]

정조는 청나라를 좌임(左衽)의 오랑캐로 간주하였고, 조선은 중화 문화를 보존하고 있는 국가임을 자부했다. 그렇지만 지금 시대는 숙종 때와 마찬가지로 춘추의리, 즉 효종과 송시열이 주장한 존주대의 내지 북벌에 대한 의리가 기억에서 희미해지고 있기 때문에, 대보단의 제향을 통해 이러한 분위기를 한 차례 환기시키겠다는 의지를 표명하고 있는 것이다.

한편 대보단 제향은 19세기 들어와서도 여전히 유지되어 왔지만, 특히 임금의 친제(親祭)는 18세기에 비해 그 횟수가 많이 감소되고 있는 추세였다.[72] 그것은 19세기를 통치했던 순조·헌종·철종·고종 등은 대체로 10세 전후의 어린 나이에 즉위하여, 영조와 정조처럼 강력한 왕권을 지속적으로 유지하지 못했던 것에 기인한 것으로 보인다. 그러던 중 설상가상으로 갑오경장(1894)으로 인하여 일본군이 궁중에 들어와 신정권을 수립한 사건을 계기로 대보단 제향도 마침내 중지되었고, 1907년 고종의 퇴위와 함께 완전히 폐지되기에 이르렀다.

살펴보았듯이 대보단은 조선후기 국왕과 집권층사대부들의 정치이념의 표방이자 의리 실천의 결과물이었다. 영조 대에는 아이러니하게도 숙종 시대에 비해 더욱 숭명배청 의식을 강화하려는 경향이 나타났다. 이러한 경향은 정조 대에 와서도 크게 달라지지 않고, 대일통의 의리를 내세우는 등 더욱 강화하려는 모습을 보이다가, 19세기 말엽에 갑오경장으로 인하여 대보단 제향도 마침내 폐지되었다.

대보단은 단순한 제례 공간을 넘어서 정치적 또는 의리의 문제와 서로 복합되어 나타난 조선후기 사상사의 한 중심축이라고 할 수 있다. 또한 대

71) 『弘齋全書』 권77, 『日得錄』17, 「訓語四」. "今天下皆左衽, 惟我東有中華之儀章. 嗚呼! 三皇帝有陟降之靈, 豈不來享於此壇之禴祀乎. 我聖祖所以繼世崇報之義, 可以有辭於天下萬世, 而輓近以來, 春秋之大義微而不章, 人幾不知寧陵修攘之大志, 先正際遇之盛事, 是甚慨然. 今予親享, 亦足爲警起頹俗之道矣."

72) 계승범, 『정지된 시간: 조선의 대보단과 근대의 문턱』, 서강대학교출판부, 2011, 180쪽 [표4] 참조.

보단을 건립하는 과정에서 국왕의 뜻에 적극적으로 호응한 이들은 송시열의 학맥을 충실히 계승하는 호론학자들의 역할이 매우 컸다. 이들은 처음에 만동묘 건립을 통해 송시열이 주장했던 존주양이(尊周攘夷)의 정신을 계승하고 실천하는 기반으로 삼았다. 그 후 금원에 대보단을 설치함으로 인해 드디어 국가와 사림이 다함께 숭명배청사상을 드높일 수 있는 계기를 만들었다. 따라서 송시열의 생전 부탁으로 건립한 만동묘가 기호 사림들의 사적인 숭명배청의 공간이었다면, 대보단은 국왕의 명으로 건립된 공식적인 존주대의의 공간이었다. 이렇게 완비된 두 제향 공간은 조선후기 기호학파들의 사상을 응집시키는 데 큰 역할을 했다. 그러나 이러한 존주대의 사상으로 인한 역효과가 없는 것은 아니지만, 조선말기 일본의 침략을 당해서는 다시 위정척사의 정신으로 거듭 발전하여, 항일운동의 밑바탕 역할을 한 점은 결코 간과해서는 안 될 것이다.

4. 의제개혁(衣制改革) 갈등

의복은 본디 예(禮)의 실천과 밀접한 관련을 가진 부속장치로서 신분과 직책을 나타낼 뿐만 아니라, 해당 집단의 문화적 정체성을 상징하는 장치로서 중요한 의미를 가진다. 의복제도는 한 나라 민족의 문화의 상징으로서 좀처럼 바뀌지 않는 특성을 지니고 있다. 우리나라의 의복제도는 삼한시대 이래로 그 기본적인 형식을 유지한 채로 조선말까지 전승되어 왔다. 비록 통일신라시대 이후 한때 당나라의 의복제도를 도입하고, 고려전기에 북송의 관복제도를 도입하는 일이 있기는 했지만, 그것은 일부 관복제도에 한정된 것일 뿐 일반의 일상의복이나 관혼상제의 예복은 크게 달라진 바 없이 조선말까지 유지되어 왔다. 고려말 『가례』가 전래된 이후 『가례』에 근거하여 상복을 제작하여 착용하기도 하고, 일부 유학자들 사이에서는 『가례』에 의거하여 심의(深衣)나 치포관(緇布冠)을 제작하여 착용하기도 하였지만, 그 일상의 의복과 관혼례 등의 예복에는 크게 달라진 것은

사진_25 을미개혁 직전 시위 모습> 출처: 한중연

없었다.

그런데 19세기 말 개항이후(開港以後) 개화파의 추동에 의해서 진행된 의제개혁은 의관문물을 혁파하는 유례없는 풍속의 변혁으로, 사대부 사족은 물론 재야 유림에 이르기까지 거센 반발을 초래하였다. 당초 광수의(廣袖衣)를 착수의(窄袖衣)로 바꾸는 정도로 시작한 의제개혁은, 신식 군대를 창설하면서 재래의 구군복(舊軍服)을 전면 서양식 제도를 모방한 신식 군복으로 바꾸고 단발을 시행하였다. 뿐만 아니라 국왕 자신이 단발을 단행하면서 공식 의전의 복장인 관복을 모두 서양제도로 고치고, 관원 모두에게 단발과 신식 관복의 착용을 강제하는 등, 전대미문의 대대적인 개혁을 진행하면서 의제개혁 문제는 더욱 심각한 국면으로 접어들었다. 이에 조정 대신들을 비롯하여 재야의 선비들까지 이 정책의 부당성을 거론하며 적극적으로 반대하는 상소를 올리기 시작하였다.

여기서는 19세기에 일어난 국왕의 의제개혁 정책에 대한 기호학자들의 입장을 왕조실록과 기호학자들의 상소문 등을 중심으로 살펴보겠다. 당시 개혁과 보수라는 두 갈래 길에선 기호학자들은 각자의 가치관대로 서로의 입장을 주장하였다. 기호학자들은 대부분 전통적 의제(衣制)를 고수하려는 쪽이 많았지만, 그중에 일부 학자들은 국왕의 뜻에 동참하여 개화(開化)를 주장하는 이들도 있었다. 의제개혁에 반대하는 기호학자들 중 송병선(宋秉璿)·유중교(柳重敎)·전우(田愚) 등의 입장은 대체적으로는 서로 일치하지만, 그 방법론에 있어서는 미세하게 차이가 있었다.

주지하다시피 19세기 말엽 조선은 내적으로는 세도정치로 인해 민심이 불안하였고, 밖으로는 세계열강의 문명이기(文明利器)가 우리문화 속으로 침투하려고 요동치는 시기였다. 이 시기에 우리나라에서는 갖가지 사건들이 연이어 일어났다. 1866년(고종3)에는 흥선대원군의 천주교 탄압에 대한 보복으로 프랑스군이 침입한 이른바 '병인양요(丙寅洋擾)'가 일어났고, 1871년(고종8)에는 미국이 1866년의 제너럴셔먼호 사건을 빌미로 조선을 개항시키려고 무력 침략한 이른바 '신미양요(辛未洋擾)'가 일어났다. 또한 1876년(고종13)에는 강화부에서 조선과 일본 사이에 '조일수호조규(朝日修好條規)'가 체결되었으며, 1882년(고종19)에는 조선의 구식군대가 신식군대와의 차별대우에 불만을 품고 일으킨 '임오군란(壬午軍亂)' 등이 연이어 일어나면서 국가와 사회는 유례없는 혼란에 빠졌다.

설상가상으로 1884년 윤5월 19일 고종은 감히 누구도 생각할 수 없는 '의제개혁' 정책을 선포하였다. 당시 고종은 임오군란이 일어나자 근대문물도입 정책을 더욱 적극적으로 추진하겠다는 의사를 밝혔는데[73], 그 첫 번째가 의제개혁으로 군대의 복장을 개선하는 것이었다. 고종은 먼저 친군(親軍)의 복장을 간편하게 하고 각 영(營)에도 이와 같이 하도록 하는 명령을 내렸다.[74] 이것은 고종이 최종적으로 관복(官服)과 사복(私服)을 개혁하려는 전 단계 작업이었다. 고종은 다음과 같은 전교를 내렸다.

> 의복 제도는 변통할 수 있는 것이 있고 변통할 수 없는 것이 있는데, 예를 들면 조례(朝禮)와 제례 및 상례 때 입는 옷은 모두 선성(先聖)의 유제(遺制)이니 이것은 변통할 수 없는 것이다. 때에 따라 알맞게 만들어 입는 사복은 그 편함에 알맞게 함을 힘써야 하니 이것은 변통할 수 있는 것이다. 우리나라의

73) 장영숙, 『고종의 정치사상과 정치개혁론』, 선인, 2010, 116쪽.
74) 『고종실록』, 21년 윤5월 19일(임술).

사복인 도포(道袍)·직령(直領)·창의(氅衣)·중의(中衣) 같은 옷의 겹겹의 넓은 소매는 주선하는 데 불편하고 옛것에서 찾아보아도 너무 차이가 있다. 지금부터는 좀 변통하여 단지 착수의(窄袖衣)와 전복(戰服)과 사대(絲帶)를 착용하여 간편한 대로 따르는 것을 정식으로 삼도록 할 것이니, 해조(該曹)에서 절목을 갖추어 들이게 하라.75)

고종은 조례(朝禮)·제례(祭禮)·상례(喪禮) 등 의식에 입는 옷을 제외한 일상복의 넓은 소매는 생활에 불편하기 때문에 착수의로 개조하겠다고 발표하였다. 또 관복도 새로 제정하기를 옛 옷은 착수의로 고쳐 입고, 홍단령(紅團領)은 검게 물들여 사용할 것을 제안하면서, 예조에다 그 절목을 마련하라고 지시하였다. 이 사실이 알려지자 관원들은 물론이고 전국 유생들의 반대하는 상소가 빗발치듯하였다.

영중추부사 홍순목(洪淳穆)·영의정 김병국(金炳國)·우의정 김병덕(金炳德) 등은 연명으로 의제개혁을 반대하는 차자(箚子)를 올렸다. 이들은 공복과 사복은 모두 명나라의 제도를 따른 것이고, 또한 왕제(王制)로 된 것이므로 바꿀 수 없다고 주장했다. 또 홍단령은 『대전통편(大典通編)』의 원전(原典)에 따르면, 절대 착용하지 말아야 된다고 강력히 주장하였다. 그러나 고종은 완강하게 자신의 주장을 굽히지 않고 다음과 같이 변론하였다. '흑단령'은 선조조(宣祖朝)에 전교하여 규례로 정해진 적이 있기 때문에 사용해도 무방하고, 사복은 원전에 실려 있지는 않지만 착수의(窄袖衣)·전복(戰服)·사대(絲帶) 등은 우리나라에서 으레 사용하던 복장이어서 간편하기 때문이고, 또 군사들의 복장은 적군들은 날랜데 우리군사는 둔하기 때문에 간편하게 바꾸는 것이라고 설명하였다.76)

이에 사헌부와 사간원에서는 연명으로 차자를 올려 반대의 목소리를 높였다. 지금의 의복제도는 경전과 도식(圖式)에 분명한 근거가 있어 상고할 수 있는데, 흑색의 옷과 반령착수(盤領窄袖) 제도는 상고할 수 없다고 하였다. 또한 자락이 큰 옷과 넓은 띠를 착용하는 선비들의 옷

75) 『고종실록』, 21년 윤5월 25일(무진).
76) 『고종실록』, 21년 윤5월 27일(경오).

차림은 오직 우리 대동(大東)의 예의지국(禮儀之國)뿐이라고 하면서, 구태여 변경할 필요가 없다고 주장하였다. 이 차자(箚子)를 읽고 난 고종은 이를 매우 불쾌하게 여기며 이들에게 파직을 시행하겠다는 비답을 내렸다.

고종의 이와 같은 엄명에도 홍문관에서는 역시 연명으로 의제개혁에 반대하는 차자를 올렸고, 시임(時任)·원임(原任) 대신들도 세 차례에 걸쳐 명령을 철회하라는 차자를 올렸다. 그럼에도 예조에서는 결국 왕명을 받들어 「사복변제절목(私服變制節目)」[77]을 입계(入啓)하였다. 이에 고종은 사복변제절목을 비준한 공문을 내려 도성은 15일 안으로, 외읍(外邑)은 공문이 도착한 뒤 15일 안에 모두 변제하도록 하교하였다. 그러자 성균관 진사(進士) 심노정(沈魯正)은 고종의 의제개혁 논리에 반박하는 상소[78]를 올려, 흑단령과 착수의의 부당함을 낱낱이 밝혀 개혁을 철회할 것을 주장하였다. 고종은 누차 말한 대로 번거로운 것을 없애고 간편한 것을 따르려는 데 뜻이 있음을 밝히고, 번거롭게 하지 말고 학업이나 닦으라고 핀잔을 주며 받아들이지 않았다. 또 성균관 유생 남두희(南斗熙)가 반대하는 상소를 올

77) 『고종실록』, 21년 6월 3일(을해). ①사복은 窄袖衣로 하며, 신분의 귀천을 막론하고 모두 平常服으로 한다. 도포·직령·창의·중의와 같은 것은 지금 이후로 모두 마땅히 제거하여야 한다. ②관직에 있는 자는 전복을 입는다. 胥役으로서 벼슬하는 사람도 같다. 吏胥들의 단령 또한 제거한다. ③유생이 진현할 때의 복장과 齋服·儒巾·靴子는 전례와 같이 하는 것 외에는 반령·착수를 쓰고, 띠는 사대를 쓴다. 生員·進士·幼學의 사복 또한 착수의로 한다. ④서민은 착수의만을 입는다. 시역(廝役: 종)들도 같다. ⑤착수의는 다른 색의 감으로 緣을 하거나 하지 않거나 모두 편의대로 맡긴다. 연의 넓이는 포布帛尺 1촌으로 한다. 徒隷는 연을 할 수 없다. ⑥벼슬이 없는 사람은 綺·羅·綾·緞 종류를 입을 수 없다. 서역으로서 벼슬하고 있는 사람도 같다. ⑦띠는 廣帶를 쓰되 잠그는 고리를 달아 옷을 묶는다. 띠의 제도는 나머지가 周尺 1척을 넘지 않게 한다. 사대를 쓰는 경우 늘어뜨린 끈이 주척 1척을 넘지 않게 한다. ⑧문무 당상관의 띠는 홍자색을 쓰고, 당하관은 청록색을 쓰며, 유생의 혁대는 편의대로 한다. ⑨갓끈은 협소하게 짜서 쓰되 紗·帛· 珠를 사용하여 맬 수 있을 정도로만 하고, 남아서 늘어지게 할 수 없다. ⑩옷고름은 겨우 맬 수 있을 정도의 길이로 하고, 넓거나 길게 할 수 없다. 혹은 絲紐[실매듭]이나 金釦 [단추]를 쓴다. ⑪有服人의 常服과 弔服은 窄袖白衣를 쓰고, 띠는 백색을 쓴다. 벼슬이 있는 자는 淡色의 전복을 입는다. 유복인은 베띠를 쓸 수도 있으나 길게 늘어뜨려서는 안 된다. ⑫미진한 사항은 추후에 마련한다. 이상 12조항.

78) 『고종실록』, 21년 6월 4일(병자).

리자 고종은 마침내 소두(疏頭)에 대해서는 정거(停擧:과거 응시 금지)하는 법을 적용하겠다며 강력하게 대응하고 나섰다.

한편 일부 관원들 중에는 고종의 의제개혁에 적극 동조하는 이들도 있었다. 부호군 김교환(金敎煥)은 의제개혁에 찬성하는 상소를 올렸다.[79] 그는 나라를 부강하게 하는 방법은 백성들이 각각 자신의 일에 종사하여 노는 사람이 없게 해야 한다고 했다. 노는 사람이 없게 하려면 학교를 설치하여 생도들에게 기술을 익히게 하고, 또 의복의 소매를 좁게 하여 백성들이 일하기 편하게 해야 한다고 주장했다. 즉 기술을 익히는 자들이 생업에 종사하려면, 소매가 넓은 옷은 불편하여 생산성이 떨어지기 때문에 소매를 좁게 해야 한다는 것이다. 또 김교환은 우리나라가 500년 동안 문치(文治)에만 치중되어 많은 폐단이 생겼다는 것을 지적하였다. 경대부에서부터 서리(胥吏)와 시역(厮役)에 이르기까지 높은 관과 넓은 띠, 넓은 소매를 갖춘 옷을 입는 것을 고상하게 여기며, 직업을 갖는 것을 부끄럽게 여겨 부모와 처자가 굶주리고 추위에 시달리더라도 천한 일은 하려고 않고 속수무책으로 있는 것을 지적하였다. 이들은 이렇게 된 것이 모두 소매 넓은 옷을 입는 것에서 기인한 것으로 보았다.

부사과(副司果) 조상학(趙尙學)도 의제개혁에 찬성하는 상소를 올렸다.[80] 조상학은 고종이 사복의 도포·직령·창의·중의는 겹겹으로 소매가 넓으니 변경해야 된다는 고종의 뜻에 크게 감탄했다. 그는 고종이 이러한 결단을 내린 데에는 2년 전에, 임오군란을 겪은 뒤로 풍습이 달라지고 국가에 일이 많아져 군신 상하가 함께 분발한다는 차원에서 결정된 것이라고 하였다. 그리고 지금 세계정세를 살펴보면 한 가지만 고집할 수 없으며 넓은 소매는 일에 방해가 되니, 『논어』의 "평상시 입는 옷의 오른쪽 소매는 짧게 한다."는 근거를 들면서, 지금은 소매를 짧게 하는 것도 아니고 폭을 줄이는 것이므로, 전혀 무리가 되지 않는다고 고종의 정책을 옹호하였다. 이에 고종은 김교환과 조상학의 상소를 읽고 내용이 매우 시의(時宜)에 합당하다고 칭찬하였다.

유학(幼學) 김상봉(金商鳳)도 찬성하는 상소를 올렸다.[81] 그는 변개(變

---

79) 『승정원일기』, 고종 21년 6월 6일(무인).
80) 『승정원일기』, 고종 21년 6월 8일(경진).

改)한 의제는 이미 『대명회전』에 실려 있을 뿐만 아니라, 태조대왕이 남긴 제도라고 하면서 고종의 뜻을 적극 지지하였다. 김상봉은 의복제도의 절목 내용이 모두 가볍고 편하며 절용하는 측면이 뛰어나 실용적이라고 하면서, 실행하는 것은 시왕의 조처에 달려 있고 비방하는 자들에게는 직접 친국(親鞫)을 실시할 것을 제안했다.

이러한 가운데 송시열의 후손인 판중추부사 송근수(宋近洙)는 병환 중에서도 상소[82]를 올려 고종의 결정을 철회할 것을 요구했다. 송근수는 결정된 의복제도의 절목을 보고 어떻게 해서 이러한 변개(變改)의 명령을 내렸는지 도무지 이해할 수 없다고 하였다. 그는 오직 우리나라 문물만이 명나라의 제도를 따라서 관리의 위엄 있는 차림새를 보존하고 있기 때문에, 변방의 작은 나라가 천하에서 중시되고 있는 것이라고 주장했다. 이는 화이론(華夷論)에 기초한 주장으로 우리나라가 의관 제도로 인해 그 문화적 자존심을 지키고 있음을 표출한 것이다. 특히 그는 올해는 명나라가 망한 해(1644년)인 그 갑신년이라는 점을 강조하며, 이러한 때에 나라의 옛 제도를 변개하는 것은 매우 적절치 못한 조치이니, 정한 절목을 반드시 철회할 것을 요구했다.

송근수는 18일 뒤에 다시 상소를 올렸다.[83] 송근수는 요즈음 금수 같은 오랑캐가 나라 안에 드나드는 것도 근심스럽고 개탄스러운데, 이상한 제도까지 제정하는 것에 대해 매우 의아스럽다고 하면서 다음과 같이 말했다.

> 옛날 조(趙)나라 무령왕(武靈王)이 기병(騎兵)의 힘을 빌리기 위하여 처음으로 호복(胡服)을 제정하였다가 천하 만세의 비방을 받았습니다. 전하께서도 사책(史冊)을 읽으실 때에 이에 대하여 늘 통탄하셨을 것인데, 지금 시대 상황에 맞는 조치라는 논리를 돌아보건대 조나라 사람의 술법과 무엇이 다릅니까? 맹자가 말하기를, '나는 중화의 제도로 오랑캐의 제도를 변경시켰다는 말은 들었어도 오랑캐에게 교화를 당했다는 말은 듣지 못하였다'고 하였고,

81) 『고종실록』, 21년 6월 17일(기축).
82) 『고종실록』, 21년 6월 15일(정해).
83) 『고종실록』, 21년 7월 3일(을사).

『춘추』의 법에 오랑캐로서 중국에 나아가면 중국으로 대우하고 중국으로서 오랑캐에 빠져들면 오랑캐로 여겼으니, 두려워하지 않을 수 있겠습니까?[84)]

송근수는 중화의 문화를 가진 우리나라가 스스로 오랑캐의 풍속을 따라 오랑캐에게 빠져드는 것을 우려했다. 또 우리나라는 은나라의 교화를 받아 문명한 경지로 나아갔다고 주장했다. 심지어 그는 조선왕조는 신라와 고려시대의 너절한 것들을 모두 제거하고, 중화의 좋은 제도를 본받아 문물제도가 찬연하게 갖추어졌다고까지 하였다. 이러한 사상은 우암 송시열의 대명의리론(大明義理論)과 존화양이(尊華攘夷) 사상을 그대로 계승한 것으로 기호학자들에게 나타나는 하나의 특징이다.

또한 송시열의 후손인 찬선(贊善) 송병선(宋秉璿)도 상소[85)]를 올려 의제개혁 절목을 철회할 것을 요구했다. 그는 나라를 다스리는 데는 시급하게 해야 할 것과 느슨하게 할 것을 구분하여야 한다고 하였다. 시급하게 해야 할 것은 인륜을 닦고 도술(道術)을 숭상하며 만들어 놓은 법을 지키고 민생을 후하게 하는 것이며, 느슨하게 할 것은 옷차림이나 예물 같은 부차적인 것으로, 설사 좋게 바꾸는 것이라고 하더라도 명왕(明王)이 급하게 할 것이 아니라고 하였다. 송병선은 우리나라의 공복과 사복 제도가 옛 제도에 모두 부합되지는 않지만, 그래도 명나라의 제도라고 하면서 갑신년(1644) 명나라가 망한 해를 맞이한 감회를 생각하며 중화의 제도를 바꾸지 말 것을 주장했다. 그러면서 우리나라 의복의 넓은 소매와 늘어뜨린 띠의 여유 있고 위엄 있는 모습은, 서양 사람들의 옷에 비할 바가 못 된다고 하였다. 심지어 서연관(書筵官) 박성양(朴性陽)은 평상시 도포(道袍)·심의(深衣)·아관(峨冠)·박대(博帶)를 갖춰 입고 지낸다고 하면서, 국가의 금령을 범하였으니 유사(有司)에게 명하여 사적(仕籍)에서 자신의 이름을 삭제하고 죄로 다스려 달라고 호소하기도 했다.

한편 당시 '위정척사' 사상에 철저했던 화서 이항로 학파의 문인들은 의제개혁에 반발하며 목숨을 걸고 지킬 것을 다짐했다. 이들 역시 전통복식을 고수하는 가장 큰 이유는 조선중화주의(朝鮮中華主義)에 근

84) 『고종실록』, 21년 7월 3일(을사).
85) 『고종실록』, 21년 6월 25일(정유).

본하고 있었다. 평소 이들은 자신들이 유일하게 선왕의 법복(法服)을 착용하고 있다는 점을 늘 자랑스럽게 여겼다. 그러므로 전통복식을 지키는 것이 중화와 이적을 구분 짓는 중요한 척도라고 인식했다. 또한 명나라가 망한 이후 중화는 더 이상 중국 본토에서는 찾아볼 수 없고, 오직 조선에서만 계승하고 있다는 자부심도 갖고 있었다.

이항로의 문인 성재(省齋) 유중교(柳重敎)는 갑신년에 선포된 의제령(衣制令)을 보고서 "선왕의 법복을 훼손하여 오랑캐를 따르고 있으니, 형체를 훼손하는 것은 기다리지 않아도 저절로 알 수 있다."[86]고 하였다. 형체 훼손은 바로 삭발을 할 것이라는 의미이다. 그 후 1895년에 고종은 일본의 강요로 스스로 삭발을 하고 말았다. 이미 의제개혁을 할 때부터 예측되었던 당연한 결과였다. 유중교는 의제개혁 법령을 듣고 동지들과 함께 따르지 않겠다는 의논을 정하고 죽음으로써 지킬 것을 맹세하였다. 유중교는 조정의 의제개혁 법령에 대해 먼저 국가의 명령이 정당한가 정당하지 않은가를 따져볼 것을 주장했다. 본래 왕조시대에서는 국가의 법령을 신민(臣民)된 자들은 감히 거역할 수 없는 것이었다. 그러나 변복하라는 명령은 매우 이치에 위배된다고 판단하고, 국법을 어길지라도 먼저 의리에 근거하여 전통복식을 지킬 것을 주장했다.[87]

또 유중교는 집안에서와 외출할 때를 가려서 처신할 것을 주장했다. 그는 지인들에게 가정에 거처할 때는 전통복식에 대한 자신의 의지를 굳게 하여 형벌을 준다고 해도 뜻을 바꾸어서는 안 되겠지만, 바깥에 출입할 경우는 규정이 완만한가를 살펴서 처신하라고 당부하기도 하였다. 당시 경성에서는 의복제도를 어길 경우 처벌할 법률을 적용하였지만, 지방 고을은 이처럼 심하게 단속하지는 않았다.[88] 그렇지만 유중교는 자신이 지키는 뜻을 세상에 펼치는 것으로 마음을 삼아야지, 가정에서만 홀로 전통복식을 지키는 것으로 만족해서는 안 된다고 하였다.

86) 『省齋集』 권6, 「上重菴先生(甲申九月)」. "接見州縣所布衣制令文, 即是毁先王之法服以從夷也, 不待復毁其形."

87) 『省齋集』 권10, 「答朴弘菴」. "其無甚得失者, 隨衆而行, 隨衆而止, 未有害也. 其大違於理, 如今日變服之比, 當據義守舊而已, 决不可苟從也."

88) 『省齋集』 권10, 「答朴弘菴」. "京城則旣頒衣制, 又設犯禁之律, 外邑則只頒衣制, 不繫申飭之語."

면암(勉菴) 최익현(崔益鉉)은 1895년에 역적을 토벌하고 의제를 회복하라는 상소[89]를 올렸다. 그는 의복은 중화와 이적을 구별 짓고 귀천을 나타내는 것으로, 우리나라 의제는 옛 제도에는 완벽하게 합치되지는 않지만, 그래도 중화문물이 깃들어 있어 볼만한 것이 있기에, 선왕들이 강명(講明)하고 준수(遵守)해 왔다고 주장했다. 그러므로 천하만국이 흠모하고 있는데, 이것을 버린다면 요순문무(堯舜文武)가 서로 전한 화하(華夏)의 일맥(一脈)을 영원히 찾을 곳이 없을 것이라고 하였다.[90]

그 후 몇 달 뒤에 최익현은 조정에서 단발령이 발표되자 다시 상소를 올려 철회할 것을 주장했다. 의관을 훼손하고 형체를 잔해(殘害)하면서 백성들을 진작시킬 수는 없다고 항변했다. 그는 삭발하고 오랑캐의 모습으로 살기보다는 차라리 중화의 복장을 지키다가 죽는 편이 낫다고 극언을 서슴지 않았다.[91] 최익현의 이러한 정신은 훗날 항일운동 때에도 그대로 나타나, 1906년에는 70세의 노구(老軀)를 이끌고 의병을 일으켜 항전하다가 왜병에게 붙잡혀 대마도로 끌려가 그곳에서 순국하였다. 이들의 의제개혁 반대는 위정척사 사상에 근거한 것으로 그 역시 송시열의 춘추대의와 존화양이의 사상에 뿌리를 둔 것으로, 19세기 기호학파 학자들의 공통적인 입장이라 할 수 있다.

간재(艮齋) 전우(田愚)는 의제개혁 법령이 발표되자 "어떻게 하면 중산의 천일주를 얻어 흠뻑 취하여 곧바로 태평의 시대에 이를 수 있을까[安得中山千日酒, 酩酊直到太平時.]"[92]라는 시를 반복하여 읊으면서 참담한 심정을 드러냈다. 차라리 술에 흠뻑 취해 다시 이 세상에 깨어나지 않기를 바란 것이다. 일찍이 전우는 의복은 자신의 몸에 문채를 내고 조급함

---

89) 『勉菴集』 권4, 「請討逆復衣制疏(乙未六月二十六日)」.

90) 『勉菴集』 권4, 「請討逆復衣制疏(乙未六月二十六日)」. "夫衣服者, 先王所以辨別夷夏, 表章貴賤者也. 我國衣制, 雖非盡合於古, 然是中華文物之所寓, 東方風俗之攸觀, 先王先正, 嘗講明而遵守之矣. 天下萬國, 嘗仰慕而欽歎之矣 此而棄之, 則堯舜文武相傳之華夏一脈, 無地可尋."

91) 『勉菴集』 권4, 「辭議政府贊政疏[再疏](戊戌十月初九日)」. "假使剃髮則存, 不剃則亡, 自古未有不亡之國, 寧爲華夏而亡, 不爲夷狄而存, 況天下萬古, 本無此理, 又豈可甘爲夷狄, 以得罪於先聖先王乎."

92) 『艮齋集前編』 권5, 「答安士尙(絅鎬甲申)」. "來書以衣制事, 深致慨惜. 至擧安得中山千日酒, 酩酊直到太平時之句以諭之, 三復, 令人心痛也."

을 막는 것이라고 정의했다. 그러므로 선왕이 반드시 높은 관과 드리운 갓끈, 큰 소매와 드리운 띠의 제도로 사람을 가르쳤다고 하였다.[93] 그는 집안에 거처할 때는 야복(野服)과 연의(燕衣)를 입었고, 외출할 때는 양삼(凉衫)과 심의를 입었다. 뿐만 아니라 그가 가르치는 동사(同社)의 제생들은 한 사람도 신식 제도의 옷을 입는 이가 없었다고 했다.

이러한 전우의 행동에 대해 어떤 사람이 어찌 군주의 명을 어기느냐고 하면서, 『중용』의 '천하면서 혼자 멋대로 하기를 좋아한다[賤而好自專]'는 경우에 해당될 수 있다고 하자, 전우는 다음과 같이 답했다.

> 이것은 그럴 듯하지만 또한 그렇지 않다. 증자가 "아버지의 명령을 따르는 것을 효라고 합니까?"라고 묻자, 성인이 '이것이 무슨 말인가?'라고 두 번씩이나 말하여 경계하였다. 신하가 임금에 대해 그 의리가 무엇이 다른가? 그러므로 벼슬하여 홀을 꽂고 띠를 띤 자는 의를 베풀어 간하고 듣지 않거든 마침내 떠나갈 뿐이요, 몸이 초야에 있는 자는 예를 지키며 스스로를 다스리고 금지하는 법률을 범하면 자신이 목숨을 다할 뿐이다. 이와 같이 하면 말이 비록 한 시대에 행해지지 않고, 몸이 비록 당세에 죽임을 당할지라도 그 지키는 도는 오히려 백세(百世)의 아래에서 행해질 것이다.[94]

인용문에서 전우는 국가의 법령이라고 해서 무조건 따르는 것이 충(忠)이 아님을 공자의 말을 근거로 삼아 변론하였다. 자식이 아버지의 명령을 무조건 따르는 것이 효가 아니듯이, 군주의 명령에 대해서도 마찬가지로 적용하고 있다. 또한 이러한 상황을 당하면 관직을 가진 자와 초야의 선비가 서로 대처하는 방법이 같지 않다고 했다. '천하

---

93) 『艮齋集前編』 권5, 「答安士尙(絅鎬甲申)」. "夫衣裳, 所以章其身而防其躁也. 故先王必爲峨冠綏纓大袂垂紳之制, 以教人也."

94) 『艮齋集前編』 권5, 「答安士尙(絅鎬甲申)」. "此似然而又有不然者. 曾子問從父之令可謂孝乎? 則聖人再言是何言歟以戒之. 臣之於君, 其義亦何異也? 故位在搢紳者, 陳義以諫而不見聽, 則終於去已矣, 身處草茅者, 守禮自靖而律以犯禁, 則致其命已矣. 如此則言雖不行 於一時, 身雖見殲於當世, 而其所守之道, 猶可得行於百載之下矣."

면서도 혼자 멋대로 하기를 좋아한다'는 것에 저촉될 우려에 대해서는, 위정자가 예로서 가르치는 때에 중화의 제도를 변하여 오랑캐를 따르면서도, 조정의 명령에 의탁하여 어기지 않는 것을 말한 것이 아니라고 변론하였다.

전우는 선비의 책무가 무엇보다 중요하다고 역설하였다. 그는 세상이 다스려지면 가르침이 임금에게서 나오지만 세상이 어지러우면 가르침이 선비에게서 세워진다고 했다. 선비는 신분이 천하고 임금은 귀하지만 시대의 흥망에 따라, 하늘의 떳떳한 강기(綱紀)와 인도(人道)를 유지하는 권리는, 애당초부터 지위의 존비에 따라 더하고 덜 하는 것이 아니라고 주장했다. 기강을 유지하는 데 있어서는 선비의 책임이 이와 같이 무겁고, 붙들고 있는 의리는 군주가 절대 빼앗을 수 없는 것이라고 단언하였다. 이러한 선비의 기상은 열성조(列聖祖)들이 500년 동안 배양한 선비정신의 유택(遺澤)임을 강조하였다.

또한 전우는 선비의 넓은 소매는 비록 몇 자에 불과하지만, 황제와 요순으로부터 대대로 지켜온 정신이 깃들어 있는 것이라서 폐할 수 없다[95]고 항변했다. 그는 지금의 이러한 사태를 군주가 오랑캐에게 핍박당해 어쩔 수 없이 행하는 처사라고 판단하고, 선비들은 의연하게 자립하여 오랑캐들에게 우리의 도를 힘으로 굽힐 수 없다는 것을 보여 주자고 하였다. 이렇게 하는 것이 춘추에서 허여한 것이고 세도(世道)에 의지하는 방법이라고 역설했다.[96]

이와 같이 전우는 난세를 당해서 더욱 자신의 학문과 수양에 힘쓸 것을 강조하였다. 이는 화서학파가 밖으로 나가 직접 적과 대항하여 몸으로 투쟁하는 방식과는 차이가 있다. 전우는 우리 스스로가 성현의 학문에 힘을 쓴다면 오랑캐라 하더라도 변화시킬 수 있다고 하면서, 정가신(鄭可臣)과 민지(閔漬)의 행적을 사례로 들어 학자로서 이적의 세상에 대처하는 방법을 제안하였다.

---

95) 『艮齋集後編』 권3, 「答黃鳳立兼示北艮諸生」. "愚每謂士子廣袖, 雖不過數尺, 直從黃帝堯 舜累數千年, 世守而不敢廢者, 柰何去之."

96) 『艮齋集前編』 권15, 「衣制問」. "但今日朝廷, 逼於夷狄, 而強用其制, 則爲吾儕者, 宜毅然自立, 使夷人知吾道之不可以力屈, 豈非春秋之所與世道之所賴, 亦豈非五百年列聖朝培養士氣之一遺澤乎?"

> 정가신(鄭可臣)과 민지(閔漬)가 충렬왕을 따라 원나라에 갔는데, 세조가 『효경』, 『논어』, 『맹자』를 외우는 소리를 듣고 '이들은 유자(儒者)이다'고 하면서 변발(辮髮)과 쓰고 있는 건(巾)을 제거하라고 명하였다. 이는 참으로 한 가지 기이한 일이니, 또한 성현의 교화가 오랑캐의 군주를 감동시킨 것이다.[97]

위의 인용문은 고려 때 정가신과 민지의 선비다운 행동에 오랑캐의 군주까지 감동했다는 내용이다. 정가신과 민지가 충렬왕을 따라 원나라에 가서 변발 복장을 하고서도 경전을 열심히 읽자, 오랑캐의 군주가 이들의 변발 복장을 제거해 주었다는 것이다. 전우는 지금의 처지를 이와 비교하여 무력 저항이 아닌 우리의 도(道)로써 상대편 스스로가 변화되기를 기대하는 근본적인 방법을 택하였다.

전우의 이러한 자세는 한일합방이 체결되자 왜적의 세상을 피해 계화도(繼華島)로 들어가 도를 수호하면서 훗날을 기약하려는 데서도 나타난다. 그는 "오백년 종묘사직을 보전하는 것도 중요하지만 3천년의 도통(道統)을 계승하는 것이 더 중요하다."는 입장을 가지고 있었다. 그러므로 그는 비색(丕塞)한 시운(時運)을 바로잡지 못한 채 가벼이 죽기보다는 학문을 일으켜 국권을 회복하자는 처변의리론(處變義理論)[98]을 주장하였다. 그러면서 지금 세상에 정가신과 민지처럼 독서하는 선비가 없음을 개탄하였다. 전우는 도통의 계승과 국권 회복을 하기 위한 길은, 오로지 성인(聖人)의 학문을 연마하여 어떠한 상황에서도 의리를 굽히지 않는 기상을 기르는 데 있다고 보았다.

또 삭발이 유행하는 때를 당하자, 전우는 의관 정제를 집안의 자제나 문인들에게 엄격하게 지킬 것을 당부하였다. 자손들뿐 아니라 문인들에게까지도 만약에 훼발(毁髮)한 자가 있다면 만나지 않겠다[99]고 선언하였다.

---

97) 『艮齋集前編』 권4, 「答李友明」. "鄭可臣, 閔漬, 從忠烈王入元, 世祖聞講孝經論孟曰, 此儒者也, 命去辮髮著巾, 此固一奇事. 亦見聖賢之化可以感夷主."

98) 최영성, 『한국유학통사』(下), 심산출판사, 2006, 454쪽.

99) 『艮齋集後編續』 권5, 「示家兒 己未」. "老父平生所執, 自在常言, 子孫中有毁髮者, 當不相見, 此汝曹之所稔聞也."

혹시 문인 중에 훼발한 자가 있으면 문인록(門人錄) 명단에다 반드시 직접 '삭(削)'이라는 글자를 써서 내칠 정도로 강하게 징계하였다. 전우에게 있어 삭발이라는 것은 '신체발부(身體髮膚)를 훼손하지 않아야 된다'는 공자의 가르침에 정면으로 배치되는 것이라고 여겼다. 그러므로 전우는 삭발하는 행위는 일본에게 선비의 절의를 굽히는 것으로서, 죽어도 뉘우칠 수 없는 치욕으로 생각했다.

뿐만 아니라 전우는 문중 파보(派譜)을 만들면서, 누군가 '만약 종원(宗員) 중에 의관이나 용모를 훼손한 자가 있으면 어떻게 처리할 것이냐'고 묻자, "문중 자질(子姪)들이 형체를 훼손하고 복식을 다르게 입은 자는 오랑캐 따르기를 좋아하는 자"[100]라고 지목하면서, 저들 스스로 조종(祖宗)을 끊었으니 어찌 보첩(譜諜)에다 버젓이 이름을 실어 후손에게 보이겠냐고 단호하게 거절하였다. 덧붙여 포효숙공(包孝肅公)의 가훈과 『방정학집(方正學集)』의 「근행장(謹行章)」[101]의 구절을 인용하면서, 삭발하고 오랑캐가 된 종원은 절대 족보에 넣을 수 없다고 강력하게 거절했다.

그리고 전우는 이적의 징벌은 당대가 아닌 후세의 사관(史官)의 붓에 기대어 평가될 것이라고 확신했다. 그는 명나라의 방손지(方遜志: 方孝孺, 1357~1402)의 '정통론(正統論)' 중에 "이적(夷狄)·적후(賊后)·찬역(簒逆)한 부류는 비록 천하를 통일하였다하더라도 정통이라고 할 수 없다."는 말을 항상 지론으로 여겼다. 오랑캐들이 만약 화제(華制)를 쓴다고 하더라도 붓을 잡은 사관이 절대 그들에게 선왕의 정통을 주지 않을 것[102]이라고 확

---

100) 『艮齋集後編』 권3, 「答田相武」. "門子姪之毁形異服, 甘心從夷者, 是彼自絶於祖宗, 如何渾載於譜牒而示後孫乎?"

101) 포효숙공 가훈에 "후세 자손에 벼슬살다가 贓濫한 죄를 범한 자는 본가로 돌아올 수도 없거니와, 그가 죽은 후에도 先塋에 장사할 수 없다. 내 뜻을 따르지 않으면 내 자손이 아니다[包孝肅公家訓云, 後世子孫, 仕宦有犯贓濫者, 不得放歸本家, 亡沒之後, 不得葬於大塋之中. 不從吾志, 非吾子孫]."고 하였고, 『방정학집』 宗儀의 謹行章에 "천륜을 패한 자는 하늘이 버리고 사람들이 버리며, 살아서는 나란히 설수 없고, 죽어도 복을 입지 않 고 주인은 사당에 들이지도 않고, 장사지낼 때 전송하지도 않으며 족보에 그의 이름을 넣지 않는다[方正學集宗儀, 有謹行章云, 斁天倫者, 天之所誅, 人之所棄, 生不齒, 死不服, 葬不送, 主不入祠, 譜不書其名]."라고 하였다.

언했다. 전우는 이러한 상황에서도 정통론에 입각한 대의(大義)를 견지하며, 도학사상(道學思想)에 철저한 사관의 붓에다 희망을 걸었다.

살펴보았듯이 19세기 조선은 엄청난 격랑의 소용돌이 속에 빠져 있었다. 안으로는 대신들의 생각이 서로 분열되었고, 밖으로는 세계열강들의 집요한 개화의 강요로 인해 국정은 제대로 작동하지 않았다. 그 와중에 고종은 의제개혁과 단발령이라는 유례없는 정책을 발표하여 전국이 온통 혼란의 구렁에 빠졌다. 고종의 의제개혁이 발표되자 대신들은 모두 한목소리로 이 제도를 철회할 것을 요구하였다. 그러나 고종은 간편하고 실용적이라는 측면을 강하게 내세워 의제개혁의 뜻을 조금도 굽히려 하지 않았다. 기호학파의 정통을 자부하는 학자들은 하나 같이 송시열의 춘추대의와 존화양이의 정신을 이어 오랑캐의 의복은 입을 수 없다는 입장을 강하게 고수했다.

이와 같이 19세기 기호학자들은 의제개혁이라는 변란을 당해 처세하는 방법은 조금씩 달랐지만, 하나같이 공맹의 도덕에 충실하고 존화양이에 철저한 부분은 한결같이 다름이 없었다. 그러므로 이들에게는 비록 지엄한 왕명이라 할지라도 그것이 의(義)가 아니면 죽음을 불사하고 항거하며 결코 자신의 소신을 굽히려 하지 않았다. 그럼에도 이들은 현실적으로 거대한 국가의 정책을 바꾸지는 못했고, 결국 그들이 믿었던 중화의 예제는 국가가 주도한 의제개혁으로 인하여 그 보루를 잃었고, 이들의 지지 속에 존립되었던 국가의 운명도 이와 함께 사라지게 되고 말았다.

102) 『艮齋集後編』 권3, 「答徐柄甲 丙辰」. “方遜志正統論, 夷狄, 賊后, 簒逆三者, 雖統一天下, 不得以正統許之. 此義至嚴, 不可違也. 彼雖用華制, 而秉史筆者, 但當書之, 以微見其嘉之之意而已, 不可遽將先王之正統以與之.”

5

사족예제(士族禮制)의 주요 논제

18~19세기 기호학자들은 주자의 『가례』에 의거하여 조선의 예속을 중화의 예속으로 바꾸는 것을 예학의 중대한 과제로 삼았다. 이러한 과정에서 『가례』의 보정(補正)과 행례규범(行禮規範)의 정세화(精細化)와 예설 변통의 전범(典範) 수립 등 세 가지가 주요한 논제로 등장한다.

기호학자들은 『가례』를 통해 관혼상제를 행하는 과정에서 발생하는 변례(變禮) 내지 의문점들을 해결하기 위해 『가례』를 보완하는 작업에 들어갔다. 주지하다시피 『가례』는 간편하게 사용할 수 있도록 제작된 예서이므로, 조선의 학자들은 일찍부터 이를 보완하고 강구하는 데 몰두하였다. 따라서 여기에서는 먼저 기호학자들이 주자의 『가례』를 완벽하게 실행하기 위하여 강구한 보정의 방법을 살펴보기로 한다.

18~19세기 기호학자들은 한편으로 『가례』를 현실에 손쉽게 적용하기 위해 행례 편찬에 몰두하는데, 김장생의 『상례비요』와 박세채의 『삼례의(三禮儀)』와 이재의 『사례편람』 등은 바로 바로 그러한 예서이다. 다른 한편으로 기호학자들은 관혼상제의 행례뿐 아니라 제가(齊家)를 위한 가의(家儀)와 종규(宗規) 등의 구체적인 규범을 마련하고, 향촌사회의 자제들을 교도하기 위한 서숙(書塾)의 강규(講規) 등의 규정을

세밀하게 강구하는 데도 매우 적극적이었다. 이런 점은 19세기 후반에 들어서면서 더욱 강화되는 경향을 보인다.

기호학자들의 예학 논의에 있어서 간과할 수 없는 것은, 이들이 그들의 사승에 속하는 핵심 학자들의 예설을 별도로 지속적으로 편집 간행하였다는 점이다. 기호학자들은 예설 변통의 전범을 수립하고자 스승의 예설류 서적을 편찬 간행하였다. 이들은 일찍부터 『가례』를 중심에 두고 사우(師友)들과의 강론을 통해 수많은 예설 문답을 진행해 왔다. 이렇게 축적된 예설 문답을 각각 분류하고 편찬하여 서적으로 간행하였는데, 김장생의 『의례문해(疑禮問解)』와 박세채의 『남계선생예설(南溪先生禮說)』과 박성원의 『예의유집(禮疑類輯)』 등은 바로 그 대표적인 결과물이다. 또 19세기에 이르러서는 박윤원의 『근재선생예설(近齋先生禮說)』·홍직필의 『매산선생예설(梅山先生禮說)』·임헌회의 『전재선생예설(全齋先生禮說)』·전우의 『간재선생예설(艮齋先生禮說)』 등의 예설류 서적이 연이어 편찬 간행되었다. 이러한 예설류 편찬은 남인 계열 학자에게서는 거의 나오지 않았지만,[1] 기호 예학가들에게서는 예설류 편찬이 연이어 이루어졌다. 따라서 예설류 서적을 중심으로 기호 예학의 한 특징을 살펴보는 것도 의미 있는 일이다.

1. 『가례(家禮)』의 보정(補正)

여말선초(麗末鮮初) 성리학과 함께 들어온 『가례』는 조선이 국가적 차원에서 적극적으로 보급하여 조선 건국 이후 줄곧 사대부 사족 사이에서 널리 보급되고 통용되었다. 성종조 때 편찬된 『국조오례의(國朝五禮儀)』 속에도 사대부의 관혼상제에 관한 예규(禮規)가 포함되어 있었으나, 16세기 이후 사대부 사족(士族) 집안에서는 이보다도 『가례』를 준행하는 일이 더욱 일반적이었다. 회재 이언적의 『봉선잡의(奉先雜儀)』나 율곡 이이의 『격

1) 李瀷(1681～1763)의 『星湖禮說類編』과 申近(1694～1764)의 『疑禮類說』 등이 있다.

몽요결(擊蒙要訣)』「제의초(祭儀鈔)」 등은 『가례』의 보급과정을 잘 보여주는 사례들이다. 조선중기 주자학에 대한 연구가 심화되면서 『가례』의 연구 역시 심화를 더해 갔다. 퇴계 이황의 문집에 보이는 예학담론의 태반이 『가례』의 준행과 관련된 것임을 미루어 보더라도, 이 시대 『가례』의 연구 열의가 어느 정도인지 가늠할 수 있다.

사진_26 <가례> 출처: 한중연

17세기에 들어와 한강 정구의 『오선생예설분류(五先生禮說分類)』와 사계 김장생의 『상례비요(喪禮備要)』·『가례집람(家禮輯覽)』 등이 간행됨으로써, 『가례』 예학에 대한 연구는 점차 그 정밀도를 더해 갔다. 이로 인해 『가례』의 미비점이 발견되고, 주자 예설의 전후 모순과 국속(國俗)·국제(國制)와의 상충, 『가례』에 명시되지 않은 다양한 변례 등이 예학의 새로운 문제로 등장하였다. 더구나 17세기 중반 두 차례의 예송논쟁 이후 예서(禮書)를 둘러싼 당파간의 학설 논쟁이 격화되자, 예학은 각 당파마다 자신들의 독특한 입장을 반영하여 한층 내밀한 체계를 갖추어 갔다.[2)]

18~19세기 기호학자들은 『가례』의 보완에 앞서 우선 한 가지 원칙을 세웠다. 그것은 "유가(儒家)의 의범(儀範)은 반드시 주자에게서 근거를 찾지 못한 뒤에 비로소 다른 설을 따른다."[3)]고 한 송시열의 입론을 그 원칙으로 삼았다. 만약 부득이 다른 예설로 보완해야 할 경우는 주자의 글에서 최대한 근거를 찾다가 끝내 찾지 못하면 여타 선현들의 예설을 적용했

2) 정길연, 「매산 홍직필의 예설 연구」, 경성대 석사학위논문, 2008, 25~26쪽.
3) 『渼湖集』 권4, 「答朴士洙」. "尤翁所謂儒家儀範, 必不得徵於朱子然後, 乃從他說者, 亦豈不爲後學之明法耶."

다. 이들이 주로 『가례』 보완에 적용했던 방식은, 대체적으로 주자의 학설로 유추하는 방법과, 주자의 만년설(晩年說)을 정설로 채택하는 방식, 그리고 송시열이 주자의 정설이라고 판단한 설을 정론으로 확정하는 방법 등을 사용하였다.

먼저 주자의 학설로 유추한 방법을 살펴보자. 대개 상례는 매우 복잡하고 변례가 발생하는 경우가 빈번하여 가장 논란이 많은 예제이다. 그 가운데 하나는 졸곡(卒哭) 후에도 삼년 동안 계속 상식(上食)을 행해야 하는지의 여부이다. 『의례』에는 장사를 지내고 나면 다시는 하실(下室)에서 궤식(饋食)하지 않는다고 하였고, 주자는 장사지낸 뒤에도 궤연을 걷어서는 안 된다고 하였다. 주자가 궤연을 걷어서는 안 된다고 한 것은 아직도 삭망제(朔望祭)가 있기 때문이다. 주자는 모친의 상을 당하여 한천정사(寒泉精舍)에 기거하면서 삭망에는 돌아가 전(奠)을 올렸다. 송대의 학자 장재(張載)와 사마온공(司馬溫公)은 3년 동안 궤연을 걷지 않기 때문에 궤식하는 것이 마땅하다고 하였고, 주자는 육자수(陸子壽)·호백량(胡伯量)·이계선(李繼善) 등에게 답한 글을 통해 고례에는 분명히 파했다고 하였다. 그런데 『가례』에는 졸곡 뒤에 상식을 파한다거나 파하지 않는다는 분명한 조문이 없다.

사계 김장생은 조석전을 그만두는 날에 상식도 그만두어야 한다고 하였고, 반면 이암(頤菴) 송인(宋寅)은 3년 동안 상식을 그대로 행해야 한다고 주장했다. 그러나 우암 송시열은 『가례』에는 초상에 조석곡(朝夕哭)·무시곡(無時哭)·조석전(朝夕奠)·조석상식(朝夕上食) 등이 있는데, 장사 뒤에는 조석전을 중지하고 졸곡에는 무시곡(無時哭)을 중지하며 소상에는 조석곡을 중지한다고 하면서도, 상식까지 중지한다고는 말하지 않았다고 하면서, 상식은 그대로 행해야 한다[4]고 주장하였다. 송시열의 주장은 김장생의 주장과 반하는 것이지만 주자의 '두터움을 다르는 도[從厚之道]'에 입각하여 유추한 것이다.

그런데 서계(西溪) 박세당(朴世堂)은 3년 상식은 고례가 아니라는

---

4) 『宋子大全』 권65, 「答朴和叔 庚戌十月十八日」. "家禮, 初喪有朝夕哭無時哭朝夕奠朝夕上食, 而葬後止朝夕奠, 卒哭止無時哭, 小祥止朝夕哭, 而不言並止上食, 則其仍行上食無疑矣."

이유로 폐지하는 것을 주장했다. 그는 자식들에게 이 일로 인해 비록 죄를 얻는다 할지라도, 자신이 죽고 나면 졸곡 이후에는 반드시 상식을 폐하라는 것을 유훈으로 남겼다.[5] 이 주장 이후 박세당은 노론학자들로부터 예법을 버리고 노장(老莊)사상을 숭상하며, 상례를 지키지 못하는 자들에게 좋은 빌미를 주었다고 거세게 비판을 받았다.[6]

이후 기호 노론학자들은 송시열의 삼년상식 주장을 적극 따랐다. 도암 이재는 3년 내에는 살았을 때를 본떠서 상식을 행해야 한다[7]고 하였고, 녹문 임성주도 삼년상식 행할 것을 주장하였다.[8] 송시열 이후 기호학자들은 졸곡 뒤에도 삼년동안 상식 행하는 것을 거의 정설로 받아들였다. 이는 『가례』에 분명한 조문이 없지만 주자가 모친상을 당하여 삭망에는 집에 돌아가 전(奠)을 올렸다는 것은, 이미 집안사람을 시켜서 그동안 상식을 올리게 했을 것이라고 추측한 데서 기인한 것이다.

이와는 다르게 기호학자들은 이미 『가례』에 명시되어 있는 조문일지라도 이 조문을 따르기보다는 주자의 '우리 집에서는 고례를 따른다'는 구절을 인용하여, 주자의 본지를 유추하여 고례를 따르기도 하였다.

> 주자는 『가례』에 문명(問名)과 납길(納吉)의 두 절차를 싣지 않고, 단지 납채(納采)、납폐(納幣)、친영(親迎)만 두었으니, 간략함을 따른 것입니다. 그러나 친영을 행하는 사람도 드뭅니다. 비록 고례로 되돌아 갈 수야 없지만, 아울러 친영마저 하지 않는다면, 혼인의 시작을 중하게 여기는 바가 아닐 것입니다. 이로 부터 예가 폐하여 공뢰(共牢)와 합근(合巹)을 모두 신부 집에서 하고 신부 집에서 주장을 하며 신랑 집에서는 관여하지 않으니, 어찌 남자가 여자보

---

5) 『西溪集』 권21, 「諡狀」. "又以三年上食, 非古禮. 嘗曰異日吾死後, 汝曹宜深念吾言, 無惑於紛紛者之論, 古禮既明, 吾意素定, 汝曹雖由此得罪於衆, 不可輕背吾訓. 及公沒後其家一遵遺訓, 卒哭後徹上食, 唯於朔望設殷奠."

6) 『陶谷集』 권13, 「司諫院大司諫洪公墓碣銘 并序」. "世堂素棄禮法, 崇老莊, 遺命死後廢朝夕供, 不良於喪者多喜之."

7) 『陶菴集』 권19, 「答李習之問目 乙丑」. "抄飯一節, 鄙家以三年內象生隨俗行之, 三年後則不行矣."

8) 『鹿門集』 권9, 「答尹生瑞 丁丑六月」. "三年內朝夕上食, 則雖國恤成服前, 似無不可行之義矣."

> 다 먼저 하는 강유(剛柔)의 의리이겠습니까? 납채 · 문명 · 납길 · 납징 · 청기 · 친영은 육례(六禮)이니, 육례가 갖추어지지 않으면 혼인이 아닙니다. 육례는 모두 주선생(朱先生)이 말한 '우리 집에서부터 시행해야 한다'는 것입니다. 한결같이 『의례』를 따라 옛날의 도를 회복하면 다행이겠습니다.[9)]

인용문은 매산(梅山) 홍직필(洪直弼)이 『의례』와 『가례』에 실린 혼인의 절차에 대해 논한 것이다. 본디 『의례』에는 납채(納采)·문명(問名)·납길(納吉)·납징(納徵)·청기(請期)·친영(親迎) 등 육례가 갖추어져 있는데, 『가례』에는 문명과 납길 두 절차가 생략되었다. 홍직필은 『가례』의 생략된 규정에도 『의례』를 따라 육례를 회복해야 한다고 주장하였다. 그의 이러한 입론은 『가례』의 절차 원칙에서 명백히 벗어나는 것이다. 그럼에도 그는 육례를 갖추어야 하는 근거를 주자의 언설(言說)에서 구했다.

홍직필이 주자의 "우리 집에서부터 시행해야 한다."는 말을 인용한 의도를, 그 앞의 문장에서 "간략함을 따랐다."는 구절과 연결하여 살펴볼 필요가 있다. 즉, 홍직필은 "『가례』는 간략한 절차를 수록했지만, 우리 집에서 할 수 있다면 고례를 회복하는 것이 좋다."는 것이 주자의 본디 의도라고 생각한 것 같다. 이렇게 홍직필은 『가례』에 이미 명시된 규정이라 하더라도, 주자의 다른 설을 인용하여 예제의 본디 의리에 합당한 예제를 정립하려고 하였다. 홍직필은 『가례』의 조문을 있는 그대로 준수하는 것이 아니라, 주자의 본지를 근거로 『가례』를 보완하고 수정했던 것이다.[10)]

기호 예학가들은 『가례』의 조문이 명확하지 않은 것을 『가례』에 있는 다른 문구를 통해 유추하여 판단하기도 하였다.

> 예에 무릇 주인이라 한 것은 모두 장자를 가리킨다. 중자(衆子)는 조문을 받

---

9) 『梅山先生禮說』 권1, 「備六禮」. "朱子, 於家禮, 不載問名納吉兩節, 只存納采納幣親迎, 從簡也. 然而親迎者, 亦鮮矣. 古禮縱莫之反, 幷與親迎而不爲, 則非所以重昏姻之始也. 自此禮之廢, 共牢合巹, 皆於婦家, 婦家爲之主, 而壻家不與焉, 豈男先於女剛柔之義哉. 納采問名納吉納徵請期親迎, 是爲六禮. 六禮不備, 非昏也. 六者, 俱是朱先生所謂我家裏做成者也. 幸一 遵儀禮而反古之道焉."

10) 정길연, 「매산 홍직필의 예설 연구」, 경성대 석사학위논문, 2008, 29～30쪽.

> 고 이마를 조아리되 절을 하지 않는 것은 후사가 되지 않았기 때문이다. 이는 진(晉)나라 공자(公子) 중이(重耳)에게서 근원한 것으로 「단궁(檀弓)」편에 있으니 살펴볼 만하다. 신독재 선생이 비록 『가례』에 제자(諸子)가 절하거나 절하지 않는다는 말이 없는 것을 의심하였으나, 나의 생각은 『가례』에 이미 '주인이 절하고 사례한다'고 한 것은 제자(諸子)는 절하지 않는다는 것이 그 가운데 있는 듯하다.11)

위의 글은 근재(近齋) 박윤원(朴胤源)이 상례에 있어서 조문하는 절차를 논한 내용이다. 후사(後嗣)가 되지 않은 사람, 즉 장자가 아닌 자는 조문객에게 이마는 조아리되 절은 하지 않는다. 이 의절은 이미 진(晉)나라 중이(重耳)에게서부터 시작되었다. 그런데 신독재 김집이 『가례』에 제자(諸子)의 절하는 여부를 밝히지 않은 것을 의심하였다. 운평(雲坪) 송능상(宋能相)은 "세상 사람들 중에는 중자(衆子)가 주인과 나란히 서서 절하는 경우가 많은데 잘못이다."12)고 지적하였다. 이는 『가례』에 중자의 절하는 여부가 명확하게 기록되지 않음으로 인한 것이다. 이에 박윤원은 『가례』에 "주인이 곡하며 나가 서향하여 이마를 조아리고 재배한다."는 구절에 '주인'이라고만 한 것은, 중자는 절하는 대상에 포함되지 않음을 가리키는 것이라고 주장하였다.

이와 같은 박윤원의 『가례』 조문에 대한 유추 이해는 다음 사례에서도 그대로 나타나고 있다.

> 창야(唱喏)의 예는 어느 때에 시작되었는지 알 수 없지만, 이미 『가례의절』에 보이고 또 『격몽요결』에도 실었으니, 비록 『가례』와 『상례비요』에는 말하지 않았으나 따르더라도 무슨 방해가 되겠는가? 하물며 『가례』에는 다만 첨례(瞻禮)라고만 했으니, 창야가 그 가운데 포함되어 있지 않은 줄을 어찌 알겠

11) 『近齋先生禮說』 권3 「衆子不拜」. "禮凡言主人, 皆指長子也. 衆子, 受弔稽顙而不拜, 未爲後也, 原於晉公子重耳, 見檀弓可考也. 愼齋先生, 雖以家禮無諸子拜不拜之語爲疑. 然愚意家禮旣只稱主人拜謝, 則諸子之不拜, 似在其中矣."

12) 『雲坪集』 권10, 「喪禮備要紙頭私記」. "禮, 喪無二主, 衆主人, 亦當隨出而位於主人之後北上, 哭而已, 世人多有幷立而俱拜者, 皆非也."

는가? 대개 첨례는 반드시 읍(揖)을 하고 읍을 하면 반드시 소리가 있으니, 읍을 하지 않으면 첨례라고 할 수 없다. 창야에 소리가 없으면 송나라 사람들은 벙어리읍[啞揖]이라고 기롱하였다.[13)]

위의 인용문은 『가례』에 없는 '창야(唱喏)'라는 절차에 대해서 논한 것이다. 창야는 언제 시작되었는지 자세히 알 수는 없으나, 명나라 때 위당(魏堂)이 지은 『가례회성(家禮會成)』에는 읍(揖)을 하면서 서로 말을 전하는 것을 '창야'라 하였고, 또 창야는 '기를 끌어올리는 소리'라고 하였다. 송나라 사람들은 오랑캐 조정의 일을 기록하면서 오랑캐들은 읍을 할 때 소리를 내지 않는다고 비웃었다. 이 절차를 『가례의절』과 『격몽요결』에는 실었지만, 정녕 『가례』에는 수록하지 않았다. 그러나 박윤원은 『가례』에 '첨례(瞻禮)'[14)]라는 용어를 사용한 사례를 들면서 첨례에는 반드시 창야가 따른다고 주장하였다. 첨례는 곧 읍을 말한 것으로 읍을 하면 반드시 소리를 내는 것이라고 하였다. 박윤원은 비록 『가례』에 창야라는 용어는 없지만, 첨례라는 용어를 읍으로 해석하는 것이 『가례』의 본지라고 판단하고 창야가 있음을 증명하였다.

뿐만 아니라 박윤원은 손부(孫婦)가 대구고(大舅姑)를 뵐 때 폐백을 드리는 것에 대해 비록 분명한 조문은 없지만, "구고(舅姑)보다 높은 사람에게는 구고를 뵙는 것 같이 한다."는 『가례』의 조문을 들어 대구고(大舅姑)에게 폐백을 드리는 것이 정론임을 입증하기도 하였다.

아래의 인용문도 박윤원이 도암 이재와 수암 권상하와 같은 선배 학자들의 견해를 비교하고, 그 정론을 주자의 설에 근거하여 유추 판단한 사례이다.

오대손(五代孫)이 승중하여 삼년복을 입는 것에 대해서 도암은 옳지 않다고

---

13) 『近齋集』 권16, 「答洪伯應」. "唱喏之禮, 固未知昉於何時, 而旣見於丘儀, 又載於要訣, 則雖家禮, 備要之所不言, 而亦從之何妨. 況家禮之只言瞻禮, 安知不包唱喏在其中耶? 蓋瞻禮必有揖, 揖必有聲, 無揖則不成瞻禮, 無唱喏則宋人所譏啞揖也."

14) 『가례』 「祠堂」 편에 "주인과 주부는 가까운 곳에 나갈 때는 대문에 들어가 첨례하고 간다."고 하였다.

> 하였고, 수암은 옳다고 하였다. 나는 수암의 의견을 따르고 싶다. 대개 친분은 비록 이미 다하였으나 통(統)은 끊어질 수 없다.[15]

위의 인용문은 오대조(五代祖)가 사망했을 때 오대손이 승중(承重)하여 삼년복을 입어야 하는가의 여부를 논한 내용이다. 사실상 일반 가정에서 아버지·조부·증조·고조가 모두 돌아가시고 5대조만 아직까지 생존하는 경우는 매우 드문 사례이다. 만약 이러한 상황이 발생했을 경우, 수암 권상하는 5대손이 승중복(承重服)을 입는 것이 옳다[16]고 주장하였고, 도암 이재는 승중복을 입지 않고 재최삼개월복을 입어야 한다[17]고 의견을 내면서 주장이 서로 엇갈렸다. 이재는 "예에 따르면 5대조는 사당을 헐어 버리는 것이 마땅하고, 사당을 헐어 버렸으면 비록 적적상승(嫡嫡相承)의 종자(宗子)라 하더라도 다시는 종(宗)으로 삼을 만한 근거의 의리가 없어지고 중자(衆子)와 다름이 없게 된다."[18]고 하면서, 승중복을 입는 것이 부당하다고 주장하였다. 5대조의 사당을 헐어버렸다는 것은 친분이 다한 것을 의미한다. 따라서 이재는 "생전에 4대조 이상을 섬겼을 경우에는 역시 재최삼개월복을 입는다."[19]는 주자의 설에 근거하여, 5대조가 돌아가셨더라도 승중복이 아닌 재최삼개월복을 입는 것은 마땅하다고 했다. 그러나 도암 이재의 손자인 화천(華泉) 이채(李采)는 5세손의 승중 여부에 대해서 권상하와 조부인 이재의 설을 각각 거론하면서, 두 선생의 주장이 이처럼 서로 다르기 때문에, 당사자가 스스로 선택할[20] 문제라고 하면서 정확한 의견을 제시하지

---

15) 『近齋集』 권15, 「答洪伯應」. "五代孫承重服三年, 陶菴以爲不可, 遂菴以爲可. 愚欲從遂菴. 蓋親雖已盡而統不可絶也."

16) 『寒水齋集』 권17, 「答朴心甫」. "五代祖喪, 宗孫似當承重, 遷窆時服緦, 鄙見亦然."

17) 『陶菴集』 권20, 「答崔叔固(祏) 問目」. "伊時其生存祖先亦同移養於親屬差近之子孫, 及其天年終養之後, 宗子衆子, 皆服齊衰三月."

18) 『陶菴集』 권20, 「答崔叔固(祏) 問目」. "五代祖, 禮當毁廟, 廟旣毁, 則雖適適相承之宗子, 無復據而可宗之義, 與衆子無異, 恐不可遽承其重而服喪三年也."

19) 『陶菴集』 권20, 「答崔叔固(祏) 問目」. "語類云, 四世以上若逮事, 則亦當齊衰三月."

않았다.

이와 같음에도 박윤원은 수암 권상하의 설을 정론으로 확정하였다. 그 이유는 친분은 다했지만 통(統)은 끊어질 수가 없다는 논리를 내세우며 5대손의 승중복을 찬성하였다. 대개 정상적인 경우에 5대조는 이미 친분이 다하여 조천을 한 상태가 되겠지만, 지금의 경우는 아버지·조부·증조부·고조부까지 모두 돌아가신 상태이고, 오직 5대조가 아직 살아 있기 때문에 5대조의 통을 계승해야 될 5대손이 그 통을 받아 승중할 수밖에 없다는 논리이다. 통을 받았다면 승중한 상태이므로 마땅히 참최삼년복을 입어야 한다는 예의 기본입장을 반영한 것이다.

이런 문제에 있어서는 기호 노론학자들 간에도 서로 견해가 엇갈리기도 하였다. 수암 권상하의 승중복 주장에 대해 박윤원은 친분이 다해도 통은 끊을 수 없다는 논리를 세우며 권상하의 주장을 지지했다. 그러나 도암 이재는 주자의 설에 근거하여 재최삼개월복을 입을 것을 주장했다. 또한 이채는 두 설 모두 이치가 있는 주장임으로 당사자가 선택할 문제라고 유예하는 등, 기호학자들은 하나의 예론을 고집하기보다는 여러 설들을 제안하여, 어느 것이 주자의 뜻에 더 합당한지를 찾으려고 하였다.

주자의 예설이 상충하는 경우에 예학가들은 또한 주자의 만년설(晩年說)에 입각하여 『가례』를 보정하였다. 주자학의 초년설과 만년설의 이동(異同) 논란은 명나라의 왕양명(王陽明) 같은 학자들뿐만 아니라, 조선의 학자들 사이에서도 일찍부터 제기되어 왔다. 조선의 학자들 중에서 주자설에 조만(早晩)의 이동(異同)이 있다는 것에 처음으로 관심을 가진 이는 퇴계 이황이었다.[21] 이후에 조선의 학자들은 주자의 성리설 내지는 경전 주석서의 내용에 대해서, 만년설을 정론으로 채택하려는 경향이 일어났다. 이러한 경향은 성리학뿐만 아니라 예설 해설에

20) 『華泉集』 권8, 「答族姪(光祐)問目」. "五世孫承重當否, 遂翁則以爲似當承重, 陶菴則以爲五 代祖禮當毁廟, 廟旣毁則雖嫡嫡相承之宗子, 無復據而可宗之義, 與衆子無異. 當齊衰三月, 主喪三年之後, 奉以埋安. 兩先生所論不同, 惟在當之者財擇."

21) 전재동, 「朝鮮 儒學者들의 "朱子晩年定論說" 收容과 批判에 관한 硏究」 『영남학』12, 2007, 163쪽.

있어서도, 주자의 이동처(異同處)를 인식하고 만년의 설을 정론으로 간주하려고 하였다. 예컨대 정경세(鄭經世)는 연복(練服) 제도를 논하면서 주자의 만년정론[22]을 주장하거나, 송준길(宋浚吉)은 의례도식(儀禮圖式)을 논하면서 주문(朱門)의 만년정론[23]을 수용하는 등을 들 수 있다. 그러나 주자의 만년정론설을 가장 적극적으로 지지했던 인물은 송시열과 그의 문인들이었다. 특히 송시열은 주자학에 배치되는 견해를 내는 학자에게는 이른바 '사문난적(斯文亂賊)'이란 이름으로 단호하게 배척하기도 하였다.

이러한 학문적 영향을 받은 18~19세기의 기호 노론학파는, 『가례』가 주자의 초년에 초록한 미완의 예서라는 것을 일찍부터 인정하고 만년설을 통해서 보완하려는 노력에 힘을 기울였다. 18세기의 낙론학자인 근재 박윤원은 천주(遷主)하는 시기를 논함에 있어서 『가례』의 조문보다는 주자의 만년설이 정론이라고 주장하였다.

> 『가례』에는 협제(祫祭)가 없고 대상(大祥)에 곧바로 천주(遷主)한다고 하였다. 주자의 만년 정론은 부제(祔祭)와 천주(遷主)를 두 항목의 일로 삼아 대상 뒤에 궤연을 철거하고 조묘(祖廟)에 부(祔)하며 협제를 기다려 천주한다. 그러므로 『상례비요』는 이것을 따랐다. 『가례』의 구문(舊文)은 지금에 행하기 어렵다.[24]

『가례』의 대상장(大祥章)에는 협제(祫祭)[25] 절차 없이 체천(遞遷)한

---

22) 『愚伏集』 권11, 「問目」. "且卒哭亦有受服, 則練祭大節, 必不當獨仍舊服, 竊恐家禮註或非 晩年定論也. 西厓先生亦有別製練衰服之說."

23) 『同春堂集』 권5, 「答權思誠」. "況儀禮圖式, 卽朱門晩年定論, 易簀時遺命, 斷非偶然, 恐不可易而言之."

24) 『近齋集』 권14, 「答金大宇(基有)」. "家禮無祫祭, 大祥直爲遷主, 而朱子晩年定論以祔與遷 爲兩項事, 祥而撤几筵, 祔于祖廟, 俟祫祭而遷. 故備要從之, 家禮舊文, 今則難行矣."

25) 협제에 대해서 程氏는 "祫에는 두 가지가 있다. 『예기』 「曾子問」에 '祖廟에서 협제를 지낼 때, 祝이 四廟의 신주를 맞아온다.'고 했으니, 이는 시제의 협제이다. 『春秋公羊傳』 에 '헐린 사당의 신주는 모두 올려서 태묘에서 합식한다.'고 했으니, 이는 헐린 사당과 헐리지 않은 사당의 신주를 크게 모아서 제사지냄이다."고 하였다. 『국역 가례증해』 6책, 213쪽.

신주를 묘소 옆에 묻는다고 하였다. 그런데 김장생은 『상례비요』에서 '체천한 신주를 묘소 옆에 묻는다'는 한 절차를 길제(吉祭) 조항에다 옮겨 두었다. 그 이유는 주자가 이계선(李繼善)에게 답한 편지에 '대상을 지냈으면 궤연(几筵)을 치우고 그 신주는 우선 조묘(祖廟)에 부(祔)하였다가 협제를 마친 뒤에 옮기는 것이 마땅하다'[26]고 한 말에 근거한 것이다. 김장생이 이미 길제 조항에다 천주(遷主)하는 절차를 옮겼지만, 박윤원은 다시 한 번 『가례』의 조문은 행하기 어렵다는 언급을 하면서 주자의 만년정론을 따를 것을 주장하였다.

『가례』에 명시된 바의 조주(祧主: 대 수가 다한 신주)를 장방(長房)이 제사지내는 문제 또한 주자의 초년설과 만년설이 상충한다.

> 조주(祧主)를 장방에게 옮겨 제사지내는 것은 이미 경전에 근거가 없는데 『가례』에 처음으로 보이니, 대개 주자가 의리로 일으킨 것이다. 그러나 『대전』과 『어류』에 나온 것으로 상고해 보면 진실로 깊이 생각한 것이다. 호백량(胡伯量)과 이요경(李堯卿)의 질문에 답한 것에는 한편으로는 고조를 조천하는 것이 비록 인정에 편안하지 않으나 별도로 처리할 수 없다고 하였고, 한편으로는 이 일은 다만 예문을 삼가 지켜야 하니 급히 의리로 일으킬 수 없다고 하였으니, 그 엄정함이 이와 같다. 『가례』의 조문이 문득 저와 같으니 이에 미처 다시 수정하지 못해서 그런 것이 아니겠는가?[27]

위의 인용문은 노주(老洲) 오희상(吳熙常)이 홍직필의 질문에 답한 내용이다. 홍직필은 조주(祧主)를 장방에다 옮겨 제사지내는 것은 고례(古禮)가 아닌데도 주자가 의리로 일으켜 『가례』에 실었지만, 『주자어류(朱子語類)』에 조주(祧主)와 관련한 많은 글들이 모두 신주를 매안(埋安)하는 것만 말하였고 장방에게 옮긴다는 설이 없으니, 이것이 만년정

---

26) 『국역 가례증해』 5책, 275쪽.

27) 『老洲集』 권10, 「答洪伯應」. "祧主之遷祀長房, 旣無經據, 肇見於家禮, 蓋朱子之所義起也. 然以其出於大全語類考之, 則實有合商量者. 其答胡伯量李堯卿之問, 一則曰高祖祧去, 雖人情不安, 然別未有以處也, 一則曰此事只謹守禮文, 未可遽以義起, 其嚴正如此. 家禮之文則 却又如彼, 無乃未及再修而然歟?"

론이라고 주장했다. 오희상은 조주를 장방에게 옮겨 제사지내는 것은 경전에 근거가 없는데 주자가 의리로 일으킨 것으로 인정하였다. 그는 주자가 비록 의리로 일으켜 『가례』에 실었지만, 『주자대전』과 『주자어류』 등에서 조주와 관련한 글을 살피고 나서는, 마침내 주자가 『가례』를 미처 수정하지 못한 것이라고 여기고 만년설을 정론으로 확정한 것이다. 오희상뿐만 아니라 간재(艮齋) 전우(田愚)도 "주자의 만년 의논은 조주(祧主)를 묻는 것이 마땅하다고 하였고, 지손(支孫)에게 체천(遞遷)한다는 말은 없다."[28]고 하면서, 『주자대전』과 『주자어류』의 설을 정론이라고 주장했다.

전우와 함께 문답한 송약재(宋約齋)는 주자의 만년정론을 인정하면서도, 오늘날 형편은 사설(邪說)이 유행하여 친분이 다하지 않은 종손(宗孫)이 신주를 매안하고 제사를 폐지하는 사태가 왕왕 발생하고 있으니, 조주(祧主)를 매안하는 주자의 정론을 따를 경우 이를 빙자하여 도리어 제사를 지내지 않는 것을 편안히 여기게 됨을 우려하기도 했다.[29] 전우도 다른 한편으로는 주자의 만년정론을 따라 체천(遞遷)의 예를 사용하지 않는 것이 마땅하지만, 우리나라에서는 체천하는 풍속을 따른 지 이미 오래되어 갑자기 바꾸기는 어려운 점이 있다고 토로하기도 했다.[30]

전우가 살았던 19세기 말엽은 외세에 의해 조선의 전통 문화가 침탈을 당하고 있는 상황이었다. 그러므로 전우와 송약재 같은 학자는 최장방에게 체천하는 것이 주자의 정론이 아님을 부정하지는 않았으나, 당시 조선 사회가 이미 오래토록 장방봉제사(長房奉祭祀)를 해왔던 터라 갑자기 주자의 정론을 따르기는 어렵다고 여겼다. 뿐만 아니라 송약재의 말처

28) 『艮齋集後編』 권2, 「答鄭士珍 海瑾○戊午」. "宗孫代盡, 長房遞遷, 家禮也. 朱子晚年議論, 卻謂祧主當瘞, 無支孫遞祭之說, 此屢見於大全語類. 故愚當以是爲正."

29) 『艮齋集後編』 권14, 「朱子所論長房遞遷異同」. "今日邪說大行, 雖親未盡之宗孫, 埋主廢祭, 不小難愼者, 往往有之, 況支庶之貧寒者乎? 於斯時而必欲以正禮倡論, 則時輩不識本意所在, 而反爲其平日所欲爲之嚆矢矣, 可怕可怕. 只當抱朱子晚年定論, 而姑俟禮義復明之日而言之, 未晚也."

30) 『艮齋集後編續』 권3, 「答柳相吉」. "朱子於晚年, 不用遞遷之禮, 此見於大全語類者, 非止一二. 好禮之家, 固當承用, 但吾東遞遷一款, 成俗已久, 有難變."

럼 외세의 사설(邪說)에 현혹된 이들이 점점 4대봉제사의 제도를 폐하려 하는 분위기까지 일어나는 처지에, 감히 주자의 정론을 따라 최장방에게 체천하는 제사를 지내지 말자고 극구 주장하기는 어려웠던 것으로 보인다.

『가례』에 분명한 조문이 있지만, 여러 설들이 혼재할 경우 사승의 연원을 따라 정론을 확정하기도 하였다. 송시열의 후손인 수종재(守宗齋) 송달수(宋達洙 1808~1858)는 '아버지가 살아계시는데 아내의 초상[父在妻喪]'에 연제(練祭)를 행하는 여부에 대해서 경문과 주석의 설이 서로 달라 정론이 없었는데, 송시열이 행했던 사례를 들어 정론으로 확정하였다.

> 부재처상(父在妻喪) 중에 연제(練祭)를 행하고 행하지 않는가에 대해서는 나는 진실로 고루하니 어찌 확정하여 말하겠는가? 대개 부장부담(不杖不禫)은 주석의 말이고 경문(經文)은 아니다. 만약 이 예를 행한다면 그 막히는 것이 홀로 이 한 가지 일뿐만이 아니다. 이 때문에 문정(송시열) 선조께서 일찍이 행했던 것은 한결같이 『가례』를 따라 '부재(父在)' 여부는 논하지 않고 모두 장기(杖朞)를 행해야 한다고 하였고, 「상복소기(喪服小記)」의 주석은 정론이 될 수 없다고 하였다. 나는 이에 매번 선조가 행하던 것으로 통하여 행해도 막히는 것이 없다고 생각한다.31)

부재처상(父在妻喪)의 연(練)·상(祥)·담제(禫祭)의 유무(有無)에 대한 조문은 예학가들 사이에 이견(異見)이 많았다. 『의례』에는 아내를 위한 복이 장기(杖期)라고 하였고, 정현(鄭玄)의 주석에는 적자(適子)가 만약 아버지가 계시면 며느리의 상을 주관하기 때문에 아내를 위해 부장기복(不杖朞服)을 입는다고 하였다. 「잡기(雜記)」의 '종자는 어머니가 계시면 아내를 위해 담제를 지낸다[宗子母在, 爲妻禫]'는 구절의 주석에, "아버지가 계

31) 『守宗齋集』 권5, 「答金聖圭(錫玄○癸丑)」. "父在妻喪中, 練祭之行不行愚實懵陋, 何能質言? 大抵不杖不禫, 乃註說而非經文也. 若行此禮, 則其所窒碍, 不獨此一事也. 是以文正先祖之所嘗行者, 一遵家禮, 不論父在與否, 皆爲杖期, 而以小記註謂不得爲定論. 愚於此每以先祖所行, 爲可以通行而無礙."

시면 적자는 아내를 위해 부장기복을 입고 담제를 지내지 않으며, 아버지가 돌아가시고 어머니가 살아계시면 장기복을 입고 담제도 지낸다."[32]고 하였다. 또 주자의 『가례』에는 아버지의 존몰(存沒)을 구분하지 않고 장기복을 입는다고 하였지만, 주자의 제자 양복(楊復)은 부모가 계시면 부장기복을 입는다고 하였으며, 우리나라의 국제(國制)에는 아버지의 존몰(存沒)을 구분하지 않고 부장기복을 입는다고 하였다. 우복 정경세는 연제(練祭)와 상제(祥祭)는 상례에 있어서 큰 의절이기 때문에 부장기복을 입더라도 연제(練祭)와 대상(大祥)을 폐할 수는 없다[33]고 하였고, 남계 박세채도 상장(喪杖)을 짚지 않으면 담제를 지내지 않는다는 조문이 있지만, 그것 때문에 11개월에 지내는 연제를 폐해서는 안 된다[34]고 하였다. 반면 남인 학자 미수 허목은 아버지가 살아 계시면 적자(嫡子)는 처의 상에 담제를 지내지 않는다[35]고 하였다. 이상의 내용을 도표로 정리하면 표_22와 같다.

書 名	父 在	父沒母存	備 考
儀禮	不杖期	杖期, 禫	
雜記	不杖期	杖期, 禫	
喪服小記	不杖期	杖期, 禫	
家禮	杖期	杖期	不別言父在父沒
(楊附註)	不杖期		父母在
明制			杖期有禫

32) 『예기』 「잡기」. "父在則適子, 為妻不杖, 不杖, 則不禫, 父沒母存, 則杖且禫矣."

33)『우복집』권10, 「答吳汝和問目」. "練祥二祭, 喪禮之大節, 卽禮所謂必再祭者, 何可以不杖 而廢之耶? 惟禫, 不杖則無之矣. 十一月而練, 十三月而祥, 十五月而禫者, 乃父在爲母及爲妻之禮, 若父在而爲長子, 則只服期年, 似不用此禮矣."

34)『南溪集續集』 권17, 「答尹汝弼問(四月十五日)」. "禮雖有父在則嫡子爲妻不杖, 不杖則 不禫之文, 至於十一月而練, 則恐不可因此盡廢之."

35) 『記言別集』 권5, 「南宮億問目」. "宗子母在, 爲妻禫, 父在則適子爲妻不禫."

國制	不杖期	不杖期	不別言父在父沒
鄭經世			練祥祭 행함
朴世采	不杖期		練祭 행함
許穆	不杖期		父在不禫

표_22 <夫爲妻, 杖朞, 或不杖朞, 練禫有無圖表>

송달수는 「잡기」의 진호(陳澔) 주석 중에 '부장부담(不杖不禫)'은 경문(經文)의 문구가 아니라고 강하게 비판하였고, 송시열의 『가례』를 따라 아버지의 존재 여부를 따지지 않고 장기복으로 해야 한다는 주장을 정설로 받아들였다. 일찍이 송시열은 「상복소기(喪服小記)」의 "아내를 위해 부모가 계시면 부장기를 하고 계상(稽顙)하지도 않는다[爲妻, 父母在, 不杖, 不稽顙]."는 조문의 주석[36]도 정론이 될 수 없다고 지적하였다.

이처럼 송시열은 여러 예서의 설을 모두 물리치고 일체 『가례』의 규정을 따라야 한다고 주장하였다. 즉 아내를 위한 상복은 아버지의 존재 여부를 막론하고 연·상·담(練·祥·禫)의 체제를 갖추어야 한다고 보았다. 그러므로 송달수는 '담제를 지내지 않고 연제만 행한다면 반쯤 올라가다가 아래로 떨어진다[半上落下]'[37]라고 하는 송시열의 말을 거론하면서 아내의 상에는 반드시 삼년의 체계를 갖출 것을 주장하였다.

살펴보았듯이 기호학자들은 주자의 『가례』를 보완하기 위한 노력을 꾸준히 해왔다. 이들이 『가례』를 보완하기 위한 방법으로는 주자의 학설을 유추하여 결정하고, 주자의 만년설을 정설로 채택하고, 송시열의 설을 정론으로 결정하는 방식 등을 사용하였다. 이와 같이 기호학자들은 주자의 『가례』를 최고의 예서로 인정하면서도, 그 미진한 부분에 대해서는 보완하기도 하고 때에 따라서는 변통하기도 하였다. 이렇게 하여 『가례』의 본지(本旨)에 더욱 충실하려고 하였고, 이를 사대부 사회에 일반화하는

36) 『예기』「상복소기」. "此, 謂適子妻死而父母俱存. 故其禮如此. 然大夫, 主適婦之喪. 故其 夫不杖, 若父沒母存, 母不主喪, 則子可以杖, 但不稽顙耳."

37) 『守宗齋集』 권5, 「答金聖圭(錫玄○癸丑)」. "今兄家所行成服時旣用不杖之制, 則必將不禫 不杖, 不禫而獨行練祭, 文正先祖亦嘗以爲半上落下."

것으로 자신들의 사명을 삼았던 것이다.

2. 행례규범(行禮規範)의 정세화(精細化)

18～19세기 기호 학단의 학자들은 『가례』의 보완을 위한 이론서인 『가례집고(家禮集考)』와 『가례증해(家禮增解)』 등과 같은 거질의 예서들을 편찬하였을 뿐만 아니라, 박세채의 『삼례의(三禮儀)』와 이재의 『사례편람』과 같은 행례서의 편찬과 송능상(宋能相)의 「상례비요지두사기(喪禮備要紙頭私記)」 등, 기존의 행례서를 보완하고 강구하기 위한 저술들을 제출했다. 이들은 『가례』에 준거한 행례규범서의 편찬과는 별도로 『가례』에 없는 가정의 의절과 학교례에 대하여는 별도의 저술을 통하여 강구하였다.

박세채의 『삼례의』(3권 1책)는 상례를 제외한 관례·혼례·제례를 『가례』에 의하여 해석하고, 고금의 여러 서적을 참고하여 저술하였다. 이 책은 관혼제례(冠昏祭禮)의 각 의절이 시작될 때마다 행례도(行禮圖)를 그려 넣어 행례에 편리하도록 구성되었다. 후재(厚齋) 김간(金榦)의 발문에 따르면 상례의 경우에는 사계 김장생의 『상례비요』를 참고로 시행할 수 있으나, 관례·혼례·제례는 이와 같은 책이 없으므로 박세채가 이 책을 편찬하여 의절의 시행에 참고하도록 한 것[38]이라고 그 의미를 밝히고 있다. 또 『삼례의』를 편찬하는 데 참고한 서적들은 『가례』·『의례』·『가례의절』·『국조오례의』 등을 참고하였다.[39] 이 책은 상례(常禮) 외에 시속에 맞는 제도를 여러 설

---

38) 『三禮儀』, 「三禮儀跋」.

39) 권1은 冠禮儀로 『가례』 외에도 『의례』와 『가례의절』을 주로 참고하여 의식과 절차를 기록하였고, 서두에는 관례 行禮圖인 '陳服序立迎賓三加受醮之圖'를 두었다. 권2는 昏禮儀로 『의례』와 『가례의절』과 『오례의』 등을 참조하여 혼례의 의식과 절차를 기록하였고, 서두에는 '醮女迎婦之圖'를 두었다. 그리고 마지막 廟見 항목 끝에는 '同牢饌床圖'를 붙여 두었다. 권3의 제례 부분에는 '祭饌圖說'과 '祭禮儀'로 나누어 기록하였으며, 절목은 『奉先雜儀』와 『擊蒙要訣』을 주로 참조하여 기록하였다.

에서 채록하여 편찬했기 때문에 의절의 시행과 이해에 편리한 점이 있다. 특히 『가례』를 의절 시행의 기준으로 삼으면서도 당시의 시속례를 반영 절충함으로써, 실제 가정의 의절 시행에 실용적으로 대처할 수 있게 편찬되었다는 것이 특징이다.

박세채의 『삼례의』에 이어 편찬된 것이 도암 이재의 『사례편람』이다. 『사례편람』은 이재가 사망하던 해인 1746년 2월에 편찬되었다. 그 뒤에 이재의 제자인 겸재(謙齋) 박성원(朴聖源)과 백수(白水) 양응수(楊應秀)와 삼우당(三遇堂) 한경양(韓敬養) 등이 이재의 초고본을 가지고 수차례 교정 작업을 거친 끝에 1754년에 초본이 완성되었다. 그러나 바로 간행에 착수하지 못하고, 한참 뒤인 1884년에 비로소 목판본으로 간행되었다.

『사례편람』은 김장생의 『상례비요』에서 빠진 부분인 관례·혼례·제례편을 보완하여, 관혼상제 사례를 완성하여 행례에 편리하도록 편찬된 예서이다. 노주(老洲) 오희상(吳熙常)은 『사례편람』이 세상에 행해지면 참으로 예교(禮敎)에 도움이 되어 사람마다 먼저 보려할 것[40]이라고 크게 효과를 기대하였다. 심암(心菴) 조두순(趙斗淳)은 『사례편람』을 예가(禮家)의 지남(指南)[41]이라고까지 할 정도로 칭송하였다. 성재(省齋) 유중교(柳重教)는 자손들에게 『가례』를 정경(正經)으로 삼고 조문이 소략하고 예가 빠진 부분은, 김장생의 『상례비요』와 이재의 『사례편람』을 참고하여 행하라[42]고 당부하기도 하였다.

뿐만 아니라 『사례편람』이 세상에 간행된 이후 그 간편함의 소문이 조정에까지 알려질 정도로 유명해졌다. 고종 때 신헌구(申獻求)는 국가에서는 『국조오례의』를 사용하고 일반 가정에서는 『사례편람』을 사용하고 있는데 이 책들은 권질이 간편하고 도식이 함께 실려 있어서 사용하기 편리하다[43]

---

40) 『老洲集』 권5, 「答李參判(采)」. "第念是書之行, 誠有補於禮教, 人莫不有先睹之願."

41) 『心菴遺稿』 권25, 「吏曹判書李公諡狀」. "文正公所著四禮便覽, 華泉公所校檢, 而未及潰成, 公與文簡公, 不住修潤, 文簡卒, 公竱其役, 附以圖錄行于世, 遂爲禮家指南."

42) 『省齋集』 권45, 「柳氏家典(未卒)」. "凡禮文, 當以家禮爲正經, 而文略禮闕處, 參用沙溪先 生喪禮備要, 陶菴先生四禮便覽行之."

고 하였다.

이처럼 『사례편람』은 재야의 기호학자들뿐만 아니라 조정에서도 거론될 정도로 그 파급효과가 컸다. 기호학파의 행례서는 김장생의 『상례비요』의 편찬에서 비롯되어 그 뒤에 박세채의 『삼례의』가 편찬되어 『상례비요』의 빠진 부분을 보완하였으나, 이 두 책은 상례와 관·혼·제례 등으로 각각 나누어져서 한 책으로 사례를 간편하게 살펴보기에는 역시 부족하였다. 그러므로 이재는 관혼상제 사례를 간편하게 실행하기 위한 책인 『사례편람』을 편찬하게 되었던 것이다.

행례서의 편찬 보급과 관련하여 기호학자들 내부에서는 호론과 낙론 사이의 내부에서는 미묘한 의견 대립이 있었다. 그 대표적인 사례가 송능상(宋能相)의 「상례비요지두사기(喪禮備要紙頭私記)」이다. 송능상은 김장생의 『상례비요』에서 그동안 미처 발견하지 못했던 오류들을 발견하여 「상례비요지두사기」라는 이름으로 문집에 실었다.

그런데 그의 문집이 세상에 알려지자 사학유생(四學儒生)들은 사계 김장생의 학문을 비방한 글이라고 하면서, 송능상의 직명을 삭제하고 문판을 파기하라는 내용의 상소를 올렸다. 사학유생들의 상소에는 송능상이 선정신 김장생의 예설을 비판한 대목[44]을 자세하게 조목조목 나열하여 밝혔다. 나중에는 조정 대신들까지 나서서 문판 파기를 주장하자, 헌종은 마침내

---

43) 『고종실록』, 3년 12월 7일(임진).

44) 예를 들면, ①亡室이라고 신주를 쓴 것은 비루하고 설만하다고 한 것, ②남편을 따라 승중한 것은 패륜이고 무식한 짓이라고 한 것, ③祖襲의 제도는 마구 뒤섞어서 불분명 하다고 한 것, ④童子의 服을 遞減시키는 것은 전혀 禮義를 모르는 悖戾스러운 일이라고 한 것, ⑤魂帛의 同心結은 괴이하고 비루하여 쓸수 없는 것이라고 한 것, ⑥負版 속으로 1치씩 집어넣는다는 말은 어불성설이라고 한 것, ⑦祖喪이 났을 때 적손이 代重하는 제도는 자신이 喪服을 입고 있으면서 멋대로 代重할 수 없다고 한 것, ⑧妻母는 出家 당했어도 오히려 緦麻服을 입는다는 제도는 패려스러운 것이라고 한 것, ⑨侍者가 皐復을 마치고 옷을 아래로 내려준다는 것은 進退에 근거가 없어 悖理가 된다고 한 것, ⑩弔問하는 위치의 그림이 섬돌 아래에 있는 것에 대해 '어찌 『가례』를 불만스럽게 여기면서 반드시 『의례』를 따라야 하느냐'고 한 것, ⑪本生外親降服條에 대해 申氏(신의경)가 賈氏의 禮說을 僞造한 것으로 학문이 거칠고 심술이 바르지 않다는 것 등이다. (『순조실록』 9년, 3월 27일 條)

송능상의 문집 각판을 파기시키고 유일(遺逸)에서 삭제시키라고 윤허하였다. 그 뒤 권상하의 5대손 권돈인(權敦仁)의 상소로 인해 겨우 유일에서의 삭제와 문판 파기는 면하였다.

「상례비요지두사기」는 상례비요도(喪禮備要圖)의 오류를 지적한 것 14조항[45], 본문에서 오류 내지 의문을 제기한 내용이 67조항[46] 등 모두 77조항으로 구성되어있다. 이처럼 송능상은 김장생의 『상례비요』에 대해 매우 정밀한 검토를 가하였는데, 이 과정에서 김장생의 예설을 논평하는 가운데 억양이 지나친 점[47]이 없었던 것은 아니다. 그러나 송능상이 결코 사계 김장생이나 우암 송시열의 학문을 존숭하지 않은 것은 아니었다. 그는 선배

---

45) 喪禮備要圖에서 지적한 것을 예로 들면, 祠堂圖는 사당 처마 앞에 별도로 네 기둥과 여섯 기둥을 세우고 옆으로 한쪽 지붕에다 三架를 설치하여 서까래머리를 받치게 하는 것이 마땅한데 『상례비요』의 祠堂圖에는 이것이 빠져 있다는 것, 緇布冠圖는 상례에 필요한 관이 아닌데도 이 책에 실려 있다는 것, 初終圖의 설명에 "侍者가 초혼을 마친 뒤 옷을 말아서 집 뒤쪽의 서쪽 榮을 통해 내려온 다음 그 옷을 시신의 위에 덮는다[侍者復畢卷 衣, 降自後西榮, 覆尸上]."는 구절에 대해서는, 進退에 정확한 근거가 없어 도리어 이치에 어긋난다고 비판한 것, 靈座를 두는 위치가 『상례비요』에는 휘장 밖에 있는데 『가례』의 본문을 따라 휘장 안의 尸牀의 남쪽에 설치해야 한다는 것, 冒圖에서는 質과 殺를 각각 다섯 개의 띠로 묶는 것은 옳지 않다는 것, 倚廬圖에서는 군주는 廬宮이라하고 大夫士는 禮이라고 하는데 幕次라는 용어는 잘못되었다는 것 등을 지적하였다. 이외에도 大斂之圖, 外黨服之圖, 妻爲夫黨服圖, 吊喪圖, 掘兆告后土之圖, 成墳圖, 反哭受吊之圖, 時祭之圖 등에 대한 의문점도 지적하였다.

46) 『상례비요』 본문의 오류를 지적한 조문은, '初終之具' 上服條에 부인이 죽었을 경우 招魂하는 옷은 大袖[圓衫] 또는 長襖子를 사용한다는 구절에 대해, 송능상은 圓衫은 우리나라에서는 시집갈 때 입는 옷이기 때문에 招魂에 사용할 수 없고 평소 제사 때 입는 옷이나 또는 唐衣가 적합하다고 주장하였다. '沐浴之具' 笄條에 "뽕나무로 만드는데 길이는 4치이며, 묶은 머리를 고정시키는 데 쓴다. 양쪽 끝은 넓고 가운데는 좁게 만들며 남녀가 똑 같이 사용한다."고 한 구절에 대해, 송능상은 士喪禮에는 '남자는 冠하지 않고 여자는 笄가 없다'는 구절을 들어 김장생이 『의례』 「사상례」편을 우연히 제대로 살피지 못한 듯하다는 등 여러 조문에 대해 의문을 제기하였다.

47) 『雲坪集』 권7, 「答族叔父(庚戌四月)」. "사계선생이 한만하게 보고 삭제하지 않아 백세 뒤에까지 의심을 품게 하였다[申氏變姓竊托之計, 可謂太過潤, 而沙溪老先生見慢不削, 又以引重於答人之問, 百世後致疑, 恐非細事良可歎也.]."

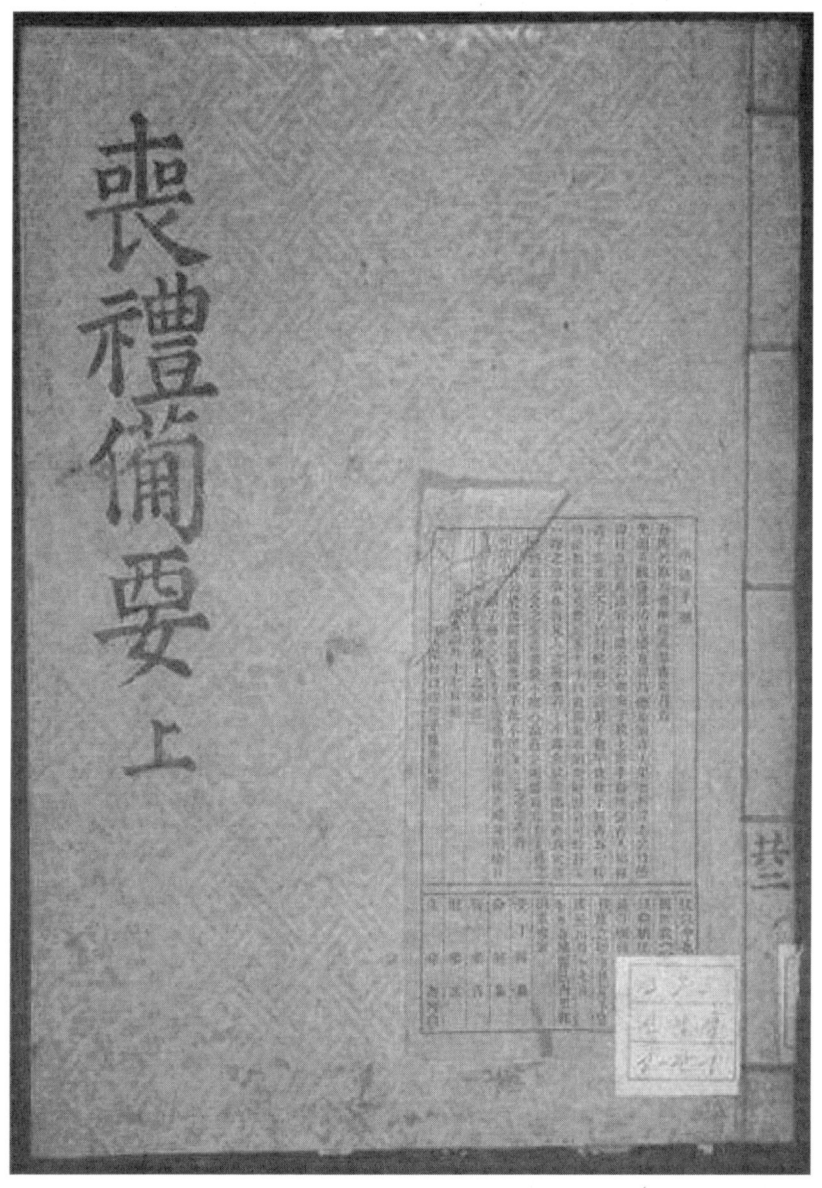

사진_27 <상례비요> 출처: 한중연

학자들의 학문적 특장을 열거하면서 김장생은 예학, 송시열은 주자학[48]의 대가(大家)이며, 우리 학문의 연원은 사계 김장생으로부터 시작되었다[49]고 주장한 바 있다.

18~19세기 송능상의 「상례비요지두사기」 저술은, 김장생의 『상례비요』가 더욱 결함이 없는 행례서로 거듭날 수 있게 하는 데 일조를 했다고 할 수 있다. 이로 인하여 『상례비요』 연구가 더욱 활발해져 최와(最窩) 김규오(金奎五 1729~1791)의 「독상례비요차기(讀喪禮備要箚記)」, 공백당(拱白堂) 황덕일(黃德壹 1748~1800)의 「상례비요기의(喪禮備要記疑)」, 탁계(濯溪) 김상진(金相進 1736~1811)의 「상례비요차록(喪禮備要箚錄)」, 선곡(仙谷) 박건중(朴建中 1766~1841)의 『상례비요보(喪禮備要補)』(12권 8책)와 『비요촬약조해(備要撮略條解)』(4권 2책), 대야(大埜) 유건휴(柳健休 1768~1834)의 「상례비요의의(喪禮備要疑義)」 등과 같은 『상례비요』를 보완하는 저술들이 연이어 쏟아져 나왔다.

한편 기호학자들은 관혼상제의 행례서의 편찬뿐 아니라, 가정과 문중을 위해서도 일정한 규범을 마련하려는 분위기가 일어났다. 가정에서는 가족 간의 돈목(敦睦)을 유지하고, 문중에서는 종원(宗員)들과의 친목을 오래토록 보존하기 위해서는 일정한 법규의 마련이 필요하였다.

18~19세기 기호학자들 중에 이러한 분위기를 선도한 예학자는 송명흠(宋明欽 1705~1768)·임성주(任聖周 1711~1788)·위백규(魏伯珪 1727~1798)·박윤원(朴胤源 1734~1799)·김상진(金相進 1736~1811)·임헌회(任憲晦 1811~1876)·유중교(柳重敎 1832~1893)·전우(田愚 1841~1922) 등과 같은 학자들을 들 수 있다. 이들의 저술을 도표로 정리하면 표_23과 같다.

성명	내 용	비고
宋明欽(1705~1768)	「家儀」(1,958자)	李縡 문인
	「宗契立議(丙戌)」(894자)	

48) 『雲坪集』 권5, 「與金善之(憙○乙丑八月)」. "我國則靜菴之小學, 退陶之心經, 栗翁之近思錄, 溪上之禮書, 吾先子之朱文, 莫非所以安身立命焉."

49) 『雲坪集』 권5, 「與或人(庚午)」. "吾師門之道, 出自溪上, 溪翁見擯於道統則師門當如何."

任聖周(1711~1788)	「居家儀節(丙辰)」(1,040자)	李縡 문인
魏伯珪(1727~1798)	「家中四時會飮規」(2,278자)	尹鳳九 문인
朴胤源(1734~1799)	「家訓」(3453자)	金元行 문인
金相進(1736~1811)	「家塾節目(己未十一月)」(598자)	金元行, 宋明欽 문인
任憲晦(1811~1876)	「居家要法」(337자)	洪直弼 문인
柳重教(1832~1893)	「高興柳氏宗法」(1,674자)	李恒老 문인
田 愚(1841~1922)	「家規」(2,850자)	任憲晦 문인
	「田氏朔望訓辭」(1039자)	

표_23 <18~19세기 기호학파의 家儀 목록>

역천(櫟泉) 송명흠(宋明欽 1705-1768)은 동춘당 송준길의 현손이자 도암 이재의 문인이다. 그는 일찍이 집안과 문중을 다스리기 위해 「가의(家儀)」[50]와 「종계입의(宗契立議)」[51] 등 두 편의 글을 지었다. 「가의」는 모두 17조목으로 모두 집안의 제사와 관련한 내용이다. 집안을 다스리는 기본은 예법을 준수하여 처자식과 집안사람들을 거느리고, 각자 직분에 따라 일을 하여 성공여부를 따지며, 수입을 계산하여 지출을 하여 길흉사에 공평하게 분배하며, 쓰기를 절약하고 사치를 금하는 등의 규범을 명확히 하였다.

그리고 제사는 「가례」에 따라 행하고 종자(宗子)가 주관하도록 하며, 주인은 매일 새벽에 사당 밖 중문에서 분향하고 재배하며, 또 정지(正至)·삭망(朔望)·속절(俗節)의 참례는 『상례비요』에 따라 행하도록 하였다. 녜제(禰祭)는 계추(季秋)의 상정(上丁) 또는 중정(中丁)에 행하도록 하여 주자가 행했던 방식을 그대로 따랐다.

제찬(祭饌)은 정성스럽고 깨끗한 것을 귀하게 여기며 사치하고 화려한 것은 금하였으며, 시속에서 사용하는 율란(栗卵)·조란(棗卵)·유과(油果) 등은 일절 쓰지 말도록 했다. 그리고 송명흠은 우리 집안은 배위를 함께 모시므로 제찬도 합설할 것을 권했다. 그러므로 병(餠)과 면(麵)도 각설(各設)을 하지 말고, 특히 떡과 과일을 높이 쌓아 올리는 것

50) 『櫟泉集』 권12, 「家儀」.
51) 『櫟泉集』 권13, 「宗契立議(丙戌)」.

을 금지하였다. 이렇게 하는 이유는 부인들이 떡과 과일을 높이 쌓아 올리다가 다른 제수를 마련하지 못하는 일이 발생하기 때문이라고 하였다.

또한 삭일(朔日)에는 과일 1접시, 어육(魚肉) 하나, 면(麵) 1그릇을 사용하게 하고, 망일(望日)에는 술과 과일만 올리게 하고, 새로 나온 음식은 비록 어린아이라도 먼저 먹게 하지 말고 반드시 사당에 먼저 천(薦)하도록 하였다. 이밖에 입을 수 있는 제복(祭服), 부인들이 서는 위치, 재계하는 방법, 기일(忌日)에 변복하는 옷 색깔 등을 매우 세밀하게 기록하여 자손들에게 반드시 지키도록 당부하였다.

「종계입의(宗契立議)」[52]는 자제와 자손들이 선조를 존중하지 않고 종자(宗子)를 공경하지 않음으로 인해, 점점 친분이 성글어지는 것을 우려하여 지은 것이다. 만약 선대의 법도를 실추시키거나 행동을 멋대로 하여 불법(不法)을 범하여 향당과 조정에 죄를 얻어 선조를 욕되게 하고 종족을 욕보이는 자는, 종족들이 모두 모여 회의를 하여 경중의 벌을 논하게 하였다.[53]

특히 송명흠의 집안은 불천위를 모시고 있기 때문에 종자의 사체(事體)가 다른 종원들과 비교할 수 없으니, 특별히 공경히 대우할 것을 당부하였다. 또 매년 춘추로 재실에서 강학을 하였는데, 출입하는 의절과, 항렬과 나이를 따라 대하는 법과, 어지럽게 자리를 떠나는 등의 세세한 의절들을 주의하도록 교육을 시켰다. 그리고 종계(宗契)의 계금을 마련하여 원금은 항상 그대로 두고 매년 이자를 가지고 선조를 받드는 긴요한 일에 쓰도록 규정하였다.

역천 송명흠은 명문가인 송준길의 현손이기에 집안의 대소사를 처리하는 것이 매우 엄중하였다. 더구나 불천위까지 모시고 있는 처지라 살림의 규모도 걱정하지 않을 수 없었을 것이다. 이에 송명흠은 「가의」를 지어 집안의 제사 규범을 일정하게 마련하여 수입과 지출을 따져 가며 소비하도록 하였고, 화려하고 사치스런 행위는 절대 금하게 하였다. 「종계입의」에서

---

52) 송명흠이 66세(1766, 丙戌) 되던 해에 9조항의 규범을 작성하였다.

53) 죄가 무거운 자는 廟門 밖에서 매를 치고 죄가 가벼운 자는 노복을 대신 매질하거나 面責하는 데 그치게 하였다.

는 종자를 중심으로 종원들이 서로 공경히 예의를 갖추도록 할 뿐만 아니라, 매년 정기적으로 춘추에 종원들을 모아 놓고 소소한 범절들을 가르쳐서 집안과 선조를 욕보이는 행동을 못하게 미연에 방지하도록 하였다.

녹문(鹿門) 임성주(任聖周)는 도암 이재의 문인으로 송명흠·김원행·송능상 등과 함께 학문을 교류하였다. 임성주는 이른 나이인 26세(1736) 때에 「거가의절(居家儀節)」[54]을 지었는데, 정지삭망의(正至朔望儀)·생조의(生朝儀)·축일잡의(逐日雜儀)·접빈객의(接賓客儀) 등 4항목이다. 이러한 항목들은 사대부 집안에서 지켜야 할 소소한 일상의절로서 대부분 소홀하게 여길 수 있는 것들이므로, 규범으로 명문화하여 철저하게 실행하여 정착하도록 하였다.

존재(存齋) 위백규(魏伯珪)는 병계(屛溪) 윤봉구(尹鳳九)의 문인이다. 그가 지은 「가중사시회음규(家中四時會飮規)」[55]에는 서(序)·계사(戒辭)·가회석독소학초선(家會釋讀小學抄選)·사시회음정일(四時會飮定日) 등으로 항목을 구분하였다. 「가중사시회음규」는 집안사람들과 계절 따라 모여서 술을 마시며 화목을 강론하기 위한 규약이다. 그러므로 위백규는 사계절마다 회음(會飮)하는 날짜까지 정하여 철저하게 지키려고 하였다. 이때 부모와 제자(諸子)와 제부(諸婦)와 여러 손자와 남여 등은 각각 정해진 위치에서 술을 올리는 의식을 행하도록 규정하였다. 이렇게 회음하는 중에 반드시 『소학』 내용의 일부[56]를 뽑아서 강(講)을 하도록 하였다. 이 내용들은 모두가 자제들의 사치, 불화(不和), 근면 등을 경계한 내용으로, 집안을 다스리는 데 매우 중요한 덕목들이다.

근재(近齋) 박윤원(朴胤源)은 낙론의 종장인 김원행(金元行)의 문인이다. 그는 제가(齊家)를 하기 위한 「가훈(家訓)」 칠장(七章)을 저술했는데, 「증내삼장(贈內三章)」[57]·「육조계어서여종자종보(六條戒語書與從子宗輔)」[58]·

54) 『鹿門集』 권20, 「居家儀節(丙辰)」.

55) 『存齋集』 권18, 「家中四時會飮規」.

56) 柳玭戒子弟章 「嘉言」 9章, 康節戒子孫章 「嘉言」 11章, 柳開仲塗治家章 「嘉言」 48章, 朱仁軌誨子弟章 「嘉言」 59章 등을 읽고 해석하게 하였다.

57) 「贈內三章」은 규방에서 지켜야 할 범절을 夫子와 舅姑와 妹姒 등 3章으로 나누어 공경과 효도와 화합의 덕목을 갖추게 하였다.

58) 「六條戒語書與從子宗輔」는 조카 宗輔에게 주는 6조목의 경계이다. 박윤

「팔조여계서종자부이씨침병(八條女誡書從子婦李氏寢屛)」[59]·「계측실문(戒側室文)」·「여계(女誡)」·「동계(童戒)」·「계노비문(戒奴婢文)」 등이다. 가훈의 내용은 모두 한 가정의 일원들이 지켜야 할 규범으로써, 한결같이 집안의 화목을 강조한 것들이다.

탁계(濯溪) 김상진(金相進)은 김원행과 송명흠에게 수학했고, 또 박윤원·임정주·김이안(金履安)·송시연(宋時淵) 등과 교유하며 학문을 강마했다. 김상진은 어린 나이에 이미 보족의가(保族宜家)에 뜻을 두고 종자법(宗子法)을 세밀하게 세웠다. 그는 「문약종맹(門約宗盟)」과 「가숙절목(家塾節目)」을 지어 매년 봄이 되면 화수회(花樹會)을 열고, 『가례』의 「사당장(祠堂章)」·「거가잡의(居家雜儀)」·「주자가정(朱子家政)」·「가훈(家訓)」·「거가요언(家居要言)」[60] 등의 글을 강론하며 집안의 규범을 정립하였다.

그가 64세(1799)에 지은 「가숙절목」[61] 22조목은, 주로 집안의 경제를 다스리는 내용을 실었다. 문중 재산은 범문정공(范文正公)이 행했던 800석을 한계로 한 '의장(義莊)'을 두었고, 그리고 이공택산방(李公擇山房)의 사례를 따라 집안 서재인 '묵장(墨莊)'을 두어 누구라도 와서 글을 읽게 하였다. 문중 재산인 '의장'은 길흉대사가 있는 집안에 일정액수를 보조하였는데, 가난하고 부형이 없어 혼사를 못한 경우, 가난하고 자질(子姪)이 없어 장례를 못 치른 경우, 가난하여 후사를 세우지 못한 집안 등에 모두 일정한 재물을 도와주게 하겠다. 이 규약을 지키지 않고 함부로 재물을 낭비하

원 조카 종보와 함께 살지 않기 때문에 매일 경계하는 말을 해 줄 수가 없고, 또 어쩌다 만났다가 헤어 질 때에는 많은 말을 해 줄 틈이 없어서 6조목을 글로 써 주었다고 하였다. 첫째 耕農에 힘쓰고 장사를 하지 말 것, 둘째 독서를 부지런히 할 것, 셋째 老師宿儒를 사귈 것, 넷째 行誼를 돈독히 할 것, 다섯째 言語를 삼가 할 것, 여섯째 뜻을 넓힐 것 등을 말했는데, 모두 선비로서 지켜야 할 덕목들이다.

59) 「八條女誡書從子婦李氏寢屛」는 박윤원이 從子婦 李氏를 위해 8조목의 글을 지어 병풍을 만들어 준 내용이다. 8조목은 첫째 스승의 가르침을 받을 것, 둘째 어버이의 가르침을 받들 것, 셋째 부인의 행실을 삼갈 것, 넷째 남편을 잘 섬길 것, 다섯째 시부모를 받들 것, 여섯째 동서[娣姒] 간에 잘 대할 것, 일곱째 胎教를 삼갈 것, 여덟째 閫範을 이룰 것 등으로, 모두 부인으로서 지켜야 할 덕목이다.

60) 『濯溪集』 권10, 『附錄』, 「行狀」.

61) 『濯溪集』 권7, 「家塾節目(己未十一月)」.

거나 종원 간에 불화를 일으키는 자에게는, 작은 죄는 묘정(廟庭)에서 매질을 하고 큰 죄는 관청에 알려 쫓아내게 하였다.

고산(鼓山) 임헌회(任憲晦)는 「거가요법(居家要法)」 18조목의 짤막한 글을 지어 집안을 다스리는 요법으로 삼았다. 첫머리에 신알(晨謁)·삭망참(朔望參)·사시정제(四時正祭) 등을 정성껏 받들 것을 강조했다. 또 관례와 혼례는 반드시 삼가(三加)와 친영(親迎)을 행하도록 하였다. 이 의절들은 모두 『가례』에 명시된 것으로 사대부들에게는 반드시 준행해야할 행례 규범으로서, 일찍이 근재 박윤원이 「삼례(三禮)」설을 지어 강력하게 제안했던 바이기도 하다.

성재(省齋) 유중교(柳重敎)는 52세(1883) 때에 「고흥유씨종법(高興柳氏宗法)」[62]을 짓고 회족례(會族禮)를 행하였다. 유중교는 정자와 주자가 말한 종족을 단속하고 수습하는 일을 매우 중요한 사업으로 여겼다. 그러므로 마침내 종법을 마련하고 문장(門長)의 명에 따라 장의(掌儀)와 집례(執禮)를 각 한 명씩 정해 두고, 종중(宗中) 일을 매우 체계적으로 관리하게 하였다.

종법의 큰 항목 4가지는, 족보를 분명히 하는 것[明譜系], 조상의 묘소를 받드는 것[奉先墓], 종족을 거두는 것[收宗族], 후진을 교육시키는 것[教後進] 등이다. 특히 후진 교육을 항목에 둔 것은 외세의 문화에 휩쓸리지 않게 하기위한 것으로, 이를 통해 후세들에게 종족을 보존할 수 있는 정신을 고양시키려고 한 것이다. 아래 인용문은 유중교가 종족을 외세 문화에 흔들리지 않게 하기 위해 당부한 말이다.

> 정학(正學)으로 자손을 가르치고, 은의(恩義)로 종족을 화합하게 해야 한다. 집에 있을 때는 맡은 일을 성실히 하면서도 예법을 높이고, 고을에 나가서는 풍속을 도탑게 하면서도 법을 두려워해야 한다. 사림 가운데 있으면 도의(道義)를 숭상하고 추향(趨向)을 엄격히 지키며, 조정에 서면 충과 직(直)을 견지하고 명예와 절조를 무겁게 여긴다. 이단사설(異端邪說)에 흔들리지 말고, 외이(外夷)의 음란한 풍속에 물들지 않는다. 아침저녁으로 삼가고 힘써서 너를 낳아 주신 분을 욕되게 하지 마라.[63]

---

62) 『省齋集』 권45, 「柯下散筆」, 「高興柳氏宗法」.

유중교는 종족을 수습하기 위해 종법을 작성하고, 또 별도로 경계하는 말까지 덧붙여 혹시라도 종족 중에 어기는 자가 있을까를 염려했다. 경계한 말 중에 특히 정학(正學)으로 자손을 가르치고 이단사설에 흔들리지 말며 외이(外夷)의 풍속에 휩쓸리지 말라는 규정이 눈길을 끈다. 당시 천주교 및 서구의 문물이 우리나라에 급속히 퍼지는 때를 당하여, 자신의 종족만이라도 외세문화에 물들지 않게 지키려는 자세가 엿보인다. 이러한 주장은 그의 스승인 이항로의 위정척사 사상에 바탕한 것으로 조선말에 이르러서는 더욱 강경한 자세를 취하게 되었다.

간재(艮齋) 전우(田愚)는 일찍이 집안을 다스리기 위해 「가규(家規)」(75조목)[64]와 「전씨삭망훈사(田氏朔望訓辭)」(23조목)[65] 등 두 편의 글을 지었다. 「가규」에는 특별히 자제들의 교육을 위한 교과목을 순서대로 자세하게 명시하고 있다. 이는 전우가 평소 자신이 주장하던 뜻과도 관련이 있다. 그는 일찍이 일본의 침략에 무력으로 대항하는 것을 지양하고, 성인(聖人)의 학문을 통해서 도를 지키는 것이 보다 더 중요한 일이라고 역설하였다. 그러므로 비록 어지러운 세상이라 할지라도 자제들이 공맹(孔孟)의 학문을 끊임없이 닦아 도통(道統)을 계승하기를 기대했다.

18~19세기 기호학자들은 서원(書院)이나 정사(精舍), 또는 서재와 서당 등의 교육 공간을 건립하여 향촌 사회의 교화에 적극적으로 뛰어들었다. 이보다 앞서 조선 초기에 이미 주세붕·이황·이이 등은 백운동서원(白雲洞書院)·도산서당(陶山書堂)·은병정사(隱屛精舍) 등의 교육 공간을 설립하여 향촌사회의 교화를 주도해 왔다. 특히 율곡 이이의 은병정사학규(隱屛精舍學規)와 은병정사약속(隱屛精舍約束) 등은 학습하는 공간에서 제생들이 반드시 준수해야 할 규약을 자세하게 규정하고 있다.

---

63) 『성재집부록』, 「年譜」. 계미년(1883, 고종20).

64) 「家規」에는 선대의 碑誌나 行狀을 함부로 부탁하지도 말고 짓지도 말라고 하였다. 그리고 자제들을 교육시키는 방법, 종족을 화목하게 하는 법, 제사 받듦과 손님 대접하는 법, 집안사람들의 위계질서 등을 강조하였다.

65) 『艮齋先生禮說』 권5, 「田氏朔望訓辭」. 「家規」에 있는 내용과 크게 다르지는 않으나, 매월 초하루와 보름에 정기적으로 집안사람들을 불러 모아 놓고 23조항을 가르쳐주고 행하게 하는 데 그 목적을 두었다.

이러한 향촌 사회의 학습 분위기는 18~19세기에 이르러 더욱 활발하게 일어나, 각 서원에서는 원규(院規)나 강규(講規) 등을 제정하여 원생들의 학업을 더욱 장려시켰다. 원규(院規)·학규(學規)·규약(規約) 등은 공부하는 학생들이 평소에 지켜야 할 이른바 교칙과 같은 역할을 하였고, 강규는 정해진 기일(期日)에 학생들을 한자리에 모와 그동안 배웠던 부분을 평가하는 의식에 필요한 법규이다. 이러한 교육 공간에서는 대체적으로 매월 한 차례 강회(講會)를 실시하여 제생들의 학업 성취도를 평가하였는데, 정

성명	내 용	비고
金元行(1702~1772)	「石室書院講規」	李縡 문인
魏伯珪(1727~1798)	「社講規」	尹鳳九 문인
宋來熙(1791~1867)	「黔潭書院講規」	宋浚吉 후손
李恒老(1792~1868)	「閭塾講規」	
蘇輝冕(1814~1889)	「聚樂齋規約」	洪直弼 문인
	「聚樂齋規範」	
柳重教(1832~1893)	「栗谷全書諸生相揖儀附注」	李恒老 문인
	「弟子贄見先生禮」	
	「書社習禮節次」	
	「書社飮禮約束」	
	「書社旬講儀」	
	「四孟朔會謁先師及就位儀節」	
	「書社禮食儀」	
	「書社講規重修節目」	
	「堤川長潭里立契約束」	
田 愚(1841~1922)	「蓍洞書社儀(丙戌)」	任憲晦 문인
	「鳳寺山房規約(辛丑)」	

표_24 <18~19세기 기호학파의 講規 목록>

해진 강규에 따라 철저하게 평가되었다. 이러한 평가 과정을 통해서 당시 기호학자들은 '위기지학(爲己之學)'에 바탕한 진정한 인재를 양성하여 성인

(聖人)의 학문을 지속적으로 계승발전 시키려고 하였다. 그 대표적인 학자들이 김원행(金元行)·송래희(宋來熙)·이항로(李恒老)·유중교(柳重教) 등으로, 이들이 정한 강규는 매우 자세하다. 18~19세기 기호학파의 강규 상황을 살펴보면 표_24와 같다.

미호(渼湖) 김원행(金元行)은 석실서원강규(石室書院講規)[66] 12조항을 지었다. 석실서원은 병자호란 때 척화를 주장했던 선원(仙源) 김상용(金尙容 1561~1637)과 청음(淸陰) 김상헌(金尙憲 1570~1652)의 충절과 학덕을 기리게 위해 1656년(효종7)에 유림의 공의로 세운 서원이다.[67] 김원행은 석실서원강규와 함께 석실서원학규(石室書院學規)와 유석실서원강생(諭石室書院講生) 등을 지어 서원의 강학을 규모 있게 운영하고자 하였다.[68] 강회가 끝나면 직월(直月)에게 주자의 「백록동규(白鹿洞規)」와 율곡 이이의 「학교모범(學校模範)」을 읽도록 하여, 학문하는 근본 자세를 잊지 않도록 되새기게 했다. 특히 율곡 이이의 「학교모범」을 읽게 한 것은 기호학파의 특징으로서 연원의 중요성을 강조하는 의미가 있다.

금곡(錦谷) 송래희(宋來熙)는 나이 70세 되던 해인 1860년에 검담서원강규(黔潭書院講規)를 지었다. 검담서원은 1695년(숙종21) 충북 청원에 송준길의 학덕을 추모하기 위해 창건하였다. 창건한 그 해에 사액서원으로 승격되었으나, 1871년에 서원철폐령으로 훼철되었다. 강규를

66) 『渼湖集』 권14, 「石室書院講規」.

67) 1663년(현종4)에 '석실'이라고 사액되어 서원으로 승격되었다. 그 뒤 1697년(숙종23)에 金壽恒·閔鼎重·李端相을, 1710년(숙종36)에 金昌協을 추가 배향하였다. 그 후 대원군의 서원철폐령으로 1868년(고종5)에 훼철되었다. 이 서원에 배향된 인물 중에 민정중과 이단 상을 제외하면 모두 안동 김씨로 김원행의 선조들이다.

68) 강회는 매월 16일에 정기적으로 행하였고, 강학할 서적은 우선 『小學』·『大學』『論語』·『孟子』·『中庸』·『心經』·『近思錄』 등의 순을 먼저하고, 그런 뒤에는 여러 經傳에까지 미치도록 했다. 강회 때는 반드시 經術과 行義가 있는 자를 뽑아 講長으로 삼았고, 30세 이상은 臨講을 하고, 30세 이하는 背講을 하며, 배강을 하는 자도 註釋은 임강을 하게 하였다. 또한 어린아이들은 通·略·粗·不 등으로 우열의 考課를 논하여 부진한 학생은 더욱 분발하게 하였다. 강이 끝나면 바로 토론을 하여 경전의 의미를 깊이 있게 궁구하도록 하였다.

지은 송내희는 송준길의 후손으로 성리학과 예학에 조예가 깊고 문장이 고아(高雅)하여 익종대왕천릉만장(翼宗大王遷陵輓章)을 제진(製進)하라는 명을 받을 정도였다. 또 그는 1842년(52세)에 『예절람요(禮節覽要)』을 편찬하였다고 하나, 지금은 전하지 않는 듯하다.

검담서원강규는 모두 13조목의 강규로 구성되었다. 송내희는 강규를 마련하면서 첫머리에 "본래 월삭(月朔)으로 회강(會講)하는 규정이 있지만 제생(諸生)을 접대하기 위해서는 자본 수입을 헤아린 뒤에야 할 수 있으니, 지금은 우선 봄과 가을 두 차례만 하도록 하고 서원의 사세(事勢)를 기다려서 다시 월삭으로 정하자."[69]고 단서를 붙였다. 이는 그동안 검담서원이 재정궁핍 등으로 인해 강회가 제대로 시행되지 못했음을 짐작할 수 있는 부분이다. 강규 내용 중에 특히 주목할 만한 것은, 강회 하는 날에 식사 문제와 같은 사소한 조항까지 따로 마련해 두었다.[70] 이것을 보면 비록 사액 서원이라도 재정이 충분하지 못할 경우는 스스로가 식사 문제를 해결하였음을 알 수 있다. 이러한 경제 사정은 바로 1년 동안 강회하는 횟수와도 직결되는 것이므로, 당시 서원의 형편이 어떠했는가를 짐작할 수 있다.

화서(華西) 이항로(李恒老)는 일찍부터 출사를 단념하고 평생토록 경기도 양평 인근을 근거지로 학문에 전념하면서 후진 교육에 힘을 쏟았다. 그는 후진 교육에서도 위정척사를 주장할 정도로 외세에 대해서는 매우 강경한 입장을 취했다. 1850년 59세 되던 해에는 후진 교육을 보다 더 효과적으로 하기 위해 「여숙강규(閭塾講規)」[71]를 제정하였다. 「여숙강규」의 전체 구성을 살펴보면 강당도(講堂圖)[72]·설석도(設席圖)·서책목록(書冊目

69) 『錦谷集』 권9, 「黔潭書院講規(庚申)」. "本有月朔會講之規, 而亦有接待諸生之資入料然後 始可行之. 而今姑草創, 先以春秋兩次爲定, 待院中事勢, 更議月朔之規, 似無妨耳."

70) 『금곡집』 권9, 「黔潭書院講規(庚申)」. "봄과 가을에는 점심밥을 준비하고, 해가 짧은 계절에는 술과 국수 등으로 대신하게 하고, 강장에게는 아침과 저녁밥을 모두 드리는데 이것은 모두 서원에서 접대하도록 한다. 단 제생들은 각자 양식을 준비해 오는 것을 원칙으로 하지만 서원의 경제 사정이 풍부하면 양식을 가져오지 않아도 된다."

71) 『華西集』 권31.

72) 講堂圖는 房과 室, 그리고 堂과 東西 夾室, 庭과 대문 등의 건물 명칭을

錄)[73]·강원(講員)·강의(講儀)·강한(講限)·강책(講冊)·강계(講戒)·강구(講具)·서식(書式)·답서식(答書式)·강의식(講疑式)·배강약속식(排講約束式)·강격정식(講格定式)·부서재조석강규(附書齋朝夕講規) 등 15항목으로 매우 정밀하고 구체적으로 작성되어 있다. 특히 강계(講戒) 조항에는 강회할 때 주의할 점 9조목을 기록하였는데, 그 가운데 강학하는 책은 한결같이 주자의 독서 차례를 준수하되, 율곡 이이와 도암 이재의 남긴 법규를 참작할 것과, 북쪽 오랑캐가 의관을 훼손하고 서귀(西鬼)가 심술(心術)을 고혹(蠱惑)하니, 마땅히 몸을 떨쳐 세우고 다리를 굳게 세워, 마음을 밝히고 눈을 크게 뜨고서 성현의 가르침과 부조(父祖)의 사업을 실추시키지 말 것"[74]이라고 강학의 목적을 밝히고 있다. 이와 같은 내용은 다른 학자들의 강규에서는 매우 찾아보기 드문 내용이다. 이항로의 학문이 단순히 경전만을 암송하는 것이 아닌, 거세게 밀려오는 외세의 문물에 저항하며 우리 고유의 전통학문을 지키려는 데 그 목적이 있음을 알 수 있다.

이항로의 학문을 계승한 유중교(柳重敎)는 강학과 관련한 글을 9편 저술했는데, 율곡 이이가 저술한 「제생상읍의(諸生相揖儀)」에 자세한 주석을 붙여 상읍례 의절을 강구한 「율곡전서제생상읍의부주(栗谷全書諸生相揖儀附注)」, 제자가 폐백을 들고 선생을 뵙는 의절을 기록한 「제자집견선생례(弟子贄見先生禮)」, 한가한 날에 향음주례·향사례·관혼상제 등의 예를 익힐 수 있도록 하기 위해 만든 「서사습례절차(書社習禮節次)」, 경전 강학과 함께 향음례는 백성을 교화하고 풍속을 바로잡는 데 중요한 의절이므로 이것을 익히게 하기 위해 만든 「서사음례약속(書社飮禮約束)」, 매월 10일과 20일, 그믐날 등 세 차례에 걸쳐 강학을 하기 위해 만든 「서사순강의(書社旬講儀)」, 사맹삭회(四孟朔會)에 선사(先師: 주자·송시열·이항로)의 유상(遺

도면으로 자세하게 표시하였고, 設席圖는 講長席을 비롯하여 聽講席·司禮席·司講席·應講席·衆員席 등 강회에 참석하는 사람들의 위치를 표기해 두었다.

73) 書冊目錄: 『家禮』·『禮記』·『周禮』·『儀禮』·『孝經』·『春秋』·『綱目』·『宋明史』·『東史』·『近思錄』·『心經』·『通書』·『二程全書』·『朱子大全』(並箚疑)·『朱子語類』·『聖學十圖』·『擊蒙要訣』·『聖學輯要』·『學校模範』·『石潭鄕約』·『喪禮備要』·『宋子大全』·『書社輪誦』 등 23종이다.

74) 『華西集』 권31, 「講戒」. "北虜毁裂衣冠, 西鬼蠱惑心術, 當挺身立脚, 明心張目, 不墜聖賢 之敎父祖之業, 是儒者徹上徹下法門."

像)을 배알하는 의절인 「사맹삭회알선사급취위의절(四孟朔會謁先師及就位儀節)」, 스승이나 존장에게 음식을 대접하는 의절인 「서사예식의(書社禮食儀)」 등이 있다. 유중교는 이러한 의절을 작성하여 동학(同學) 및 문생 등을 규합하여 공동체의 결속을 다지는 효과를 얻고자 하였다. 이 역시 외세 문화 유입에 대한 위기의식에서 비롯된 것으로서, 화서 이항로 학파가 다른 학파에 비해 매우 적극적으로 이 분야에 뛰어들었음을 알 수 있다.

살펴보았듯이 기호학자들은 일찍부터 행례의절에 대한 강구가 시작되었다. 그러다가 18~19세기에 와서는 사례(四禮) 의절뿐 아니라, 가정과 문중 그리고 강학하는 공간에도 일정한 행례규범을 마련하였다. 특히 이항로의 「여숙강규(閭塾講規)」, 유중교의 「제자입견선생례(弟子贄見先生禮)」·「서사습례절차(書社習禮節次)」·「서사순강의(書社旬講儀)」 등은 매우 정밀하고 조리가 있다. 19세기 후반기는 서양 문화의 유입으로 우리 고유의 문화가 크게 위협받고 있던 시기였다. 이러한 때에 공교육으로부터 희망을 기대할 수 없게 되자, 사대부 사족들은 자신들의 영역 안에서 할 수 있는 교육 방법을 모색하였다. 그것이 바로 가의(家儀)와 강규(講規) 등을 마련하여 집안과 문중, 그리고 향촌 사회에 이르기까지 공동체를 결성하여 내부의 결속을 다지는 것이었다. 이러한 결속을 통해 외세문화로부터 자신들을 지키고 향촌 사회의 전통문화를 수호하려 하였다. 이후 이러한 서당 교육은 20세기 서양식 교육이 일반화될 때까지도 여전히 일부 향촌사회에서 전통을 수호하려는 이들과 호흡을 함께 해 왔다.

3. 예설 변통의 전범(典範) 수립

기호 계열에서는 영남학파와 달리[75] 일찍부터 행례서(行禮書)의 편찬

---

75) 영남학파에서는 주로 類聚·辨證과 같은 예서류를 편찬하였다. 예를 들면, 鄭逑의 『五先生禮說分流』, 曺好益의 『家禮考證』, 柳長源의 『常變通攷』, 柳疇睦의 『全禮類輯』, 張福樞의 『家禮補疑』 등이 편찬되었다. 남재주, 「조선후기 예학의 지역적 전개 양상 연구-영남지역 예학을 중심으로-」, 경성대 박사학위논문, 2012, 239쪽.

이 많이 이루어졌는데, 이이의 「제의초(祭儀抄)」를 비롯하여 김장생의 『상례비요(喪禮備要)』·『가례집람(家禮輯覽)』·『가례집람도설(家禮輯覽圖說)』·『의례문해(疑禮問解)』·『의례문해습유(疑禮問解拾遺)』 등의 예서들이 그것이다. 17세기에 와서는 박세채의 문답류 형식의 『남계선생예설(南溪先生禮說)』과 행례 절차를 기록한 『삼례의(三禮儀)』가 연이어 각각 편찬 간행되었다. 18세기에는 『상례비요』에서 빠진 관·혼·제례를 보완하여 편찬한 이재의 『사례편람』이 편찬되었고, 우리나라 학자들의 예설만 모은 박성원의 『예의유집(禮疑類輯)』이 편찬 간행되었다. 이와 같은 저술들은 대개가 『가례』 연구의 심화와 함께 현실에 적용하는 과정에서 발생되는, 여러 가지 변례(變禮) 문제를 해결하기 위해 편찬된 예서들이다.

이와 관련하여 기호학파 중에 낙론 계열은 적통(嫡統)을 계승한 문인이, 그 스승의 예설을 수집하고 분류하여 편찬하는 경향을 보이고 있다.[76] 박윤원의 『근재선생예설(近齋先生禮說)』(8권 4책), 홍직필의 『매산선생예설(梅山先生禮說)』(7권 4책), 임헌회의 『전재선생예설(全齋先生禮說)』(4권 2책), 전우의 『간재선생예설(艮齋先生禮說)』(5권 5책) 등은 이러한 경향을 잘 보여 주고 있다. 이 예서들은 모두 『가례』의 주석서가 아닌 사례(四禮)를 행함에 있어 발생되는 수많은 변례와 관련된 문답 내용을 편차에 따라 정리한 예서이다.

그러므로 이 절에서는 4종의 예서를 중심으로, 먼저 이들 각 예서의 전체 규모를 개괄하고, 또 주요 예설 항목들을 발취하여 그 차이점과 주요 논점들을 살펴보겠다. 아울러 이들의 예설류 편찬이 학맥의 정통성과 관련되었음을 밝혀 보려고 한다.

(1) 『근재선생예설(近齋先生禮說)』

박윤원의 『근재선생예설』은 그의 후손들에 의해 『근재집』에서 예

76) 18~19세기 호론 계열은 韓元震의 『儀禮經傳通解補』와 李宜朝의 『家禮增解』와 같이 경전 여러 주석을 수집하여 그 논거들을 밝히는 예서가 있을 뿐, 낙론 계열처럼 嫡傳과 적전으로 이어지는 '○○선생예설'류의 편찬은 보이지 않는다.

사진_28 <근재예설> 출처: 한중연

설과 관련한 조목을 뽑아 분류하여 편찬한 것인데, 이 작업에 중심이 된 인물은 박윤원의 손자인 박운수(朴雲壽 1792~1741)와 질손(姪孫)인 박기수(朴岐壽 1774~1845)였다. 박기수는 박윤원의 아우 박준원의 손자로서 순조의 외사촌이기도 하다. 홍직필은 박기수의 묘지명에서 일찍이 "예학연구에 잠심(潛心)하여 백조(伯祖)인 근재선생에 대한 갱장(羹墻)의 그리움이 있어 유고(遺稿)를 가지고 예설을 편집하여 집안에서 사용하는 상례(常禮)로 삼았다."[77]고 술회 하였다. 또한 박운수는 『근재선생예설』 편찬과 간행에 관련하여 박윤원의 제자인 홍직필에게 조언을 구하기도 했다. 홍직필은 박윤원의 행장을 지었고 『근재집』 편찬을 주도했던 인물로서 『근재선생예설』 편찬과 관련되어 자신의 논점[78]을 제기하였지만

77) 『매산집』 권37, 「判敦寧朴公墓表(壬子)」. "朝晡之暇, 潛心研禮, 於伯祖近齋先生, 有羹墻之慕, 取其遺稿, 編成禮說, 爲有家日用之常禮."

78) 첫째, 박윤원의 문집에 이미 들어간 자료를 중복해서 싣는 것에 대한 것, 둘째, 문답과 雜著를 어떻게 편집할 것인가의 문제, 셋째, 항목 분류를 어떻게 할 것인가의 문제, 넷째, 홍직필은 박운수에게 발문 부탁을 받았지만 자신은

실지로 그대로 모두 반영되지는 않은 듯하다.

이러한 과정을 통해 편찬된 『근재선생예설』은 박성원의 『예의유집』을 이어 19세기 초반에 보다 더 확장된 예설 담론 분위기를 만들었다. 『근재선생예설』의 목차를 통해 이 책의 규모를 표_25와 같이 정리해 보았다.

卷	篇名	總目	條文	備考
	凡例		5	
권1	冠禮	將冠者服	3	
	冠變禮		2	
	昏禮		4	
		見舅姑	1	
	昏變禮		3	
		見舅姑	1	
		廟見	2	
		改娶	1	
권2	喪禮	總論	1	
		初終	4	
		復	5	
		立喪主	1	
		易服	2	
		告喪	1	
		護喪	1	2건
		司書司貨	1	
		襲	9	
		飯含	2	
		銘旌	6	
		小斂	9	

적임자가 아니라고 사양한 것 등을 들 수 있다. (김윤정, 『18세기 예학 연구-낙론의 예학을 중심으로-』, 한양대 박사학위논문, 2011, 91~92쪽.)

		大斂	3	
		入棺	3	
		成殯	1	
		五服		
		爲本宗服	6	
		爲收養服	1	
		爲殤服	1	
		爲母黨服	3	
		爲妻黨服	1	
		爲人後者爲本生親服	7	
		妻爲夫黨服	4	
		出家女僞本生親服	3	
		妾爲君黨服	3	
		妾子爲本生親服	4	
권3	喪禮	成服	18	
		朝夕哭	4	
		奠	7	
		上食	9	
		生辰	1	3건
		弔慰	6	
		贈賻	1	
		葬期	1	
		擇地當否	1	
		啓殯	2	
		朝祖	6	
		遷于廳事	1	
		祖奠	3	
		發靷	7	
		穿壙	2	
		貶	7	

		題主	11	
		成墳	2	
		合葬	7	
		返哭	2	
		廬墓	1	
권4	喪禮	虞祭	11	
		卒哭	5	
		祔祭	17	
		葬後諸節	3	
		小祥	9	
		告祝之節	3	
		小祥日受弔	1	2건
		練後諸節	3	
		大祥	6	
		祔廟	4	
		祥後諸節	2	
		禫祭	7	
		禫後諸節	4	
		吉祭	12	
		居喪雜儀	19	
권5	喪禮	服中雜儀	9	
		心喪諸節	1	
		離喪次諸節	3	
		書疏式	10	
		喪中行祭	19	
		五服變制	3	
		父在母喪諸節	11	
		妻喪諸節	2	
		殤喪諸節	1	
		爲人後者爲本生親喪諸節	3	

		師友喪諸節	3	
		國恤	9	
권6	喪變禮	聞喪	2	
		奔喪	6	
		追喪	5	
		代喪	2	
		竝有喪	33	
		喪中有死	1	
		嗣子未執喪	1	
		無後喪	6	
		追行之節	2	
		草殯	2	
		權葬		
		總論	1	4건
권7	喪變禮	改葬	25	
	祭禮	祠堂	6	
		合櫝	1	
		晨謁	9	
		參	5	
		俗節	1	
		薦新	1	
		生辰祭	4	
		有事告	5	
		時祭	14	
		禰祭	1	
		忌祭	15	
권8	祭禮	墓祭	11	
		省墓	4	
		遞遷	2	
		不遷之位	2	

	祭變禮	臨祭有故	3	
		兩祭相値	1	
		祭祀攝行	6	
		攝主奉祀	1	
		祠墓遇變	10	
	附錄	立後諸節	6	
	雜禮	居家雜儀	21	
		冠服之制	3	
	合計	115	599	

표_25 <『近齋先生禮說』目錄>

『근재선생예설』의 편차는 『가례』의 방식이 아닌 박성원의 『예의유집』 방식을 따라, 관혼상제 순으로 편차하면서 관례 뒤에는 변례 조항인 관변례(冠變禮)를 붙이고, 혼례 뒤에는 혼변례(昏變禮), 상례 뒤에는 상변례(喪變禮), 제례 뒤에는 제변례(祭變禮)를 붙였다. 『가례』에는 맨 앞에 통론편(通論篇)이 있는데 『근재선생예설』에는 통론편이 없고, 제례편의 시제(時祭) 항목 앞에 사당(祠堂)·합독(合櫝)·신알(晨謁)·참(參)·속절(俗節)·천신(薦新)·생신제(生辰祭)·유사고(有事告) 등 통론편에 해당되는 7항목을 배치하였다. 이 역시 『예의유집』의 편차와 같다. 또한 상례편에 초종(初終) 항목 앞과 개장(改葬) 항목 앞에 총론(總論)을 붙였는데, 이 역시 『예의유집』의 방식을 따른 것이다.

『근재선생예설』은 전체 항목수가 모두 115항목이고, 그에 딸린 조문들은 모두 599조목에 달한다. 조문(條文)의 빈도수가 가장 많은 순으로 살펴보면 병유상(竝有喪, 33조)·개장(改葬, 25조)·상중행제(喪中行祭, 19조)·성복(成服, 18조)·부제(祔祭, 17조) 등의 순으로 나타나고 있다. 모두가 변례 발생이 많은 항목들이다.

병유상(竝有喪) 조문(條文)에는 아버지와 조부가 함께 초상이 났을 때 습렴(襲斂)의 선후 문제, 조부모와 아버지가 함께 초상이 났을 때 상복을 입는 절차, 아버지의 상중에 어머니가 죽었을 경우 복을 입고 제사를 행하는 의절, 어머니의 상중에 아버지가 죽었을 경우 어머니복을 입는 기간, 무거운 초상 중에 가벼운 초상을 만났을 때 복을 입는 절차 등에서부터, 연이어 상이 나면 협향(祫享)전에는 합독하지 않는 것과 대공친 부녀상(婦女喪)에 처음 기년 뒤에 달을 넘겨 합독하는 것이 마땅한가 등에 이르기까지 다양한 변례 조문들을 수록하여 두었다.

개장(改葬) 조문에는 조천(祧遷)에 해당하는 신위에 고하는 의절, 아버지의 상중에 조부의 묘소를 개장할 때 궤연에 고유하는 문제, 승중상(承重喪) 중에 어머니의 묘소를 개장할 때 사당에 고하는 절차 등에서부터, 조부 상의 장사 전에 아버지의 묘소를 개장하고 나서 우제(虞祭)의 선후 문제와 자부(子婦)의 묘소를 개장하고 나서 우제 축문 쓰는 법 등의 조문에 이르기까지 많은 변례를 수록하였다.

상중행제(喪中行祭) 조문에서는 상중에 기제를 행하는 절차와 상중에 선조의 기일을 만나 곡읍하는 절차와, 길제 전에 선조의 기일을 만나 제사를 행하는 절차 등에서부터, 출가녀(出嫁女) 상의 장사 전에 제사를 행하는 절차와 생질(甥姪) 초상 장사 전에 고위(考位)의 기제를 행하는 문제 등의 조문을 수록하였다.

성복(成服) 조문에서는 나흘 만에 성복하는 의미와 최(衰)자의 의미와 공(功)자와 시(緦)자의 의미 등 글자의 본래 의미를 살피는 훈고(訓詁) 해석에서부터, 성복 때는 절하지 않는 것과 노비는 주인의 복을 따르는 것 등의 조문에 이르기까지 소소한 절차들에 대해서도 자세한 논변을 가하였다.

부제(祔祭) 조문에서는 졸곡 뒤에 부제와 연제(練祭) 뒤에 부제를 함께 수록하였고, 고비(考妣)를 병설(竝設)과 단설(單設)하는 의미와, 조비(祖妣) 중에 한 분은 살아있고 또 한 분은 죽었는데 죽은 조비가 시아버지의 소생모가 아닐 경우 부제를 행하는 문제 등의 조문에서부터 첩손부(妾孫婦)의 부제(祔祭)와 지방을 불사르는 것 등에 이르기까지 다양한 사례들을 수록하였다.

박윤원과 예설 문답에 참석한 학자들은 모두 69명으로 나타났고 주로 서울에 거주하는 사람이 많다. 이들은 모두 박윤원의 선배와 지우(知友), 그리고 문인들로 구성되어 있고, 전체 문답한 횟수는 모두

885회나 된다. 가장 빈도수가 높은 순으로 살펴보면 홍직필(洪直弼 1776~1852) 298회, 임정주(任靖周 1727~1796) 58회, 이재의(李載毅 1772~1839) 57회, 박윤원(朴準源 1739~1807) 51회, 김종선(金宗善 1766~1510) 50회 등으로 나타났다. 여기서 가장 많은 분량을 차지한 사람은 홍직필로 전체 문답의 33.7%를 차지하고 있다. 이것은 매산 홍직필이 박윤원의 적전(嫡傳)임을 의심 없이 보여 주는 결과이다. 이러한 경향은 홍직필의 적전 임헌회, 임헌회의 적전인 전우 등에서도 이와 비슷하게 나타나고 있다.

이와 같은 변례들은 어느 한 시대에만 특별히 나타나는 현상이 아니고, 늘 우리들의 일상에 일어날 수 있는 사례들로서 예학의 시대를 살았던 그들은 이러한 문제들을 고민하지 않을 수 없었을 것이다. 또한 이것은 그들이 해결해야 할 당면한 중요한 과제였고, 특히 당시 사대부 집권층에 속한 기호학자들로서는 이러한 문제에 대한 책임을 느꼈을 것이다. 그러므로 박윤원은 이와 같은 예제를 강구하여 질문자들의 의혹을 해소하는 데 일정한 역할을 담당하였던 것이다.

(2) 『매산선생예설(梅山先生禮說)』

매산(梅山) 홍직필(洪直弼)은 19세기 낙론의 종장으로서 많은 학자들과 예설 문답을 활발히 전개하여, 당시 논란이 되었던 예설을 강론을 통해 일정한 예제(禮制)를 정립하는 데 주도적 역할을 하였다. 홍직필의 교유관계는 그의 문집 『매산집』 간찰에 잘 드러나 있다. 『매산집』은 전체가 52권인데, 그중 편지글이 차지하는 분량이 22권이고, 서찰 편수는 무려 996통이나 된다. 그가 교유한 인물은 수백 인에 달하는데, 가장 교분이 두터웠던 학자는 스승인 박윤원을 비롯하여 송환기(宋煥箕)·오희상(吳熙常)·이직보(李直輔)·임노(任魯)·이봉수(李鳳秀) 등을 들 수 있다. 이들은 모두 기호학파의 산림으로서, 노론의 학맥을 이어받은 당대의 저명한 학자들이다.

홍직필 역시 스승 박윤원과 마찬가지로 자신이 직접 예서를 저술하지는 않았지만, 국가의 전례(典禮) 문제에 대해서 자신의 견해를 올린

사진_29 <매산예설> 출처: 국립중앙도서관

4편의 헌의(獻議)[79]를 살펴보면 그의 예학 깊이를 짐작할 수 있다. 뿐만 아니라 그의 문집 편지글에는 예설 관련 내용이 상당한 분량을 차지하고 있음을 볼 때, 당시 홍직필을 중심으로 기호학자들의 예설 교류가 활발하게 이루어졌음도 짐작할 수 있다. 이렇듯이 그의 예설은 『매산집』 전체에 산재해 있는데, 그의 사후에 몇몇 문인들이 예설 관련 내용만을 항목별로 정리하여 『매산선생예설』이란 이름으로 세상에 간행하였다. 『매산선생예설』은 『근재선생예설』에 비해 전체 총목 수는 조금 줄었지만, 조문 수는 거의 배 정도가 늘어났다. 이는 그만큼 많은 학자들과 예설 교류가 이루어졌다는 증거이기도 하다. 『매산선생예설』 규모를 도표를 통해 살펴보면 표_26과 같다.

卷	總目	項目	條文	備考
	序			金洛鉉(辛卯, 1891)
	凡例		10	
	總目			
	目錄			
권1	冠昏禮	冠禮	6	
		昏禮	16	
		服中冠昏	11	
		回昏禮(附)	1	
권2	通禮	祠堂	14	
		宗法	5	
		出後	24	
		次養	1	
		侍養	2	
		攝祀	27	
		班祔	8	
		晨謁	5	
		朔望參	9	
		俗節	4	
		薦新	4	

79) 『梅山集』 권4. 「孝顯王后喪卒哭後大殿燕居服笠制黑白議」, 「綏陵遷奉時大王大妃殿服緦議」, 「當宁嗣位後東朝位號加上當否議」, 「憲宗大王祔廟後眞宗大王祧遷當否議」.

		有事告	14	
		深衣制度	10	
		雜禮	31	
권3	喪禮	易服	2	
		立喪主	9	
		訃告	1	
		襲	7	
		飯含	5	
		魂帛	3	
		銘旌	2	
		小斂	4	
		成服	22	
		承重	9	
		本生服	11	
		外黨服	1	
		夫黨服	4	
		養父母服	4	
		妾服	18	
		殤服	4	
		制服	12	
		追喪	1	
		稅服	3	
		師服	6	
		饋奠	21	
		朝夕哭	2	
권4	喪禮	聞喪	3	
		并有喪	32	
		弔慰	16	
		擇地	8	
		治葬	9	
		啓殯	3	
		朝祖	6	
		發靷	6	
		窆	8	
		題主	19	

		追後立主(附)	8	
		成墳	7	
		葬時諸節	1	
		葬後諸節	2	
		反哭	2	
		虞祭	31	
		卒哭	8	
권5	喪禮	祔	32	
		小祥	30	
		大祥	27	
		禫	34	
		吉祭	30	
권6	喪禮	遞遷	20	
		埋主	8	
		改葬	39	
		居喪雜儀	23	
		心喪雜儀	3	
		喪中行祭	18	
		服中雜儀	10	
	祭禮	時祭	37	
		忌祭	35	
		生忌	3	
		墓祭	11	
		榮墳	4	
권7		國禮	7	
		國哀	56	
	跋			李鎭玉(癸巳, 1893)
	合計	76	939	

표_26 <『梅山先生禮說』 目錄>

『매산선생예설』은 모두 7권 4책으로 내용은 840쪽 분량에 달한다. 전체 편차가 『근재선생예설』의 편차와 다르게 김장생의 『의례문해(疑禮問解)』와 송시열의 『경례문답(經禮問答)』[80]의 편차를 따랐다.[81] 김장생의 『의례

80) 송시열의 『經禮問答』은 『尤菴先生文集』 중에 권159～권182까지의 내용으

문해』는 『가례』의 편차를 그대로 따랐지만, 송시열의 『경례문답』은 「제례」편 뒤에다 「국휼(國恤)」편을 덧붙인 형태이다. 『매산선생예설』에도 「국휼」편을 배치해 둔 것을 보면, 송시열의 『경례문답』의 편차를 많이 의거한 것으로 보인다. 『매산선생예설』 편찬 방식은 이후 『전재선생예설』과 『간재선생예설』에도 그대로 적용되고 있다.

『매산선생예설』을 편찬하는 데 가장 적극적으로 힘을 쓴 사람은 홍직필의 문인인 이진옥(李鎭玉)과 그의 사손(嗣孫)인 홍용관(洪用觀)이다. 문인 이진옥의 발문(跋文)에는 "원고를 참고하고 속집을 보충하여 조항별로 각각 유(類)에 따라 5책을 만들었다. 교정은 기축년(1889) 봄에 시작하여, 친구인 전우(田愚)에게 주어 여러 번 교정을 거친 뒤, 임진년(1892) 겨울까지 거의 3분의 1을 산정(刪定)하여 비로소 4책을 만들었다."[82]고 하였다. 책이 이루어지자 곧 출간을 시도하여, 이듬해인 계사년(1893) 5월에 『매산선생예설』이 간행된 것으로 보인다.

『매산선생예설』은 김낙현(金洛鉉)의 서문(1891년)과 이진옥의 발문(1893)이 앞뒤로 붙어 있어서, 이 책이 어떤 목적으로 어떻게 간행되었는지를 자세히 알 수 있다. 이 책은 총목 수 46항목이지만 조문(條文)은 939조목이나 된다. 조문 수는 『근재선생예설』 599조에 비해 월등하게 증가하였다. 뿐만 아니라 『근재선생예설』에는 없는 항목들이 새롭게 추가된 것이 눈에 띈다. 우선 통례편(通禮篇)이 새롭게 마련되어 종법(宗法)·출후(出後)·차양(次養)·시양(侍養)·섭사(攝祀)·반부(班祔)·심의제도(深衣制度) 등의 항목이 배치되었다. 여기서 차양과 시양 항목은 다른 예서에는 나타나지 않는 항목으로 반드시 살펴볼 필요가 있다. 홍직필은 차양에 대해 다음과 같이 말했다.

로, 경전과 예에 관한 문답만을 발췌하여 편집하여 「經疑」편과 「禮疑」편 두 부분을 합쳐서 부르는 명칭이다. 이 가운데 「禮疑」편은 권172~권182까지 모두 11권에 해당된다. 후세에 누군가가 「예의」편의 일부분만을 『우암선생예설』(2권 1책)이란 이름으로 필사하여 전해지고 있다.

81) 『매산선생예설』, 「凡例」.

82) 『梅山先生禮說』 「跋文」. "遂取其抄錄者, 參以原稿, 增以續集, 分門彙列, 各以類從, 凡輯五冊. 自己丑春爲始, 與田友愚, 屢加讐校, 以至壬辰冬, 見刪幾至三之一而僅得四冊."

차양(次養)은 옛적에는 살필 수가 없다. 처음에 인평도위(寅平都尉)에서부터 시작되어 사대부 집안들이 왕왕 이것을 원용하여 사례와 삼았다. 그러나 예의 바름은 아니다. 지금에 심유(沈裕)의 집에서 능순(能順)을 아들로 삼고 또 능격(能格)을 취하여 아들로 삼았으니, 능격은 곧 이른바 '차양'이다.[83]

심유(沈裕)의 집에서는 능순(能順)을 입후(立後)하고 그가 자식이 없자, 다시 능격(能格)을 아들로 삼아서 능격이 자식을 낳자 그를 능순의 후사로 입후하였다. 19세기에 들어와 이러한 사례를 따르는 집안들이 자주 있었던 것으로 보인다. 홍직필은 이것이 예가 아니라고 지적하면서 능순이 자식이 없으면 다시 다른 자식을 취하여 능순의 아들로 삼는 것이 바른 예라고 주장하였다.

또 시양에 대해서는 다음과 같이 말했다.

우리나라에서는 시양(侍養)의 명칭이 있다. 노가재(老稼齋) 김공(金公)이 재종조(再從祖)를 위해 시양하여 그 제사를 주관하였다. 비록 제사는 주관하였으나 후사를 잇지는 않았다. 그러나 역시 예는 아니다. [중략] 세상의 가르침이 쇠퇴하여 예가 폐하여 정에만 맡겨 이렇게 심한 지경에 이르렀으니 작은 걱정이 아니다. 이른바 '시양'은 이미 임금께 고한 것도 아니고, 또 예조에서 허락이 나지 않았으니 사손(嗣孫)이 아니다. 사손이 아닌데 사당을 세워 제사를 받드는 것은 구차하지 않은가?[84]

일찍이 노가재(老稼齋) 김창업(金昌業 1658~1721)의 재종조부가 자식이 없었는데, 자신이 그를 모시다가 나중에 제사까지 지내 주었지만,

83) 『매산선생예설』 권1, 「次養」. "次養, 無稽于古. 始自寅平都尉, 而士大夫家往往援以爲例. 然非禮之正也. 今玆沈氏裕之家, 取能順爲子, 又取能格爲子, 能格, 卽所云次養也."

84) 『매산선생예설』 권1, 「侍養」. "吾東有侍養之名. 老稼齋金公, 爲其再從祖侍養而尸其祀. 雖則尸祀, 非繼后也. 然亦非禮也. [中略] 世敎衰, 廢禮任情, 至於斯極, 非細憂也. 所謂侍養, 旣非所告君, 又不出禮斜, 則非嗣孫也. 非嗣孫而立廟承祭, 不亦苟乎."

정식으로 후사(後嗣)가 된 것은 아니었다. 홍직필은 이러한 사례는 나라에 고하지도 않았고 예조에서 허락도 하지 않았기 때문에, 사당을 세워 제사를 지내주는 것은 구차한 일이라고 비판했다. 예에 엄연히 입후하는 제도가 있는데도 그 제도를 사용하지 않는 것은 종법을 보호하는 차원에서도 옳지 않다고 판단한 것이다.

상례에 있어서도 『근재선생예설』에 비해 승중(承重)·양부모복(養父母服)·추상(追喪)·태복(稅服)·추후입주(追後立主)·체천(遞遷)·매주(埋主) 등의 항목이 새롭게 추가되었다. 이러한 항목들은 역시 많은 변례의 사례가 발생할 수 있는 것들이다. 그러므로 홍직필은 당대 낙론을 대표하는 예학가로서 이러한 문제에 대해 의문을 제기한 학자들과 심도 있는 논의를 거쳐 하나의 정론을 제시하였다.

『매산선생예설』에서 가장 빈도수가 높은 항목 순으로 살펴보면, 국휼(國恤, 63조)·개장(改葬, 39조)·시제(時祭, 37조)·기제(忌祭, 35조)·담제(禫祭, 34조)·부제(祔祭, 32조)·소상(小祥, 30조) 등으로 나타났다. 특히 국휼 항목이 가장 높게 나타났는데, 이는 홍직필이 산림으로 있으면서도 국가의 전례 문제에 매우 많은 견해를 제시했다는 증거이므로, 그의 예학적 위상을 가늠해 볼 수 있는 부분이다. 그리고 나머지는 대부분 제례와 관련된 항목이 많은 분량을 차지하고 있다. 특히 제사 중에 부제·소상·담제 등은 상례와 연계선상에 있는 의절로 변례 문제가 자주 발생할 수 있는 의절이기 때문에 조목이 많을 수밖에 없다.

한편 홍직필과 예설 문답에 참여한 예학가는 모두 183명에 달한다. 그 중에 『매산선생예설 문답』에 5회 이상 등장한 학자는 32명이었고, 답장 횟수가 많은 순서로는 임헌회(任憲晦, 227회)·이봉수(李鳳秀, 54회)·박원득(朴元得, 42회)·오희상(吳熙常, 36회)·조병덕(趙秉悳, 32회)·이응신(李膺信, 20회)·강진규(姜進奎, 17회)·이재경(李在慶, 14회) 등의 순으로 나타났다. 예설 문답에 참여한 인물 중에는 문인이 47명이고, 선배에 해당하는 인물은 김기후(金基厚)·송환기(宋煥箕)·임노(任魯)·이직보(李直輔)·오희상(吳熙常) 등이 있다. 이 가운데 가장 많은 문답횟수를 차지하고 있는 학자는 그의 적통을 계승한 임헌회인데, 그의 질문은 관혼상제 전반에 걸쳐 모든 항목에 고르게 분포되어 있다. 이로서 볼 때 임헌회가 홍직필 예학의 적전을 계승했다는 평가를 받기에 충분하다고 하겠다.

(3) 『전재선생예설(全齋先生禮說)』

고산(鼓山) 임헌회(任憲晦 1811～1876)는 홍직필의 적전으로 당시 여러 학자들과 많은 예설 문답을 이끌어왔다. 그는 당시에 조정에서 만동묘(萬東廟)를 철향한다는 명령이 떨어지자, 대보단(大報壇)과 만동묘는 '지나간 왕을 잊을 수 없는[前王不忘]' 그리움과 '춘추대일통(春秋一統)'의 의리에서 나온 것으로, 만약 철향하면 우리나라 사람들이 모두 금수가 된다[85]고 할 정도로, 춘추의리(春秋義理)와 대명의리(大明義理)에 철저했던 인물이다. 그의 예학은 주자의 『가례』에 근본하고 여러 예서를 참고하여 경곡상변(經曲常變)에 연구를 다하고 인혁손익(因革損益)을 짐작하는 것에 역점을 두었다. 또 실천에 있어서는 사시정제(四時正祭)와 삼가(三加), 친영(親迎) 등의 의절을 가장 중요하게 강조하였다.[86]

한편 임헌회는 서양문물에 대해서도 매우 비판적이었다. 서양 문물은 남의 나라를 망하게 해야만 그칠 것이라고 하면서, 그들의 서적은 이적 중에서도 이적이며 금수 중에서 금수이기 때문에 불태워야 한다고 극력 주장했다.

임헌회 역시 별도의 예서는 편찬하지 않았지만, 그의 문집에는 몇 편의 예설이 수록되어있다. 「제찬도설(祭饌圖說)」·「거상의(居喪儀)」·「조주체봉의(祧主遞奉儀)」·「조주매안의(祧主埋安儀)」·「거가요법(居家要法)」·「예의쇄록(禮疑瑣錄)」·「친영설(親迎說)」·「유내간(諭內間)」·「임인외우시기(壬寅外

85) 『艮齋集後編續』 권6, 「敬書苟菴所撰全齋先生行狀後」. "時東朝垂簾, 命輟萬東廟享祀, 公引櫟泉宋文元公不辭大報壇獻議之義, 乃上疏曰大報壇, 萬東廟之設, 咸出於前王不忘之思, 春秋一統之義. 使環東土數千里之人, 得免夷狄禽獸之歸者, 而惟大報壇, 肅廟英廟克纘, 孝廟志事以爲之者, 則朝家之盛擧也. 萬東廟, 先正文正公臣宋時烈, 用茅屋祭昭王之義, 屬之門人先正文純公臣權尙夏而成之者, 則士民之私誠也."

86) 『艮齋集後編續』 권6, 「敬書苟菴所撰全齋先生行狀後」. "於禮, 本之家禮, 參之諸書, 究極乎 經曲常變, 斟酌乎因革損益, 修擧四時正祭. 祭之日, 令家中婦女, 著深衣, 勿近俗製. 冠必三 加, 婚必親迎, 此爲公劬經而硏禮者也."

憂時記)」 등은 그의 예학적 견해가 어떠한가를 짐작할 수 있다. 또 그의 사후에 문인 전우에 의해 편찬된 『전재선생예설』은 그의 예학의 전모를 대략 파악할 수 있다. 『전재선생예설』의 규모는 표_27과 같다.

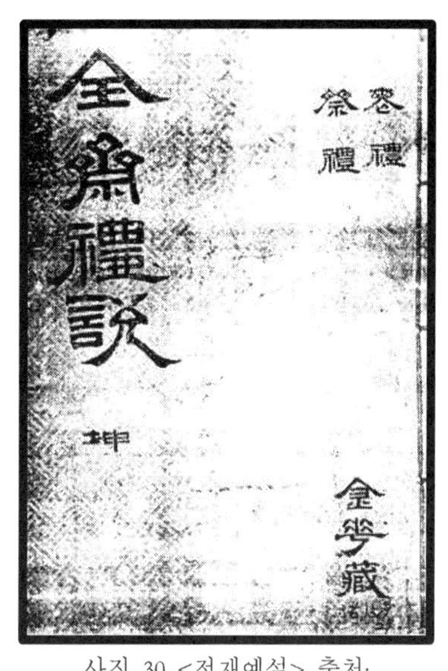

사진_30 <전재예설> 출처: 국립중앙도서관

『전재선생예설』은 『매산선생예설』의 편차를 그대로 따랐으나, 책의 전체 분량은 겨우 4권으로 그다지 많은 편은 아니다. 항목 수는 69항목으로 『매산선생예설』과 거의 비슷하지만 그에 따른 조문(條文)은 470조문으로 절반 밖에 안 된다. 간재 전우가 쓴 짧은 발문에 의하면 임헌회는 평소 생활에 있어서 예를 삼가고 시청(視聽)과 사려(思慮)와 동작(動作)이 모두 '경(敬)'에 의해 행해졌다고 하였고, 사람들과 의장(儀章) 절문(節文)을 논변할 때도 근거 없는 말로 과장하는 모습이 없었다[87]고 술회하고 있다. 이로써 보면 임헌회는 행례의 실천에 매우 힘을 쏟았던 것으로 보인다.

『전재선생예설』에서 가장 조문이 많은 순으로 살펴보면, 시제(時祭, 35조)·소상(小祥, 32조)·기제(忌祭, 21조)·혼례(婚禮, 20조)·국례(國禮, 15조) 등의 순으로 나타난다. 특히 제례에 관한 조문이 다른 조문에 비해 월등히 많다. 이는 임헌회가 평소에도 제례 분야에 많은 관심을 두고서, 자신의 가정에서 행하는 제례 상차림을 설명한 「제찬도설」를 찬술한데서도 알 수 있다. 이 도설은 임헌회가 『가례』와 『상례비요』를 참고하여, 도설(圖說)과 설찬도(設饌圖)를 각각 만들어 제사에 간편하게 행할 수 있도록 한 것

87) 『전재선생예설』, 「跋」. "竊審其平日謹於禮, 而視聽思慮動作, 咸從敬功做成, 罔或有一毫恣肆之累, 而其與人辨論儀章節文者, 亦無不自這根子上寫出, 絶無片辭虛夸之象."

卷	總目	項目	條文	備考
	總目			
	目錄			
권1	冠昏禮	冠禮	1	
		昏禮	20	
		服中冠昏	8	
	通禮	祠堂	9	
		宗法	8	
		出後	16	
		次養	1	
		侍養	2	
		攝祀	7	
		班祔	3	
		晨謁	5	
		出入告	2	
		朔望參	3	
		薦新	1	
		有事告	8	
		深衣制度	4	
		雜禮	19	
권2	喪禮一	初終	5	
		立喪主	5	
		易服	4	
		訃告	1	
		襲	3	
		魂帛	4	
		銘旌	2	
		小斂	2	
		出殯	2	
		成服	12	
		承重	5	
		本生服	6	
		外黨服	2	
		養父母服	2	
		妾子服	3	
		殤服	2	
		制服	4	
		追服	3	

		稅服	1	
		師服	5	
		饋奠	11	
		聞喪	4	
		竝有喪	7	
권3	喪禮二	弔慰	15	
		治葬	6	
		啓殯	1	
		朝祖	3	
		發靷	3	
		窆	5	
		題主	9	
		反哭	1	
		葬後諸節	3	
		虞祭	9	
		卒哭	4	
		祔	8	
		小祥	22	
		大祥	12	
		禫	15	
		吉祭	7	
권4	喪禮三	遞遷	10	
		埋主	4	
		改葬	8	
		居喪雜儀	21	
		心喪雜儀	2	
		喪中行祭	3	
		服中雜儀	5	
	祭禮	時祭	35	
		忌祭	21	
		生忌	1	
		墓祭	10	
	國禮	國禮	1	
		國恤	14	
	跋			田愚(乙巳, 1905)
	合計	69	470	

표_27 <『全齋先生禮說』 目錄>

이다. 뿐만 아니라 당시의 풍성하고 사치스러움으로 흐르는 세태를 바로잡으려는 의도도 있었다.[88] 그가 찬술한 설찬도는 「우제설찬도(虞祭設饌圖)

」·「시제설찬도(時祭設饌圖)」·「삭참설찬도(朔參設饌圖)」·「속절설찬도(俗節設饌圖)」·「신물천설찬도(新物薦設饌圖)」 등 모두 다섯 개의 도(圖)로 구성되어 있다. 이는 가정에서 행해지는 제사의 전반을 종합 정리하고 규범화하였다는 데서 그 의미가 있다.

임헌회와 예설 문답에 참여한 학자는 모두 101명이다. 그중에서 5회 이상 문답한 사람은 24명이고, 문답횟수가 많은 순으로는 전우(田愚, 47회)·박효진(朴斅鎭, 36회)·조병덕(趙秉悳, 32회)·이선일(李善一, 27회)·이정로(李晶老, 18회)·홍직필(洪直弼, 15회)·남형구(南亨耉, 15회) 등으로 나타났다. 이 중에서 스승인 홍직필을 제외하면 모두가 지우(知友)이거나 문인들이다. 이 중에서 가장 문답의 빈도수가 많은 학자는 그의 적통을 계승한 간재 전우이다. 전우는 그의 스승을 위해 가장(家狀)을 지었을 뿐만 아니라, 『고산집』과 『전재선생예설』 편찬과 간행을 주도하여 스승의 유업을 잘 완수하였다.

(4) 『간재선생예설(艮齋先生禮說)』

간재(艮齋) 전우(田愚 1841～1922)는 이이·김장생·송시렬·김원행·박윤원·홍직필·임헌회로 이르는 기호학파의 적통을 전수받아, 혼란한 19세기에 정학(正學)을 수호하는 데 치력하였다. 그는 서양 문화가 유입되어 우리나라의 전통 문화가 훼손되는 것을 매우 우려한 나머지, 「화이감(華夷鑑)」[89]을 지어 예의(禮義)를 잃고 이적이 되거나 금수에 들어가는 것을 매우 경계하였다. 그의 문집에는 여러 편의 예설이 수록되어 있고, 서찰에는 예문답에 관한 내용이 수백 편 산재해 있다. 이것을 그의 문인들이 채록하고 분류하여 『간재선생예설』(5권 5책)이란 이름으로 편찬 간행하였다. 『간재선생예설』의 규모는 표_28과 같다.

---

88) 정길연, 「全齋 任憲晦의 祭禮 設饌圖 고찰」, 『동양한문학연구』38, 2014, 235쪽.

89) 『艮齋集別編』 권1, 「華夷鑑(癸卯)」.

『간재선생예설』은 그의 문인 양재(陽齋) 권순명(權純命 1891～1974)이 관혼례(冠昏禮)·통례(通禮)·상례(喪禮)·제례(祭禮)·국례(國禮) 등의 차례에 따라 편집한 것을, 전기진(田璣鎭)이 5권 5책으로 다시 편집 정리하고 발문을 붙여 1936년에 간행하였다. 일찍이 전우의 제자 오진영(吳震泳)은 스승의 예설을 두고 "선생은 예를 논함에 있어서 털끝만큼이라도 세상 사람들의 뜻을 따르지 않고, 곧바로 성훈(聖訓) 왕법(王法)을 따라 천리와 인륜의 본연이 나온 곳을 깨달았기 때문에, 앞 사람이 발견하지 못한 부분을 발견한 것이 많다."[90]고 논평하였다. 또한 전우의 예설이 천리와 인륜을 중심에 두고 판단했기 때문에 속유(俗儒)들은 듣기 싫어하고 행하기를 꺼려했다고도 하였다.

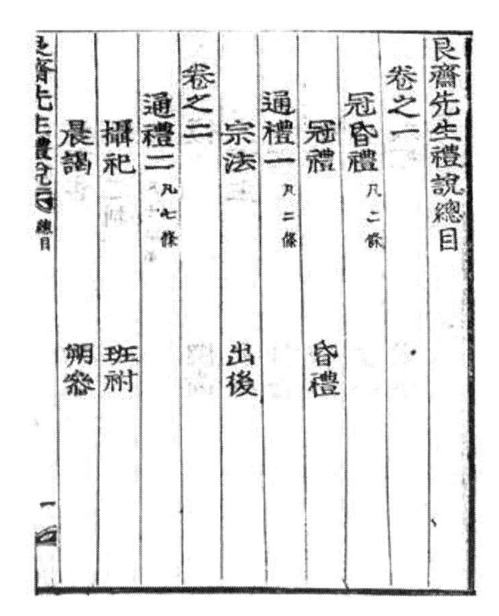
艮齋先生禮說總目

卷之一

冠昏禮 凡二條

冠禮 昏禮

通禮一 凡二條

宗法 出後

卷之二

通禮二 凡七條

攝祀 班祔

晨謁 朔參

艮齋先生禮說 總目 一

사진_31 <간재선생예설> 출처: 국립중앙도서관

『간재선생예설』의 총목은 모두 66항목 조문은 621조목으로, 『전재선생예설』에 비해 총목은 차이가 없지만 조문이 151조문이나 더 증가하였다. 또 총목의 조문 중에 통례(通禮)의 종법(宗法, 14조)과 잡례(雜禮, 90조)와 상례의 성복(成服, 51조)과 사복(師服, 12조)이 앞의 세 학자의 예설에 비해 대폭 증가하였다.

종법에서는 '대종이 아니면 서로 후사를 삼을 수 없다'는 것과 '예에는 두 적자가 없으니 나라에서는 두 번 장가드는 것을 금한다'는 등의 조문에서는, 많은 분량을 할애하여 논변하였다. 이는 전통 예제가 거의 해체되는 시기를 당해, 그만큼 종법에 대한 예제가 중요하고 절

90) 『간재선생예설』, 吳震泳 「跋」. "平生論禮, 未嘗毫有俯循世情, 而直從聖訓王法上, 見得天理人倫之本然出來, 故發前未發爲多."

卷	總目	項目	條文	備考
	凡例		6	
	總目			
	目錄			
권1	冠昏禮	冠禮	10	
		昏禮	22	
	通禮一	宗法	14	
		出後	24	
권2	通禮二	攝祀	4	
		班祔	5	
		晨謁	2	
		朔參	3	
		有事告	4	
		雜禮	90	
		冠服之制	21	
	喪禮一	復	2	
		楔齒	1	
		立喪主	3	
		易服	2	
		告喪	2	
		訃告	1	
		襲	7	
		飯含	1	
		魂帛	3	
		銘旌	2	
		入棺	1	
		成服上	16	
권3	喪禮二	成服下	35	
		承重	6	
		本生服	12	
		外黨服	3	
		出母嫁母服	3	
		養母服	2	
		夫黨服	1	
		女君黨服	2	
		出嫁女本宗服	2	
		殤服	1	
		追喪	1	

		追服	4	
		師服	12	
		饋奠	8	
		靈床	1	
		朝夕哭	3	
		弔慰	11	
		葬禮	5	
		啓殯	3	
		朝祖	1	
		贈幣	2	
		題主	21	
		虞祭	1	
		告成	2	
		卒哭	2	
		祔	2	
권4	喪禮三	小祥	9	
		大祥	4	
		禫	10	
		廬墓	1	
		遞遷	7	
		改葬	18	
		居喪雜儀	21	
		喪中行祭	7	
	祭禮	時祭	15	
		忌祭	33	
		墓祭	14	
		墓壇	3	
		影祭	2	
권5	國禮	國禮	32	
		國服變禮	5	
		國哀	19	
		雜錄	7	
	跋			吳震泳(庚午, 1930)
	再跋			田璣鎭(丙子, 1936)
	合計	66	621	

표_28 <『艮齋先生禮說』 目錄>

박했다는 것을 짐작할 수 있다.

잡례에서는 '공자의 사당에 소상(塑像)을 제거하고 목주(木主)를 사용하는 것', '원수를 갚지 않았으면 상복을 벗지 않는 것이 의리', '자손이 삭발한 경우 처리하는 의리', '변발과 오랑캐 복장에 처리하는 의리' 등의 조문에서도 많은 분량을 할애하고 있다. 이와 같은 조문을 보면 앞 시대에서는 쉽게 볼 수 없는 내용으로, 간재 전우가 당시 처한 시대적 상황을 그대로 반영하고 있을 뿐만 아니라, 그의 의리관 역시 잘 나타나고 있다.

성복에서는 최복(衰服) 만드는 방법과 포특(包特)에 대한 선배들의 오류를 변론하였고, 또 장자복제(長子服制)·의례부위장자전주강해(儀禮父爲長子傳註講解)·성담집우암장자복제기의(性潭集尤菴長子服制記疑)·장자복제도(長子服制圖) 등의 조문에서는 역시 논변에 많은 분량을 할애하였다. 특히 장자복제에 대해서는 우암 송시열 이후로 기호학파에서는 송시열의 정론과 관련하여 많은 논란이 제기되었던 내용이다. 그러므로 전우는 이를 다시 한 번 정리하여 자신의 입장을 밝혔다.

사복(師服) 항목 12조문은 앞 시대의 학자들에 비해 그 내용이 많이 증가한 편이다. 전우는 사복에서 가마(加麻)에 시질(緦絰)을 사용하는 것에 대해 의문을 제기하는 등, 사복의 복식에 대해서 자세하게 논하였고, 또 '심상(心喪)은 3년으로 표준을 삼는 것이 마땅하다[心喪當以三年爲準]'는 등, 복상 기간에 대해서도 자세히 설명하였다. 전우는 일찍이 군신(君臣)의 의(義)와 부자(父子)의 인(仁)과 사생(師生)의 도(道)가 하루라도 폐한다면 금수가 되고,[91] 사생의 윤리가 폐한다면 삼강과 구법(九法)이 설 수가 없다[92]고 하였다. 전우는 스승의 상에 심상삼년을 입는 것을 정론으로 확정하고 음식과 행동을 삼갈 것을 주장했다. 사복에 대한 논의는 일찍이 우리나라에서는 율곡 이이에서 부터 '심상삼년설(心喪三年說)'과 '차등설(差等說)' 등 여러 설들이 꾸준히 논의되어 왔지만, 간재 전우에 와서 비로소 그 논변이 가장 정밀하고 확고하게 정리되었다.[93]

91) 『艮齋集後編』, 권18, 「大田李先生(甫欽)實記序」. "君臣之義, 父子之仁, 師生之道, 皆天之明命, 人之大倫, 一日廢焉, 禽耳獸耳. 故聖人謹之, 以立教於世, 而忠孝承學之士, 咸以死守之而無變也."

92) 『艮齋集私箚』 권1, 「守玄齋偶記」. "師生之倫廢, 則三綱九法, 亦無所賴以立矣."

또한 간재 전우의 예설에는 국례와 관련한 조문이 56조문이나 된다. 천자친영(天子親迎)·원종추숭미안(元宗追崇未安)·인조어선조녜묘당부(仁祖於宣祖禰廟當否)·진종체천당부(眞宗祧遷當否)·상황복제삼년(上皇服制三年)·불복군흉설(不服君凶說)·융희제복삼년(隆熙帝服三年) 등 당시에 매우 민감한 국가의 전례에 대해 두루 논변하였다. 이 내용들은 비록 조정에 올리지는 않았으나, 전우가 사대부 사족으로서 국가 전례에 대한 자신의 예학적 입장을 표명한 증거이다.

한편 『간재선생예설』에서는 앞 시대의 '○○선생예설'류에는 수록되지 않았던 잡록 항목을 두었다. 이 항목은 집지례홀기(執贄禮笏記)·가규(家規)·전씨삭망훈사(田氏朔望訓辭)·사생부자상계지사(師生父子相戒之辭)·식시오념(食時五念)·시동서사의(蓍洞書社儀)·봉사산방규약(鳳寺山房規約) 등으로, 가족의 훈계와 사제 간의 도리 그리고 강론 규범 등을 자세하게 정리한 것이다. 이러한 조문들은 사례나 국례와는 전혀 관련이 없는 항목으로, 보편적인 예설류 서적에는 수록하지 않았던 항목이다. 그러나 이것을 첨부한 것은 당시에 관혼상제의 의절만큼이나 일상적인 생활에 사용되는 가규(家規)와 강의(講儀) 등의 의절도 매우 절실하게 필요했기 때문으로 보인다.

『간재선생예설』 문답에 참여한 사람은 모두 138명이고, 이 가운데 5회 이상 문답한 이들은 22명이다. 문답 횟수가 많은 순으로 보면, 조경헌(趙景憲, 54회)·김준형(金駿榮, 41회)·오진영(吳震泳, 29회)·김익용(金益容, 22회)·최종화(崔鍾和, 21회)·유확연(柳確淵, 16회)·강진형(姜震馨, 15회)·유영선(柳永善, 11회)·전기진(田璣鎭, 10회)·김홍재(金弘梓, 10회) 등으로 나타난다. 이들은 모두 전우에게 총망받던 제자로서 성리이기(性理理氣)를 비롯하여 예설에 이르기까지, 수많은 문답을 왕복했던 학자들이다.

간재 전우의 예설에서는 일제의 침략을 당한 우리 선비의 정신을 지키려는 조목들이 눈에 띈다. 삭발을 한 자의 명단은 보첩(譜牒)에도 넣지 않는다는 것은, 우리 문화를 훼손한 사람은 우리 종족으로 인정

93) 정길연, 「艮齋 田愚의 師服說의 淵源과 意義」, 『인문학논총』30, 2012, 191～192쪽.

하지 않겠다는 의미이다. 또 사복설을 주장하여 스승의 복제를 심상삼년으로 정립한 것은, 사도(師道)의 엄격함을 세워 서양의 문화를 배격하고 전통학문을 지키기 위함이었다. 이는 송시열로부터 계승된 화이론에 근거한 것으로 전우가 평생토록 강조했던 사상이기도 하다.

지금까지 18~19세기 낙론학자 박윤원·홍직필·임헌회·전우 등의 예설류 편찬서를 살펴보았다. 이들 예서들은 모두 그의 문인들과 후손에 의해 편찬되었고, 편찬 방식은 대부분 앞 시대 선배 학자들의 방식을 따랐다. 예설 분량은 학자마다 조금씩 차이가 있었지만, 특별히 새롭게 나타난 항목이나 증가된 항목들은 당시 중요하게 다루었던 것으로, 이것을 통해 그 학자의 예학적 견해를 살펴보았다.

특히 낙론 계열의 학자들 중에 적통이라고 일컬어지는 박윤원·홍직필·임헌회·전우 등에게서 문답류의 책이 연이어 편찬된 것에 주목하였다. 박윤원의 『근재선생예설』은 박성원의 『예의유집』의 편차를 따라 편찬되었고, 홍직필의 『매산선생예설』은 김장생의 『의례문해』의 편차를 따라 편찬되었다. 또 임헌회의 『전재선생예설』은 『매산선생예설』의 편차를 그대로 따랐고, 『간재선생예설』은 『전재선생예설』의 편차를 그대로 따라서 편찬되었다. 또 이들 예설류 서책에서 가장 많은 문답을 주고받은 이들은, 하나같이 그의 적통을 계승하고 있는 학자였다. 이처럼 19세기에 낙론학파의 적통을 계승하는 학자들의 예설이 차례로 편찬 간행되었다는 것은 결코 우연한 일이 아니다. 대개 낙론학파는 조선후기 정치나 학문에 있어서 가장 왕성하게 활동하면서, 율곡 이이와 우암 송시열의 도학연원(道學淵源)을 잘 계승하였다고 일컬어진다. 그러므로 이들 학단은 예서 저술에 있어서도 은연중에 그의 스승의 학통을 정통으로 존숭하려는 경향을 보였던 것이다

6

기호 예설의 논례(論禮) 성향

18~19세기 기호학자들은 조선후기 정치와 사회 문화를 주도하면서, 국가의 기본 방침을 확정하거나 법제화 또는 제도화하는 데에 중심적이고 핵심적인 역할을 담당해 왔다. 이들은 명나라가 망하고 난 뒤에 스스로 소중화(小中華)을 자부하며 『가례』에 입각한 예치를 조선사회에 실현하는 것을 중요한 명분으로 삼았다.

그리하여 기호학자들은 송(宋)·명(明) 이래로 내려오는 예학의 전통이 자신들에게 주어진 시대적 과제라고 자부하고, 주자의 학설에 반하는 사설(邪說)을 물리치고 정론(定論)을 확립하려는 쪽으로 논의의 초점을 끌고 갔다. 이들은 모든 사대부 집안에서 주자의 『가례』를 철저히 준행하는 것을 궁극적인 목표로 삼아, 국가가 법령을 제정해서라도 반드시 실현시켜야 한다는 강한 의지를 보이기도 했다.

그리하여 집집마다 주자의 『가례』를 실천하지 않는 가정이 없게 되고, 『가례』대로 행하지 않으면 사회에서 소외되는 상황에까지 이르게 되었다. 그러나 이에 따른 부작용 또한 적지 않았다. 이들은 주자의 『가례』에서 벗어나는 예제를 결코 용납하려고 하지 않았기 때문이다. 그 대표적인 사건이 바로 윤지충(尹持忠)의 폐제분주(廢祭焚主)[1] 사건이었다. 이를

1) 1791년(정조15, 신유)에 전라도 珍山의 양반 교인이던 尹持忠 집안에서 廢祭焚主의 문제가 일어났다. 이 사건이 서울에까지 알려지게 되어 攻西派는 信

이단(異端)이라 지목하고 정치적 박해를 가하였는데, 이는 다시 이단 사상에 대한 쇄국정책으로 이어지게 되었다. 그러므로 이들은 다른 문화와의 절충을 결단코 용납하지 않아 국내적으로는 사상적 억압으로 작용하게 되었고, 대외적으로는 스스로의 문을 닫아 버리는 결과를 초래하였다.

한편으로 이들의 사상이 조선말에 이르러서는 일부 긍정적인 효과가 없었던 것은 아니다. 그들은 조선의 유가(儒家) 예제를 고유의 전통으로 인식하여 이를 통하여 국체(國體)를 확립하고, 화이론(華夷論)에 근거한 양이척화(攘夷斥和)의 사상을 위정척사의 운동으로 전개시켜 나감으로써, 이를 민족문화의 정체성으로 각인되게 하였다. '척화(斥和)'는 본래 주자가 내세웠던 주장이지만, 우암 송시열이 평생의 지론으로 삼은 구절이기도 하다. 이 사상은 조선말에 이르러서도 여전히 꺼지지 않아, 이민족의 문화 침략에 대응하여 고유의 예속을 지탱하는 힘으로 작용했던 것이다.

이러한 기호학자들의 입장은 조선이 쇠퇴의 길로 접어든 때를 당하여, 선현들이 강구하여 수립한 예제를 고수하는 것이야말로 다시 조선을 중흥하여 보존하는 길이라고 여겼다. 그러므로 간재 전우 같은 학자는 '목은 잘려도 머리카락은 끊을 수 없다[頭可斷髮不可截][2)]'는 확고한 신념을 세우고, 심지어 나라는 망할지언정 도(道)는 망할 수 없다고 하는 강경한 입장을 고수했던 것이다.

이러한 과정에서 18~19세기 기호예설의 특징적인 논례(論禮) 성향은 대략 세 가지로 정리할 수 있다. 첫째 『가례』의 절대적 존신, 둘째 선유설(先儒說)의 옹호와 절충, 셋째 화이론에 근거한 예제 강화가 그것이다.

西派를 맹렬히 공격하고 나서서 이 일을 정치문제로 확대시켰다. 공서파는 폐제분주는 전통적 유교사회의 제례 질서를 파괴하는 悖倫이요, 無父無君의 불효·불충이라고 잇따라 상소를 올려 신서파를 공격하며 정조의 결단을 촉구하였다. 이에 조정에서도 사태를 심각하게 느끼게 되어 마침내 진산군수 申史源으로 하여금 윤지충과 권상연을 체포하여 문초하게 하였다.

2) 『艮齋集前編』 권7, 「與韓用直」. "曰頭可斷, 髮不可截, 曰髮短命長, 我不爲也."

1. 『가례(家禮)』의 절대적 존신(尊信)

기호학파가 다른 학파에 비해 주자의 학문을 특히 더 존신하게 된 계기는 우암 송시열의 영향 때문이다. 송시열은 일찍이 '주자는 후세의 공자'[3]라고까지 추숭하였을 뿐만 아니라, 주자를 공격하는 사람은 사문난적(斯文亂賊)[4]으로 지목하여 강력하게 배척하였다. 따라서 송시열은 주자의 글은 한 글자도 고치거나 바꿀 수 없다는 주장을 평생 지켜왔고, 이러한 경향은 기호학자들에게 그대로 전수되어 하나의 정론으로 확립되었다.

송시열로부터 비롯된 주자학의 절대적 존신 경향은 18~19세기 기호학파의 예설에 빈번하게 나타나는데, 특히 『가례』에 대한 존신은 호론계와 낙론계를 막론하고 두루 나타나는 현상이었다. 하지만 낙론 계열은 집권층답게 『가례』를 사대부 집집마다 시행하려는 뜻이 더욱 강하여, 국가의 법령을 적용해서라도 전면적인 시행을 도모하려고 하였다.

이와 같은 기호학파의 『가례』 존신은 영남학파의 그것에 비할 바가 아니었다. 복건(幅巾)을 예로 들면, 『가례』 심의편(深衣篇)에는 복건을 제작하는 방법이 수록되어 있고, 습(襲)조에도 복건을 사용하도록 명시되어 있다. 그러므로 송시열은 『가례』에 명시되어 있기 때문에 반드시 착용해야 한다고 주장했다.[5] 반면 퇴계 이황은 복건의 모양새가 승건(僧巾)과 비슷하다고 하여 사용하지 말아야 한다고 하여,[6] 이후 영남

---

3) 『宋子大全附錄』 권13, 「墓表(門人權尙夏撰)」. "朱子後孔子也, 栗谷後朱子也, 學朱子者, 當自栗谷始."

4) 『宋子大全』 권68, 「答朴和叔(乙丑十月八日)」. "愚以爲此人攻斥朱子, 則是斯文亂賊也."

5) 『直齋集』 권8, 「尤齋先生語錄(時老先生以孝考遷陵, 來臨于神勒寺. 卽癸丑八月四日)」. "問金就礪造深衣幅巾, 以送退溪先生, 而先生曰幅巾似僧巾, 着之似未穩, 乃服深衣而加程冠, 此事如何? 先生曰恐當以家禮爲正."

6) 『鶴峯集續集』 권5, 「退溪先生言行錄」. "金就礪造幅巾深衣以送, 先生曰幅巾似僧巾, 著之似未穩. 乃服深衣, 而加程子冠, 晩年齋居如此, 客來則改以常服焉."

학파에서는 이황의 가르침에 따라 복건을 사용하지 않는 경향을 보였다.

기호학파에서는 『가례』을 존신하는 것이 송시열 이후로 거의 절대적인 가치로 인정되어 왔다. 특히 18세기 낙론학자 근재(近齋) 박윤원(朴胤源)은 『가례』의 준행을 그 누구보다 강조했다. 그는 김장생·송시열·이재·김원행을 잇는 낙론의 핵심 인물로서, 일찍이 「삼례(三禮)」라는 예설을 지어 사대부들에게 『가례』의 보편적 준행을 강하게 역설하였다. 그가 말한 '삼례'는 관례의 삼가(三加), 혼례의 친영(親迎), 제례의 시제(時祭)를 가리킨다. 이 세 가지 의절은 주자의 『가례』에 있어 매우 중요한 절차인데도, 당시 사대부 집안에서 거의 시행되지 않아, 관례는 단가(單加)만을 행하는 집안이 많았고, 혼례는 친영보다는 오히려 반친영(半親迎) 또는 그와 유사한 형태를 따랐으며, 제사는 묘제와 기제를 중시하고 시제는 도리어 극소수의 집안에서만 행하는 분위기였다. 이에 박윤원은 당시의 행태를 그대로 좌시하고만 있을 수가 없었다.

사진_32 <복건> 출처: 한중연

박윤원은 관례의 삼가가 제대로 행해지지 않자, "성인(成人)의 도리로써 책망하지 않으니 어떻게 어린이를 가르치겠냐?"[7]고 탄식하면서, 장차 이로 인한 교육 문제가 심각하게 될 것을 우려했다. 더구나 세속에서는 '상

7) 『近齋集』 권23, 「三禮」. "不責成人之道, 何以訓幼!"

두(上頭: 상투)'라는 용어까지 사용하고 있는데, 이것은 바로 '삼가(三加)'를 행하지 않기 때문에 나온 말이라고 강하게 비판하였다.[8] 하지만 그는 관례에서 당대의 시속과 일정정도 타협하기도 하였다.

> 기년복 안이나 대공복 장사 전에 관례를 허락하지 않는 것은 관례가 성대한 예이기 때문이다. 빈(賓)이 축원하고 삼가(三加)를 하며 초례(醮禮), 연회 등의 많은 절목은 무거운 상복을 입은 채로 행해서는 안 된다. 지금에 이미 예를 갖추지 않고 관례를 하니, 비록 기년복과 대공에 장사지내기 전이라도 행하지 못할 의리가 없을 듯하다. 옛날에 관례를 가장 중요하게 여긴 것은 반드시 삼가를 했기 때문이다. 그러므로 무거운 상복 중에는 행하지 않았다. 지금 사람들은 보통 때에도 삼가의 의식을 행하지 않는 이가 많아, 다만 상투를 묶어 입자(笠子)만 착용할 뿐이니, 무거운 상복 중에 관례를 행하더라도 무슨 혐의가 있겠는가?[9]

박윤원은 관례는 삼가(三加)를 원칙으로 하는 매우 성대한 의식이기에 무거운 상중에는 행하지 않는 것이지만, 지금에는 그렇지 않기에 굳이 무거운 상중에 행하더라도 혐의가 없다고 하였다. 당시에는 삼가가 아닌 상투를 질끈 묶어서 입자(笠子)를 씌우는 것으로 관례를 행하기도 하였고, 또 기년복이나 대공복 장자(葬事) 전에 관례를 하지 않는다는 예서의 조항을 들어 아예 관례를 하지 않으려는 분위기마저 있었다. 이에 박윤원은 부득이하여 삼가를 하지 않고 단가를 할 경우라면, 비록 무거운 상중에 관례를 치른다 하더라도 별 혐의가 되지 않는다고 하면서, 삼가를 시행하지는 못해도 관례 자체는 꼭 시행할 것을 강조하였다. 그는 "적에게 성이 포위된 상태에서도 관례를 행한다."는 옛

---

8) 『近齋集』 권23, 「三禮」. "世俗稱冠爲上頭, 上頭者, 言上頭髮爲髻也. 不行三加. 故謂之上頭."

9) 『近齋先生禮說』 1권, 「服中加冠」. "期服之內, 大功葬前, 不許冠者, 以冠是盛禮. 有賓祝三加醮宴等許多節目, 不可冒重服而行之也. 今旣不備禮而冠, 則雖期服內, 大功未葬, 似無不 可行之義. 古者最重冠禮, 必行三加, 故重服中, 不得行之, 今人平時, 亦多不行三加之儀, 只束髻着笠子而已, 則重服中行之何嫌?"

사람의 근거를 들면서까지 관례의 준행을 역설하였다.

한편 삼가례의 중요성을 강조하는 학자는 박윤원 뿐만이 아니었다. 도암(陶菴) 이재(李縡)의 문인인 녹문(鹿門) 임성주(任聖周 1711~1788)도 다음과 같이 말했다.

> 단가(單加) 운운. 이것은 구구하게 평생 미워하고 싫어하는 것이다. 대개 이미 고례에 간소하게 하여 행할 만한 것이 있으니, 행하고 싶으면 행하고 행하지 않으려면 마는 것 이와 같이 할 뿐이다. 지금에는 고례 외에 이른바 단가의 예를 창출하는 것은 고례도 아니고 지금의 예도 아니며 차갑지도 뜨겁지도 않는 것이니, 다만 세속에서 구차하게 지름길을 좋아하는 마음에 깊이 적중한 것이니, 바로 이른바 '예 아닌 예'로써 맨손으로 온 세계를 요리하여 공론(空論)만 늘어놓는 것이다. 우리 선비들은 거절하고 물리치는 것이 옳거늘, 돌아보건대 도리어 그것을 강론하고 밝히고 도와서 이루고자 하는가?[10]

임성주는 단가(單加)는 예에 없는 예를 창출하는 것으로, 차라리 하지 않는 편이 낫다고 한 마디로 잘라 말했다. 시속에서는 하나의 관을 씌울 때마다 그 뜻을 더욱 높인다는 의미를 제대로 파악하지 못한 채, 우선 번거롭다는 인식 하에 단가를 주장하는 이들이 있었다. 그러나 임성주는 이러한 형태를 적극 개선하여 『가례』대로 실천하려는 강한 의지를 보였다.

관례는 미성년이 성인으로 인정받는 중요한 의식이다. 특히 삼가의 절차가 지닌 의미는 이미 축사[11]의 내용에 자세하게 담겨 있다. 그럼에도 18세기는 여전히 삼가례(三加禮)를 충실히 지키는 집안이 드물었다. 혹자는 삼가를 하지 않고 단가를 주장하는 이가 있었지만, 대다수의 기호학자들은

---

10) 『鹿門集』 9권, 「答宋靜深」. "單加云云. 此乃區區平生所憎厭, 蓋旣有古禮, 簡省無不可行者, 欲行則行之, 不能行則已, 如斯而已. 今於古禮之外, 創出所謂單加之儀, 非古非今, 不冷不熱, 祗足以深中世俗苟且好徑之心, 正所謂非禮之禮手分世界中現化出來者, 吾黨之士, 辭而闢之可矣, 顧反爲之講明而助成之耶."

11) 祝辭曰 "以歲之正, 以月之令, 咸加爾服, 兄弟具在, 以成厥德, 黃耉無疆, 受天之慶.[좋은 해 좋은 달에 너의 옷을 다 입히노니 형제가 함께 살면서 덕을 이루고 늙도록 오래 살아 하늘의 경사를 받으라.]"

삼가의 절차는 결코 줄여서는 안 된다는 입장이었다. 삼가가 주자의 『가례』에 분명하게 명시되어 있기 때문에, 그들은 『가례』대로 실행하는 것이 정당한 예제라고 여겼다.

또 기호학파는 혼례에 있어서도 『가례』의 규범에 따라 친영례(親迎禮)를 준행할 것을 주장하였다. 혼례는 위로는 종묘(宗廟)를 섬기고 아래로는 후세를 이어주기 때문에 매우 중대한 의식이다.[12] 이러한 혼인을 거행하기 위해서는 일정한 의식 절차가 필요하다. 『의례(儀禮)』의 납채(納采)·문명(問名)·납길(納吉)·청기(請期)·납징(納徵)·친영(親迎) 등과 같은 육례가 바로 그것이다. 육례 절차 중에 주자의 『가례』에는 문명과 납길을 생략하고 의혼(議婚)·납채(納采)·납폐(納幣)·친영(親迎)으로 절차를 간소화하였다.

그런데 우리나라의 전통적인 혼인 방식은 솔서혼(率壻婚: 데릴사위제), 서류부가혼(壻留婦家婚)[13], 서류부가혼과 친영을 절충한 반친영(半親迎)[14] 등이 일반적으로 준행되어 왔다. 『가례』가 유입되면서부터 주자학자들은 꾸준히 친영을 주장했지만, 18세기까지도 여전히 친영례는 보편적으로 정착되지 못한 실정이었다.

> ① 예가 폐한 지 오래되었다. 근래에 풍속이 더욱 관혼례를 강론하지 않아 혼인하는 날짜를 신부의 집에서 택정(擇定)함에 이르렀다. 이는 실제 양(陽)이 부르고 음(陰)이 따르며 염치를 기르고 혐의를 멀리하는 의리에 위배되는 것인데도, 습속(習俗)에 익숙해져 사람들이 바로잡는 이가 없으니 한심하다.[15]

---

12) 『禮記』「昏義」. "昏禮者, 將合二姓之好, 上以事宗廟, 而下以繼後世也, 故君子重之."

13) 남녀가 혼례식을 행하고도 여자가 자기 생가에 머물러, 남자가 여자의 집을 왕래하거나 그곳에서 일정기간을 살다가 후에 따로 독립 혹은 남자의 집에 돌아오는 婚俗이다.

14) 신랑이 처음으로 신부집에 가서 交拜禮와 合巹禮를 행하고 다음날 신부가 시부모를 뵙는 것을 말한다.

15) 『老洲集』 7권, 「與沈眉老(能秀)」. "禮廢久矣. 而近俗尤不講冠昏之禮, 至如昏日之婦家擇定, 實有違於陽倡陰隨養廉遠嫌之義, 狃於習俗, 人莫有矯之者, 可歎."

② '사위가 신부의 부모를 뵙는 예'는 본래 친영을 하지 않은 자의 일이다. 대개 친영을 하면 그날에 이미 신부의 부모를 보기 때문이다.『가례』에 이미 친영을 한다고 하였는데, 또 이 예를 행한다면 마침내 미안할 듯하다.[16]

위의 두 인용문은 모두 친영을 하지 않아 생기는 폐단을 지적하고 있다. ①은 노주(老洲) 오희상(吳熙常)이 당시 사대부 집안의 혼인 때 신부 집에서 날짜를 정하는 것에 대해 비판한 내용이다. 만약 친영의 절차를 제대로 갖춘다면 신랑 집에서 택일하여 신부를 맞이해 오기 때문에, 신부 집에서 택일을 할 필요가 없게 된다. 그러나 친영을 행하지 않으면 신부 집에서 교배례(交拜禮)와 합근례(合巹禮)를 행하기 때문에 신부쪽에서 택일을 할 수 밖에 없다. 이것은 바로 당시의 혼례 풍속이 반친영 또는 서류부가혼의 형태를 취하고 있음을 보여주는 사례이다.

②는 녹문(鹿門) 임성주(任聖周)가 '사위가 신부의 부모를 뵙는다'는 것에 대한 송시연(宋時淵)의 질문에 답한 내용이다. 위와 같은 경우는 신랑이 직접 신부를 맞이하지 않고 다른 사람을 대신 보내어 신부를 맞이하여 혼례를 행한 사례이다. 일종의 간접친영(間接親迎)인데, 이렇게 하면 신랑이 신부의 부모를 뵙는 절차가 빠져버린다. 하지만 친영을 하면 신랑이 신부 집에 가서 신부의 부모를 뵙기 때문에 굳이 다시 신부의 부모를 뵙는 절차가 필요치 않다.

주자학의 난숙기라고 할 수 있는 18세기에도 혼인 풍속은 친영보다는 반친영, 서류부가, 간접친영 등 다양한 형태가 서로 혼재하여『가례』의 혼례절차가 완전하게 구현되지 못했다. 이에 박윤원은 친영은 존비(尊卑)의 의리를 드러내는 것인데, 이것이 정해지지 않으면 부부의 단서를 찾을 길이 없다[17]고 주장하였다. 그는 '입장가(入丈家: 장인 집으로 들어감)'란 용어도 당시 친영을 하지 않는 세태에서 생긴 것이라고 지적하였다. 이러한 친영 강조는 박윤원 뿐만 아니라 18세기 기호학자들

16)『鹿門集』9권,「答宋靜深」. "壻見之禮, 本是不親迎者之事, 蓋親迎則其日已見婦之父母故爾. 家禮旣親迎, 而又行此禮, 恐終未安."

17)『근재집』권23,「三禮」. "婚而男先於女, 尊卑之義也.[중략] 不用尊卑之義, 何以造端."

대부분의 주장이기도 하였다.

기호학파는 제례에 있어서도 『가례』의 규범에 따라 사시제를 준행할 것을 강력하게 주장하였다. 사시제는 춘하추동 사계절 가운데 중월(仲月)을 택하여 고조(高祖) 이하의 조상에게 지내는 제사이다. 사시제는 주자가 『가례』의 제례편의 맨 첫머리에 둘 정도로 중요한 의절임에도 불구하고, 18세기 당시까지만 해도 사대부가에서 제대로 시행되지 못했다. 그 이유는 조선에서는 기존의 묘제가 시제로 대체되거나 시제와 결합된 방식으로 통용되었기 때문일 것이다.[18] 게다가 사시제·기제·묘제 등을 모두 지낸다고 할 경우 제사의 횟수가 많아 제수비용을 감당하기 어려운 점도 하나의 원인이라고 할 수 있다. 이는 성담(性潭) 송환기(宋煥箕 1728~1807)와 같은 학자는 "시제가 폐하는 것은 가난 때문이다."[19]라고 말한 데서 잘 드러난다.

> 대개 제사는 주자가 의리로 일으킨 것으로 사계절에 모두 행해야 하지만, 율곡은 다만 봄과 겨울에만 행하는 것이 마땅하다고 하였으니, 주자가 행하던 방식에 비교하면 너무 급하게 줄인 것이다. 지금 우리들은 이미 사시제를 선조의 사당에서 모두 거행하지 못하고 다만 봄과 가을로 2회 제사를 지낸다.[20]

인용한 노주 오희상의 말에서 보듯이 율곡 이이는 시제를 2회로 줄여서 지낼 것을 제안하였고, 노주도 주자가 의리로 일으킨 시제의 횟수를 줄이는 것은 미안한 일이지만 시속에서는 이미 2회로 줄여서 지낸다고 지적하였다. 시제를 사계절마다 정식으로 지내는 것이 어렵다는 것을 알 수 있는 부분이다.

한편 미호 김원행은 기제를 중시하고 시제를 소략하게 지내는 것은 잘

---

18) 이승연, 「朝鮮에 있어서 朱子 宗法 思想의 繼承과 變容-時祭와 墓祭를 중심으로-」, 『국학연구』19, 2011, 597쪽~588쪽 참조.

19) 『性潭集』 권8, 「答李佑緝」. "時祭之廢, 多由於貧."

20) 『老洲集』 권6, 「答沈靜而(能定)」. "蓋是祭也, 朱子之所義起, 而四時皆行之, 栗翁謂只行於春冬爲宜, 則比朱子所行, 已遽減矣. 今也吾輩旣不得備擧四時之享於先廟, 而只修春秋兩祀."

못된[21] 방식이라고 지적하였고, 박윤원도 "기제와 묘제는 산재(散齊) 2일 치제(致齊) 1일, 시제는 산제 3일 치제 2일"[22]이라고 하면서 재계 기간을 비교하여 시제의 중요성을 강조하였다. 시제는 다른 제사에 비해 융숭하게 차릴 뿐만 아니라, 그 정성도 더욱 극진하게 해야 한다는 것을 알 수 있는 부분이다.

> 사가(私家)에 있어서 대사(大祀)는 시제(時祭)·연제(練祭)·상제(祥祭)·담제(禫祭) 같은 것이고, 중사(中祀)는 기제와 묘제 같은 것이고, 소사(小祀)는 속절(俗節) 같은 것이다. 삭망(朔望)은 소사라고 말할 수 없다.[23]

박윤원은 각 가정에서 행하고 있는 제사를 크게 대사(大祀)·중사(中祀)·소사(小祀)로 구분하여 경중을 잃지 않게 하였다. 당시 사람들은 대부분 기제를 대제(大祭)라고 하고 묘제를 절사라고 하되, 시제는 행하는 사람이 매우 드물었다.[24] 따라서 기제의 비중은 커진 반면, 시제는 절사나 묘제와 혼용하면서 그 위상이 격하되었다.

18세기 조선의 제례 문화는 대체적으로 기제와 묘제 중심으로 유지되어 왔고, 시제는 여전히 보편화되지 못하였다. 그러나 주자의 『가례』 본문에 명시된 그대로 제례를 실천하고자 하는 일부 학자들은 반드시 정제(正祭)로서의 시제의 위상을 확보하고자 하였다. 간재 전우는 옛날에 제사라고 하면 사시정제(四時正祭)를 말하는 것으로, 효자가 추원보본(追遠報本)하려는 마음은 시제를 버리면 어디에도 붙일 수가 없다고 하였다.[25] 박윤원은 선비가 시제를 지내지 못하면 겨울에 갖옷을 입지 않고 여름에 갈옷을 입지 않는다고 하였다.[26] 이렇듯 주자가 의리로서 일으킨

---

21) 『渼湖集』 권14, 「告兒」. "今人重忌祭而略時祭舛也."

22) 『近齋集』 권24, 「汰哉錄」. "忌墓祭, 散齊二日, 致齊一日, 時祭散齊三日, 致齊二日."

23) 『近齋集』 권4, 「上嘐嘐齋金公」. "在私家大祀如時祭練祥禫是也, 中祀如忌墓祭是也, 小祀如俗節是也. 朔望則不可謂之小祀."

24) 『근재집』 권23, 「三禮」. "稱忌祭爲大祭, 墓祭爲節祀, 時祭則行之者甚鮮矣."

25) 『艮齋集前編』 권10, 「與林學洙(辛丑)」. "古之所謂祭, 是四時正祭, 而孝子報本追遠之意, 舍此將何所寓哉. 故君子雖貧, 時祭不可以不行也."

사시제는 박윤원을 비롯한 당시 주자학자들에게는 반드시 실천해야 할 과제였던 것이다.

살펴보았듯이 『가례』가 조선에 유입된 지 오랜 세월이 흘렀지만, 사대부들의 삶에 젖어있는 기존의 시속례가 모두 개혁되지는 않았다. 때문에 18세기에 와서도 여전히 『가례』의 완벽한 시행은 이루어지지 않았다. 『가례』를 존신하는 조선의 주자학자, 특히 기호학자들 사이에서는 『가례』의 완벽한 시행을 해결하는 것이 무엇보다 시급한 과제였다. 특히 『가례』의 조항 중에서도 삼가·친영·시제는 반드시 구현해야 할 중요한 3대 의절이었다.

기호학파가 이토록 『가례』의 시행을 바란 이유는 주자를 배우는 것이 곧 공자를 배우는 지름길이라고 여겼기 때문이다. 공자가 주장한 학문은 군자가 되는 데 있었고, 군자가 되는 방법은 바로 예를 지키는 데 있었다. 예를 지킨다는 것은 공자가 그토록 염려했던 이적(夷狄)에 물드는 행위를 막는 유일한 방법이기도 했다. 그러므로 18세기 조선의 사대부들은 스스로를 중화(中華)라고 여기며, 청나라와는 비교할 수 없는 고양된 예치(禮治)의 문화를 지녔다고 자부하고 있었다. 이러한 문화를 더욱 흠결 없이 유지하기 위해서는, 집집마다 주자의 『가례』를 반드시 시행해야 한다고 믿었다. 특히 기호학자 박윤원 같은 경우는 "조정에서 법령으로 정하여 사대부들에게 이 삼례(三禮)를 행하게 해야 한다."[27]는 강경한 발언까지 하면서, 사대부들의 『가례』 실행을 절실히 원하였다.

2. 선유설(先儒說)의 옹호와 절충

기호학자들은 주자의 『가례』를 절대적으로 존신(尊信)하여 어떠한

---

26) 『근재집』 권23, 「三禮」. "禮曰, 士不祭, 冬不裘, 夏不葛, 祭, 時祭也, 時祭其可廢乎? 然禮家勸之而不從, 門長教之而不行, 習俗已成, 不可爲也. 然則自朝家定爲法令, 使國中士夫, 行此三禮, 無敢或違, 則庶乎其復古禮而敦風俗也."

27) 『근재집』 권23, 「三禮」. "然則自朝家定爲法令, 使國中士夫, 行此三禮, 無敢或違, 則庶乎 其復古禮而敦風俗也."

경우라도 『가례』의 뜻에 벗어나지 않으려고 애를 썼다. 그러나 『가례』는 주자가 이미 5~6백 년 전에 송나라의 속례를 대폭 수용하여 편찬한 책으로, 당시 우리나라 제도와는 서로 맞지 않은 부분이 많았다. 그러므로 의절을 행함에 있어 『가례』에 없는 사안이 발생할 경우, 주자가 편찬한 여러 서적에서 찾아 보완하는 방법을 사용하기도 하고 고례나 여러 예학가의 설을 참고하여 채택하기도 하였다.

18~19세기 기호학자들은 이와 같이 해도 해결할 수 없는 의절이 발생하면, 율곡 이이·사계 김장생·우암 송시열·남계 박세채 등과 같은 선현들의 예설을 검토하고 절충하여 가장 합당한 예설을 채택하려고 하였다. 그런데 이들은 본래 사승관계를 매우 중시하는 경향이 있지만, 예설을 채택함에 있어서 반드시 사승관계에 얽매인 것만은 아니었다. 특히 낙론학파는 호론학파에 비해 예설을 채택하는 태도가 좀 더 유연하였다.

18~19세기 낙론의 적전을 계승한 이재·김원행·박윤원·홍직필·임헌회·전우 등의 예설에는 낙론학파의 유연한 경향이 잘 나타나고 있다. 이들은 당대에 각각 자신들의 학단을 형성하면서 수많은 예설 문답을 통해 하나의 예제를 정론으로 정립해 나갔다. 그 과정에서 시행착오가 없지는 않았지만, 뒤에라도 더 나은 설이 나오면, 반드시 기존의 설을 고집하지 않고 새로운 예설을 정론으로 확정하기도 하였다.

18세기 기호 예학을 선도한 대표적인 학자는 도암(陶菴) 이재(李縡)이다. 이재는 위인후자(爲人後者)가 본생부모(本生父母)의 상에 위소(慰疏)를 쓸 때 칭호에 대해, 김장생과 송시열의 예설을 거론하면서 마침내 송시열의 예설을 따를 것을 주장했다.

> 본생친의 초상에 위소(慰疏)를 쓰는 법식에 대해서, 사계선생은 스스로를 '상인(喪人)'이라고 칭하는 것이 옳다고 하였고, 우암은 어떤 사람에게 답한 글에 "아들이 사친(私親)의 상을 만났을 때, 예를 아는 자는 한결같이 백숙부모(伯叔父母)에게 쓰는 사례를 사용하였고, 이쪽에서 답하는 편지에도 또한 이 사례를 사용하는 것이 마땅하다."고 하였으니, 두 분의 의논이 같지 않다. 내 뜻은 우암의 설을 따르려고 한다.[28]

---

28) 『陶菴集』 권12, 「答李厚而(敏坤)問目」. "爲本生親喪書疏之式, 沙溪先生以自

본래 출후(出後)한 자는 소후부(所後父)를 아버지라고 부르고 본생부(本生父)를 백부 또는 숙부라고 부른다. 그런데 본생친(本生親)의 초상에 조문 왔던 이들에게 위소(慰疏)를 쓸 때 자기를 지칭하는 명칭은 어떻게 쓸지 분명하지 않다. 이는 비록 사소한 의절이지만 망자와 자신의 관계를 결정하는 중요한 용어이다. 김장생은 '상인(喪人)'이라고 쓴다 하였고, 송시열은 자신의 아들이 본생친의 상을 당했을 적에 예를 아는 이들은 모두 백숙부모의 사례를 따랐다[29]고 하였다. 도암 이재는 송시열의 설을 따라, "남에게 답장하는 위장(慰狀)에는 '기복인(期服人) 성모(姓某) 장상(狀上)'이라고 쓰는 것이 마땅하다."[30]고 밝혔다. 이재가 송시열의 설을 따른 이유는, 상인(喪人)보다는 기복인(期服人)이라고 칭하는 것이 위인후자(爲人後者)와 본생친(本生親)의 관계를 더욱 분명히 하여 종통(宗統)에 대한 혐의를 차단할 수 있기 때문이었다.

한편 이재는 사당에 신알(晨謁)하는 의절에 대해서는 송시열의 설보다 김장생의 설을 따랐다. 신알에 대해서 『가례』에는 단지 주인이 행한다고만 하였다. 율곡의 『격몽요결』과 김장생의 『의례문해』에서는 주인을 따라 함께 알현하는 것은 괜찮지만 중자(衆子) 혼자 행하는 것은 옳지 않다고 하였다. 그러나 송시열은 부모님 생전에 여러 자식이 신알하는 사례로 보아 주인과 동행하지 않더라도 괜찮다고[31] 주장하였다. 이에 이재는 송시열의 설보다 『의례문해』의 설이 종법(宗法)을 엄중하게 하려는 뜻이 잘 드러난다면서 『의례문해』의 설을 따랐다.[32] 새

稱喪人爲可, 而尤菴答人書則曰, 兒子遭其私親喪, 知禮者, 一用伯叔父母式例, 自此所答亦宜用此例. 二老之論不同, 愚意則欲從尤菴也."

29) 송시열은 아들이 없어 季父 邦祚의 손자인 基泰를 立後하였다. 그러므로 기태의 生父인 時瑩이 죽었을 때, 기태는 백숙부모의 상을 당한 것과 같이 期服人으로 지칭했음을 말한다.

30) 『白水集』 권2, 「答朴進士(新克)」. "又答趙宗溥書曰, 答人慰狀, 只當書以期服人姓某狀上而已."

31) 『陶菴集』 권18, 「答朴士洙問目(癸亥)」. "晨謁, 家禮只言主人, 要訣言雖非主人, 隨主人同謁無妨, 而問解亦然. 然獨行則以爲不可, 尤菴則曰揆以生時諸子晨謁, 各自如儀."

32) 『陶菴集』 권18, 「答朴士洙問目(癸亥)」. "以尤菴說觀之, 則雖非主人而亦

벽에 사당에 신알하는 의절 역시 소소한 절차이지만, 주인을 동행하지 않고 신알하는 것은 주인의 자리를 범하는 혐의가 발생한다고 보았기 때문이다. 그러므로 이재는 소소한 절차에도 중요한 의미가 내포되어 있음을 간파하고 김장생의 설을 지지했던 것이다.

이처럼 이재가 한편으로는 우암의 예설을 따르고 한편으로는 사계의 예설을 따른 것은 선현의 여러 설을 적절히 절충하려는 기호학파의 예설 경향을 잘 보여준다고 할 수 있다.

도암의 예설을 가장 충실하게 계승한 학자는 김원행이다. 그렇지만 김원행은 어떤 예설을 판단할 때 당색이 다른 소론학파인 남계 박세채의 예설을 다수 채택하기도 하였다.

> 그러나 우옹의 설이 이미 온 세상에 통행하는 법이 되어 남편의 소생부모에 이르러서도 폐백을 쓰지 않는 이가 드문 실정입니다. 원행의 집안에서 행한 것으로 말하면 정말이지 말할 것도 못 되지만 역시 예전부터 이와 같이 행하였는데, 그 예의(禮意)의 득실로 말하면 감히 스스로 꼭 옳다고 장담하지는 못하겠습니다. [뒤에 다시 상세하게 살펴보니, 현석의 설이 간편하고 합당한 듯합니다.][33]

위의 인용문은 『가례』의 '신부가 여러 존장을 뵙는다[婦見于諸尊長]'는 절차 중 신부가 남편의 소생부모(所生父母)에게 폐백을 바치는 것이 옳은가의 여부에 대한 내용이다. 일찍이 박세채는 "비록 시아버지의 부모에게도 이 예를 행해서는 안 된다."고 하였다. 그 이유는 『가례』의 '폐백이 없다[無贄]'는 두 글자는 그 위의 '시부모보다 어른인 자[尊於舅姑者]'에게 연결되는 말이고, 이른바 '시부모를 뵙는 예와 같다[如見舅姑]'는 네 글자는 그 '양쪽 계단 아래에서 각각 절을 하는 의절'을 가리켜 한 말[34]이라고 해

可行晨謁, 終恐問解所載義理爲長."

33) 『渼湖集』 권6, 「答具紀仲(常勳)」. "然尤翁之說, 已爲一世通行之法, 至於夫之所生父母, 又鮮有不用贄者. 如元行家間所行, 固不足言, 而蓋亦自昔如是, 若其禮意得失, 有不敢自必也. [後更詳之, 玄石說似簡當]"

34) 『渼湖集』 권6, 「答具紀仲(常勳)」. "玄石則以爲雖於舅之父母, 亦不可輒行此禮. 蓋以家禮無贄二字, 爲當通上文尊於舅姑者而言. 所謂如見舅姑者,

석하였기 때문이다. 그러나 송시열은 '폐백이 없다'는 두 글자를 '양쪽 서(序)에 있는 존장에게 절한다[拜諸尊長于兩序]'[35]까지만 연결시켜 해석했는데[36] 이는 양쪽 서(序)에 있는 존장에게만 폐백이 없고 나머지 분들에게는 폐백이 있어야 한다는 뜻이다.

박세채의 설을 따르면 소생부모뿐만 아니라 모든 존장에게도 응당 폐백이 없어야 하고, 송시열의 설을 따르면 시아버지의 부모나 백부, 숙부와 같은 어른들에게도 모두 폐백을 드릴 수 있다. 두 사람의 예설이 어떤 것이 옳다고는 판단할 수 없지만, 박세채는 "조부모는 시부모보다 높기 때문에 애당초 같은 당(堂)에서 신부를 보는 일이 없다."[37]는 존비(尊卑)의 의리에 근거를 두었고, 송시열은 정자가 말한 '비록 정통에 뜻을 쏟아야 하기는 하지만, 어찌 사사로운 은혜를 모두 끊을 수야 있겠는가?'[38]라는 정리(情理)에 근거하였다.

김원행은 본인의 집안에서도 송시열의 설을 따라 행하지만, 뒷날 다시 생각해 본 결과 박세채의 설을 따르는 것이 간편하고도 합당하다는 결론을 내렸다. 이와 같은 의절은 흔히 인정에 따라 행하기 쉽다. 특히 가정에서 늘 그렇게 행해 온 것이면 고치기가 더더욱 쉽지 않다. 그러나 김원행은 두 예설을 두고 오래도록 생각 끝에 존비의 의리에다 더 무게를 둔 박세채의 설을 따랐다.

다음은 김원행이 연제(練祭)를 지낸 뒤에 조석으로 전배(展拜)하는 여부에 대해서 논한 글이다.

연제(練祭)를 지낸 뒤에 새벽과 저녁마다 전배(展拜)하는 일로 말하면, 사계

不過指其兩階下各拜而已."

35) 『渼湖集』 권6, 「答具紀仲(常勳)」. "但此二字, 只如尤翁說, 屬兩序尊長看."

36) 『가례』의 문장을 보면 다음과 같다. "婦旣行禮, 降自西階. 同居有尊於舅姑者, 則舅姑以婦, 見於其室, 如見舅姑之禮. 還拜諸尊長于兩序, 如冠禮, 無贄."

37) 『南溪集』 권36, 「答泰尙姪(辛酉九月二十一日)」. "蓋祖父母卽所謂尊於舅姑者, 初無同堂見婦之事矣."

38) 『渼湖集』 권6, 「答具紀仲(常勳)」. "程子嘗論濮議, 而曰雖當專意於正統, 豈得盡絶於私恩."

와 우옹(尤翁) 두 선생의 논의가 모두 응당 행해야 한다고 하였는데, 저는 매양 꼭 그렇지는 않다고 여겨 거상(居喪)하였을 때 감히 준행하지 않았습니다. 지금 남계의 예설 가운데 김재(金栽)의 질문에 답한 글을 살펴보니, 또한 이치에 가까운 듯합니다.[39]

일찍이 퇴계 이황은 소상(小祥) 뒤에 비록 조석곡(朝夕哭)은 그치지만, 새벽과 저녁에 궤연(几筵)에 절을 하는 것이 마땅하다고 하였다. 김장생 역시 이황의 설을 취하여 『상례비요』에 수록하였다. 그러나 김장생은 『의례문해』에서 이 의절에 의심할 만한 여지가 있음을 일견 보았다. 정경세(鄭經世)는 이황의 재배한다는 설을 따랐고, 송시열은 위의 인용문에서는 재배한다고 하였지만, 김구지에게 답한 편지[答金久之]에서는 이황의 설을 따를 수 없을 듯하다[40]고 하였다. 초려(草廬) 이유태(李惟泰)와 수암(遂菴) 권상하(權尙夏) 등은 모두 이황의 재배한다는 설을 긍정하였고, 지촌(芝村) 이희조(李喜朝)는 김장생이 『상례비요』에 수록했다고 할지라도 퇴계 이황의 설을 따를 수 없다고 주장하였다.

김원행은 일찍이 이 의절을 의심하던 중 남계예설을 보고서 재배하지 않는 것이 옳다고 판단하였다. 일찍이 박세채는 소상 뒤에 조석곡을 그치고 궤연에 재배하는 여부를 묻는 김재(金栽)의 질문에, "주자가 일찍이 '효자는 항상 궤연을 모시고 있기 때문에 절하지 않는다'는 구절을 근거로, 소상 뒤에 궤연에 절을 하는 것은 예의 뜻이 아니다."[41]고 확정하여 답하였다. 그러므로 김원행은 박세채가 주자의 설을 인용하여 설명한 부분을 확인하고서 비로소 재배하지 않는 것에 대한 분명한 근거를 얻어 기존

---

39) 『渼湖集』 권10, 「答洪樂顯」. "練後晨昏展拜, 沙尤兩先生之論, 皆以爲當行, 而愚意每疑或未必然, 居憂時曾不敢遵以行之矣. 今按南溪禮說中答金栽所問者, 似亦近理."

40) 『宋子大全』 권54, 「答金久之(己酉二月十二日)」. "家禮, 初喪, 有朝夕哭, 朝夕奠, 朝夕上食哭, 無時四節. 初虞後, 罷朝夕奠, 猶哀至哭, 至卒哭, 哀至不哭, 而猶朝夕哭, 小祥, 只云止朝夕哭, 而無罷朝夕上食之文. 此四大節罷行, 井井不紊矣. 退溪之說, 恐不可從."

41) 『南溪先生禮說』(예총24) 권14, 35쪽. "答此說曾已商量, 朱子嘗言孝子常侍几筵. 故不拜. 則至小祥後, 始行朝夕展拜於几筵, 恐非禮意."

에 행하던 방식을 과감하게 바꾼 것이다.

다음은 김원행이 초종(初終) 때 남녀가 망자의 성별과 같아야 임종에 참여할 수 있다는 구절을 의심한 내용이다.

> 남자와 여자가 서로 설만(褻慢)하지 않는 것은 진실로 정종(正終)의 의리입니다만, 부모가 돌아가시려고 할 때 자녀(子女)가 뵐 수 없다면 정의(情誼)와 이치에 있어 어떠할지 모르겠습니다. 남계가 "아마도 부모를 이르는 것이 아닐 듯하다."라는 설을 말하였으니, 자녀 역시 응당 이와 같아야 합니까? (김원행이 답하기를) 남계의 설이 옳을 듯합니다. 자녀 역시 응당 이와 같아야 할 듯합니다.42)

『가례』에 "남자는 부인의 손에서 운명하지 않으며, 부인은 남자의 손에서 운명하지 않는다."고 하였고, 『가례회성(家禮會成)』에는 "군자는 살아 있을 때 내외를 분별해야 하고, 죽을 때도 시종 함부로 하지 않아야 한다."43)고 하였다. 이처럼 유가(儒家)에서는 때와 장소를 막론하고 남녀의 분별을 엄격히 하는 것을 무엇보다 중요한 규범으로 삼기 때문이다.

그러나 부모가 운명할 때에 과연 남녀의 분별을 엄격히 하기 위해, 자녀가 그 부모의 임종을 마치지 못한다고 한다면 어떠한가? 이에 대해 수암 권상하는 부부뿐만 아니라 자녀 외에 친한 남녀까지도 포함하여 절대 분별해야 한다고 하였다.44) 반면 후재(厚齋) 김간(金幹)은 부녀와 모자를 가리키는 것은 아닌 듯하다45)고 하였고, 병계(屛溪) 윤봉구(尹鳳九)도 "자녀가 부모에게, 아우와 조카가 고모와 누이에게, 외손남녀가 외조부모에게는 이 예를 시행할 수 없을 듯하다."46)고 하였다. 김원행은 부모와 자식

---

42) 『渼湖集』 권11, 「答柳知養」. "男女不相褻, 固是正終之義, 而父母臨絶, 子女不得見, 於情於理, 未知如何. 南溪有恐非父母之說, 則子女亦當如是耶? 南溪說似是,, 子女恐亦當如之."

43) 『국역 가례증해』 3책, 27쪽. "『會成』: 君子于其生也, 欲內外之有別, 于其死也, 欲終始之不褻, 則男女之分明, 夫婦之化興."

44) 『寒水齋集』 권13, 「答崔成仲」. "本意出於不褻男女之義, 以此文勢觀之, 則不但夫婦間而已, 子女外餘親男女, 似皆包言."

45) 『厚齋集』 권11, 「答韓永叔」. "似是泛言男子與婦人, 恐非指父女母子而言也."

관계를 말한 것이 아니라는 박세채의 주장을 채택하였다.

이처럼 기호 낙론 계열의 거목이었던 미호 김원행이 소론의 박세체 예설을 여러 차례 채택하는 사례에서, 기호 예설이 선현들의 여러 견해를 절충하고자 애쓴 모습들을 다시 한 번 포착할 수 있다.

한편 김원행에게는 송시열의 예설을 채택한 사례도 있지만, 그의 예설을 따르지 않은 사례도 있다.

> 『상례비요』의 축문에는 단지 '남편 아무[夫某]'라고만 하였을 뿐, 성(姓)을 쓰는 여부에 대해서는 다시 언급하지 않았습니다. 그러나 일찍이 우옹(尤翁)이 지은 부인에 대한 제문(祭文)을 보았는데, 성과 이름을 함께 썼습니다. 아마 이것이 옳을 듯합니다.[47]

위의 인용문은 아내의 제사 축문에 남편의 성명을 모두 쓰는가를 묻는 질문에 김원행이 답한 내용이다. 『주원양제록(周元陽祭錄)』에는 남편이 아내를 제사할 때 '모(某)가 빈(嬪) 모씨를 제사합니다[某祭嬪某氏].'라고만 하였다. 『상례비요』도 마찬가지로 남편의 성을 쓰는 것에 대해서는 분명하게 언급하지 않았다. 그러나 퇴계 이황은 남편의 자(字)는 쓰지 않아도 되지만, 성명은 쓰는 것이 마땅하다고 하였고[48], 남계 박세채도 남편의 성명을 쓰는 것이 좋을 듯하다[49]고 하였다. 김원행은 이황과 박세채의 설은 증거로 인용하지 않았지만, 송시열이 일찍이 부인의 제문에 성명을 쓴 것을 확인하고서, 이를 근거로 『상례비요』의 모호한 부분을 바로잡아 정설로 확정하였다.

> 우옹은 "'인종적자(仁宗適子)'의 '적(適)'을 '적적상승(適適相承)'의 '적(適)'과

---

46) 『屛溪集』 권11, 「答趙伯輝(丙戌)」. "若子女之於父母, 弟姪之於姑姊, 外孫男女之於外祖父母, 似不必用此禮矣."

47) 『渼湖集』 권5, 「答李善元」. "備要祝文中, 只言夫某, 更不及書姓與否. 然嘗觀尤翁祭夫人文, 幷書其姓名矣. 恐此爲是."

48) 『鶴峯續集』 권5, 「退溪先生言行錄」. "但告者, 當書夫姓名, 而夫字不必書也."

49) 『南溪續集』 권12, 「答金子懷問」. "夫祭妻, 似當用姓名."

> 다르게 보아서는 안 된다."고 하였는데, 제 생각은 그렇지 않은 듯합니다. '적적상승'의 '적'은 태어난 자리와 순서로 말한 것이고, '인종적자'의 '적'은 계승한 통서(統序)로 말한 것이니, 이를테면 '성서탈적(聖庶奪適)'의 '적'이 어찌 통서로 말한 것이 아니겠습니까? 그렇다면 두 '적'자도 전연 구별이 없다고 할 수 없을 것입니다.[50)]

위의 인용문은 송시열이 '인종적자(仁宗適子)'의 '적(適)'자와 '적적상승(適適相承)'의 적(適)자를 서로 같은 뜻으로 말하였는데, 김원행은 이것을 다르게 보아야 한다고 주장한 내용이다. 일찍이 송시열은 박수여(朴受汝)에게 답한 글에서 "복의(濮議) 때 정자(程子)가 말한 '폐하[영종]는 인종의 적자'[51)]라는 구절의 이 적자는 '적적상승'의 '적'과 다르게 보아서는 안 된다."고 하였다.[52)] 즉 영종은 인종의 친자는 아니지만 왕통을 계승하였으니 혈통으로 계승되는 '적자'와 다름이 없다고 보았다. 그런데 김원행은 '적적상승'의 적(適)자는 직계로 계승하여 태어난 순서를 말한 것이고, '성서탈적(聖庶奪適)'의 적(適)자는 방계에서 대통을 이은 경우를 가리키는 것으로 구분하여 보았다. 따라서 김원행은 적적상승은 태어난 순리대로 적자와 적자로 서로 이어지는 '계승적종법(繼承的宗法)'을 말하는 것이고, '인종적자'의 적(適)자는 계승 이후에는 적장자이든 아니든 일단 통(統)을 계승하였으면 부자관계가 성립되는 '의제적종법(擬制的宗法)'[53)]의 측면으로 구분하여 보았던 것이다.

당시에 비록 이미 송시열은 타계하고 없었지만, 송시열의 견해를

50) 『渼湖集』 권5, 「答兪伊天」. "尤翁以仁宗適子之適, 與適適相承之適, 爲不可異看者, 愚見似 或未然. 適適相承之適, 是以所生之地與序而言也. 仁宗適子之適, 是以所承之統而言也, 如聖庶奪適之適, 豈非以統言之者乎? 然則兩適字, 亦不可謂全然無別否."

51) 송나라 인종이 후사가 없이 죽자 濮安懿王 趙允讓의 아들 趙曙로 뒤를 잇게 하였는데, 이가 바로 英宗이다.

52) 『宋子大全』 권116, 「答朴受汝」. "禮只言祖與禰, 而不分所後所生, 此與適適相承, 自是別義. 蓋雖所後, 旣已服斬, 且以爲祖禰廟, 則其義似難分開矣. 濮議時程子謂陛下仁宗之適子, 此適子與適適相承之適, 似不可異看矣."

53) '繼承的宗法'과 '擬制的宗法'이란 용어는 고영진의 『조선중기예학사상사』, 한길사, 1995, 264쪽을 참고하였다.

문제 삼는다는 것은 사문(斯文)들로부터 비방을 받을 수도 있는 사안이었다. 그런데도 김원행은 자신의 견해를 동지들과 함께 털어놓고 토론하여 절충하려는 다소 유연한 모습을 보이고 있다.

김원행의 적전(嫡傳)을 이은 낙론 예학가는 근재(近齋) 박윤원(朴胤源)이다. 박윤원 역시 예설에 대해서는 선배 학자들의 설을 자세히 검토한 뒤에 가장 합당한 대안을 찾으려고 하였다. 아래 인용문은 대상(大祥) 때의 복색(服色)에 대해 시왕(時王)의 제도를 채택한 사례이다.

> 대상의 복색에 대해 『상례비요』에서 『가례』의 참색(黲色)과 『국조오례의』의 흰색을 사용한다는 문구를 함께 실어두고 결정하지 않은 것은, 아마도 사람들에게 가려서 행하게 하려고 한 것인 듯하다. 『가례』가 비록 이와 같으나 『오례의』를 따르는 것이 마땅하니, 이는 시왕의 제도이기 때문이다. 삼년상 중에 상복(祥服)을 흰색을 사용하였으니, 부재모상(父在母喪)의 13개월의 상복(祥服)도 역시 흰색을 사용하는 것이 마땅하니 무엇을 의심하랴?[54]

대상(大祥)은 사람이 사망한 지 2주기 만에 지내는 제사이다. 대상복(大祥服)은 「상복소기(喪服小記)」에는 조복(朝服)을 입고 호관(縞冠)을 쓴다고 하였고, 『가례』에는 참색(黲色), 『국조오례의』에는 흰색을 사용한다고 하였다. 이에 대해 일찍이 우계(牛溪) 성혼(成渾)은 "호관(縞冠)은 검은 날실에 흰 씨실을 사용하여 만든 것으로, 『가례』의 참색이 당시에 호(縞)에 가까웠고, 지금의 백립(白笠)은 호(縞)와 참(黲)은 아니더라도 시왕의 제도이니 사용하는 것이 좋다."[55]고 하면서 시왕의 제도를 주장하였다. 박윤원도 『가례』를 존숭하지 않은 것은 아니나, 시왕의 제도라는 점을 내세워 『국조오례의』의 제도를 따랐다.

또 박윤원은 고례에 근거를 찾을 수 없고 정자와 주자도 언급하지 않은 의절이지만, 만약 우리나라의 선유(先儒)들이 이미 행한 사례라면

---

54) 『근재선생예설』 권4, 「服色」. "大祥服色, 備要幷載家禮用黲五禮儀用白之文, 而無發落者, 蓋欲使人擇而行之耳. 家禮雖如此, 當從五禮儀, 蓋時王之制故也. 三年喪祥服旣用白, 則父在母喪十三月祥服, 亦當用白何疑."

55) 『국역 가례증해』 5책, 241쪽.

참고하여 채택하기도 하였다. 예를 들면, 아버지의 삼년상(三年喪) 중에 조부의 묘소를 개장할 경우 궤연과 널 앞에 모두 상식을 올리는 것이 옳은가 하는 문제에 대해, 송시열과 송준길은 두 곳 모두 상식을 올려야 한다고 하였고, 박세채도 궤연의 제사는 신주를 위한 것이고 묘소에 제사하는 것은 체백(體魄)을 위한 것이라고 하면서 상식을 올리는 것이 옳다[56]고 하였다. 이에 박윤원은 선배 학자들의 예설을 정론으로 존숭하고 특별히 다른 대안을 제시하지 않았다.

한편 박윤원은 신독재 김집과 같은 대현(大賢)이 행했던 의절이라도 그대로 따르지 않고 경전의 문구에 근거하여 비판하기도 하였다.

> 부형이 누워 있거나 식사할 때 절을 하지 않는 것은 그 이유가 자세하지 않지만, 삼년상 중에 조석곡(朝夕哭)만 하고 효자가 절하지 않는 것은, 진실로 살았을 때를 본뜬 것이다. 이로서 본다면 아침저녁으로 문안할 때 절을 하지 않는 것이 예이다. 아침저녁으로 문안할 때에 반드시 절을 한 사례는 비록 신독재가 행한 바이지만 법으로 삼기는 어려울 듯하다.[57]

위의 인용문은 박윤원이 제자 매산(梅山) 홍직필(洪直弼)의 질문에 답한 내용이다. 홍직필은 선생이나 어른이 식사중이거나 누워 있을 때 감히 절을 하지 않는 것은, 그가 일어나 답례하기에 불편해 하실까 염려되기 때문이라고 생각하였다. 그런데 신독재 김집은 그의 부친이 누워 있을 때는 절하지 말라고 했는데도 계속 절을 했었다. 홍직필도 처음에는 신독재를 본받아 아침저녁으로 문안할 때 절을 올렸다.[58] 그래서 이 부분을 의심하여 박윤원에게 질문하였던 것이다.

---

56) 『근재선생예설』 권7, 「父喪中改葬祖父時, 几筵告由當否」. "兩處幷設上食, 尤春兩先生, 皆以爲是. 南溪亦曰几筵之祭, 爲神主也, 墓上之祭, 爲體魄也. 據此則幷設無疑, 古禮雖無而今禮有之, 程朱之所未及言者後賢發之, 則何可以非古禮與非程朱說而不用耶? 常時節祀, 家廟與墳墓幷行, 則三年內改葬, 几筵柩前, 幷設上食, 有何不可?"

57) 『近齋集』 권15, 「答洪伯應」. "父兄之臥與食時不拜, 未詳其所以, 而以喪三年內朝夕哭, 孝子不拜, 實象生時之意觀之, 則定省時無拜卽禮也. 定省時必拜, 雖有愼齋所行, 恐難以爲法."

58) 『近齋集』 권15, 「答洪伯應」. "先生長者之進食或臥時, 不敢拜者, 以有答

이에 박윤원은 상례에서 졸곡(卒哭) 뒤 궤연(几筵)에 조석곡(朝夕哭)만 하고 절하지 않는 것은, 부모님이 살아 계실 때를 본뜬 것이라는 구절에 근거하여, 절하지 않는 것이 예에 합당하다고 결정하였다. 즉 삼년상 중에는 늘 궤연을 모시고 있는 처지이기 때문에 절을 하지 않아도 되는 것처럼, 생전에 평소 부모님을 모시고 함께 생활할 때는 아침저녁으로 문안할 때 굳이 절을 하지 않아도 된다는 판단이었다. 따라서 박윤원은 비록 신독재 김집 같은 대현(大賢)의 선배라도 그 설에 구애받지 않고 합당한 의절을 절충강구하려는 유연한 자세를 취했다.

이와 같은 박윤원의 논례(論禮) 관점을 계승한 사람은 매산 홍직필이다. 홍직필은 연원에 따른 사승(師承)의 설에 입각하여 판단하려는 경향을 보인다. 이와 같이 사승의 설에 기대어 예설을 판단하는 경향은 송시열 이래로 노론 계열에서는 당론에 입각한 독특한 예설들이 정립되어 있었다. 예컨대 기해복제(己亥服制) 논쟁에서 제기된 사종설(四種說)의 해석과 송시열이 제기한 '노이전중설(老而傳重說)' 등은 움직일 수 없는 하나의 정론으로 확립되었고, 권봉(權奉)과 섭사(攝祀)의 구별, 조천(祧遷)한 신주의 장방봉사(長房奉祀), 개제(改題) 등의 문제에 있어서 확고한 입장이 서 있었다. 홍직필은 이런 점에서는 사설(師說)을 준수하고 그와 배치되는 학설들은 논척(論斥)하였다.

> 종자(宗子)가 충막(冲藐)하여 예를 이룰 수 없으면 개자(介子)가 그 일을 섭행(攝行)하여 주공이 섭정하는 것과 같이 하는데, 여기에는 '섭(攝)'자를 놓는 것이 마땅하다. 만약 적사(嫡嗣)가 없어서 지자(支子)가 대신하여 그 상제(喪祭)를 주관하면 권봉(權奉)이라고 칭하는 것이 옳다. [중략] 길사(吉祀)는 시제의 다른 명칭이므로 성제(盛祭)는 권봉하는 자가 거행할 바가 아니다. '시제는 섭사자(攝祀者)도 할 수 있다'는 것은 누구의 설인지 모르겠으나, 나이가 어려서 섭행(攝行)하는 경우를 말하는 것이 아닌지. 그렇지 않다면 진실로 행할 수 없다. 퇴계는 한강에게 시제 행하는 것을 허락했으나, 정론이 될 수

禮，恐勞起居．而家內父兄之臥與食時不拜者，果何以耶? 沙溪先生就寢時，愼齋拜，則沙翁以父兄臥則不拜爲敎，愼齋不改．直弼定省時妄效愼齋，雖就寢時亦拜，此固如何?"

는 없는 듯하다. 우(虞)·졸(卒)·연(練)·상(祥)은 상제(喪祭)이니 권봉하는 자는 삼헌(三獻)으로 예를 갖추어 행사해야 하지만, 이 밖의 기제와 묘제는 무축단헌(無祝單獻)을 할 뿐이거늘 하물며 성제(盛祭)이겠는가? 도암(陶菴)이 또 "권봉하는 자는 일헌(一獻)으로 바름을 삼아야 한다."고 했으니, 일헌을 성제라고 하겠는가?[59]

섭사(攝祀)와 권봉(權奉)은 기왕의 예설에서는 그다지 심각하게 구별하지 않고 유사한 의미로 사용하였다. 도암 이재는 섭사와 권봉을 명확하게 구분하여 제주(祭主)가 있는 경우에 대신 하는 것은 섭사라 하고, 제주가 확정되지 않은 경우의 대리(代理)는 권봉이라 하였다. 홍직필은 이러한 사설(師說)을 근거로 퇴계 이황이 지차(支次)인 한강 정구에게 시제 행하는 것을 허락한 것은 정론이 아니라고 논척하였다. 한편으로 권봉하는 자는 삼헌(三獻)의 정제(正祭)를 거행할 수 없다는 이재의 설에 근거하여, 성제(盛祭)가 아닌 기제와 묘제의 권봉을 '축문 없이 한 잔[無祝單獻]'으로 해야 한다고도 주장하였다.

홍직필은 "율곡·사계·우암은 조자손(祖子孫) 삼대(三代)의 정맥이다."[60] 라고 평가했기에 이이의 예설이 『가례』 연구가 심화되기 이전에 『가례』 준행의 간략한 지침을 제공하는 데 그쳐, 예학상 여러 가지 결함을 안고 있음에도 이이의 예설을 가능한 한 존중하고 옹호하려는 입장을 취하였다.

장사지냈으나 아직 졸곡 전일 때는 장사지내기 전의 예를 사용해야 하니, 기제(忌祭)·묘제(墓祭)·삭망참(朔望參)을 거행하지 않는 것이 마땅할 듯하다. 우암은 만약 "고경(古經)의 '장사지낸 뒤에 제사한다'는 설에 근거하면 삼우(三

---

59) 『梅山先生禮說』 권6, 「權奉一獻」. "宗子, 冲藐, 罔克成禮, 則介子, 攝行其事, 如周公之攝政. 於此處, 當下攝字. 若無嫡嗣而支子代, 主其喪祭, 則稱以權奉, 可也. [중략] 吉祀, 是時祭之異名, 盛祭, 非權奉者所可擧也. 時祭, 雖攝祀者, 亦可爲者, 未知爲誰說. 無乃年幼攝行之云耶. 不爾, 則信不及矣. 退溪許寒岡行時祭, 恐未爲定論. 虞卒練祥, 喪祭也, 權奉者, 亦當三獻備禮行事, 外玆忌墓祭, 則無祝單獻已矣, 況盛祭乎. 陶菴, 亦以權奉者, 一獻爲正, 一獻, 可以爲盛祭乎."

60) 『鼓山集』 권19, 「梅山先生語錄」. "我國諸賢, 栗沙尤, 可謂祖子孫三代正脈."

虞) 뒤로는 또한 장사한 뒤라고 말할 수 있으니, 줄여서 행하는 것도 설(說)이 안 되는 것은 아닐 듯하다. 신묘(新墓)에 제사지내는 것은 더욱 의심할 바 없다."고 했다. 동춘(同春)은 "졸곡 전에 만약 절사(節祀)를 만나면 신묘(新墓)에다 이미 시속을 따라 제사를 지내니, 선묘(先墓)에 도무지 일이 없는 것은 매우 허전할 것 같다."고 했다. 두 선생의 설에 근거해보면 이미 장사한 뒤에는 비록 졸곡 전이라도 기제와 묘제를 행하는 것이 마땅하다. 그러나 율곡이 '졸곡 뒤'라고 결단한 것은 마땅히 바꿀 수 없는 의논이니, 기준으로 정하는 것이 마땅하다.[61]

사계 김장생은 장사를 지낸 뒤 졸곡 전까지는 초상 중에 평소의 제사를 거행하지 않는다는 예에 준하여, 기제와 묘제 및 사당의 삭망참(朔望參) 등을 거행하지 않는다고 하였다. 송시열은 삼우(三虞) 이후 신묘(新墓)에다 제사를 지낸다고 하였고, 송준길은 졸곡 전이라도 속절(俗節)을 당하면 시속에 따라 신묘에 묘제를 행하니, 다른 묘소의 묘제도 행하지 않을 수는 없다고 하였다. 그러나 홍직필은 기제와 묘제는 졸곡 뒤에야 행할 수 있다는 이이의 설을 정론으로 단정하였다. 그러면서도 추석에 신묘의 은제(殷祭)를 지내는 경우 국내(局內)의 다른 선영(先塋)에도 예를 폐할 수는 없으니, 간략하게나마 진설하는 것이 좋겠다[62]는 의견을 내어 '예가 궁하면 변통한다[禮窮則變]'의 융통성을 두었다.

홍직필은 율곡 이이의 설을 존중한다 하더라도, 17세기 이후 『가례』에 대한 연구가 심화되고 예제가 보다 엄격하게 준행되는 시점에서 이미 율곡 이이 시대의 간솔한 예제를 그대로 용납할 수는 없었다.

---

61) 『梅山先生禮說』 권6, 「葬而未卒哭忌墓祭朔望參不擧」. "葬而未卒哭, 當用未葬之禮, 則忌 墓祭朔望參, 恐當不擧. 而尤翁, 以爲若據古經葬而後祭之說, 則三虞之後, 亦可言葬後, 從殺行之, 恐不爲無說. 至於新墓之祭, 則尤無所疑. 同春, 亦云卒哭前, 如値節祀, 新墳旣從俗設祭, 則於先墓, 都無事, 恐甚缺. 然據兩賢說, 旣是葬後, 則雖卒哭前, 亦當行忌墓祭. 然栗谷, 斷以卒哭後者, 當爲不易之論, 所宜定準也."

62) 『梅山集』 권14, 「與鄭姪文老」. "第新墓旣設秋夕殷祭, 昧然無事於局內相望之先塋者, 亦有所不安. 旣薦局內先塋, 而獨廢於尊祖考墓所者, 恐涉逕庭. 亦當略設, 是爲禮窮則變也."

3년 안에 지내는 묘제는 율곡의 설을 따라 단헌(單獻)으로 하는 것이 근거가 없지는 않지만, 삼헌(三獻)의 의리도 불가함이 없을 듯하다. 『가례』와 『상례비요』의 '묘소에 나아간다'는 것에 참신(參神)이 포함되지 않는 줄을 어찌 알겠는가? 남당은 "묘제에서 먼저 진찬(進饌)하는 것은 원야(原野)의 예이니 간략함을 따른 것이다. 이미 먼저 진찬했으면 서서 볼 수는 없다. 그러므로 참신을 먼저 하고 강신(降神)을 뒤에 하여 유식(侑食)을 제거해서 간략함을 따른 것이다. 구준(丘濬)의 『가례의절(家禮儀節)』에는 진찬과 유식을 보충하여 넣었고, 『격몽요결』에는 강신을 먼저하고 참신을 뒤에 하였으니, 모두 미안하다."고 했다. 이 말이 예의 뜻에 맞은 듯하니 따를 만하다.[63]

묘제의 참신(參神) 강신(降神)의 선후(先後) 문제에는 이이의 설과 한원진의 설이 대립되어 있다. 홍직필은 선강후참(先降後參)의 단헌(單獻)으로 한다는 이이의 설보다는, 진찬(進饌)한 뒤에 선참후강(先參後降)으로 하되 삼헌(三獻)을 행한다는 한원진의 예설이 의리에 불가함이 없다고 하여 이를 채택하였다. 이이의 단헌에 비해 한원진의 삼헌은 묘제의 형식을 보다 성대하게 갖춘 것이다. 원야(原野)의 예는 사당의 예보다 간략하게 한다는 원칙을 준수하려면 사당에서 행하는 유식(侑食)을 묘제에서 생략하면 될 것이므로, 묘제에 삼헌을 행하지 않은 이유가 없다는 것이 홍직필의 논지이다. 결과적으로 홍직필은 단헌의 묘제를 호론학자인 한원진의 예설에 근거하여 삼헌의 묘제로 성대하게 변용하는 유연함을 보였다.

17세기에 들어와 『가례』 연구의 심화와 함께 『가례』 예제의 거행이 보편화되면서, 각종 예제 시행의 세세한 조목에 이르기까지 치밀한 고증과 논의가 전개되었다. 이런 논의는 시대가 내려갈수록 보다 세밀하게 나타난다.

---

63) 『梅山先生禮說』 권6, 「先參後降」. "三年內, 墓祭, 遵栗翁說單獻, 不爲無據, 而亦無不可三獻之義也. 家禮, 備要, 詣墓所云者, 安知不包參神在中耶. 南塘有云, 墓祭, 先進饌, 原野之禮, 從簡也. 旣先進饌, 則又不可立視. 故先參而後降, 去侑食, 以從簡也. 丘儀, 補入進饌侑食, 要訣, 先降後參, 皆未安, 斯言恐得禮意, 可遵也."

> 현훈(玄纁)의 위치는 『가례』에 말한 '구방(柩傍)'의 '방(傍)'은 관과 곽의 사이라고 보이지는 않는다. 구(柩) 위의 동편에 두면 거의 『의례』와 『가례』의 조문과 같아지는데 어떤지 모르겠다. 우암의 설을 따라 구의 곁[柩傍] 좌우에 현훈을 나누어 두면 진실로 이치에 해가 되지는 않으나, 관과 곽의 사이는 폐백을 두는 곳이 아니고 또 내력도 부족하니 감히 자신 있게 언급하지 못하는 까닭은 대략 이 때문이다. 우암은 구의 곁[柩傍]이라고 하는 것은 관과 곽의 사이라고 말하였지만, 관과 곽의 사이는 폐백을 두는 곳이 아니니, 미호(渼湖)의 구의 위쪽에 현훈을 둔다는 설을 따르는 것이 마땅하고, 『개원례(開元禮)』의 '구의 동편에 둔다'는 조문을 따르되 조금 왼편에 두는 것이 마땅할 듯하다. 상현하훈(上玄下纁)은 천지를 본뜬 것이다.64)

하관(下棺) 후에 현훈(玄纁)을 놓는 위치에 대하여 『가례』에서는 '널의 곁[柩之傍]'이라 하였는데, 이 조문의 해석에 대해서는 일찍부터 이론(異論)이 더러 있었다. 홍직필은 관(棺)과 곽(槨) 사이의 좌우로 나누어 놓는다는 송시열의 설을 따르지 않고, 널의 위에 놓는다는 김원행의 설과 『개원례』의 '널의 동쪽[柩東]' 조문을 절충하여, 널의 위쪽 동편에 '상현하훈(上玄下纁)'으로 놓는 방식을 제안하였다. 김원행은 송시열의 학통을 계승한 인물로서 사승으로 보자면 송시열보다 2~3세대 뒤의 인물이다. 그럼에도 홍직필은 이런 절차를 강구함에 있어서는 앞 시대보다 후대의 설을 더욱 치밀한 것으로 간주한 것이다. 다음의 사례 역시 그런 경우이다.

> 종자(宗子)가 조(祖)·증(曾) 이상을 개장(改葬)할 경우 시마복을 입는다는 것은 사계의 정론이 있다. 비록 일찍이 조(祖)를 위해 참최복을 입지는 않았지만 시마복은 입을 수 있다. 또 『통전』의 설에도 근거할 만한 것이 있으니, 이것은 의논할 필요가 없다. 5대조 이상 대 수가 다하여 사당을 헐어 버린 경우

---

64) 『梅山先生禮說』 권4, 「玄纁奠于棺上之東」. "玄纁位置, 家禮所云柩傍之傍, 未見其爲棺槨之間. 奠于柩上之東, 則庶乎同符儀禮家禮之文, 未知如何? 從尤翁說, 分奠玄纁于柩傍右左, 固不害理, 而棺槨之間, 非奠幣之所. 且欠來歷. 未敢信及者, 殆以此也. 尤翁以柩傍謂是棺 槨之間, 而棺槨之間, 非奠幣之所, 當遵渼湖奠玄纁於柩上, 而從開元柩東之文, 稍左, 恐宜. 上玄下纁用象天地."

에 만약 개장을 한다면 종손은 역시 시마복을 입어야 하는가? 수암(遂菴)의 설을 따르면 시마복을 입는 것에 의심이 없지만, 미호(渼湖)가 황덕익(黃德翼)에게 답장한 편지에서 입지 않는 것을 주장한 것 같으니 누구 설을 따라야 하는가? 불천지조(不遷之祖)는 비록 대 수가 다하더라도 시마복을 입는 것이 마땅하다. 시마복을 입느냐 마느냐는 한결같이 사당을 헐었는가 헐지 않았는가에 견주어야 마땅할 듯하다.65)

종자(宗子)가 조(祖)·증(曾)이상을 개장할 때는 개장복(改葬服)인 시마복(緦麻服)을 입는 것에 대해서 김장생의 정론(定論)이 있었지만, 5대조 이상 친분이 다하고 사당을 헐어버린 조상에 대하여는 시마복을 입어야 한다는 권상하의 설과, 복을 입지 않는다는 듯한 김원행의 설이 대립되어 있었다. 이에 대하여 홍직필은 묘(廟)의 존립 여부로 판단해야 한다는 견해를 세워, 불천조(不遷祖)에 대하여는 시마복을 입고, 그렇지 않은 경우에는 복을 입지 않는 것으로 단정하였다. 이 견해는 결국 김원행의 설을 채택한 것에 가깝다.

홍직필의 문인 임헌회(任憲晦)의 논례(論禮) 성향 또한 기존의 낙론 학자들과 크게 다르지 않다. 임헌회는 19세기 중반에 기호 낙론학계를 주도했던 종장이었다. 임헌회는 도통(道統)·성리(性理)·예학(禮學)·의리(義理) 등의 학문에 힘을 썼던 학자였다. 그는 당시 낙론의 거유인 노주(老洲) 오희상(吳熙常)의 예설을 적극 채택하여 기존의 잘못된 의절을 고치는 것에 망설이지 않았다.

국상 중에 관례를 행할 적에 삼가(三加)를 하는 것에 대해, 나 역시 처음에는 남계와 남당과 운평 등의 설을 따를 만하다고 생각했다. 그런데 지금에 노주가 논한 것을 보니 의리의 무궁함을 다하였다. 대개 모든 일은 10분의 제1등의 도리가 있다. 이 또한 진실로 10분의 제1등을 구한 것이니, 노주의 '행하

65) 『梅山先生禮說』 권6, 「不遷祖緬服緦」. "宗子, 爲祖曾以上, 改葬服緦, 固有沙溪定論. 雖不曾爲祖服斬, 亦可服緦. 又有通典說, 可據. 是則無容議到. 而五代祖以上, 代盡廟毁者, 若改葬, 則宗孫亦服緦耶. 遵遂菴說, 則服緦無疑, 而渼湖, 答黃德翼書, 似主不服, 當何適從乎. 不遷之祖, 雖則代盡, 亦當緦己矣. 服與不服, 一視廟之毁與未毁, 恐宜."

지 않는다'는 설을 따르는 것이 옳을 듯하다.[66]

위의 인용문은 국상이 났을 경우 관례를 행하는 여부를 논한 내용이다. 관례는 남자 나이 15세부터 20세 사이에 행하는 이른바 성년식이다. 관례를 행하기 위해서는 일정한 절차와 기물(器物) 등이 필요할 뿐만 아니라 적절한 시기도 중요하다. 관례를 행하려는데 갑자기 집안에 초상이 나거나, 또는 나라에 국상이 날 경우 행사를 지속해야 할지의 여부를 판단하는 것은 무엇보다 중요하다. 『예기』에는 "상(喪)을 당하여 관을 쓰는 것은 비록 삼년상이라도 괜찮다."[67]고 하였고, 또는 공자의 말을 인용하여 "만일 아들의 관례를 행하려는데 기일(期日)이 되기 전에 재최·대공·소공의 상이 났으면 상복을 입으면서 관례를 한다."[68]고 하였다. 이에 원(元)나라 예학자 진호(陳澔)는 재최 이하 상복에는 관례를 할 수 있지만, 참최에는 행할 수 없다고 하였다.

그렇다면 국상이 났을 경우는 어찌해야 하는가? 송시열은 "예문(禮文)에 '상을 치르면서 관례를 올린다'는 문장이 있는데, 국상 중에는 성복(成服)할 때 관례를 행하는 것이 옳다."[69]고 하였고, 박세채도 관례를 행하려는데 국상을 만났을 경우 성복하면서 관례를 올리는 것이 마땅하다[70]고 하였다. 이밖에 한원진과 송능상 등도 모두 국상 중에 관례를 행하는 것이 타당하다고 여겼다.[71] 이들은 모두 『예기』의 설을 대체적으로 그대로 수용하였다.

그런데 오희상은 국상 중에 관례를 행하는 것은 옳지 않다는 주장을

---

66) 『全齋先生禮說』 권1. "國哀中冠禮三加, 愚亦初以爲南溪南塘雲坪諸說可從. 今見老洲所論, 義理儘無窮也. 蓋凡事, 皆有十分第一等道理, 此亦苟求十分第一等, 則從老洲說不行, 恐得 之耳."

67) 『예기』「雜記」. "以喪冠者, 雖三年之喪, 可也."

68) 『예기』「曾子問」. "孔子曰 如將冠子, 而未及期日, 而有齊衰大功小功之喪, 則因喪服而冠."

69) 『宋子大全』 권99, 「答郭智叔」. "禮有因喪冠之文, 國恤成服時, 冠之可也."

70) 『南溪集』 권37, 「答尹子仁問」. "將冠而遭國恤者, 固當因成服而冠矣. 不然當待卒哭之後, 只冠者借吉而行之, 參以昏禮等數, 尤無不可也."

71) 『국역 가례증해』 2책, 137쪽.

세웠다. 오희상은 관례할 때 기물과 복식에 대해서도 매우 엄격하게 논의를 하였다. 당시 삼가(三加) 복식은 초가(初加)에는 치포(緇巾)와 심의(深衣), 재가(再加)에는 복두(幞頭)와 난삼(襴衫), 삼가(三加)에는 초립(草笠)과 도포(道袍)를 착용하였다. 그런데 오희상은 삼가의 초립과 도포를 착용하는 것에 대해서 불만을 표시했다. 삼가는 더욱 존중함을 나타내는 복장인데도, 시속에서 가장 천한 자들이 착용하는 초립을 사용해서는 안 된다고 하였다. 그러면서 삼가에 금관(金冠)과 조복(朝服)[72]을 사용할 것을 제안하였다.

사진_33 <난삼> 출처: 한중연

이에 임헌회는 자신도 처음에는 국상 중에 삼가를 행할 수 있다고 주장한 박세채·한원진·송능상 등의 설을 따랐지만, 나중에 오희상의 설을 보고서 의리의 무궁함을 다하였다고 하면서 기존의 견해를 바꾸었다. 즉 임헌회는 여러 선유(先儒)들의 설을 종합한 결과 마침내 오희상의 설을 정론으로 채택하였다. 이는 어느 한 사람의 예설에 고착되지 않고 유연한 자세로 정밀하게 검토하는 과정을 거친 결과이다.

뿐만 아니라 임헌회는 스승 사후(死後)에 입는 사복(師服)에 대한 견해도 오희상의 설을 보고 자신의 기존 견해를 변경하였다. 스승에 대한 복은

72) 『老洲集』 권5, 「答權敬之」.

공자가 돌아가신 뒤에 그의 제자들에 의해 처음으로 논의가 제기되었다. 이때 공자의 제자 자공(子貢)이 심상삼년설(心喪三年說)을 주장한 이후로 그 시행여부와 기간에 대하여는 학자마다 이견이 있었다. 송나라 때 장자(張子)와 정자(程子)는 스승의 복상기간을 각자의 정(情)의 후박(厚薄)과 일의 대소에 따라 차등으로 입을 것을 주장하였다. 우리나라에서는 이이가 정자의 차등설을 정론으로 주장하여 심상삼년(心喪三年), 혹은 기년(朞年), 9개월, 5개월, 3개월 등으로 구분 지었다. 이 제도는 이후 김장생·송시열·권상하 등으로 전수되는 노론 학통에 영향을 주었다.[73]

그러므로 임헌회도 자신의 스승인 홍직필의 상을 당했을 때, 송시열이 김장생의 상에 권상하가 송시열의 상에 모두 期年心喪을 행한 것에 따라서 행하였다. 그 뒤에 우연히 오희상의 '심상삼년설' 문헌을 보고서 깜짝 놀라 일찍 오희상의 설을 미처 살피지 못한 것이 매우 부끄럽고 한이 된다[74]고 술회하였다.

아래 글도 임헌회가 기존의 행하던 방식이 잘못된 것임을 뒤 늦게 변경한 사례이다.

> 기제사 때 모사(茅沙)에 대해서, 우암은 '강신(降神)과 삼헌(三獻)에 모사 그릇을 각각 따로 사용해야 한다'고 하였고, 남계는 '한 그릇으로 통용하는 것이 마땅할 듯하다'고 하였다. 나는 일찍이 남계의 설에 따라 한 그릇으로 통용하여 사용했다. 다시 생각해 보니, 강신은 자기 선조를 위함이고, 제주(祭酒)는 외신(外神)을 위한 것이었다. 외신을 공경하는 도리로 하나의 그릇에 통용하는 것은 옳지 않은 듯하다. 그러므로 지금부터 우옹의 설을 따른다.[75]

위의 인용문은 제사 때 사용하는 모사(茅沙) 그릇의 갯수와 관련한

---

73) 정길연, 「艮齋 田愚의 師服說의 淵源과 意義」, 『인문학논총』30, 2012.

74) 『鼓山集』 권3, 「與趙孺文」. "師服, 先儒所論所行不一, 而恐皆輸於老洲. 所謂致喪方喪心喪, 出於禮記, 朱子載之小學, 則此爲師服斷例之說. 昔年先師之喪, 竊自附於尤翁之服沙溪, 行期年心喪矣. 到今思之, 不能無愧恨, 恨不早見老洲定論, 行三年心喪也."

75) 『鼓山集』 권8, 「禮疑瑣錄」. "忌祭茅沙, 尤菴曰降神與三獻, 各用茅沙. 南溪曰似當一器通用. 愚嘗依南溪說, 通用一器. 更思之, 降神爲己之祖先也. 祭酒, 爲外神也. 敬外神之道, 恐不可通用一器. 故自今從尤翁說."

내용이다. 『가례』에는 제사를 지낼 적에 띠풀 묶음[束茅]과 모래 모둠[聚沙]을 향안(香案) 앞 각각의 신위 앞의 바닥에 놓는다고 했다. 띠풀을 사용하는 의미에 대해서 정자는 옛날에 띠풀로 술을 걸렀기 때문[76]이라고 했다. 그러므로 시제를 비롯하여 모든 제사에는 모사를 사용한다. 이때 강신과 삼헌에 사용하는 모사그릇을 한 개의 그릇으로 할 것인지 아니면, 각각 따로 사용할 것인지에 대해서는 이설이 있다. 일찍이 박세채는 모사를 한 그릇에 통용하여 사용한다고 하였다. 임헌회도 처음에는 박세채의 예설을 준수하였다. 그러다가 나중에는 송시열의 '따로 사용한다'는 설을 따라 변경하였다. 이는 곧 송시열의 예설을 통해 두 개의 모사 그릇을 사용하여 선조의 신과 외신(外神)을 분별하여 모시는 것이 합당하다고 판단했기 때문이다.

임헌회는 여러 선배들의 예설을 두루 절충하여 하나의 단안(斷案)을 내리기도 하였다. 예를 들면, 상중에 신알(晨謁)할 경우 복장을 어떻게 해야 하는가? 율곡 이이는 소복(素服)과 흑대(黑帶)를 착용한다고 하였고, 구봉 송익필은 새벽에 참알(參謁)하고 출입할 때 고하는 것은 사당에 들어가 신을 접할 때와 비교해서는 안 되기 때문에 흰색의 옷과 띠를 착용해야 한다고 하였다. 병계 윤봉구 역시 신알은 중문(中門)을 열지 않기 때문에 흰옷과 흰 띠를 착용하는 것이 옳다고 하였다.[77] 이에 임헌회는 비록 이이의 소복에 흑대를 착용한다는 설이 있지만, 송익필과 윤봉구가 주장한 흰옷과 흰 띠를 사용한다는 설을 타당하다고 여겼고, 시제와 같은 제사에는 임시로 흑대를 착용해야 한다고 주장하였다.

이와 같이 임헌회는 소소한 의절에서도 선유(先儒)들의 설을 참고하고 절충하여 합당한 이치를 강구(講究)하려고 노력하였다. 그는 특정한 어느 한 학자의 설에 얽매이지 않고 반드시 여러 설을 비교 검토한 뒤에 타당성 여부를 결정하는 유연하면서도 신중한 태도를 취했다.

임헌회의 고제(高弟) 간재 전우는 19세기의 끄트머리에서 낙론의

76) 『국역 가례증해』 6책, 74쪽.

77) 『鼓山集』 권6, 「答朴敎鎭」. "服中入廟, 栗翁有素服黑帶之說, 而龜峯云, 晨參及出入告, 此非入廟接神之比, 白衣帶恐無妨. 屛溪云, 晨謁不開中門, 朞大功不必變服. 以此諸說觀之, 晨謁及出入告, 不開中門時, 白帶布帶, 俱無不可."

정맥을 최후까지 계승하였으며, 율곡 이이와 우암 송시열을 동방 최고의 학자[78]로 꼽았던 학자이다. 그러나 예설에 있어서는 이이보다 송시열의 설을 더 많이 채택하는 성향을 보인다. 특히 송시열의 만년설을 정설로 규정하고 있음을 발견할 수 있다.

> 묘제의 참신과 강신 선후는 훗날 어떻게 정했습니까? 금일 『송자대전』을 보니 박시증(朴是曾)이 강신을 먼저 하는 것을 가지고 질문하였는데, 선생께서 묘제의 선참후강(先參後降)을 자세하게 살피지 않음을 경책하였습니다. 또 말씀하시기를 "우리 집의 묘제는 참신을 먼저 한다."고 하였습니다. 이는 선생이 79세에 쓴 글이니 가장 만년정론(晩年定論)이라 할 수 있습니다. 제가 행하는 것이 근거가 없지는 않은 듯합니다.[79]

위의 인용문은 묘제를 지낼 때 강신과 참신의 순서에 대해서 논한 글이다. 묘제의 참강(參降) 선후에 대한 설은 이견이 많다. 그 핵심은 『가례』와 『격몽요결』의 주장이 서로 다름에서부터 시작되었다. 이이의 학통을 계승한 김장생·송시열·박세채 등은 이이의 선강후참(先降後參)설을 충분히 이해하고는 있었지만, 결국은 『가례』의 선참후강(先參後降)설을 어기면서까지 따르지는 않았다. 그러나 권상하의 문인 윤봉구는 홀로 이이의 선강후참설이 옳다고 적극적 주장하기도 했다. 그러나 간재 전우는 평소 율곡 이이의 학문을 존숭하였지만, 묘제의 '참강(參降)'에 대해서는 우암 송시열의 선참후강설을 따르는 쪽을 택했다. 이는 주자 『가례』의 뜻을 어기지 않으려는 뜻도 있겠지만, 그보다는 송시열이 79세에 정리한 만년설(晩年說)이라는 점이 가장 크게 작용한 것으로 보인다.

아래의 인용문도 전우가 송시열의 만년설을 정론의 규정한 사례이다.

> 매옹(梅翁)이 개장(改葬)을 논하여 말하기를 널이 드러난 것이 중요하니, 그

---

78) 『艮齋集後編』 권7, 「答鄭海潤, 韓晉澤(己未)」. "栗谷, 東方孔子. 尤菴, 東方朱子也."

79) 『艮齋集後編』 권2, 「答姜悳元」. "墓祭, 參降先後, 後來如何定? 今日見宋子大全, 朴是曾擧先降爲問, 先生以墓祭先參後降而考之不詳, 警之. 又曰鄙家墓祭, 亦先參矣. 此是先生七十 九歲書, 爲最晩年定論也."

> 러므로 비록 옛날대로 흙을 덮었더라도 수복(受服)하는 것이 마땅하다고 했다. 이것은 우옹이 윤석호(尹石湖)에게 답한 글에 '널이 드러났는데 흙을 덮었으면 곧 제복(除服)한다'고 말한 것과 같지 않다. 그러나 우옹이 다른 날에 현이규(玄以規)에게 답한 글에 분묘(墳墓)가 침범을 당했을 경우 문득 널이 드러났으면 시마삼개월복을 입는다고 하였다. 대개 석호는 우옹보다 한 살이 많고 현공(玄公)은 문인의 후진이다. 현이규의 글을 정론으로 삼는 것이 마땅하다. 매옹이 어찌 고증한 바가 없이 갑자기 실언을 하였겠는가?[80]

위의 인용문은 개장례(改葬禮)의 복장에 대한 내용이다. 주자의 『가례』에는 개장에 대한 조항이 없다. 그러나 「상복소기」에는 개장 때에 시마복(緦麻服)을 입는다고 명기되어 있다. 김장생도 삼년복을 입는 자는 모두 시마복을 입어야 한다고 하였다. 그리고 시마복을 입는 시점에 대해서는, 한강 정구는 계묘(啓墓)를 고하는 처음에 시마복을 입어야 한다[81]고 하였다. 시마복은 오직 부모에게만 입고 그 밖에 복이 없는 경우는 조복(弔服)에 가마(加麻)만 한다. 개장에 시마복을 입는 기간은, 정현(鄭玄)·가공언(賈公彦)·한유(韓愈) 등은 3개월 동안 입는다고 하였고, 왕숙(王肅)과 『개원례(開元禮)』와 『가례의절(家禮儀節)』에서는 개장을 마친 뒤에 곧바로 시마복을 벗는다고 하였다. 이에 주자는 개장의 시마복 기간은 자세하게 상고할 수 없다고 하면서, '예는 의심스러우면 후함을 따른다[禮疑從厚]'는 것에 입각하여 삼년월 동안 입는 것이 좋다고 주장하였다.

위의 인용문에서 보면 홍직필은 자식이 실제로 개장하는 현장을 보지 못했지만 이미 개장을 마치고 봉분을 완성했으면, 널이 드러난 것 자체가 중요하므로 시마복을 받아서 입어야 한다고 했다. 이에 전우는 홍직필이 제안한 설의 근거를 송시열의 글에서 찾고 있다. 그런데 송시열의 글에서도 서로 내용이 같지 않다는 것이 문제이다. 송시열은 윤석호(尹石湖)에게 답한 글(1668년)에는 '흙을 덮었으면 곧 제복한다'고 하였고, 현

---

80) 『艮齋集後編』 권14, 「禮疑隨錄」. "梅翁論改葬云, 見柩爲重. 故雖仍舊復土, 亦當受服. 此與尤翁答尹石湖書, 見柩復土, 卽除服之云不同. 然尤翁他日答玄以規書, 論墳墓被侵犯, 卻云見柩則服緦三月. 蓋石湖長於尤翁一歲, 玄公則門人之後進者, 玄書當爲定論, 梅翁豈無所考而率爾失言哉."
81) 『寒岡集』 권7, 「答任卓爾」. "緦服, 當服於告啓墓之初."

이규(玄以規)에게 답한 글에는 '시마복을 입는다'고 하는 등 답변이 서로 다르다. 이에 전우는 뒤에 현이규에게 답한 내용을 정론이라고 확정하였다. 이로써 보건대 간재 전우는 예설에 있어서는 주로 우암 송시열의 정론, 특히 만년정론을 중시하려는 경향이 있다.

전우는 담제복(禫祭服)의 색상에 대해서도 송시열의 예설로써 단안을 내렸다.

> 나는 항상 담사(禫祀)와 친기(親忌)와 심상(心喪)에 흑경백위(黑經白緯)의 제도를 사용하려고 하였으나 과감하게 하지 못했다. 지금에 우옹이 지은 나학(懶學) 박정로(朴廷老)의 묘표를 보니, 이르기를 "국속(國俗)에서는 소복(素服)으로 담제복을 하는데 이는 옛날 법도가 아니니 옅은 흑색을 사용해야 한다."고 하였다. 이는 나의 생각과 합치되었기에 곧 자부(子婦)에게 베 한 필을 짜게 하여 기일의 복장으로 만들었다.[82]

위의 인용문은 담제의 복색에 대해서 논한 글이다. 담제는 「상복소기(喪服小記)」에 따르면 부모·아내·장자 등을 위해서 지내는 제사이다. 「잡기(雜記)」 공여달(孔穎達)의 소(疏)에는 경대부는 대상(大祥)에서 길제까지 여섯 가지의 복이 있는데, 대상에는 조복(朝服)과 호관(縞冠), 대상을 마치고 나서는 소호마의(素縞麻衣), 담제에는 현관(玄冠)과 황상(黃裳), 담제를 마치고 나서는 조복(朝服)과 침관(綅冠), 길제에는 현관(玄冠)과 조복(朝服), 길제를 지내고 나서는 현단복(玄端服)으로 거처한다고 하였다.[83] 그러나 이 여섯 가지의 복장을 시기마다 갖추어 입는 것은 현실적으로 불가능하다고 할 수 있다. 공영달의 소에는 담제의 복장을 현관과 황상으로 정한다는 구절이 보이는데, 『가례』에는 담제복색에 대해 언급이 없다.

김장생은 담제에는 길복을 입고, 담제를 지내고 나서는 미길(微吉)

---

82) 『艮齋集前編』 권12, 「体言一」. "余常欲禫祀及親忌及心喪, 用黑經白緯之制, 而未果. 今見尤翁作懶學朴公廷老墓表, 有云, 國俗服禫以素, 此非古也. 用淺黑色. 此與余意合, 卽令子婦織出一疋, 以製忌日之服."

83) 『예기』 「雜記」(下). "又曰, 此據諸侯卿大夫言之, 從祥至吉, 凡服有六. 祥祭, 朝服縞冠一也, 祥訖, 素縞麻衣二也, 禫祭, 玄冠黃裳三也, 禫訖, 朝服綅冠四也, 踰月吉祭, 玄冠朝服五也, 旣祭玄端而居六也."

의 옷을 입으며, 길제를 지내고 나서는 평상복을 입는 것이 예의 뜻에 맞고, 또한 부재모상(父在母喪)의 심상에 담제를 지낼 경우는 백포직령의(白布直領衣)에 참포립을 쓰고 흑대를 띤다고 하였다.[84] 이와 같이 담제복색에 대해서는 서로 이견이 많았다. 간재 전우도 일찍이 담사(禫祀)의 복장을 검은색 날실과 흰 씨줄을 섞어 사용한 베를 사용하고 싶었으나 뚜렷한 근거를 찾지 못해 망설이고 있었다. 그러다가 송시열이 지은 묘표에 '옅은 흑색을 사용했다'[85]는 구절에서 확실한 근거를 찾아 정론으로 확정하고, 기제사와 심상에도 이 복장을 통용하였다.

살펴보았듯이 기호학자들 특히 낙론학자들은 호론학자에 비해 예설을 채택함에 있어서 다소 유연한 시각을 가졌다. 이들은 기본적으로 사설(師說)을 존중하되 더 합당한 설이 있을 경우 사설에 구애되지 않고, 언제든지 다른 학설을 정설로 확정하려는 자세를 보였다. 그러나 기호학파를 벗어나 영남학파의 설까지 두루 수용하지 못한 부분은 이들의 한계라고 할 수 있다. 18세기의 대표적인 예학가 도암 이재는 김장생과 송시열의 설을 모두 인용하면서도 결론적으로 송시열의 설이 더 타당하다고 주장하기도 하였고, 때로는 송시열의 설보다 김장생의 설이 더 타당하다고 주장하기도 하였다. 이재의 학문을 이은 김원행은 소론학자 박세채의 예설을 채택하는 사례가 많았다. 박윤원은 『가례』보다는 시왕의 제도를 택하며, 김집의 설보다 예경의 조문을 따르며, 이재의 설보다 권상하의 설을 채택하기도 하는 등, 그 각각의 사안에 따라 합당한 예제를 채택하려고 하였다. 홍직필은 연원에 따른 사승(師承)의 설에 입각하여 판단하려는 경향을 보였고, 임헌회는 오희상의 예설을 많이 수용하였고, 전우는 송시열의 만년설을 정론으로 채택하려는 경향이 강하였다.

이들 학자들이 예설을 판단할 때 가장 많이 인용하고 거론한 학자는 김장생과 송시열과 박세채였다. 이 세 학자는 기호 예학을 대표하는 학자로서 조선시대 기호 예학이 형성되는 데 매우 많은 영향을 끼쳤다. 18~19

---

84) 『상례비요』「大祥」,「禫祭」.
85) 『宋子大全』 권194,「同知朴公墓表」. "居喪廬墓三年, 國俗服禫以素, 公曰非古也, 用淺黑色."

세기 기호학자들에게는 이처럼 앞 시대 선배 학자들의 축적된 예학 연구 성과로 말미암아, 여러 예설을 비교하고 검토할 수 있는 기회가 주어진 것이다. 때문에 18~19세기 기호 예설 담론이 더욱 풍부하고 정밀해지는 계기가 되었다.

3. 화이론(華夷論)의 예제(禮制) 적용

조선후기 임병양란(壬丙兩亂)을 겪고 난 뒤로 국가의 정치방향이나 사대부들의 생활사 등에서 이전과는 다른 많은 변화가 일어났다. 그중에 하나가 공통적으로 나타나고 있는 화이론(華夷論)에 대한 의식이다. 특히 병자호란 이후 우암 송시열에 의해 제기된 춘추대의와 북벌론은 정치와 학계를 막론하고 매우 중요한 주제로 대두되었다. 이러한 주제는 곧 존화양이(尊華攘夷)라는 구호로 완성되어 사대부들의 사고에서부터 사소한 생활사에 이르기까지 중화의 예제를 적용하려는 변화가 일어났다.

중화예제의 적용문제는 여타의 학파에서보다 송시열의 학통을 계승한 기호학파들의 예설에서 매우 강하게 나타나는 경향이 있다. 예를 들면 18~19세기의 기호학자들은 축문에 담긴 글자의 유래, 동자(童子)와 부인들의 변발(辮髮), 의복제도 등 소소한 일상생활까지도 화이론적 시각으로 판단하여 개정하려고 하였다.

조선후기 기제 축문에는 조상의 기일이 상순(上旬)에 해당할 경우 날짜 앞에 '초(初)'자를 쓰는 것이 일반적으로 통용되었다. 그런데 송시열의 후손인 강재(剛齋) 송치규(宋穉圭)는 이 문제에 이론을 제기하였다. 송치규는 「대보단축용초자당부의(大報壇祝用初字當否議)」에서 다음과 같이 말했다.

> 상순일(上旬日)에 '초(初)'자를 쓰지 않는 것은 이미 대통력(大統歷)의 사례가 있는데, 단향축(壇享祝) 앞에 그렇게 하지 않은 것은 아마도 일시적으로 우연히 실수한 것입니다.[86]

위 인용문은 송치규가 익묘(翼廟: 순조)에게 올린 헌의이다. 대보단(大報壇)은 임진왜란 때 원군을 보낸 명나라 신종의 은의(恩義)를 기리기 위해 1704년(숙종30) 창덕궁 금원(禁苑) 옆에 설치한 건물이고, 대통력(大統歷)은 명나라의 역법을 기록한 책이다. 이 책력에는 상순에 해당하는 날짜를 표기할 때 '초(初)'자를 쓰지 않았다. 송치규는 이것이 명나라의 역법이기 때문에 존주대의(尊周大義)와 관계된다고 하여 신중하게 검토할 것을 주장하였다.

사진_34 <대통력> 출처: 한중연

매산 홍직필도 "익묘(翼廟)가 대리(代理)하실 때에 명나라의 은혜에 흥감하여 황단축문(皇壇祝文)에 '초(初)'자를 지우라고 명하자, 예를 좋아하는 사대부들이 '초'자를 쓰지 않았다."[87]고 하면서, 존주(尊周)의 의리를 지키는 것이 마땅하다고 주장했다. 홍직필의 문인 고산 임헌회도 부친의 상을 당해서 쓴 「임인외우시기(壬寅外憂時記)」에 "축문에 일진(日辰)은 '초(初)'자를 쓰지 않았다."[88]고 밝히고 있다.

이와 같이 대보단 축문에 초(初)자를 쓰지 말자는 주장은 강재 송치규에 의해서 처음으로 제기되었지만, 기호학자들 사이에는 점점 이것을 국가의례뿐만 아니라 가정의례에까지 확대 적용하려고 하였다. 이는 매우 사소

86) 『剛齋集』 권2, 「大報壇祝用初字當否議」. "上旬日之不用初字, 旣是大統曆之例, 則壇享祝之前所不能然, 恐是一時偶然之失."
87) 『梅山先生禮說』 권6, 「祝文不書初字」. "大統曆, 不書初字. 故翼廟代理時, 興感於風泉, 命皇壇祝文刪初字, 士夫好禮者, 亦不書初字. 是亦出尊周之義, 一遵皇朝統曆之舊, 恐宜."
88) 『鼓山續集』 권1, 「壬寅外憂時記」. "祝文日辰, 不書初字."

한 의절이라 할 수 있으나, 기호학자들은 이러한 중화제도를 모든 의식에 보편적으로 적용하여 화이론적 사고를 더욱 강화하려고 하였다.

화이(華夷)의 분별 관점은 동자와 부인들의 머리장식 제도에도 적용되었다. 중봉(重峯) 조헌(趙憲 1544~1592)은 일찍이 변발(辮髮)과 좌임(左衽)은 오랑캐의 풍속[89]이라고 밝힌 바 있다. 우암 송시열도 변발은 오랑캐의 풍속이니 바꾸어야 한다고 강하게 주장하였다.

사진_35 <변발> 출처: 패션전문자료사전

> 지금 국내의 부인과 미관자(未冠者)들의 변발이 모두 호속(胡俗)에서 나온 것이므로, 선생의 집안 아이들은 쌍개(雙紒: 두 갈래로 땋아 올린 머리)를 하고 변발을 하지 않은 지가 이미 오래다. 만년에는 또 부인들에게 모두 화제(華制)에 따라 계(髻)를 올려 머리를 꾸미게 하고, 세속에서 이상하게 여기는 것도 혐의하지 않았다. 이는 전혀 화하(華夏)의 제도만을 써서 이적의 풍조를 모두 변화시키고, 집집마다 표창할 만한 풍속을 유도하려는 것으로 선생의 실지 뜻이었다.[90]

89) 『重峯集』 권4, 「東還封事」, 「六曰視朝之儀」. "戎蠻之人辮髮而左衽者, 無不禮見于御路."

90) 『宋子大全附錄』 권18, 「崔愼錄下」. "國內婦人及童子未冠者之辮髮, 皆胡俗也. 先生家童子之雙紒[卽雙髻]而不辮髮者, 業已久矣. 晩來又令婦人皆從華制而作髻爲首飾, 不以駭俗爲嫌, 蓋純用華夏, 盡變夷風, 馴致比屋可封之俗者, 實先生志也."

송시열의 제자 최신(崔愼)은 선생은 조정에 나가면 존주양이(尊周攘夷)로 급선무를 삼았고 가정에서는 화제(華制)를 따르는 것을 풍속 변화의 기초로 삼았다고 했다. 송시열은 가정에서 화제 즉 중화의 제도를 행하려면 먼저 변발(辮髮)의 제도를 바꾸는 것이 급선무라고 여겼다. 집안 부인들에게 모두 계(髻)를 하게하고 세상 사람들이 색다르게 바라보는 것도 꺼리지 않았다. 송시열의 이와 같은 화제 존중 사상은 조선후기 19세기 말에 이르기까지 기호 노론 학통에 있어서는 중요한 당론의 하나로 정착되었다.

병계 윤봉구는 우리나라 부인들의 변발제도를 고치기 위해 중봉 조헌이 동환봉사(東還封事)에서 변발을 고쳐 화계(華髻)를 따를 것을 청했지만 그 말이 시행되지 않았는데, 그 후에 우암 송시열이 효종을 따라 우리나라에 돌아온 숭정궁녀(崇禎宮女) 중에 굴씨(屈氏)가 전한 계제(髻制)[91]를 배워 가정에서 행하였다[92]고 하였다. 그러므로 윤봉구는 "내가 입론(立論)하니 종형제가 당장 이 계제(髻制)를 행하였다. 그러나 온 세상이 행하지 않기 때문에 부녀자들은 행하는 것을 매우 어렵게 여겼지만, 우리 집은 다년간 행해 왔다."[93]고 하였다. 그러면서 굴계(屈髻) 만드는 방식을 자세하게 소개하기도 하였다. 윤봉구뿐만 아니라 미호 김원행도 계(髻)의 양식은 송시열이 만든 방식을 따랐다.

> 계(髻)의 양식에 관해서는 내 생각도 정히 말씀한 바와 같네만, 사력(事力)이 미치지 못해서 우선 우옹의 가법에 따라서만 만들어 보았네. 비루한 변발(辮髮)이나 추계(椎髻)를 떼어 버리고 나면 그 위에 부착하는 것은 어떤 방식이든 간에 지탱해 줄 것이 하나만 있으면 전혀 무방하네. 이승헌(李承宣)이 구입한 것은 들어본 적이 없는 양식인데, 이미 얻었다면 종이로 본을 하나 만들어서 보여 주시겠는가.[94]

---

91) 이 제도를 屈氏가 전했다고 하여 선비들이 屈髻라고 일컬었다고 한다.
92) 『屛溪集』 권14, 「與權亨叔」. "重峯先生東還封事, 已言其鞮胡之俗, 道逢鞮女, 則辮髻之制, 一如我東云, 而請改辮髮, 以從華髻, 言不施矣. 其後尤菴先生得崇禎宮女之隨孝廟東還而在宮邸者屈氏之所傳髻制, 行之於門內."
93) 『屛溪集』 권14, 「與權亨叔」. "自壬午季間, 鄙人立論從兄弟行此髻制, 而擧世不爲. 故婦女行之甚難, 他家則卽還襲舊髻, 獨鄙家多季行之."

김원행은 부인들의 머리 양식 중에 변발이나 추계(椎髻)를 떼어 버리는 것을 우선으로 하였다. 변발은 가체(加髢)를 만들 때 머리를 땋아 올려서 꾸미는 방식이고, 추계는 상투를 머리 뒷부분에다 만드는 방법이다. 이것은 모두 오랑캐 여성들의 머리꾸미는 방식이다. 여성들의 머리 모습 중에 '체(髢)'라는 것은, 본래 『시경』에 "체(髢)를 할 필요가 없다[不屑髢也]."[95]에서 따온 것으로, 머리카락의 숱이 적으면 타인의 머리카락을 가져다가 보태어 꾸미는 것을 말한다.

이러한 형태가 유행하자, 조정에서는 부녀자들에게 가체를 금지하라는 명령을 내렸다. 그 이유는 가체는 몽고의 제도로 우리나라에서는 고려시대부터 사용한 것이기는 하지만, 부녀자들이 가체를 만들기 위해 많은 돈을 허비하며 사치스런 풍조를 조장하였기 때문[96]이라고 하면서, 그것이 몽고에서 비롯된 것은 따지지 않고 검소한 예제를 추구할 것을 주장했다.

역천(櫟泉) 송명흠(宋明欽)은 김원행에게 보낸 편지에서 "부인들의 가체를 금지하는 명령에 대해, 재물을 허비해서가 아니라 만이(蠻夷)의 풍속을 떨쳐내는 성대한 뜻인데, 지금에 변발과 추계는 반은 호속(胡俗)이고 반은 만속(蠻俗)"[97]이라고 하면서 적극 개선할 것을 주장했다.

녹문(鹿門) 임성주(任聖周)는 계제(髻制)도 고증할 수가 없고 족두리[簇頭里]도 어디서 유래하였는지 자세하지 않으나, 화제가 아닌 것은 분명하다고 하면서, 머리카락을 묶어서 계(髻)를 만들고 머리카락을 땋아서[辮髮] 머리를 두르는 이 두 가지 방법에서 화이(華夷)가 크게 구분되니, 머리 땋은 것을 묶는 것으로 바꾸는 것[98]이

---

94) 『渼湖集』 권4, 「答宋晦可」. "髻制愚意政如所諭, 又緣事力不逮, 姑只依尤翁家法而爲之. 旣去辮髮椎髻之陋, 則其上所着, 無問某製, 得一據則都無所妨. 李承宣所購, 其制未有所聞, 如已得之, 可以一紙裁成一本相示否."

95) 『詩經』 「鄘風」, 「君子偕老」. "검은 머리 구름처럼 많으니 체를 할 필요가 없도다.[鬒髮 如雲, 不屑髢也.]"라고 하였다.

96) 『영조실록』, 영조 32년 1월 16일(병자).

97) 『櫟泉集』 권6, 「與渼湖金兄」. "愚意去髢之令, 非爲惜費, 實出變夷之盛意, 則今此辮髮椎髻, 半胡半蠻."

98) 『鹿門集』 권10, 「答舍弟穉共(乙未六月)」. "髻制此亦未有所考, 簇頭里所自

옳다고 하였다. 임성주는 당시 나라에서 가체를 금지하고 족두리를 사용하라고 하였는데도, 그 유래가 불분명하기 때문에 화제가 아니라고 단정하였다. 그러면서 주자가 사용한 가계(假髻)를 수제(首制)로 하고 당의(唐衣)를 입는다면, 모두 옛 제도에 합해지지는 않지만 점점 합당한 예제에 나아갈 수 있다[99]고 하나의 대안을 제시하기도 했다.

근재(近齋) 박윤원(朴胤源) 역시 변발은 중화의 제도가 아니기 때문에 버려야 한다고 강하게 주장하였다.

> 고루하다! 변발은 중화의 제도가 아닌데 우리나라 사람들은 천여 년 동안 그것을 사용하면서 버리지 않는 것은 인습을 편안히 여긴 것이다. 지난 번 선왕조(先王朝) 정축년(영조33, 1757년)에 나라에서 가체 사용을 금지하였고, 창기(娼妓)나 노비들을 제외하고는 모두 족두리를 사용하게 하였다. 그러나 행한 지 8년 만에 다시 가체를 사용하였다. [중략] 우리나라 남자들은 머리에 중화의 제도를 사용하는데 부인들은 오직 오랑캐의 제도를 사용하는 것은 또한 무엇을 말하는 것인가? 진실로 화이(華夷)의 분별에 엄격하다면 인습 즐기기를 편안히 하겠는가?[100]

박윤원도 「동환봉사(東還封事)」의 '우리나라 부인의 수제(首制)는 오랑캐 여성과 같다'는 조헌(趙憲)의 말을 인용하면서, 우리나라 남자들은 모두 머리에 화제를 사용하고 있는데 부인들만 오직 호제(胡制)를 사용하고 있는 것을 개탄 하였다. 더구나 근세에는 사치가 더욱 심해져 다리[加髢] 모양이 더욱 높아져서 백성들의 재물을 소모시키고 풍속을 망치게 한다고 하면서 가체의 문제점을 지적하였다. 또 박윤원은 "일이 의리에 해되지 않

來亦未詳, 而其非華制則明矣. [중략] 大抵束髮爲髻與辮髮繞頭此二者, 乃華夷大分, 苟能改辮爲束則斯可矣."

99) 『鹿門集』 권10, 「答舍弟稺共(乙未六月)」. "若以今用假髻爲首制, 而又令常著唐衣, 則雖未 能一一合古, 亦可爲至魯之政矣."

100) 『近齋集』 권22, 「髢說」. "辮髮非中華之制, 而東國人用之千餘年, 莫能去之者, 安於因襲也. 嚮在先王朝丁丑, 禁國中勿用髢, 除娼妓私婢外, 皆用簇頭里. 行之八年, 復用髢. 「중략」我國男子, 頭戴用華制, 而婦人獨用胡制, 抑又何謂也? 苟嚴於華夷之辨, 則其肯安於因襲乎?"

으면 풍속을 따르는 것이 옳다는 정자의 말이 있지만, 지금에 풍속을 따르려고 하면 사치스런 풍속을 숭상하게 되고 오랑캐의 제도를 사용하게 되니 의리에 해가 된다"[101]고 하면서 변발 제도를 버릴 것을 주장하였다.

홍직필은 "『주례』에 '왕후의 수복(首服)은 복(副)와 편(編)[102]으로 하였다'라고 하였는데, 편은 머리카락을 꼬아서 만든 것으로 이 또한 가계(假髻)이니, 가계는 섭성(攝盛)[103]하는 것이다."고 한 것을 예로 들면서, 주공도 체(髢)를 사용하였고, 주자도 가계(假髻)를 사용한다고 하였으니 가계는 중화의 제도라고 주장하였다. 그러나 그 제도를 너무 크게 높이는 것은 옳지 않다[104]고 하였다.

즉 다시 말하면 가계를 하는 것이 중화의 법도이기는 하지만, 크게 만드는 것은 사치와 화려함을 숭상함이 되기 쉽기 때문에 경계한 것이다. 그리고 여성들의 머리에 쓰는 화관(花冠)에 대해서도, 옛날에 노봉(老峯) 민정중(閔鼎重)이 구입해 온 것과 우암 송시열이 사용한 것은 중화의 제도라고 확신하였다. 그러나 요즘 시속에서 사용하고 있는 화관은 중화의 제도가 아니므로 개선하는 것이 옳다고 주장하였다.

홍직필은 변발의 누추함을 제거하고 중화의 바른 제도로 돌아가려고 한다면 고례를 따라서 머리카락을 전부 묶어 올려 한 가운데에다 계를 만

---

101) 『近齋集』 권22, 「髢說」. "或曰擧世行之則可, 而世皆不行, 我獨行之, 得非違於大同乎? 余曰不然. 程子云, 事之無害於義者, 從俗可也. 今欲從俗而崇侈風, 用胡制, 果非害義乎?"

102) 副와 編: 부인의 머리를 꾸미는 복식이다. 부인들의 머리를 꾸미는 방식에는 세 가지가 있는데, 첫 번째는 副이고, 두 번째는 編이고, 세 번째는 次이다. 이에 대해 鄭玄이 설명하기를, "'副'는 '覆'이라는 말로, 머리를 덮어씌우는 것으로 꾸밈을 삼는데, 남아 있는 모습이 마치 지금의 步繇와 같은 것이다. 編이라는 것은 머리카락을 땋아 만드는데, 남아 있는 모습이 지금의 假髻와 같은 것이다. 次라는 것은 머리카락의 길고 짧음을 차례대로 하여 만드는데, 이른바 髲鬄라는 것이다[副之言覆, 所以覆首為之飾, 其遺象若今步繇矣. 編, 編列髮為之, 其遺象若今假紒矣. 次, 次第髮長短為之, 所謂髲髢.]."라고 하였다. 『儀禮注疏』 권2, 「士昏禮」

103) 攝盛: 고대에 혼례를 치를 때에 사용하는 수레나 복식의 등급을 평소보다 한 등급 올려서 성대한 예식임을 보이던 일을 이른다.

104) 『梅山集』 권15, 「答李穉舒(正觀)」. "周公用髢, 朱子用假髻, 苟其非禮, 而周公朱子爲之哉. 但不當高大其制, 如漢宮中之爲耳."

들고 비녀를 꼽는 것이 마땅하다[105]고 하였다. 그러나 나이가 들어서 머리가 다 벗겨지거나 혹은 나이가 젊더라도 머리숱이 적은 자의 경우는 모아서 묶을 수가 없으니, 그럴 경우 부득이 가계를 사용하지 않을 수 없다고 하였다.

이는 부인의 성대한 복장은 남자와 다르기 때문에 순전히 자기 머리카락으로만 꾸밀 수는 없기 때문이다. 그러므로 남의 머리카락을 가져다가 자신의 머리에 올리는 것이 마땅하지는 않지만, 융통성을 발휘하여 적절하게 대처할 것을 주장한 것이다. 즉 타인의 머리카락을 사용하더라도, 머리 모양을 만드는 형태만은 중화의 제도를 사용해야 한다는 주장이다.

고산(鼓山) 임헌회(任憲晦)도 이인양(李寅陽)에게 답장한 편지에 변발이 오랑캐의 제도임을 분명하게 말했다. 이인양은 변발이 단군에서부터 시작되어 마침내 우리나라 고유의 풍속이 되었으니 사용해도 괜찮지 않느냐고 묻자, 임헌회는 우리나라는 본래 스스로 동이(東夷)라고 칭하였으니 변발이 단군에서부터 시작되어 우리나라의 풍속이 되었지만, 오랑캐의 제도가 아니라고는 말할 수는 없다[106]고 하였다. 이는 비록 우리 고유의 문화라고 하더라도 그것이 이미 화제가 아닌 오랑캐의 제도라고 판단될 경우는 마땅히 개선해야 할 대상으로 간주한 것이다.

임헌회의 주장은 중화의 예제가 우리 고유의 풍속보다도 더 우선한다고 생각했다. 이렇듯이 변발제도를 오랑캐의 풍속이라고 간주한 것은 역시 우암 송시열의 주장을 그대로 계승한 것이다. 송시열은 일찍이 처음으로 동자에게 계(髻: 쌍상투)를 하게하고 부녀들에게도 계(髻)를 하도록 권장한 바 있었다. 임헌회는 심지어 자신의 어린 아들이 중화의 제도인 쌍상투를 하겠다는 말을 듣고 기뻐하며 글을 지어 주기도 하였다.

> 아이 간득(艮得)이 올해 다섯 살인데 어른으로부터 따라 쌍상투[雙髻]가 화제(華制)이고 변발이 이제(夷制)라고 하는 말을 듣고 곧 쌍상투를 하였고 억지

---

105) 『梅山集』 권15, 「答李穉舒(正觀)」. “今欲去辮髮之陋, 歸華夏之正, 則當遵古禮斂上全髮, 當中作髻而笄之.”

106) 『鼓山集』 권7, 「答李寅陽」. “辮髮, 來諭以爲自檀君爲始, 遂成東俗, 至引孔子居魯縫掖, 居宋章甫, 以未爲不可爲教. 雖似然矣, 東國自是東夷, 則恐不可以自檀君爲始, 遂成東俗, 而 謂非夷制也.”

> 로 머리를 땋아 주려고 해도 굳이 듣지 않았다. 오랑캐의 돈을 손으로 만지지도 않았는데, 혹자가 굳이 주면 땅에다 내던지고 멀리 달아나 버렸다. 어른이 그것을 가져오라고 명령하면 문득 송곳으로 그 엽전 끈을 꿰어서 바쳤다. 그러므로 어른들이 농담으로 대명처사(大明處士)라고 부르면 사양하지 않고 스스로도 그렇게 칭했다. 그는 젖냄새 나는 어린아이에 불과하거늘 어찌 화이(華夷)의 분별을 알겠는가? 특별히 병이(秉彛)가 있기 때문이니 이 마음을 확충시키면 의리가 다함이 없을 것이다.[107]

위의 인용문은 임헌회가 아들 간득(艮得)에게 『천지간문자(天地間文字)』라는 책을 주면서 책 뒷면에다 써 준 글이다. 어린 아들이 화제(華制)인 쌍상투 하기를 좋아하고 오랑캐 돈[胡錢]을 주면 받지 않는 등의 대견스런 행동을 보고 중화의 제도가 다시 회복되리라는 기대를 한 것이다. 임헌회는 스스를 '대명처사(大明處士)'라고 자처할 정도로 중화제도를 흠모하였다. 그는 아이의 이러한 행동이 누군가가 시켜서 한 것이 아니라, 병이(秉彛)의 떳떳한 본성에서 저절로 비롯된 것이라는 인간 내면의 본성까지 거론하면서 중화제도의 정당성을 주장 하였다.

간재(艮齋) 전우(田愚)는 고려 원종(元宗)이 종사를 보존하기 위한 계책으로 변발하고 호복(胡服)을 입었던 사례를 언급하면서, 이것은 선군(先君)에게 큰 죄를 얻은 것[108]이라고 지적하기도 하였다. 그러나 전우는 원종이 자국(自國)의 신민들에게는 오랑캐 풍속을 따르지 말라고 한 것에 대해서는 안타까운 마음을 표했다. 전우의 이 말은 구한말 우리나라의 정치 현실을 그대로 빗대어서 표현한 것이다.

우리나라에서의 변발 제도는 이미 고려시대부터 시작되어 조선시대를 거치면서 민간의 풍속으로 굳어진지 오래되었다. 그러나 이것이

107) 『鼓山集』 권9, 「書天地間文字卷後 示艮兒」. "兒子艮得, 年今五歲, 從長者, 聞雙髻爲華, 辮髮爲夷之語, 便卽爲髻, 强辮之, 堅不聽. 手不近胡錢, 或固與之, 擲地哭而遠走, 長者命持來, 則輒用錐, 貫其索而獻之. 長者戲呼以大明處士, 則不辭而自稱. 渠不過口乳臭小兒耳, 夫焉知華夷之辨? 特以秉彝而有此, 苟能擴而充之, 義不可勝用矣."

108) 『艮齋集前編』 권4, 「答李友明」. "高麗元宗, 辮髮胡服, 雖爲宗社計. 然其得罪先君, 則大矣. 但其不許臣民從胡俗, 則其志亦可悲也."

오랑캐의 제도라고 문제를 제기한 것은 16세기 후반부터지만 본격적으로 이 문제를 심각하게 다루기 시작한 것은 18세기부터이다. 물론 이는 송시열이 제기한 화이론의 영향을 깊게 받았기 때문이다. 뿐만 아니라 16세기 당시에는 국가 전례인 복제논쟁과 같은 큰 주제에 집중한 나머지 변발과 같은 자잘한 절차는 미처 깊이 다루지 못한 것에 연유한 것이기도 하다.

19세기에 와서는 변발뿐 아니라 의복제도에 이르기까지 중화의 제도에서 어긋나는 것은 과감하게 배척하려고 하였다. 19세기 낙론의 종장인 매산(梅山) 홍직필(洪直弼)은 우리나라의 의관문물 제도의 성대함을 자랑하면서도 한편으로 아직까지 개선되지 않은 부분이 있다고 지적하였다.

> 선왕이 예를 제정할 적에 의장(衣章)과 용모 꾸미는 것을 절실하게 했던 것은 오랑캐와 짐승을 구별하기 위해서였습니다. 우리나라의 의관문물은 한결같이 중화를 따랐으니 왕 노릇할 자가 나온다면 반드시 와서 모범으로 삼을 것입니다. 그러나 유독 부인의 복식은 아직도 달자(㺚子: 元)가 남긴 풍습을 따라서 머리카락은 땋아서 돌리고, 상의(上衣)는 소매가 좁은 짧은 저고리를 입고, 하의(下衣)는 군상(裙裳)을 입습니다. 만일 화이의 분별을 엄격히 한다면, 어찌 차마 오랑캐의 풍습을 고집하여 그대로 따르면서 구차히 지내고 올바른 풍습으로 돌아가지 않을 수 있겠습니까. 109)

109) 『梅山集』 권15, 「答李穉舒(正觀)」. "先王制禮, 切切乎衣章容飾, 所以別於夷狄禽獸也. 吾邦衣冠文物, 壹遵中華, 有帝者作, 必來取法. 而獨婦人服飾, 尚襲㺚子之餘, 辮髮繞首, 窄袖短衣, 而下施裙裳, 苟嚴於華夷之辨, 則可忍漸染膠固, 因循苟然, 而不反之正乎?"

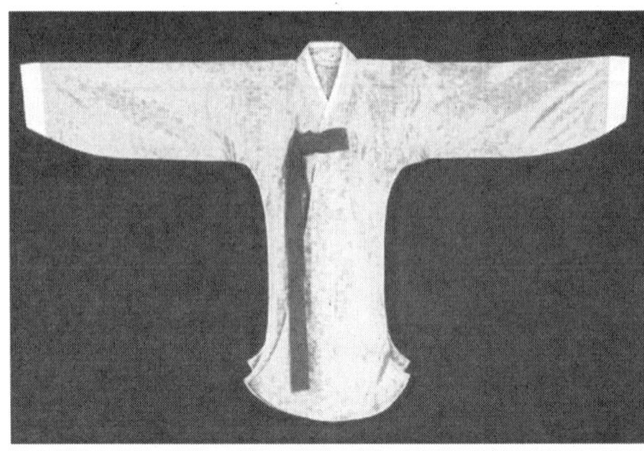

사진_36 <당의> 출처: 온양민속박물관

사진_37 <원삼> 출처: 한중연

사진_38 <장오[장옷]> 출처: 한중연

홍직필은 요즘 여성들의 복식이 오랑캐의 복식을 닮아 소매는 좁고 저고리 길이는 매우 짧아졌다고 지적하였다. 조선초기에는 여성들의 복장이 이와 같지는 않아서 중화의 예제에 합당하였는데 후세로 내려오면서 점점 이와 같은 형태로 모습이 변모한 것이다. 홍직필은 이적(夷狄)의 제도로 변하는 것을 경계하며 과거의 성대한 우리의 의복제도를 본받아 회복할 것을 주장했다.

홍직필은 부인의 의복제도 중에 조복(朝服)과 제복(祭服)의 복식은 시대마다 그 제도가 다르지만, 상의(上衣)와 치마를 달리 하지 않는 것은 똑같다고 지적하면서, 남녀가 길흉에 통용하여 입는 심의(深衣)의 제도를 참고하여 사용할 것을 주장하였다. 그리고 짧은 의상(衣裳)은 평소 생활 복으로 입어 온 지가 이미 오래되어 갑자기 바꾸기는 어려우니, 저고리 제도를 조금 키워 예복의 제도를 따르게 하여 복식이 요망스럽지 않게 하는 것[110]을 대안으로 제안 하였다. 평상복으로는 시속에서 입는 당의(唐衣)·원삼(圓衫)·장오(長襖) 등 세 종류가 중화의 제도에 가깝기 때문에 사용하는 것이 좋다고 하였다. 그렇다고 하여 너무 옛 제도에만 집착하여 변통하지 않는 것은 온당하지 못하다는 견해도 덧붙였다.

한편 임헌회는 자녀를 혼인시킬 때에 서양목(西洋木)을 사용하지 말 것도 주장하였다. 서양 베는 임금도 없고 아비도 없는 금수의 땅에서 나온 것으로 평소에도 몸에 가까이해서는 안 되는데, 어찌 인륜의 시작인 혼례에 사용할 수 있겠냐고 개탄했다.[111] 이처럼 임헌회는 우리의 일상생활의 전반에 걸쳐 중화의 제도가 아니라고 생각되는 것들은 스스로가 모두 중화의 제도로 바꾸려고 하였다. 임헌회가 주장한 화이론(華夷論)은 그의 제자 간재 전우에게로 전수되어졌다.

살펴보았듯이 18~19세기 기호학파에서는 화이론에 바탕한 중화예제를 더욱 주장하며, 국가와 개인 모두가 중화의 제도가 아닌 것은 제거하여 중화에 근거한 예제가 세상에 시행되기를 희망했다. 이러한 사상은 우암 송

110) 『梅山集』 권15, 「答李穉舒(正觀)」. "短衣裳秖堪作燕居之褻服, 而行之已久. 久則難變, 宜稍大襦制, 用承禮服, 不歸於服妖已矣."
111) 『鼓山集』 권4, 「與申汝綏(光奎)」. "至於西洋木, 出自禽獸無君無父之地, 平時猶不可近身, 况婚姻所以正始乎?"

시열이 주장한 존화양이 사상에 근거한 것은 두말할 나위가 없다. 그러나 송시열의 시대보다 18~19세기에는 화이론을 강화하는 분위기가 훨씬 강했다. 이들은 북벌과 같은 거대담론으로 중화를 주장하는 것이 아니라, 소소한 우리의 일상에 깃들은 문제들까지도 중화의 예제로 돌이키려고 하였기 때문이다.

19세기 말에는 앞 시대보다 더 화이론적 분위가 강조되었는데, 전우는 국가에서 의제개혁을 추진한다는 명령이 내려졌을 때, "조정이 오랑캐에게 핍박을 당하여 억지로 이러한 제도를 시행하고 있다."고 하면서, 더욱 춘추의리에 입각한 세도(世道)를 부지할 것을 주장했다. 당시 19세기 기호학자들은 혼란한 사회현실 앞에서 그들이 평생 믿고 실천해 온, 화이론에 입각한 중화적 삶만이 총체적 난국을 극복할 수 있다고 확신하였던 것이다

7

결론

조선시대 예학은 성리학의 사상적 심화 및 사회적 확산과 궤를 같이 하여 발전 심화되었다. 16세기 중반 퇴계(退溪)와 고봉(高峯)의 사칠논변(四七論辨)을 계기로 촉발된 성리학에 대한 치열한 담론은, 17세기에 들어 주자학에 대한 정밀한 연구와 탐색으로 이어졌고, 이는 주자학을 근간으로 하는 이른바 '조선성리학'의 큰 조류를 형성하여, 주자성리학의 실천규범인 『가례』는 더욱 중시되었다. 한편으로 왜란과 호란을 겪으면서 이산(離散)된 민심은 가문과 동족의 결속과, 지역 사족 간의 유대 강화를 절실히 요구하게 되었다. 이에 따라 동족부락이 발달하고 학문의 사승을 통한 사족 간의 연대를 강화하면서, 이들의 결속을 유지 담보할 수 있는 장치로써 예학에 대한 연구는 더욱 정밀하게 심화되었다.

이러한 관점에서 본고는 18~19세기의 기호 예학가들의 예설을 시대별 학단 별로 통관(統觀)하여 거기에서 중요하게 다루어진 몇 가지 주제와 논례 성향을 토대로 기호 예설의 특징적인 면모를 드러내려고 시도하였다. 지금까지 논의한 내용을 요약하면 다음과 같다.

제2장과 제3장에서는 18~19세기의 기호 예학가들을 각 시대와 학파 별로 예학 논의의 중핵(中核)을 이룬 몇몇 특정 예학가를 중심으로 그들의 사승관계와 주요 예서 및 예설을 개관함으로써, 이 시기 기호 예학가들의 주요 관심사와 그 저술의 규모와 성과 및 대체적인 경향을

드러낼 수 있었다.

제2장에서는 18세기 기호 학단을 호론계 학단과 낙론계 학단으로 대별하고, 학단을 이루지 못한 소수의 인물들은 기타 예학가로 분류하여 살펴보았다. 호론계 학단에는 남당(南塘) 한원진(韓元震)·병계(屛溪) 윤봉구(尹鳳九)·운평(雲坪) 송능상(宋能相) 학단 등이 예설 논의의 중심을 이루었고, 낙론계 학단에는 도암(陶菴) 이재(李縡)와 미호(渼湖) 김원행(金元行) 학단 등이 예설 논의의 중심을 이루었으며, 그 밖의 예학가로는 김간(金榦)·김종후(金鍾厚)·오재능(吳載能)·김정묵(金正默)·조진구(趙鎭球) 등이 주목할 만한 예서를 편찬하거나 예설을 제기하였다.

먼저 18세기 호론 계열을 대표하는 선두에는 남당 한원진 학단이 있었다. 권상하의 적전으로 알려진 한원진은, 예설에 있어서도 권상하의 학설을 충실히 계승하여 옹호하였는데, 그의 일부 예설은 한편으로 녹문(鹿門) 임성주(任聖周)등 낙론 학자의 비판을 받아, 예설 해석에 있어서 호론과 낙론 간의 미묘한 입장 차이를 드러내었다. 호론 계열의 윤봉구는 대보단 제향에 신종과 의종의 위차를 논변하여 밝혔고, 효순현빈(孝純賢嬪)의 국상복제 문제 및 장자삼년복(長子三年服)에 대한 견해를 피력하는 등, 국가전례의 논의에 적극적으로 참여하였다. 윤봉구의 문인 김규오(金奎五)는 『상례비요』를 면밀하게 검토하여 의문점을 해결하는 데 주력하였고, 윤건후(尹健厚)는 그의 조부 윤봉구를 비롯하여 송시열과 권상하의 예설을 수집분류한 『삼암의례집략(三菴疑禮輯略)』을 편찬하여 호론 예학의 정통성을 입증하려고 노력하였다.

그런데 송능상과 송환기는 당시 호론 계열의 산림으로 추앙받으면서도 국가의 전례 문제에 대해서는 일체 답변을 피하는 등 다소 경직된 면모를 보여주었는데, 이들이 송시열의 직계 후손이라는 점에서 볼 때, 17세기 예송논쟁의 여파가 이들에게 아직 남아 있음을 보여 주는 것이다. 송능상은 한편 『상례비요』의 문제를 제기한 「상례비요지두사기(喪禮備要紙頭私記)」를 저술하여 학계에 큰 논란을 일으켰는데, 이는 호론 학단과 낙론 학단이 예설에 있어서 일단의 차별성을 드러낸 대표적인 사례라 할 수 있다. 호론 학단은 대체로 권상하의 학설에 근거하여 예설을 입론하려는 경향이 강하였는데, 특히 한원진에게는 그러한 경향이 많이 나타나고 있었다. 전반적으로 이들 호론 학단의 예설은 이미 수립된 기존의 사설(師說)을 고수하려는 경직된 모습을 보이고 있다.

낙론 계열에서는 도암 이재 학단이 18세기 전반에 걸쳐 가장 성황을 이루었다. 이재 학단은 낙론 학단 중에서도 가장 많은 예학가들이 배출되었는데, 그중에서 박성원(朴聖源)·송명흠(宋明欽)·임성주(任聖周)·김원행(金元行) 등이 모두 예서 및 예설에 대한 저술을 남길 정도로 활발하게 활동하였다. 이재의 예론(禮論) 입장은 예(禮)를 '리(理)의 소통'으로 보고 갖가지 변례 문제들을 유연하게 정리하려는 경향을 보였다. 이러한 입장은 이후 낙론 계열 예설의 기본 노선의 하나로 자리매김하였다고 볼 수 있다. 이들은 국가의 전례 문제에도 적극적으로 참여하여 자신들의 견해를 관철시키려고 노력하였다. 이재의 적통을 계승한 미호 김원행은 사우(師友)들과 수많은 예설 문답을 주관하며 18세기 후반기 낙론계의 중추적 역할을 담당하였다. 김원행과 그의 문인 황윤석(黃胤錫)과 조유선(趙有善) 등은 특히 국가의 전례 문제에 많은 견해를 제출하며 당대 예론을 주도하였다.

18세기 기타 예학가로 거론한 김간(金榦)·김종후(金鍾厚)·오재능(吳載能)·김정묵(金正默)·조진구(趙鎭球) 등은 모두 예학사에 비중 있는 학자들이다. 이들은 각각 예서를 편찬하였는데, 그 예서들을 살펴보면 한결같이 송시열의 학통을 따르고 있음을 확인할 수 있다. 이들 예서들은 대체로 고증류(考證類)와 행례서류(行禮書類)가 많아, 『가례』를 절대적 준거로 삼는 기호 예학의 한 조류를 보여 주고 있다.

제3장에서는 19세기 기호 학단을 호락(湖洛) 학단과 신진(新進) 학단 및 기타 예학가로 구분하여 살펴보았다. 19세기 호락 학단에서는 홍직필(洪直弼)·송병선(宋秉璿)·전우(田愚) 학단 등이 예학 논의의 중핵(中核)이 되었다. 19세기 전반기에 홍직필은 당대 낙론의 정맥을 계승하여 많은 문인들을 배출하였는데, 그의 적통을 계승한 임헌회(任憲晦)를 비롯하여 소휘면(蘇輝冕)·심의덕(沈宜德)·한운성(韓運聖) 등은 특히 예설에 있어서 매우 활발하게 의견을 개진하였다. 홍직필은 국가의 전례 문제에 대해 매우 적극적으로 자신의 예학적 견해를 표명하여 당시 집권층 사대부로서의 역할을 담당했다. 그의 논례(論禮) 경향은 인혁(因革)을 중시하여 유연한 자세로 예의 이치를 실현하고자 하였다.

송병선(宋秉璿) 학단은 학맥으로는 호론 계열에 속하지만, 낙론계와도 친밀하게 학문 교류를 전개하였다. 송병선 학단에서는 송병순(宋秉珣)의 『사례축식(四禮祝式)』, 박문호(朴文鎬)의 『사례집의(四禮集儀)』, 김재홍(金在洪)의 『상변축사유집(常變祝辭類集)』 등이 편찬되었다. 이 예서들은 모두 『가례』를 준거로 하여 『가례』에 명시되지 않은 세밀한 행례 규범을 정의하여, 관혼상제의 행례에 편리하게 대처하기 위한 지침서이다. 19세기에는 대체적으로 주자의 『가례』를 준거로 하여 『가례』에 명시되지 않은 축문(祝文)과 홀기(笏記) 등의 시행 지침을 제공하는 예서가 다수 저술되었는데, 송병선 학단에서 이러한 경향을 잘 보여 주고 있다.

19세기 말에서 20세기 초에 걸쳐 활발하게 활동한 간재(艮齋) 전우(田愚) 학단은 낙론 계열의 학단이다. 전우 학단에서는 복제 논의 및 학교례(學校禮)와 관련한 예설이 많이 나타난다. 전우는 송시열의 복제설(服制說)을 여러 예학가들의 설과 종합적으로 검토하고 고찰하여 송시열 예설의 정통을 계승하고자 하였다. 18~19세기의 기호학자들에게서 학교례에 대한 규정이 자주 나타나는데, 이러한 경향은 20세기 초 전우의 문인들에게도 그대로 이어졌다.

또한 기호학파에서는 19세기에 들어 기존의 학통과 다소 거리가 먼 새로운 학단이 등장하였다. 이 가운데 화서(華西) 이항로(李恒老) 학단은 송시열의 춘추대의에 바탕한 위정척사(衛正斥邪) 사상을 학문의 핵심으로 삼아, 천주학(天主學)을 비판하고 기존의 『가례』에 근거한 예속을 옹호 보수하는 데 전력을 기울였다. 이항로 학단은 타 학단에 비해 학교례(學校禮)에 관한 저술이 가장 많다. 이것은 당대의 위태하고 불안한 정국을 강학 활동을 통해 극복하고자 한 것으로 볼 수 있다. 이 학단의 계승자인 유중교(柳重教)의 10여 편의 강학 규범들은 뒷날 유인석(柳麟錫)의 '의병규칙(義兵規則)'과 '관일약(貫一約)'으로 계승 발전되어 의병활동을 체계적으로 이끌고 유지하는 데 크게 활용되었다.

호남 지방에서 굴기한 노사(蘆沙) 기정진(奇正鎭) 학단 역시 19세기 중반 외세의 침략에 대응하여 위정척사의 사상에 입각하여 강학 활동에 전념하였다. 최숙민(崔淑珉)의 강약(講約) 의절과 제례의 규약, 정재규(鄭載圭)의 학규(學規)와 심의(深衣) 제작법, 기정진의 손자 기우만(奇

宇萬)의 상제례에 관한 여러 예설 문답 등에서는 변혁기에 처한 당대 현실에서 기존의 『가례』에 준거한 예속 규범을 보수 유지하려는 노력을 엿볼 수 있다.

이밖에도 송준길(宋浚吉)의 7세손 송래희(宋來熙), 조유선(趙有善)의 문인 우덕린(禹德麟), 박지원(朴趾源)의 손자 박규수(朴珪壽) 등 9명도 모두 기호학파를 계승한 학자들로서 예서를 편찬하였다. 편찬한 예서들은 대부분은 행례에 편의를 제공하기 위한 것으로, 주로 상례와 제례에 집중되어 있다. 역시 변혁기에 기존의 예속을 보수 유지하기 위한 기호(畿湖) 유림(儒林)의 고심을 보여 준다. 이들이 편찬한 예서들은 모두 일상생활에 『가례』의 규범을 준행하기 위한 것으로서 그 의미가 적지 않다.

제4장에서는 국가전례의 주요 논제를 왕실복제(王室服制)의 논란, 국상의절(國喪儀節)의 개정, 대보단제향(大報壇祭享)의 논의, 의제개혁(衣制改革)의 갈등 등 네 가지로 요약하여 고찰하였다.

단의빈의 복제 논쟁에서는 기년복을 주장하는 낙론 학자와 대공복을 주장하는 호론학자 사이에 약간의 견해 대립이 나타났고, 효장세자의 국상에는 계체(繼體)를 중시하는 소론 계열 학자의 주장에 맞서 호론과 낙론의 노론 계열 학자들은 이구동성으로 친속(親屬)을 중시하는 견해를 주장함으로써, 학파와 당론간의 대립과 결속 양상을 보여주었다. 영조의 장자부(長子婦)인 효순현빈(孝純賢嬪)의 국상에서는 국왕인 영조의 기년복 주장에 맞서 기호학자들이 연합하여 대공복을 주장함으로써, 국가 전례 문제에 있어서 왕의 절대 권위에 기호학자들이 공동으로 연합하여 대응하는 모습을 보여 주었다.

국상의절의 개정 문제에 있어서도 조조례(朝祖禮)의 시행 여부를 둘러싸고 기호학자들은 국왕과 대립하였으나 영조는 정식화하였고, 정조는 다시 이를 폐지함으로써 강력한 왕권 앞에 기호 예학가들의 주장은 끝내 관철되지 못하였다. 이는 기호 예학가들이 꾸준히 국가전례 문제에 관여한 대표적인 사례들이지만, 절대 왕권 앞에서 이들의 전례 논의가 가지는 한계를 보여 준다 할 것이다.

대명의리(大明義理)의 상징인 대보단(大報壇)의 건립은 숙종과 노론

집권층 사대부들의 정치적 이념이 합쳐서 이룩된 결과물이다. 즉 우암 송시열의 유지를 받들어 권상하의 주장으로 건립된 만동묘(萬東廟)가 기호 사림들의 사적인 숭명배청의 공간이었다면, 대보단은 국왕의 명으로 건립된 공식적인 존주대의의 공간으로서 조선후기 기호학파의 사상을 응집시키는 데 크게 기여하였다. 이러한 존주대의 사상이 안고 있는 문제가 없는 것은 아니지만, 조선말기 일본의 침략을 당해서는 다시 위정척사의 정신으로 전화(轉化)하여 항일운동(抗日運動)의 사상적 기저가 되었던 점은 간과해서는 안 될 것이다.

끝으로 조선말기에 이르러 개화파의 추동에 의해 진행된 의제개혁은, 존화양이(尊華攘夷) 사상에 입각하여 『가례』에 근거한 기존 예속을 보수 옹호하는 데 전력을 집중하고 있었던, 조선 예학가들의 공통적인 입장과 정면으로 배치되어 큰 갈등을 야기하였다. 이에 대응하여 기호 예학가들은 하나같이 의제개혁을 반대하였는데, 유중교(柳重教)·최익현(崔益鉉)·송병선(宋秉璿)·전우(田愚) 등은 죽음을 불사하고 철회할 것을 주장했다. 그러나 소중화(小中華)를 자부하며 고수하려했던 기호 예학가들의 예속 문화는 더 이상 국가 권력의 비호를 받을 수 없는 위기에 처하게 되었다. 뿐만 아니라 기호 예학은 조선왕조 후기의 국가전례 논의를 주도하였던 예학적 위상은 마침내 해체되고 말았던 것이다.

제5장에서는 기호 예학가들의 사족예제(士族禮制)에 대한 논의가 『가례』의 보정(補正), 행례규범(行禮規範)의 정세화(精細化), 예설(禮說) 변통의 전범(典範) 수립이라는 세 가지 논제의 관점에서 수렴되는 것으로 보고 이를 나누어 고찰하였다.

기호학자들은 주자의 『가례』를 만세통용의 예의 규범으로 간주하고 주자의 다른 저술에 근거하여 이를 보정하기 위한 노력을 꾸준히 전개하였다. 여기에는 『가례』에 명시되지는 않았지만, 주자의 다른 저술에 보이는 학설을 유추하여 보완하거나, 주자의 예설이 서로 상충되는 경우에는 만년설(晩年說)을 정론으로 채택하고, 주자의 예서에 보이지 않는 경우에는 우암 송시열이 주자의 정설이라고 판단한 학설을 정론으로 채택하는 등의 몇 가지 사례가 나타났다. 이러한 『가례』 보정의 방식은 주자학을 조선성리학의 근간으로 확신하였던 기호 예학가들의 예학

논의에서 피할 수 없는 확고한 입장이 반영된 것으로 보인다.

한편으로 기호 예학가들은 『가례』에 명시되지 않은 예의 규범을 보다 정세하게 강구하는 일련의 경향을 보여 주었다. 가의(家儀)와 강규(講規) 등에 나타나는 이러한 현상은 세밀한 예제 규정을 통하여 자신을 규율하고 가정과 사회의 풍속을 교정하려는 규범적 사고의 실천이라 할 수 있다. 이러한 규범적 사고의 실천은 특히 19세기 강학 규범에서 잘 나타난다. 이는 외세문화로부터 자신들을 지키고 향촌 사회의 전통문화를 수호하기 위하여 집안과 문중 그리고 향촌 사회의 공동체 내부의 결속을 다지기 위한 고심에서 비롯된 것으로 보인다.

낙론 예학가들의 저술에서는 예설 논의에서 중핵을 이루었던 사승과 관련된 예설들을 수집 분류하여 해당 학단 고유의 예설 전범으로 삼으려는 경향이 두드러지게 나타났다. 이는 『가례』를 준거로 예제를 적용하는 과정에서 나타나는 각종 변례에 대해 제기된 탁월한 선배 예학가의 견해를 새로운 하나의 전범으로 삼기 위한 것이다. 또 이를 통해 사승(師承)을 존중함으로써 자가(自家) 예학의 정통성을 확보하려는 의도를 담고 있다고 하겠다.

제6장에서는 지금까지 살펴본 18~19세기 기호학자들의 논례에 나타나는 공통적인 성향을 세 가지 측면에서 요약하여 논하였다. 먼저 『가례』의 준행은 조선조 학자들이 시대와 학파에 관계없이 두루 강조하였지만, 특히 기호 예학가들은 주자의 『가례』를 다른 어떤 예서보다도 우선하여 절대적으로 존신(尊信)하는 성향이 있었다. 『가례』의 절대적 존신은 심지어 『가례』 실천을 법령으로 정하여 준행하도록 하자는 강경한 발언을 하는 이가 있을 정도로 중요한 의제였다. 이러한 『가례』 존신은 조선사회에 중화예제를 복원해야 한다는 의미로까지 전개되었다.

다음으로 18~19세기 기호 예학가들의 예설에는 '선현정론(先賢定論)'을 채택함에 있어서 호론 계열에서는 자가 학파와 학단에 한정되는 경향이 있음에 반하여, 낙론 계열의 예설에서는 학파와 학단을 넘어 다소 유연한 태도를 견지하였다. 그럼에도 사계 김장생과 우암 송시열과 남계 박세채의 예설은 시대와 학파와 학단에 관계없이 하나의 굳어진 전범이 되었다. 이 세 학자의 예설은 18~19세기 기호 예학가들에게 변례를 판단하는 준거가 되었던 것이다.

기호 예학가들이 다른 지역이나 여타 학파의 예설과 크게 구별되는 특징의 하나는 화이론(華夷論)에 바탕한 예제를 적용하려는 성향이 강하였다는 점이다. 이들은 축문에 사용되는 글자나 일상의 사소한 의발(衣髮) 제도까지도 중화예제를 적용시키고자 하였다. 특히 19세기 말 기존의 예속이 크게 동요하는 난국을 당하여 기호학자들은 그들이 평생 믿고 실천해 온, 중화의 예제를 실행하는 것이 총체적 난국을 극복할 수 있는 유일한 방법이라고 확신하였던 것이다. 이는 사실상 조선왕조의 절대적인 지지 아래 지속되었던 『가례』의 실천을 통한 풍속 교화가 새로운 시대를 당하여 적응하지 못하고 좌초된 결정적인 이유라고 할 것이다.

위에서 요약한 바와 같이 18~19세기 기호 예학가들의 예설은 조선후기 정치권력의 주도권과 근접한 당시 학계의 주류 예설로 국가전례(國家典禮)나 사대부 사족예제(士族禮制)의 정립에 결정적인 영향을 끼쳤음을 확인할 수 있었다. 이들의 학문사상은 대체적으로 송시열이 주창한 '존주자(尊朱子)'와 '존화양이(尊華攘夷)' 사상을 철저히 고수하였다. 이후 이러한 경향은 기호학자들의 예설 논의에도 그대로 적용되어, 모든 예제는 『가례』를 중심에 두고 판단하려고 하였다. 이 과정에서 변례(變禮)를 다룬 많은 예설류(禮說類) 서적이 편찬 간행되었으니, 기호학자들이 『가례』에 근거한 주자학적 예학의 천착(穿鑿)에 공헌한 바는 매우 지대하다고 할 수 있다. 반면 주자학에 반하는 학문은 이단으로 간주하여 배척하는 경향이 강하여, 경직된 학문 풍토를 조성함으로써 새로운 시대의 변화에 능동적으로 적응할 수 없도록 스스로를 옭아매는 처지에 봉착되었던 것은 안타까운 일이 아닐 수 없다.

그러나 19세기 후반 조선이 서세동점(西勢東漸)의 시기를 당해 정치와 사회가 극도로 혼란에 처하자, 자가(自家)의 예제를 조선의 전통으로 간주하고 서구 열강의 문화 유입에 따른 예속의 변화에 거세게 저항하였다. 이들의 위정척사 사상은 한편으로 일제강점기를 당하여 반일사상(反日思想)로 전화(轉化)되어 일제의 만행(蠻行)에 항거하는 정신적 기저((基底)의 하나가 되었다는 점은 또한 부정되기 어렵다. 그러므로 이러한 굴곡의 역사를 겪으면서 논의된 수많은 예설들은, 앞으로

더욱 심도 있는 연구를 통해 조선후기 예학사적 입장에서 새롭게 평가받아야 마땅하다

참고문헌

1. 禮書 및 文集

[禮書] ※(예총), (예총보유)=韓國禮學叢書(경성대학교 한국학연구소)

『儀禮』

『周禮』

『禮記』

朱 熹, 『家禮』

丘 濬, 『家禮儀節』

康 逵, 『禮疑箚記』(예총70)

金景游, 『四禮正變』(예총보유12～13)

金禹澤, 『九峯瞽見』(예총63～65)

金長生, 『喪禮備要』(예총5)·『家禮輯覽』(예총5)·『家禮輯覽圖說』(예총5)·『疑禮問解』(예총6)·『疑禮問解拾遺』(예총6)

金在洪, 『四禮纂笏』(예총107)·『常變祝辭類輯』(예총107)

金鼎柱, 『喪禮便覽』(예총84)

金鍾厚, 『家禮集考』(예총52～53)

金 集, 『疑禮問解續』(예총9)·『古今喪禮異同議』(예총9)

金致珏, 『四禮常變纂要』(예총113)

朴建中, 『喪禮備要補』(예총73～74)·備要撮略條解』(예총75)·『初終禮要覽』(예총75)

朴珪壽, 『居家雜服攷』(예총85)

朴文鎬, 『四禮集儀』(예총101)

朴聖源,『禮疑類輯』(예총45～48)
朴世采,『家禮要解』(예총보유4)
朴世采,『六禮疑輯』(예총17～20)·『南溪先生禮說』(예총21～23)
朴胤源,『近齋禮說』(예총57)
朴政陽,『告祝輯覽』(예총116)
宋來熙,『禮疑問答四禮辨疑』(예총79)
宋秉珣,『四禮祝式』(예총97)
宋時烈,『尤菴經禮問答』(예총보유3～4)·『尤菴先生禮說』(예총보유4)
申錫愚,『讀禮錄』(예총84)
申在哲,『禮疑纂輯』(예총115)
吳載能,『禮疑類輯續篇』(예총보유11)
禹德隣,『二禮演輯』(예총82)·『二禮祝式纂要』(예총82)
兪 棨,『家禮源流』(예총12～13)
兪彦鏶,『五服名義』(예총51)
柳永善,『四禮提要』(예총109)
柳長源,『常變通攷』(예총54～56)
柳重教,『祭禮通攷服制總要』(예총97)·『四禮笏記』(예총97)
尹健厚,『三菴疑禮輯略』(예총82)
尹宣擧,『家禮源流』(예총14～15)
李奎鎭,『廣禮覽』(예총94)
李明宇,『臨事便攷』(예총97)
李應辰,『禮疑續輯』(예총93～94)
李宜朝,『家禮增解』(예총58～59)
李 縡,『陶菴疑禮問解』(예총보유8)
李 縡,『四禮便覽』(예총40)
李鍾弘,『家鄕彙儀』(예총112)·『廟儀』(예총112)
李 爀,『四禮纂說』(예총보유14)
任憲晦,『全齋先生禮說』(예총86)
田 愚,『艮齋先生禮說』(예총98)
鄭 琦,『四禮儀』(예총112)·『常變祝輯』(예총112)
鄭載奎,『四禮疑義或問』(예총97)

趙鎭球, 『儀禮九選』(예총71)·『儀禮九選別編』(예총72)·『喪禮證補』(예총72)
韓元震, 『儀禮經傳通解補』(예총43～44)
許 傳, 『士儀』(예총80～81)
洪直弼, 『梅山先生禮說』(예총77～78)
黃泌秀, 『增補四禮便覽』(예총99)·『喪祭類抄』(예총99)
법제처, 『국역 국조오례의』, 신흥인쇄주식회사, 1981.
국립문화재연구소 무형문화재연구실, 『국역 국조상례보편』, 민속원, 2008.
한국고전의례연구회, 『국역 사의』, 보고사, 2006.
한국고전의례연구회, 『국역 상변통고』, 신지서원, 2009.
한국고전의례연구회, 『국역 가례증해』, 민속원, 2011.

[文集]

權尚夏, 『寒水齋集』
權純命, 『陽齋集』
金 榦, 『厚齋集』
金 㽮, 『念齋集』
金 集, 『愼獨齋遺稿』
金相進, 『濯溪集』
金元行, 『渼湖集』
金長生, 『沙溪遺稿』
金駿榮, 『炳菴集』
金鎭圭, 『竹泉集』
金澤述, 『後滄集』
金平默, 『重菴集』
奇宇萬, 『松沙集』
奇正鎭, 『蘆沙集』
金履安, 『三山齋集』
金正默, 『過齋遺稿』
金鍾厚, 『本菴集』
金昌協, 『農巖集』
盧澈秀, 『百泉集』
柳重教, 『省齋集』
李 采, 『華泉集』
李象秀, 『峿堂集』
李世弼, 『龜川遺稿』
李載毅, 『文山集』
朴光一, 『遜齋集』
朴世堂, 『西溪集』
朴世采, 『南溪集』
朴胤源, 『近齋集』
朴準源, 『錦石集』
蘇學奎, 『說齋集』
蘇輝冕, 『仁山集』
宋近洙, 『立齋集』

宋能相,『雲坪集』
宋達洙,『守宗齋集』
宋德相,『果菴集』
宋明欽,『櫟泉集』
宋文欽,『閒靜堂集』
宋秉璿,『淵齋集』
宋秉珣,『心石齋集』
宋相琦,『玉吾齋集』
宋時烈,『宋子大全』
宋翼弼,『龜峯集』
宋浚吉,『同春堂集』
宋稺圭,『剛齋集』
宋煥箕,『性潭集』
楊應秀,『白水集』
吳震泳,『石農集』
吳熙常,『老洲集』
元景夏,『蒼霞集』
魏伯珪,『存齋集』
兪 棨,『市南集』
柳永善,『玄谷集』
柳麟錫,『毅菴集』
柳重教,『省齋集』
尹鳳九,『屛溪集』
李 縡,『陶菴集』
李炳殷,『顧齋集』
李天輔,『晉菴集』
李恒老,『華西集』
李喜璡,『遠齋集』
任聖周,『鹿門集』
任憲晦,『鼓山集』
田 愚,『艮齋集』
丁大秀,『陽泉遺稿』
鄭載圭,『老柏軒集』
趙斗淳,『心菴遺稿』
趙秉悳,『肅齋集』
趙有善,『蘿山集』,
崔秉心,『欽齋集』
崔琡民,『溪南集』
崔益鉉,(勉菴集』
韓運聖,『立軒集』
韓元震,『南塘集』
許 穆,『記言別集』
玄尙壁,『冠峯遺稿』
洪直弼,『梅山集』
黃景源,『江漢集』
黃胤錫,『頤齋遺藁』

2. 저서

姜周鎭,『李朝黨爭史硏究』, 서울대학교출판부, 1971.
姜斅錫,『典故大方』, 명문당, 1987.
계승범,『정지된 시간; 조선의 대보단과 근대의 문턱』, 서강대학교출판부, 2011.

고영진, 『조선중기 예학사상사』, 한길사, 1995.
권오영, 『조선후기 유림의 사상과 활동』, 돌베개, 2003.
금장태, 『유학근백년; 기호 계열의 도학』, 한국학술정보(주), 2004.
金鍾嘉, 『溪山淵源錄』
김문식, 『조선시대 國家典禮書의 편찬 양상』, 장서각, 2009.
______, 『朝鮮後期 經學思想研究』, 일조각, 1996.
문숙자, 『68년의 나날들, 조선의 일상사』, 너머북스, 2009.
배상현, 『조선조 기호학파의 예학사상에 관한 연구』, 고려대학교 민족문화연구소, 1996.
변원림, 『순원왕후 독재와 19세기 조선사회의 동요』, 일지사, 2012.
尹榮善, 『朝鮮儒賢淵源圖』, 동문당, 1941.
이상익, 『畿湖性理學論考』, 심산, 2005.
______, 『주자학의 길』, 심산, 2007.
이성무, 『조선시대당쟁사』1·2, 아름다운날, 2007.
李宜哲, 『陶菴先生家狀』, 국립중앙도서관본(필사본)
장영숙, 『고종의 정치사상과 정치개혁론』, 선인, 2010.
장지연, 『조선유교연원』, 솔, 1998.
정경주, 『한국고전의례상식』, 신지서원, 2010.
______, 「조선의 예속 문명과 『주자가례』」: 『주자학의 고전, 그 조선적 해석과 실천』, 부산대학교 점필재연구소 고전번역학센타, 점필재, 2017.
최석기, 『中國經學家事典』, 경인문화사, 2002.
최영성, 『한국유학통사』(上中下), 심산, 2006.
허권수, 『朝鮮後期 文廟從祀와 禮訟』, 술이, 2013.
『숙종실록』, 『경종실록』, 『영조실록』, 『정조실록』, 『순조실록』, 『헌종실록』, 『철종실록』, 『고종실록』

3. 논문

곽신환, 「송시열의 예사상과 비판정신」, 『사회과학논총』1, 1983.
金賢壽, 「玄谷 柳永善의 禮學思想-『四禮提要』를 中心으로-」, 『간재학논총』17, 2014.
김봉곤, 「湖南地域의 奇正鎭 門人集團의 分析」, 『호남문화연구』44, 2009.
김윤정, 「18세기 京華士族의 禮學-近齋 朴胤源의 『近齋禮說』을 중심으로, 『향토서울』82, 2012.
______, 「18세기 本菴 金鍾厚의 『家禮集考』 편찬과 그 의미」, 『한국실학연구』30, 2015.
______, 「18세기 사복師服의 성격과 실제-양응수의 「축장일기」를 중심으로-」, 『국학연구』23, 2013.
______, 「18세기 禮學 연구-洛論의 禮學을 중심으로-」, 한양대 박사학위논문, 2011.
______, 「謙齋 朴聖源의 禮學과 『禮疑類輯』의 성격」, 『韓國文化』6, 2013.
______, 「白水 楊應秀의 「四禮便覽辨疑」 연구」, 『규장각』44, 2014.
______, 18세기 사복師服의 성격과 실제-양응수의 「축장일기」를 중심으로-, 『국학연구』23, 2013.
김태완, 「율곡학파의 예학」, 『율곡사상연구』20, 2010.
김현수, 「17세기 전반 栗谷學派禮學의 爭點과 傾向연구-『疑禮問解』, 『疑禮問解續』을 중심으로-」, 『한국철학논집』41, 2014.
______, 「畿湖禮學의 形成과 學風-栗谷·龜峯의 特徵과 傳承을 중심으로-」, 『儒學研究』25, 2011.
______, 「尤菴과 東洋思想~宋時烈의 禮學思想 考察-時宜的, 義理的 思考를 中心으로-」, 『동서철학연구』48, 2008.
______, 「栗谷 李珥의 禮論과 哲學的背景-誠을 중심으로-」, 『동양철학연구』67, 2011.
남재주, 「조선후기 예학의 지역적 전개 양상 연구-영남지역 예학을 중심으로-」, 경성대 박사학위논문, 2012.

노인숙, 「沙溪禮學考-『가례집람』과 『상례비요』를 중심으로-」, 『사계사상연구』, 사계신독재양선생기념사업회, 1991.
도민재, 「龜峯 安翼弼의 思想과 禮學」, 『東洋古典硏究』28, 2007.
______, 「南溪 『三禮儀』 淺析(1)-「冠禮儀」와 「昏禮儀」를 중심으로-」,『한국철학논집』46, 2015.
______, 「南溪 『三禮儀』 淺析(Ⅱ)-「祭禮儀」를 중심으로-」,『儒學硏究』36, 2016.
______, 「尤菴 宋時烈의 家禮觀」, 『儒學硏究』31, 2014.
______, 「율곡 예학사상의 철학적 기반과 특성」, 『東洋哲學硏究』23, 2000.
朴榮壽, 「栗谷의 禮學에 關한 考察-喪禮와 祭禮를 中心으로-」, 『論文集』21, 1984.
박종천, 「일상의 聖化를 위한 유교적 의례화-율곡 이이의 예학적 구상-」,『儒學硏究』31, 2014.
박홍식, 「인물성동이론」, 『경산대학논문집』16, 1998.
배상현, 「구봉 송익필의 예학사상」, 『동악한문학논집』2, 1985.
______, 「宋時烈의 禮學사상과 그 義理化」, 『韓國思想과 文化』42, 2008.
______, 「朝鮮朝 畿湖學派의 禮學思想에 關한 연구-宋翼弼·金長生·宋時烈을 中心으로-」, 高麗大 박사학위논문, 1991.
성봉현, 「운평 송능상의 생애와 사상」, 『宋子學論叢』4, 1997.
成周鐸, 「同春堂 宋浚吉의 生涯와 遺蹟」, 『儒學硏究』4, 1996.
宋熹準, 「18세기 永川 地域의 『家禮』 註釋書에 대하여」, 『韓國의 哲學』28, 慶北大學校 退溪硏究所, 2000.
신난식, 「율곡의 상례에 대한 고찰」, 『목포해양대학논문집』14, 1980.
안희재, 「조선시대 국왕의례 연구-국왕 국장을 중심으로-」, 국민대 박사학위논문, 2010.
우경섭, 「송시열의 화이론과 조선중화주의 성립」, 『진단학보』101, 2006.
유승국, 「사계 김장생의 예학에 관한 연구」, 『김규영교수화갑기념논총』, 1979.
유영옥, 「鶴峯 金誠一의 父親喪 行禮 儀節」, 『東洋漢文學硏究』21, 2005.
윤사순, 「예학시대 유학사상의 이해문제」, 『국학연구』13, 2008.
이경구, 「호락논쟁을 통해 본 철학논쟁의 사회정치적 의미」, 『한국사상사학』26,
이범직, 「율곡 이이의 예禮論과 孝思想」, 한국청소년효문화학회, 『청소년과 효문화』, 2009.

______, 「율곡의 사상과 禮學」, 『東洋哲學研究』13, 1992.
______, 「圃隱과 家禮」, 『인문과학논총』30, 건국대학교 인문과학연구소, 1998.
이봉규, 「상례 쟁점을 통해 본 『국조상례보편』의 지향-「고금상례이동의」와 『국조상례보편』의 관련 양상을 중심으로-」, 『동양철학』36, 2011.
이소정, 「龜峯 宋翼弼의 禮學思想 研究-祭禮를 중심으로-」, 成均館大 大學院 석사학위논문, 2001.
이소정, 「구봉 송익필의 이기심성론 연구-예학과의 연관성을 중심으로-」, 『한국철학논집』10, 2001.
李承姸, 「조선조에 있어서 가례의 절대성과 그 변용의 논리」, 『韓國의 哲學』20, 慶北大學校 退溪研究所, 1992.
이영춘, 「『의례문해』에 나타난 사계의 예학사상」, 조선사회연구회, 1998.
이원택, 「17세기 복제예송이 18세기 복제 예론에 미친 영향-예론의 지역적 분립과 학파 내의 분화를 중심으로-」, 『국학연구』13, 2008.
이유진, 「율곡 '立後議' 敷衍」, 『율곡사상연구』4, 2001.
張東宇, 「畿湖 禮學의 進展 過程-『家禮儀節』에 대한 대응을 중심으로-」, 『泰東古典研究』29, 2012.
______, 「『喪禮通載』의 禮學史的 位相」, 『泰東古典研究』32, 2014.
장세호, 「沙溪 金長生 禮說의 研究, 고려대 박사학위논문, 1992.
장숙필, 「율곡의 예사상」, 『율곡사상연구』5, 2002.
전재동, 「朝鮮 儒學者들의 "朱子晩年定論說" 收容과 批判에 관한 研究」, 『영남학』12, 2007.
鄭景柱, 「許性齋 禮說의 收養子 문제에 대하여」, 『문화전통논집』8, 경성대 한국학연구소, 2000.
______, 「江右地方 許性齋 門徒의 學風」, 『남명학연구』10, 2000.
______, 「性齋 許傳의 士儀 禮說에 대하여」, 『東洋漢文學研究』19, 2004.
______, 「許性齋 士儀 禮說에 수용된 退溪學派의 예학관점」, 『퇴계학논총』10·11, 2005.
______, 「晩醒 朴致馥의 禮說에 대하여」, 『만성 박치복의 학문과 사상』, 술이, 2007.
______, 「勿川 金鎭祜의 禮學思想」, 『물천 김진호의 학문과 사상』, 술이, 2007.
______, 「『家禮補疑』에 반영된 조선후기 家禮學의 성과와 문제」, 『영남학』14,

2008.
鄭吉連, 「艮齋 田愚의 師服說의 淵源과 意義」, 『인문학논총』30, 2012.
______, 「梅山 洪直弼의 禮說研究, 경성대 석사학위논문, 2008.
______, 「全齋 任憲晦의 祭禮 고찰」, 『동양한문학연구』38, 2014.
______, 「近齋 朴胤源 '三禮' 的意義」, 『孟子研究系列文叢』2, 2015.
조성산, 「18세기 낙론계 학파의 변모양상 연구」, 『역사교육』102, 2007.
조영숙, 「沙溪 金長生의 禮學思想 研究-『家禮輯覽』「昏禮篇」을 중심으로-」, 成均館大 석사학위논문, 2004.
조준호, 「朝鮮 肅宗~英祖代 近畿地域 老論學脈 研究」, 국민대 박사학위논문, 2004.
조효순, 「조선 초기 혼례 풍속 연구-『家禮輯覽』을 중심으로-」, 『복식문화연구』, 1997.
짱위자, 「陶菴 李縡의 예학과 爲人之道 연구-『四禮便覽』 「혼례편」을 중심으로-」, 경희대 석사박위논문, 2015.
차미영, 「朝鮮時代 喪禮의 죽음 교육적 含意-金長生의 『沙溪全書』를 중심으로-」, 동국대 박사학위논문, 2016.
최석기, 「17,8세기의 학술동향과 성호 이익의 경학」, 『남명학연구』16, 2003.
______, 「한국경학사의 연구현황과 과제」, 『한국인물사연구』창간호, 2004.
최영성, 「龜峯 宋翼弼의 思想研究-性理學과 禮學의 關聯性을 中心으로-」, 成均館大 유학대학원, 석사학위논문, 1992.
______, 「남당학의 근본 문제와 학파의 계승 양상」, 『儒學研究』31, 2014.
漢基範, 「구봉 송익필의 예학사상」, 『韓國思想과 文化』60, 2011.
______, 「沙溪 金長生과 愼獨齋 金集의 禮學思想 研究」, 忠南大 박사학위논문, 1990.
______, 「尤菴의 禮學과 禮思想」, 『宋子學論叢』4, 1997.
______, 「우암의 예학사상과 현대사회」, 『韓國思想과 文化』14, 2001.
______, 「全齋 任憲晦와 禮學思想」, 『간재학논총』14, 2004.
______, 「朝鮮中期 湖西·嶺南 禮家의 禮說交流-『疑禮問解』의 分析을 중심으로-」, 『東洋禮學』1, 1998.
______, 「『의례문해』의 예설교류」, 동양예학회, 『동양예학』1, 1998.
한재훈, 「退溪禮說에 대한 沙溪의 비판과 계승-『疑禮問解』와 「『喪祭禮答問』辨

疑」 분석을 중심으로-」, 『한국실학연구』30, 2015.
解光宇, 「朱子와 艮齋의 禮學思想 -주자의 『家禮』와 『艮齋禮說』의 宗法思想을 중심으로-」, 『간재학논총』8, 2008.

찾아보기

가

저자 소개

정길연(鄭吉連)
瑞巖 金熙鎭先生 師事(漢學)
雪嵒 權玉鉉先生 師事(漢學)
방송통신대학교 국문학과 졸업(2005)
경성대학교 한국학과 석사학위 취득(2008)
경성대학교 한국학과 박사학위 취득(2018)

• 저술
『국역 가례증해』(공역), 민속원, 2011.
『한자로 읽는 부산과 역사』, 도서출판3, (공저), 2016.

• 현) 부산교육대학교 평생교육원 고전강독 강사
경성대학교 외래교수
학연서당 원장